AF138677

66 Jahre und

kein bisschen Weise

von Gerhard Keller

unter anderem mit

41 Jahre und 9 Monate
Mein Lebensweg in der Auricher Behörde, angefangen
am 1. April 1970 beim letzten Häuptling der Ostfriesen -
und beendet am 31. Dezember 2011 beim unpersönlichen
OFD-LBV Aurich

(eine ungewöhnliche biographische Darstellung gespickt
mit kleinen Anekdoten)

Impressum:
Gerhard Keller: 66 Jahre und kein bisschen Weise - Aurich im Dezember 2014
Alle Rechte am Werk liegen beim Autor: Gerhard Keller, Memmertstraße 8,
26603 Aurich
Lektor: Diplom-Bibliothekar Johannes Weiler, Emden
Ein Titeldatensatz für diese Publikation ist bei der Deutschen Nationalbibliothek
erhältlich.
Bildrechte: Eigene Bilder
Erstauflage
Herstellung und Verlag
BoD – Books on Demand, Norderstedt

ISBN 978-3-7347-3526-4 (Hardcover)
ISBN 978-3-7347-3534-9 (Taschenbuch)

Inhalt:

Drei Aktivisten für Auricher Interessen

Von links: Heinz-Werner „Winni" Windhorst, Bürgermeister der Stadt Aurich, der Unruheständler Gerhard Keller und Wiard Siebels, direkt gewähltes Mitglied des Niedersächsischen Landtages. Das Foto wurde am 17. Juli 2014 im Rathaussaal der Stadt Aurich aufgenommen.

Vorwort

Als Bürgermeister der Stadt Aurich, aber auch als Freund, beglückwünsche ich Gerhard Keller für die Herausgabe seines ersten Buches. Gerhard hat es in seiner ureigensten Art verstanden (direkt wie immer - ohne Netz und doppelten Boden) die wichtigsten Ereignisse seines bisherigen Lebensweges in diesem Buch nachzuzeichnen. An viele geschilderte Ereignisse der letzten 30 Jahre in Gerhards Eigenschaft als Parteipolitiker, Gewerkschaftler und Personalrat erinnere ich mich sehr gerne zurück, auch weil wir in dieser Zeit immer wieder bestimmte Wegstrecken gemeinsam zurückgelegt haben - ich denke hier in erster Linie an unsere gemeinsame Vergangenheit als Gewerkschaftler in der ÖTV und als Personalrat - Gerhard bei der Bezirksregierung Weser-Ems, Außenstelle Aurich und beim NLBV Aurich und ich bei der Stadt Aurich.

Als aktueller Bürgermeister der Stadt Aurich muss ich mich für die hervorragenden Leistungen Gerhards zum Erhalt Auricher Arbeitsplätze bedanken. Ob nun in den 1980iger Jahren Gerhards Einsatz zur Ansiedlung des Bezirksrechenzentrums als Kompensation für verlustige Arbeitsplätze in der Regierungsbezirkskasse Aurich (wo er durch besondere Hartnäckigkeit die damalige Landesregierung durch deren Wackelpolitik schlecht aussehen ließ) oder Gerhards Ideen und sein Einsatz zur Gründung des Niedersächsischen Landesamtes für Bezüge und Versorgung (NLBV) in den 1990iger Jahren als Ersatz für die drohende Schließung der Außenstelle Aurich mit ca. 340 Arbeitsplätzen zum 31. Dezember 1999 - Gerhard hat damals bei der Politik und der Landesregierung ohne Rücksicht auf eigene Befindlichkeiten knallharte Überzeugungsarbeit geleistet und seine Vorstellungen und Ideen fast zu 100 % durchgesetzt.

Bei Gerhards Schilderungen aus seiner „Sturm- und Drangzeit" fühlte ich mich selbst an meine Jugendzeit erinnert. - Ja, das waren goldige Zeiten.

Ich wünsche Gerhard viel Erfolg mit seinem ersten Buch.

Heinz-Werner Windhorst
Bürgermeister der Stadt Aurich

Vorwort

Gerne schreibe ich meinem Freund und politischen Mitstreiter ein Vorwort zu seinem ersten Buch. Es ist gut und richtig, dass Gerhard sich auf Wunsch seiner Freunde und Weggefährten die Zeit genommen hat unter anderem seine Erfahrungen und Erlebnisse in einer Auricher Landesbehörde niederzuschreiben. Dies umso mehr, weil dieser Bereich am Behördenstandort Aurich traditionell eine große Bedeutung hatte und hoffentlich auch weiter haben wird. Es ist gut, dass die Erlebnisse, die Gerd beispielhaft für eine ganze Generation aufgeschrieben hat, nicht in Vergessenheit geraten.

Viele der Ereignisse kenne ich nur aus den Erzählungen meiner Vorgänger und aus Presseberichten. Unvergessen bleibt aber Gerds Einsatz, der schon in den 80er Jahren für den Erhalt und den Ausbau der Auricher Behörde sorgte, dessen Höhepunkt die Gründung eines eigenständigen Landesamtes in den 90er Jahren war. Leider sind solche Erfolge nicht zwangsläufig auch von Dauer geprägt, wie die jüngere Vergangenheit bewiesen hat. Gradliniges, hartnäckiges Engagement in Staat und Gesellschaft, auch in Parteien und Gewerkschaften, ist auch heute noch von Nöten, Gerhard Keller kann hier als Vorbild auch für zukünftige Generationen dienen.
Ohne jede einzelne Passage des Buches „Korrektur" gelesen zu haben, weiß ich doch auch um die humorvollen Seiten solchen Engagements, die niemand besser erzählen könnte als eben Gerhard Keller. Die nachfolgende „trockene Materie" wird so zu dem, was sie für viele bis heute auch ist: eine schöne Erinnerung an vergangene Tage.

Ich wünsche Gerhard viel Erfolg mit seinem ersten Buch.

Wiard Siebels
SPD-Abgeordneter des Niedersächsischen Landtages

66 Jahre und kein bisschen Weise

Kinder, wie die Zeit vergeht...

Wir haben jetzt Ende September 2013. Mit dem Herbst beginnt schon wieder die dunkle Jahreszeit. Apropos Herbst... Auch ich bin im Herbst meines Daseins angelangt, denn in ein paar Tagen feiere ich meinen 66sten Geburtstag.

1975 trällerte der Schauspieler Curd Jürgens anlässlich seines 60igsten Geburtstag den Chanson: „*60 Jahre – und kein bisschen weise*" - nunmehr, fast 6 Jahre älter, kann ich diese Jürgensche Weisheit auch auf mich beziehen..., von Weisheit und leisen Tönen keine Spur - und das ist auch gut so.

Ich erwische mich in den letzten 2 Jahren zunehmend dabei, dass man an seine Sturm- und Drangzeit nicht nur wehmütig zurück- sondern auch über deren Sinnhaftigkeit nachdenkt - was hat´s gebracht, welche Schlüsse und welchen Nutzen und welche Lehren kann man daraus ziehen? Automatisch stellt man sich bei solchen Nachdenklichkeiten die Frage nach dem „Warum", und ob man aus heutiger Sicht immer noch zu dem steht was man damals so alles inszeniert hat?

Wie alles begann

Am 5. Oktober 1947 erblickte ich in Marienhafe (früher der letzte Zufluchtshafen des Seeräubers Klaus Störtebeker) das Licht dieser Welt. Mein Vater (Jahrgang 1912) war gelernter Schmied und Schlosser, und hat 1931 durch eine berufliche Fortbildung sich noch zusätzlich zum „Sonderschweißer in schwer zugänglichen Räumen" ausbilden lassen. Da auf Schiffswerften solche Fähigkeiten gefragt, aber das Angebot mit entsprechenden Kenntnissen und Fähigkeiten klein war, war er auf den Werften ein gefragter Facharbeiter. Meine Mutter (Jahrgang 1913) war eine gelernte Schneiderin, die im elterlichen Betrieb, in der Marienhafener Rosenstraße, bis zum Tode ihres Vaters mitarbeitete. Ab Mitte 1953 wurde diese Schneiderei von meiner Mutter jedoch aus wirtschaftlichen Gründen nicht weitergeführt (Kleider von der Stange waren nun hauptsächlich gefragt). Im März 1950 wurde mein kleiner Bruder geboren, der jedoch schon 1996 an einer schweren Krankheit leider viel zu jung verstarb.

Mein Bruder und ich hatten eine schöne und behütete Kindheit, doch Engel waren wir beide nun wahrlich nicht (unsere damaligen Nachbarn konnten ein Klagelied davon singen).

Und auch im Elternhaus, wenn wir es mal wieder „draußen" zu bunt trieben, wurden uns ab und an auch mal die Ohren lang gezogen - und der „Hosenboden" machte auch mal Bekanntschaft mit den „Schmiedehänden" des Vaters, doch geschadet hat es uns nicht.

Schon in jungen Jahren wurde ich im Elternhaus durch mitgehörte Gesprächsfetzen mit politisch vergangenen und aktuellen Realitäten unseres Landes durch die Aktivitäten meines Vaters konfrontiert.

Mein Vater, war schon vor 1933 ein regional bekannter Gegner der Nazis. Vor den Reichstagswahlen 1932 hat mein Vater zusammen mit einem Freund in der Auricher Innenstadt ein Spruchband über die Straße (jetzt Fußgängerzone) mit der Aufschrift „Wer wählt Hitler, wer wählt Papen - dicke Buuren und dumme Schaapen" angebracht. Sie wurden bei dieser Aktion beobachtet und bei der Auricher NSDAP verpfiffen. Danach folgte ab 1933 ein Spießrutenlauf, und er stand auch beruflich (zuerst bei der Emder Werft und anschließend als von den Nazis dienstverpflichteter „Spezial-Schweißer auf doppelbödigen Kriegsschiffen" bei der Marinewerft Wilhelmshaven) unter ständiger Beobachtung.

Die anderen Konsequenzen muss ich hier wohl nicht mehr im Besonderen erwähnen. Seinen „Zwangskriegsdienst" absolvierte er am Nordkap. Dort war er als Schadenseinsatzhelfer während und nach feindlichen Bombenangriffen eingesetzt (während sich die reguläre Truppe in Bunkern in Sicherheit brachte). Bei diesen Aufräumarbeiten der Schäden ist er durch Bombensplitter mehrfach leicht verletzt worden. Seine Befreiung erfolgte durch die Engländer in Norwegen. Er wurde gleich nach Beendigung des Krieges von den Briten und Kanadiern zum Wiederaufbau des Landes dienstverpflichtet. Weder der Landkreis noch der Regierungspräsident haben ihn für seine nachstehenden Aufgaben nominiert, sondern die Alliierten selbst haben dies getan und somit war er den deutschen Behörden nicht berichts- und weisungspflichtig. Sein Ansprechpartner war einzig und allein Oberst Hawkins von den Alliierten. Anfangs war er für die Flüchtlingsunterbringung und deren Verpflegung zuständig. Mit Beginn der Entnazifizierung wurde er dem entsprechenden Kommando – Spruchkammer Aurich - zugeteilt. Außerdem war er von den Alliierten beauftragt, sich an der Suche nach untergetauchten ehemaligen Nazis zu beteiligen, die dann mittels Militärpolizei dingfest zu machen waren. Mein Vater war damals dafür bekannt, dass er in der Wahl seiner Mittel nicht gerade zimperlich war.

Die persönlichen freundschaftlichen Kontakte meines Vaters mit Vertretern der damaligen Siegermächte bestanden bis zu seinem Tod, im Jahre 1982, fort. So kann ich mich noch sehr gut an zwei deutschstämmige englische Offiziere erinnern, die wegen der Untaten der Nazis Mitte der 1930iger Jahre von Deutschland nach England emigrierten, und nach Beendigung des Krieges zur politischen Abteilung der Alliierten in Westdeutschland gehörten. Beide Offiziere besuchten meinen Vater manchmal mehrfach im Jahr (besonders in den 1950 / 60iger Jahren). Es versteht sich wohl von selbst, dass ich in diesem Zusammenhang sehr viele Informationen über die Nazis sammeln konnte. Somit ist es für mich eine Selbstverständlichkeit, mich bis zum heutigen Tage intensiv und nachhaltig mit dem Thema Nationalsozialismus, und was daraus in der Bundesrepublik wurde, auseinander zu setzen. Anzumerken ist des Weiteren, dass wir als Familie wegen der Aufgaben meines Vaters im Auftrage der Siegermächte nach der schweren Erkrankung meines Vater („Schweißer-Zinkvergiftung" durch seine Arbeit im Doppelboden der Kriegsschiffe in Wilhelmshaven) ab Ende der 1950iger Jahre bis in die 1980iger Jahre hinein mit Hass und Hetze überschüttet wurden.

Schon im Kindesalter fiel meinem Bruder und mir auf, dass bestimmte Kinder aus unserem Heimatort Marienhafe nicht mit uns spielen durften (auch später nicht auf dem Schulhof, der damals mit dem Marktplatz identisch war). Da wir jedoch genügend Freunde hatten, störte uns dieser Umstand nicht sonderlich. Erst viele Jahre später haben diese Jungs mit einem Ton des Bedauerns eingestanden, dass man wegen der politischen Vergangenheit meines Vaters auf Geheiß der Eltern seinerzeit nicht mit uns spielen durfte.

Der Augenunfall

Kurz vor Weihnachten 1959, ich war seit etlichen Wochen damit beschäftigt, meinen Eltern zum Fest ein Wandbild von 80 X 50 cm aus Sperrholz zu fertigen (ein Waldmotiv mit Rehen als Laubsägearbeit mit vielen kleinen Details). Ich war damals optimal im Zeitplan. Doch bevor das Werk bemalt werden konnte, mussten noch ein paar Drillbohrarbeiten mit kleinen Sägearbeiten verrichtet werden. Und bei diesen letzten Drillbohrarbeiten passierte es dann, der Bohrer brach am Bohrfutter ab (warum auch immer), und ein ca. 2 cm großer Teil des Bohrers drang mit großer Wucht (durch die Spannung des Werkstückes) in mein rechtes Auge ein und blieb dort stecken. Eine sofortige Notoperation wurde erforderlich, ebenso eine zweite Operation im März 1960. Doch das volle Sehvermögen des rechten Auges konnte nicht gerettet werden (Horn- und Netzhaut waren irreparabel beschädigt). Auf dem rechten Auge blieb mir nur ein schemenhaftes Sehvermögen.

Die Umstellungsphase auf die sogenannte „Einäugigkeit" dauerte ca. 3 Jahre. Danach konnte ich sogar weitgehend ohne Brille zurechtkommen (nur beim Lesen, und anschließend zur Erlangung des Führerscheins, wurde eine Brille benötigt). Meine mir vorgenommene weitere Schulausbildung ab April 1960 konnte ich jedoch vergessen, da ich bis März 1963 in der Schule auf eine Vorlesekraft angewiesen war (diese Aufgabe wurde dankenswerterweise von einem Mitschüler übernommen – die Schule hatte hierfür kein Verständnis, und hat mir damals auch keine entsprechenden Hilfen gewährt). Trotzdem habe ich damals einen brauchbaren Schulabschluss zu Wege gebracht.

Doch wie es so ist, kommt selten ein Unglück allein. 1991 zog ich mir auf dem linken (dem gesunden) Auge eine Gürtelrose zu, womit ich 14 Tage lang in täglicher augenärztlicher Behandlung war. Trotzdem blieb eine Trübung der Linse zurück. Seit diesem Zeitpunkt bin ich arbeitstechnisch bildschirmuntauglich (bis auf eine halbe Stunde am Tag habe ich zur Informationsgewinnung, um eine Überlastung des linken Auges zu verhindern, da sonst durchaus eine Erblindung möglich ist).

Mein erster Einsatz als Rebell in der Schule

So war es dann auch, nach den Sommerferien im Jahr 1961. Unser damaliger Klassenlehrer Gerhard C. hatte uns in den letzten Tagen ausgiebig und überschwänglich über seine guten aktiven Erfahrungen mit der HJ (Hitlerjugend) berichtet. In diesem Zusammenhang erzählte er uns so beiläufig auch, dass die damaligen HJ-Utensilien immer noch in seinem Besitz waren (er hätte diese, wie von den Alliierten bei Kriegsende befohlen, damals nicht vernichtet). Man konnte bei C. Schilderungen, 16 Jahre nach dem Untergang Nazi-Deutschlands, seinen ungebrochenen Stolz erkennen, damals war er ein leitendes Mitglied der Hitler-Jugend gewesen zu sein - von Reue und / oder Zurückhaltung war jedoch keine Spur!

Für mich stand damals fest, dass dieser Fehltritt des Gerhard C. ein Nachspiel haben muss, ohne ihn bei meinem Vater und den Alliierten anzuschwärzen. Dieser Denkzettel muss aber so drastisch sein, dass ihm das mehr als nur eine Warnung sein sollte.

Ich weiß nicht mehr genau wann das war, aber irgendwann hatte unser Klassenlehrer Gerhard C. einen sogenannten „Kummerkasten" im Klassenzimmer installiert, indem jedermann des Klassenverbands anonym Fragen stellen konnte, die dann im Unterricht auch besprochen werden sollen.
Und genau in diesem „Kummerkasten" platzierte ich anonym die Frage: „Was versteht man unter dem Begriff Entnazifizierung und welche Lehren haben wir aus dem Nationalsozialismus zu ziehen".

Ein paar Tage später dann der Wutausbruch des Gerhard C.. Ihm ging es jetzt nicht um die Besprechung der gestellten Frage, und auch die von ihm festgelegte Anonymität des Fragestellers spielte auf einmal keine Rolle mehr. Er wollte nunmehr nur noch wissen, wer von uns sich erdreistet hatte, eine solche „schmutzige Frage" zu stellen. Es folgte eine Schimpfkanonade ohne Ende, er sprach von Vertrauensbruch usw. Er warf dem „Schreiberling" Feigheit vor, wenn er sich hier und jetzt nicht zu erkennen gibt. Dem Klassenverband forderte er auf den Schreiberling zu benennen, damit der Schulfrieden nicht gefährdet wird.

Vorstehender Aufruf wiederholte sich in den kommenden Tagen mehrfach. Die Antworten auf meine anonymen Fragen ist er uns jedoch schuldig geblieben!

Erst nach Beendigung der Schulzeit, bei einem zufälligen Zusammentreffen mit meinem ehemaligen Klassenlehrer Gerhard C. auf dem Sportplatz im Jahre 1964, habe ich ihm klar und unmissverständlich zu verstehen gegeben, dass ich der anonyme Fragesteller war, und was ich mit diesen Fragen bezweckte. Ich konnte es damals an seiner Nasenspitze ablesen, dass die Wut bei meinen Worten wieder in ihm brodelte - doch erwidert hat er nichts. Er ging wortlos seines Weges und ließ mich, der nunmehr zufrieden grinste, zurück. Danach haben sich unsere Wege niemals wieder gekreuzt. Und seiner späteren Karriere hat dieser Warnschuss auch nicht geschadet - vielleicht hatte er inzwischen begriffen, dass man über Jugendsünden auch besser mal die Klappe hält, als diese noch in Unterrichtsstunden zu verherrlichen.

Meine Sturm- und Drangzeit in den 1960iger Jahren

Wie sehr die „große" konservative Bonner Politik und die „alten Eliten" des tausendjährigen Reiches, die gleichzeitig wieder Stützpfeiler der „neuen" bundesdeutschen Gesellschaft waren, das Volk manipulierten, kann man erkennen, wenn man die Kultur-szene der 1950iger und 1960iger Jahre einmal Revue passieren lässt. Alles stand in unserer Republik damals unter dem Motto: „Kritik im Keime ersticken", „Friede – Freude – Eierkuchen" verbreiten und den Bürgern „eine heile intakte Welt vorgaukeln".

Das bundesdeutsche Volk wurde damals mit einer blenderischen seichten Heimatwelle und sonstigen inhaltsleeren Streifen in den Kinos bis zum Erbrechen überschwemmt und im wahrsten Sinne des Wortes weichgespült. Von den Leinwänden strahlten wieder die „Edelhelfer Hitler-Deutschlands" aus der Schule des NS-Propagandaministers Joseph Goebbels - wie z. B. Heinz Rühmann, Hans Albers, Ilse Werner und andere. Genauso verhielt es sich mit der Musik - Operetten, öde Schnulzen und billige Schlager waren angesagt - bis die Ohren abfielen. Schnulzenkönige wie Fred

Bertelmann, Peter Alexander, Rudi Schuricke und andere mit ihren biederen nichtssagenden Schlagern zum Mitklatschen waren angesagt. Doch, das war nicht unsere Welt. Die Rundfunkanstalten waren scheinbar mit den Plattenfirmen gleichgeschaltet, denn andere, modernere Musik wurde schlichtweg nicht gesendet geschweige produziert. Die Bundesrepublik sollte und musste für seine Bürger eine Insel der Glückseligen bleiben, sodass man über die schlimme Vergangenheit nicht mehr nachzudenken brauchte.

Vielen Bürgern gefiel das damals auch, wurde man doch damit von den Sorgen um die eigene Vergangenheit zumindest ein wenig abgelenkt - und öffentlich was dazu zu sagen hatte man ja eh nicht (dafür fehlte nicht nur der Mut, sondern auch die Übung – im Dritten Reich war man ja ohnehin sprachlos vor Glückseligkeit geworden). Die besser Betuchten schafften sich ohnehin ihre eigene heile Welt (waren auf den von oben verordneten Einfaltsbrei nicht angewiesen).

Durch die Jahrmärkte in Marienhafe (zweimal im Jahr) war ich Ende der 1950iger Jahre auf die Rock n Roll Musik aufmerksam geworden. Diese Musik, die in deutschen Rundfunk-Anstalten nicht gespielt wurde, gab es nur in Kalli Meyers „Autorennbahn" - später in „Hula Hopp Song" umbenannt. Es muss so um das Jahr 1959 / 1960 gewesen sein, als ich die Gelegenheit wahrnahm mich bei den Alliierten Besucher meines Vaters zu erkundigen, wo, wann und bei welchen Alliierten Sendern ich meine Rock n Roll Musik hören konnte. Mir wurden daraufhin die Alliierten Radiosender AFN und BFBS und deren Sendezeiten genannt.

Da meine Eltern bezüglich meines Musikgeschmacks human waren, hatte ich nun auch die Möglichkeit im Elternhaus meine Musik zu hören - auch mit ein bisschen mehr Lautstärke.

Mit dem Rock n Roll veränderte sich ab Ende der 1950iger Jahre für mich meine bisherige Welt. Nun spielten die Stars wie z. B. Elvis Presley, Fats Domino, Jerry Lee Lewis, Chuck Berry, Little Richard, Cliff Richard, Brian Diamond, Buddy Holly, Eddy

Cochran, die Beatles, die Stones u. a. mit ihren Hits die erste Geige. Mein Lieblings Song war damals (und ist es heute immer noch) „Surfin Bird" von The Trasman aus dem Jahre 1962 - ein echter Kracher und Kultsong, wild und hart - eben ein echter Rock n Roll Song.

Der „Kalli Meyer Soundtrack"

Ja, dass waren noch Zeiten als Kalli Meyer mit seinem „Soundtrack" seine Runden drehte - dieses sogar in doppelter Hinsicht. Einerseits in den 1950iger und 1960iger Jahren mit seinem doppelten „Lanz Soundtrack" (die beiden Lanz Bulldogs wurden damals „der rote Teufel" und „der schwarze Panter" genannt - so stand es mit großen Lettern auch auf die runden Schutzkappen über den Schwungrädern geschrieben) mit dem urigen donnernden „Bulldog-Sound" (die Schlepper anderer Schausteller hatten da für uns nur den Sound „scheppernder Blechdosen"). Kalli Meyer hatte von Festplatz zu Festplatz 6 schwere Anhänger jeweils im Doppelpack zu transportieren. Wenn beide Lanz-Bulldogs mit Fracht unterwegs über die Bundesstraßen donnerten, war dieses kilometerweit zu hören. Bretterte dieser „Soundtrack" in Marienhafe auf dem Marktplatz, vibrierte die direkt angrenzende Schule - das war dann das Signal für uns Kinder, dass der Marienhafener Markt (im Frühling und im Herbst eines jeden Jahres) wieder anstand. Andererseits ist damit Kalli Meyers legendärer „Musik-Soundtrack" gemeint.

Kalli Meyers „Autorennbahn" (ab Anfang der 1960iger Jahre in „Hula Hopp Song" umgetauft) war im Grunde genommen ein normales Rundfahrkarussell (jedoch mit zwei außergewöhnliche Eigenschaften). Das Grundgerippe des Karussells entstand im Jahre 1930 (damals als Berg- und Talbahn ausgelegt). 1934 wurde dieses Fahrgeschäft von Kalli Meyer käuflich erworben, und in ein Schwebekarussell umgebaut (vollkommen überdacht, mit einer fantastischen antiken Innen- und Außendekoration, einem von außen nicht einsehbaren Tunnel und in der Mitte des Karussells war eine lebensgroße wenig bekleidete Liebesgöttin aus Gips angebracht - in überwiegend katholischen Ortschaften des Emslandes musste diese Liebesgöttin Venus sogar sittsam mit

Decken verhüllt werden - nun gut, wir Ostfriesen nahmen dies lockerer).

Anfang der 1960iger Jahre wurde Kalli Meyers Schwebekarussell in ein Aufliegekarussell umgebaut, mit 20 neuen Schesen versehen und das Karussell in „Hula Hopp Song" umgetauft. Kurze Zeit später wurde die Frontansicht des Karussells im Vorbau mit Rock n Roll Stars dekoriert.

Marienhafener Herbstmarkt 1963, und mein Freund Karl-Heinz (im hellen Anzug) und ich (im dunklen Anzug am rechten Pfeiler, unter dem Namen unseres Musiktempels) wie immer voll dabei.

Da jedoch das Karussell als Holzkonstruktion sehr windanfällig war (vor allen Dingen die freischwebende Dachkonstruktion, die in der Spitze nicht verschraubt, sondern nur eingehakt war, und die Innenausstattung an der Decke, die mit einfachen Haken und Ösen zusammengehalten wurde), die möglichen Umbaukosten angeblich den Zeitwert des Karussells deutlich überstiegen, wurde das Karussell ab Ende der 1960iger Jahre Stück für Stück zurück-gebaut, sodass zum Schluss nur noch ein Torso der einstigen

Pracht vom Karussell übrig blieb.

Ich kann mich noch gut daran erinnern, dass beim Marienhafener Frühjahrsmarkt 1963 das Karussell in der Nacht wegen Sturms bis auf den Unterbau abgebaut werden musste, sodass der Marktbetrieb am Donnerstag ohne Dach, Tunnel und sonstige Aufbauten durchgeführt wurde. Erst bei normaler Windstärke konnten das Dach, der Tunnel und die Seitenaufbauten zum Sonnabend betrieb wieder installiert und in Betrieb genommen werden. So kam mit der Zeit was kommen musste - Ende des Jahres 1982 wurde das Fahrgeschäft verschrottet.

Kalli Meyers Musiktempel 1971 auf dem Marienhafener Frühjahrsmarkt

Von TÜV-Prüfingenieuren, die das Karussell von seiner Struktur her gut kannten, weiß ich, dass das Karussell im Zustand Anfang der 1960iger Jahre hätte erhalten werden können, wenn einerseits die Haltevorrichtungen des Daches auf Verschraubung und des gesamten Innenausbaus auf Befestigungen mittels Einbau von Karabinerhaken und Ösen umgestellt worden wäre (die Aufbauarbeit hätte sich dadurch nur unwesentlich verlängert - ein starker Wind oder mittlerer Sturm hätte jedoch diesen Aufbauten nicht mehr aus den Angeln heben können), Andererseits hätte der Unterbau für die Lauffläche des Karussells und des Publikums auf

Stahlrohrrahmen umgerüstet werden müssen (alles andere hätte im Urzustand verbleiben können). Mit diesen Änderungen hätte der „Hula Hopp Song" noch heute als Nostalgiekarussell im aktiven Einsatz sein können. Soweit zur Geschichte des Karussells.

Für die außergewöhnlichen Eigenschaften des Karussells gab es zwei Gründe:

Erstens: Die Musik - mit viel Bass und genau die richtige Lautstärke. Kalli Meyer hatte in den 1950iger Jahren die bundesdeutsche Marktlücke der fehlenden Musik für junge Leute erkannt, und hat entsprechend gehandelt.

Die jeweils aktuellen Schallplatten besorgte er sich in Holland, und so kam der Rock n Roll nach Ostfriesland. Mit seinem Stammhalter Fränzi hatte Kalli Meyer auch gleich den richtigen Musikexperten zur Hand, sodass der aktuelle Nachschub an Rock n Roll und teilweise sogar exotische Musik nie abriss. Somit wurde Kalli Meyers Fahrgeschäft binnen kurzer Zeit zu einem Musiktempel erster Güte. Kalli Meyer war ganz einfach Kult.

Andere Fahrgeschäfte und Karussells haben später versucht das System „Kalli Meyer" zu kopieren, sind jedoch allesamt damit gescheitert - denn für uns zählte nur das Original.

Zweitens: Der uneinsehbare abgedunkelter Tunnel. Hier muss man nur seine Phantasie spielen lassen, um zu erkennen, welche Möglichkeiten ein solcher Tunnel gerade für heranwachsende Jugendliche zuließ. Natürlich musste alles im erlaubten Rahmen bleiben, ansonsten hätte es Ärger mit dem Seniorchef Kalli Meyer gegeben, aber um das andere Geschlecht zu erobern - nach Herzenslust zu knutschen, war hier allemal drin (und als Zugabe hatte man noch die fetzige Musik). Und wenn uns dann der Hafer stach, dann machten wir die Damen auch äußerlich kenntlich, die sich im Tunnel aufhielten und sich dort mit uns vergnügten (vor allen Dingen Damen, die etwas zu aufällig geschminkt waren). Und das ging so: Man machte sich den Zeigefinger mit Spucke nass, und malte den Damen durch die Schminke beim Schmusen ein Kreuz ins Gesicht - einfache Handhabung mit großer nachhaltiger Wirkung. Somit hatten wir bald beim anderen Geschlecht nach allen

Regeln der Kunst ausgesch.... Aber das hat uns damals überhaupt nicht gestört - im Gegenteil.

Ich selbst muss wohl schon sehr früh ein Fan Kalli Meyers gewesen sein. Wie mir meine Eltern und Nachbarn mehrfach erzählt haben, muss ich 1950 zur Zeit des Marienhafener Frühjahrsmarktes an einem Sonntagmorgen von zu Hause ausgebüxt sein, und sei damals schnurstracks zum ca. 150 Meter entfernten Marktplatz marschiert (ich selbst habe hieran keine Erinnerung mehr).

Da war natürlich im Elternhaus „Holland in Not". Mein Bruder war ein paar Wochen zuvor geboren, und verlangte somit viel Aufmerksamkeit der Eltern. Da ich schon immer „Hummeln im Hintern" hatte, also ein reiselustiger Mensch war, hatte ich wohl mal wieder die Gelegenheit ergriffen dem Geschrei eines Neugeborenen zu entfliehen.

Und so setzte ich damals ungewollt eine große Suchaktion der Eltern und Nachbarn in Gang, die in alle Himmelsrichtungen auszogen mich zu suchen. Mein Vater, der keine Angst vor den Hunden der Schausteller hatte, nahm sich den Marktplatz vor. Beim Karussell von Kalli Meyer, deren Eingang mit einer Zeltplane verdeckt war, hörte er verdächtige Geräusche. Der Seniorchef des Karussells, der grade aus seinem Wohnwagen herauskam, wurde von meinem Vater befragt, ob er einen Wachhund im Karussell postiert habe. Nachdem Kalli Meyer diese Frage verneinte, berichtete mein Vater ihm, dass ich von zu Hause ausgerissen sei, und mich vermutlich den Geräuschen nach irgendwo im Karussell aufhalte.

Der Seniorchef öffnete daraufhin die Zeltplane - und siehe da, ich saß in einem der vorderen Schesen und kurbelte fleißig das Lenkrad. Na ja, ich wusste eben schon damals was gut für mich war. Seit diesem Zeitpunkt war ich ein besonderer Bekannter von Kalli Meyer, der mir auch noch viele Jahre später diese Anekdote jeweils lachend erzählte.

Doch damit nicht genug. Mit den Jahren wie man so langsam mobiler wurde, ist man Wochenende für Wochenende da hingedüst, wo Kalli Meyer gerade Station machte - erst mit dem

Fahrrad, dann mit dem Moped und später mit den Auto (da war auch kein Weg zu weit und auch kein Wetter zu schlecht). Wir entwickelten einen richtigen „Kalli Meyer Tourismus", und Mitfahrer gab es nun mal immer genug.

In der Zeit meiner langen Erkrankungsphase ab Mitte der 1960iger Jahre, habe ich, wenn Kalli Meyer in Terminnot war (die Zeit von Festplatz zu Festplatz im Grunde genommen viel zu kurz bemessen war), auch mehrfach kräftig mit angepackt, um dass Karussell am neuen Marktort auch pünktlich wieder in Betrieb zu setzen. Somit ist es sicherlich nicht übertrieben, wenn ich meine, dass ich auch heute noch in der Lage wäre, dass damalige Karussell mit ein paar kräftigen Helfern fehlerfrei aufbauen zu können.

Um den musikalischen Zeitgeist zu entsprechen, stellte Fränzi Meyer, der zwischenzeitlich das Karussell von seinem Vater Kalli übernommen hatte, sein Musikprogramm ab 1967 so langsam aber sicher von Rock n Roll auf Beatmusik um (auch weil seine alten Platten mehr oder weniger abgenudelt und somit unbrauchbar waren).

Der Run auf „Kalli Meyer" ließ etwas nach. Nur die hartgesottenen Fans blieben noch an Deck - das reichte aber immer noch um jede Menge Spaß miteinander zu haben.

Dieses änderte sich jedoch bei den Marienhafener Jahrmärkten von 1969 bis 1971. Zu diesem Zeitpunkt hatte ich schon eine größere Anzahl alter Rock n Roll Platten gesammelt, die ich Fränzi für diese Anlässe zur Benutzung zur Verfügung stellte - und auf einmal war die Hütte wieder voll. Es sprach sich schnell herum, dass es in Marienhafe wieder den guten alten Rock n Roll bei „Kalli Meyer" zu hören gibt. Diese Aktion blieb auch nur auf diese drei Jahre und auf Marienhafe beschränkt, denn mir stand nicht mehr der Sinn danach dem Karussell, wie früher, ständig nachzureisen (nunmehr gab es auch noch andere Interessen die viele Törns zu unserem Musiktempel nicht mehr zuließen) - und meine Schallplatten sollten auch nicht ständig in andere Hände geraten.

Der damalige Zeitgeist

Vorbilder für den damaligen optischen Zeitgeist waren zuerst James Dean und später die Beatles. Die Zeit der „Nazi-Frisuren" (der Nacken frei rasiert bis „zum Hutrand") war ein für alle mal vorbei. Wir ließen jetzt die Haare wachsen, zuerst hinten bis zum Hemdkragen, die dann mit viel Pomade zur Elvistolle gebändigt wurden – mit den Beatles wurden diese dann noch etwas länger. In der Kleiderfrage stiegen wir nun um auf kurze schwarze Lederjacken und auf blaue Jeanshosen (natürlich von Lewis). Mit der nachfolgenden Flower Power bzw. mit der Hippie Bewegung wollten wir jedoch nichts zu tun haben.

Wir streiften die straffen Zügel der Obrigkeitshörigkeit auf die Altvorderen so nach und nach ab. Wir hörten jetzt unsere Mucke bei Radio Luxemburg, bei den amerikanischen und englischen Soldatensendern unserer westalliierten Freunde und auf den Jahrmärkten in Kalli Meyers legendärem Musiktempel Hula Hopp Song. Das in den deutschen Radiosendern unsere Mucke immer noch verpönt war, konnte uns nunmehr nicht mehr treffen - die steifen Pinguine der Politik als deren Auftraggeber, ließen wir einfach ins Leere laufen. Unsere Generation hatten diese ewig Gestrigen jedoch ein für alle mal verloren. Etliche der politisch Altvorderen hatten das damals auch begriffen - doch das war nur eine verschwindend kleine Minderheit. Für die Mehrheit der älteren Generation waren wir die verrückten Revolutionäre mit der Vorliebe für die aufrührerische „amerikanische Negermusik". Nach deren Meinung gehörten wir ins Arbeitslager, damit man uns dort die „Flötentöne" beibringt.

Mit dem „Kreidler Florett" -natürlich „auffrisiert"- wurde man dann auch mobil, man konnte nun auch entfernte Ziele ansteuern (die vormals mit dem Fahrrad nicht oder nur mühsam zu erreichen waren). In dieser Zeit gab es auch die vier Meter langen Schals, die sich auch gut dazu eigneten, Fahrräder mit den Mopeds abzuschleppen. Die langen Halstücher wurden hinten am Gepäckträger des Mopeds festgemacht, sowie vorne am Steuerrohr des Fahrrades, und ab ging die Post. Auf diese Weise wurden ab und an richtige „Schlangen" gebildet, vor allen Dingen wenn der ostfriesische Landregen mal wieder nicht enden wollte, und die

Kumpels abends nach Hause mussten. Da riss natürlich auch mal so eine Schlange - doch passiert ist zum Glück nie etwas.

Die guten alten Freunde aus der Sturm- und Drangzeit

Ja, wir waren schon eine eng miteinander verschworene Truppe damals. So richtig ging das im Jahre 1963 los. Nunmehr stießen zu den örtlichen Freunden auch noch etliche aus dem Bereich des damaligen Landkreises Norden hinzu. Mein bester Freund war und ist der gute Helmut aus Greetsiel (heute wohnhaft in Rysum) - beide Ortschaften gehören jetzt zur Gemeinde Krummhörn. Helmut habe ich im April 1963 (also vor über 50 Jahren) in der Emder Berufsschule kennengelernt, Bei uns stimmte die Chemie auf Anhieb. Helmut brachte dann aus seinem Beritt noch weitere Freunde mit, deren Namen mir derzeit nicht einfallen.

Im Jahre 1964 haben Peter (damals wohnhaft in Tjüche) und ich im Sommerurlaub einen Erlebnistrip mit Fahrrädern und Zelt unternommen. Unter anderem haben wir auf diese Tour auch ca. eine Woche Station in Greetsiel gemacht, Gezeltet wurde hinterm Deich auf einer Kuhweide, in direkter Nachbarschaft zum Greetsieler Sieltief (unsere Wasch- und Badegelegenheit). Die Idee für diese „Greetsieler Woche" kam von meinem Freund Helmut, der meinte, dass wir dann mit den Krummhörner Freunden „mal so richtig die Sau raus lassen könnten". Tatsache ist, dass es in jeglicher Hinsicht eine feucht fröhliche Angelegenheit wurde. Die Abendstunden verbrachten wir in „Oschis Kneipe", die auch stark von den Greetsieler Fischern frequentiert wurde. Zimperlich ging es da nun wahrlich nicht zu, und wer dann Pech hatte, „wenn die See zu rau wurde", machte dann auch mal Bekanntschaft mit Oschis „Kopfnuss" mittels einer Flasche. Doch dieses geschah nicht in absoluter Ernsthaftigkeit - nach fünf Minuten waren solche Zwischenfälle sowieso schon wieder vergessen.

Hinzu kamen die Freunde aus meinem Bereich wie z. B. Jan B., Jan U. und Karl aus Osteel, Karl-Heinz aus Marienhafe, Peter, Heino und Arnold aus Tjüche, Peter aus Leezdorf, Kuno, Gerd und Erich aus der Stadt Norden, Arnd aus Rechtsupweg, Martin, Dirk und Gerd aus Upgant-Schott und etliche andere mehr.

Da sich unter diesen Freunden einige germanische Kleiderschränke und deutsche Eichen befanden, flößte unser kompaktes Auftreten (wenn auch nicht immer in voller Stärke) bei allen anderen Anwesenden durchaus gehörigen Respekt ein - obwohl wir nicht dafür bekannt waren, auf Stunk aus zu sein (wir setzten uns nur zur Wehr, wenn man uns angriff). Nein, Raufbolde waren wir nun wirklich nicht - wir wollten nur unseren Spaß haben - mehr nicht.

Anziehungs- und Treffpunkt unserer Truppe war natürlich immer Kalli Meyer - wie konnte es auch anders sein. Wenn wir Freunde zusammen waren, und das war fast an jedem Markttag im ostfriesischen Bereich wo Kalli Meyer zu finden war, hatten wir keine Zeit für das andere Geschlecht - dann zählte nur unsere Freundschaft und unsere gemeinsame Vorliebe für den Rock n Roll. Dadurch sind natürlich auch etliche Beziehungen zum anderen Geschlecht, die man an Wochentagen geknüpft hat, in die Binsen gegangen - doch das hat uns damals nicht weiter gestört.

Dieser Freundeskreis hat jahrelang gehalten, bis schließlich bei jeden Einzelnen andere persönliche und berufliche Dinge in den Vordergrund traten (dazu zählten auch feste Beziehungen mit anschließender Familienplanung, die uns daran hinderten weiterhin engen Kontakt miteinander zu halten). Doch ganz aus den Augen verloren hat man sich nicht. Sei es auf Sportplätzen als Zuschauer oder bei anderen Anlässen - irgendwann und irgendwo traf man sich in unregelmäßigen Abständen immer wieder, und man stellte jedes Mals fest, dass die Chemie zueinander immer noch stimmte. Bei solchen Gelegenheiten wurden alte miteinander erlebte Geschichten wieder aufgewärmt, und herzhaft darüber gelacht. Traurig ist nur, dass dieser Kreis durch frühen Tod immer kleiner wird. Aber so ist nun mal der Lauf des Lebens - davor können wir alle nicht weglaufen.

Ein zweiter lockerer Freundeskreis bildete sich aus jüngeren Mitgliedern der örtlichen Brookmerländer Sportvereine. In dieser Gruppe wirbelte ich mit, wenn der oben genannte Freundeskreis nicht aktiv war (wenn z. B. die Reisewege zu Kalli Meyers Karussell zu weit waren). Mit diesem zweiten Freundeskreis lagen unsere Aktivitäten in der Regel in einem Umkreis von ca. 15 bis 20 Kilometern rund um Marienhafe herum (bei Schützenfesten in kleineren Ortschaften bzw. bei Sportveranstaltungen).

Bei diesen Schützenfesten war in der Regel angesagt, für jeden von uns einen Schützenhut zu ergattern. Und das ging so: Zwei bis drei Freunde wurden beim Eingang des Festzeltes postiert, um eine getürkte wilde Keilerei mit viel Geschrei zu veranstalten. Und wie die Schützenbrüder nun mal sind, musste man sich diese Keilerei natürlich aus nächster Nähe betrachten, und die Kampfhähne noch kräftig applaudieren.

Diese Gelegenheit nahmen wir wahr, um auf der Rückseite des Festzeltes unter die Plane durchzuschlüpfen, um uns die nötigen Schützenhüte, die in der Regel auf den Tischen lagen, zu besorgen. Nein, stehlen wollten wir diese Trophäen nicht. Unsere Absicht lag darin, dass die Eigentümer der Hüte diese gegen das eine oder andere Glas Bier wieder auslösen. Und so ist es auch jeweils geschehen. Gut, zuerst waren die Schützenbrüder stinksauer auf uns, aber gegen uns als größere Gruppe wollte man auch nicht unbedingt einen Streit vom Zaune brechen (und eine Stunde später war der Vorfall sowieso vergessen, und man lachte gemeinsam über diesen Streich). Interessant war jedoch jeweils zu beobachten, wie die Schützenhüte wieder zum rechtmäßigen Eigentümer zurückkehrten - manchmal bekamen die Schützenbrüder sich wegen der Hüte untereinander so in die Klamotten, dass man den Anlass für diese Auseinandersetzung sowieso vergaß.

Meine politischen Interessen wurden geweckt

Somit begann damals auch die Zeit, in der wir uns auch für die bundesdeutsche Politik und für die Probleme der Gesellschaft interessierten. Je mehr wir bei vielen Mitbürgern Einblick hinter deren Fassaden bekamen, desto mehr stellten wir fest, wie innerlich verrottet unsere damalige Politik und Gesellschaft doch war - den immer noch vorhandenen „braunen Mief" konnten wir förmlich riechen. Dagegen etwas zu unternehmen, war nun unsere klare Zielsetzung.

Ich kann mich noch sehr gut daran erinnern, wie wir von den Altvorderen angegiftet wurden - Äußerungen wie z. B. „die gehören in die Besserungsanstalt" oder „Adolf hätte diese Leute weggesperrt" waren damals an der Tagesordnung. Wir haben uns über solche Sprüche nur köstlich amüsiert. Wird man heute in irgendwelchen historischen Dokumentationssendungen an diese damaligen Sprüche erinnert, und betrachtet sich dabei die Mimik dieser Leute, dann waren deren Aussagen mit purem Gift und Hass verbunden. An diesen Gesichtern war unschwer zu erkennen, wer damals immer noch ein überzeugter Nazi war.

Ich kann mich aus meiner Sturm- und Drangzeit in den 60iger Jahren noch gut daran erinnern, wie ehemalige Aktivisten des tausendjährigen Reiches in unserer Region sich auf unzähligen Festen oder Veranstaltungen aufführten, wenn der Alkoholpegel einen bestimmten Grad erreicht hatte.

Bei einem Schützenfest in einer Nachbargemeinde im Jahre 1964, an einem Sonnabend in den frühen Abendstunden (irgendwann zwischen 20 und 22 Uhr - während einer Musikpause), wurden wir als Gruppe jüngerer Leute Zeugen nachstehenden Vorfalls (wir befanden uns zu diesem Zeitpunkt mit anderen jungen Leuten aus der Ortschaft an der Theke des Festzeltes).

In der sogenannten Prominentenecke, dort wo der Bürgermeister des Orts, Ratsmitglieder und Geschäftsleute der Gemeinde platziert waren, wurde scheinbar im alkoholisiertem Zustand auf einmal wie aus heiterem Himmel (vorherige dort geführte Gespräche hatten wir natürlich nicht mithören können), dass „Horst-Wessel-Lied" im Volltext angestimmt. Beim Absingen dieses Liedes gab es dann aus diesem Personenkreis auch „Heil Hitler" Rufe und die rechte Hand zum „Hitler Gruß" erhoben zu hören und zu sehen.

Nachdem sich bei den Festzeltbesuchern bei diesen absurden Verhalten der örtlichen Prominenz kein Widerspruch bemerkbar machte, haben wir als Gruppe junger Leute ein Pfeifkonzert angestimmt und lauthals mehrfach „Pfui! und Nazipack!" gerufen. Die Folge war, dass wir von diesen Leuten lauthals als „Vaterlandsverräter und Kommunistenschweine" beschimpft wurden, Da wir jedoch weiterhin kräftig dagegen hielten, gab es dann auch Sprüche zu hören, wie z. B.: „Eure Erzeuger hätte man damals auch gleich vergasen sollen" - und Ähnliches. Bei dieser Auseinandersetzung verließen etliche Besucher das Festzelt.

Wir wurden anschließend aus dem Festzelt verwiesen, konnten uns jedoch weiterhin auf dem Festplatz aufhalten. Von den ortsansässigen Jugendlichen erfuhr ich, dass der Bürgermeister, der Wortführer vorstehender Nazi-Aktivisten, Mitglied der Partei „Die CDU" sein soll,

Natürlich war vorstehende Auseinandersetzung anschließend auch Gesprächsthema auf dem Festplatz, Interessant bei diesen Gesprächen war jedoch, dass wir für unseren Widerstand mehrfach Zuspruch bekamen, während andere Anwesende auf meine entsprechenden Nachfragen nicht antworteten bzw. angeblich nichts gehört und gesehen haben wollen (obwohl ich definitiv wusste, dass sie bei dem Disput Festzeltbesucher waren).

Dieser geschilderte Vorfall ist jedoch kein Einzelfall. Auch andernorts habe ich bei Festlichkeiten solche Verhaltensmuster festgestellt. Bei solchen Auseinandersetzungen gab es anderenorts dann auch ab und an Rangeleien zu vermelden, aus denen wir als größere Gruppe in der Regel siegreich hervorgingen.

Und unsere Ordnungshüter, die etwas älteren Polizisten, schauten in der Regel nur „teilnahmslos" zu (wenn man denn mal vor Ort war) - und einer dieser Ordnungshüter hatte dann auch noch das Pech, dass er zufällig in Greetsiel (beim Greetsieler Markt) bei einer solchen Rangelei im Wege stand, und dabei in den Kanal geschubst wurde. Nachdem er wohlbehalten wieder an Land gezogen war, hat er uns Rettern auch noch das eine und andere Glas Bier ausgegeben.

In den Jahren 1964 und 1965 fand ich in vielen Gesprächen mit meinem Vater und seinen Alliierten Freunden heraus, dass der damaligen Elterngeneration in Westdeutschland vorzuwerfen war, dass man sich nur für den wirtschaftlichen Wiederaufbau des nach dem Kriege zerstörten BRD interessiere. Eine gesellschaftliche und politische Aufarbeitung der Verbrechen des Nationalsozialismus wurde nicht nur verdrängt sondern größtenteils auch abgelehnt.

Man nahm die Tatsache widerspruchslos hin, dass immer noch sehr viele ehemalige Nationalsozialisten in hohen und höchsten Ämtern von Politik, Justiz, Wirtschaft, Behörden, Verbänden und sonstigen Institutionen wieder zu Amt und Würden gekommen waren.

Aus unzähligen Gesprächen mit den Zeitzeugen des „tausendjährigen Reiches" und deren Sonntagsreden über den „geliebten Führer", über die „saubere" Wehrmacht, über die Juden (bis hin zur Leugnung des Holocaust) und über das eigene bagatellisierende Wirken in dieser Zeit, blieb mir deren tatsächliche Gesinnung als „Neu" Bundesrepublikaner nicht verborgen. Es gab viele Stimmen, die lauthals erklärten, dass nicht Hitler. sondern das internationale Finanzjudentum an dem zweiten Weltkrieg Schuld war – Deutschland habe sich nur seiner Haut erwehren müssen. Überall wo man hinhörte gab es nur lauter Nicht-Nazis und Nicht-Antisemiten. Man war – wenn überhaupt - nur Mitglied in der NSDAP bzw. deren Gliederungen geworden, um die eigene berufliche Kariere bzw. den Arbeitsplatz nicht zu gefährden - aber ein echter Nazi war man natürlich nie.

Mit der Zeit fand ich heraus, dass mit dem Nationalsozialismus eng verbundene Massen, die unter schwerer Vergeltungsfurcht standen, bemerkten, dass ihre alttestamentarischen Racheängste vor allem nur in ihrer Phantasie bestanden. Fast niemand von denen wurde in Westdeutschland für sein Verhalten und seine Hand- lungen während der Nazi-Zeit nach 1945 zur Rechenschaft gezogen.

Dann hieß es auf einmal (nachdem man scheinbar gemerkt hatte, dass die zuvor beschriebene Phantasie unbegründet war), Hitler war zwar militärisch, nicht aber ideologisch geschlagen. Er hat nur das Beste für Deutschland gewollt, hatte aber unfähige Mitarbeiter und Generäle. Fragte und bohrte man dann in schärferer Form nach, kam es nicht selten vor, dass mit Prügel und dergleichen gedroht wurde. Nach meiner Einschätzung hatte das deutsche Volk nach Beendigung des verlorenen Krieges die humane Orientierung verloren.

Wenn man seine humane Orientierung in einer Sache verliert (und die Politik der Nazis war scheinbar eine solche Sache), setzt dieses aber voraus, dass man eine enge Bindung mit diesem Regime eingegangen war.

Für mich war jetzt klar, die Revolution, die unsere Erzeuger vor und ab dem 30. Januar 1933 und nach dem 8. Mai 1945 verpennten, musste jetzt von uns nachgeholt werden. Die sogenannte 68iger Generation warf so langsam aber sicher ihre Schatten voraus - mit mir gehörten auch viele damalige Freunde mit zu dieser Bewegung. Jetzt wollten wir den immer noch vorhandenen braunen Mief („unter den Talaren – der Muff von 1000 Jahren") unwiederbringlich aus unserer Republik vertreiben.

Mein beruflicher Werdegang

Ursprünglich hatte ich nicht vor, und konnte es mir als echter „Rock n Roller" nicht vorstellen, mein berufliches Dasein bis zur Verrentung in einem Büro eines Unternehmens oder in einer Behörde zu fristen. Doch meistens kommt es anders…

Nach Abschluss der Schulausbildung, begann ich ab 1. April 1963 eine Berufsausbildung zum Orthopädiemechaniker bei der Firma S. in Norden und Emden. Diese Ausbildung endete jedoch schon im Dezember 1963 durch Weisung der zuständigen Handwerkkammer, weil in der Firma S. kein Meister im Betrieb vorhanden, und somit dieser Betrieb nicht ausbildungsberechtigt war.
Eine Fortführung der gewählten Berufsausbildung bei einem Konkurrenzunternehmen scheiterte im ostfriesischen Raum, weil es diesbezüglich nur wenige solcher Betriebe gab, und deren Ausbildungsplätze entweder langfristig besetzt bzw. andere Betriebe wegen eines fehlenden Meisters ebenfalls nicht ausbildungsberechtigt waren.

Ab dem 1. April 1964 begann ich dann eine Ausbildung zum Einzel- und Großhandelskaufmann (Fachrichtung Eisen und Stahl) in Norden. Diese Ausbildung musste ich jedoch durch eine lang andauernde angebliche Lungenerkrankung im Oktober 1965 vorerst unterbrechen und Ende 1967 aus medizinischen Gründen (wegen des aggressiven Eisenstaubs, die beim Schneiden von Eisen und Stahl entstehen) beenden.

Ab Herbst 1965 dann die große Zäsur in meinem Tatendrang

Bei einer Röntgenreihenuntersuchung im Sommer 1965 wurde bei mir angeblich eine schwerwiegende Lungenerkrankung festgestellt. Angeblich soll es sich dabei um eine Lungentuberkulose im linken Lungenoberlappen handeln (damals noch eine Volkskrankheit als Folge der Mangelernährung nach dem zweiten Weltkrieg - zudem eine Seuchenkrankheit die durch Ansteckung von Mensch zu Mensch übertragen wurde).

Diese Erkrankung hatte einen tiefen Einschnitt in mein bisheriges Dasein zur Folge. Nicht nur das meine Ausbildung für eine lange Zeit unterbrochen wurde, sondern auch mein bisheriger Tatendrang (wie beschrieben) war auf ein Minimum zurückzufahren. Das urige an der Krankheit war jedoch, dass ich mich nicht krank fühlte (ich hatte keinerlei Schmerzen) und somit anfangs noch voll im Saft stand (als Sportler hatte man eine gesundheitliche Konstitution und eine Kondition, die einem an einer Krankheit zweifeln ließen).

Im Oktober 1965 wurde ich dann in das Lungensanatorium in Neuenkirchen eingewiesen. Dort stellte sich bei den Untersuchungen jedoch heraus, dass meine angebliche Lungentuberkulose nicht ansteckend sei, sodass mein Bewegungsspielraum zu Mitmenschen nicht eingeschränkt wurde. Im Klartext: Ich konnte kommen und gehen wann und wohin ich wollte - nur mit der Einschränkung, dass ich die angesetzten täglichen Therapiezeiten und die Untersuchungstermine einhalte (ab Weihnachten 1965, wurden mir sogar alle 4 Wochen Wochenend- urlaube nach zuhause zugestanden - ab Weihnachten 1965 deshalb, weil die tägliche medikamentöse Indikation incl. der täglichen Chemotherapien vorerst nicht unterbrochen werden sollte).

Doch mit der Zeit konnte man durch die täglichen Chemotherapien, Spritzen und Tabletten merken, dass die körperliche Konstitution rapide abbaute - man fühlte sich nur noch müde, kraftlos und unendlich schlapp. Zu allem Überfluss kam noch hinzu, dass die angebliche Krankheit sich scheinbar nicht änderte - weder zum Guten noch zum Bösen. So langsam kam in mir der Verdacht auf, dass es mit der angeblichen Erkrankung wohl nicht sehr weit her ist (das ich nur als „Versuchskaninchen" herhalten muss). Dieses wurde auf Nachfrage von den Medizinern jedoch vehement zurück gewiesen.

Im Lungensanatorium Neuenkirchen hatte ich jedoch das Glück, dass auch etliche politisch angehauchte Studenten dort als Patienten stationiert waren (wie übrigens in den nachfolgenden Kliniken auch). Somit hatte ich viel Zeit und Muße mich dort in ellenlangen theoretischen politischen Diskussionen mit den Leidensgenossen herumzuprügeln - es wurde theoretisiert und gestritten das die Schwarte krachte. Doch einig waren wir uns jeweils, wenn es um die bisher unterbliebene politische und gesellschaftliche Vergangenheitsbewältigung des „tausendjährigen Reiches" ging:

1) Nach unserer Überzeugung müssten alle ehemaligen Nazis aus den öffentlichen Positionen in Politik, Justiz, Wirtschaft, Behörden, Verbänden und sonstigen Institutionen nachhaltig entfernt und durch von NSDAP und deren Gliederungen unbelastete Personen ersetzt werden. Gleiches forderten wir für die überzeugten Nazis die nicht Mitglied der Partei waren, jedoch durch ihre Handlungen während der NS-Zeit bewiesen haben, dass sie den nationalsozialistischen Zielsetzungen dienten.

2) Alle Verbrechen gegen die Menschlichkeit (auch rohe Gewalt) in der Zeit vom 30. Januar 1933 bis zum 8. Mai 1945 incl. der Kriegsverbrechen sind von den Staatsanwaltschaften zu ermitteln und von den Gerichten abzuurteilen. Das Strafmaß für Mord und Tötung beträgt lebenslange Haft (im Sinne des Wortes). Beihilfen zu Mord oder Tötung sind mit Gefängnis nicht unter 10 Jahren – höchstens 20 Jahre zu bestrafen. Auf einen Befehlsnotstand kann sich niemand berufen, denn man hätte sich ja weigern können diese Verbrechen zu begehen. Haftverschonung (egal aus welchen Gründen gibt es nicht), vorzeitige Haftentlassung ist ausgeschlossen - ebenso Gnadengesuche. Diese Grundsätze sind auch auf die Nazi-Justiz anwendbar (der Filbingersche Grundsatz: „Was gestern rechtens war, kann heute nicht Unrecht sein", hat keine Anwendung mehr zu finden. Eine Verjährungsfrist gibt es nicht.

3) Die Anfang der 1950iger Jahre abgebrochene Entnazifizierung

der westdeutschen NSDAP Mitglieder und deren Gliederungen ist fortzuführen. Die entsprechenden Ermittlungen haben die Staatsanwaltschaften zu führen. Die abschließenden Entnazifizierungsbescheide sind von einem dreiköpfigen Richtergremium nach einer öffentlichen Beweisaufnahme zu treffen. Wegen der großen Fehlerhaftigkeit der abgeschlossenen Entnazifizierungsverfahren sind diese wie im Satz zuvor geschildert zu wiederholen.

„Diese grundsätzliche Aufarbeitung der verbrecherischen Straftaten des Nationalsozialismus in Deutschland sind wir Deutschen den vielen Millionen Opfern des dritten Reichs schuldig". Diese Meinung haben wir damals nach langen Diskussionen einstimmig vertreten. Des Weiteren haben wir damals miteinander vereinbart, diese Grundsätze als Forderungen an die im Deutschen Bundestag vertretenen Parteien heranzutragen, was Anfang 1966 auch in schriftlicher Form geschah. Antworten haben wir jedoch nie erhalten. So sah also die Ignoranz der bundesdeutschen Parteien gegen Andersdenkende aus.

Klaus Wagenbach (Jahrgang 1930 - Verleger) beschreibt die besondere Situation in der Bundesrepublik in den 1950er und 1960er Jahren, und damit die Ursachen der 68iger-Bewegung in Deutschland aus seiner Sicht so: „1954, als sie in Bern Fußballweltmeister wurden, habe ich in Frankfurt gehört, wie nach der Deutschlandhymne wie früher das Horst-Wessel-Lied gebrüllt wurde. Das Gebrüll des „Dritten Reichs" konnten Sie in den Wochenschauen hören, und im Rundfunk wurde noch immer gebellt. Wenn einer mal Gitarre spielte, kam sofort der Polizeiknüppel. Das waren die „Schwabinger Krawalle". Sie machten sich doch damals praktisch schon strafbar, wenn Sie Geschlechtsverkehr hatten, ohne verheiratet zu sein. Wenn Hildegard Knef eine halbe Brust heraushängen ließ, wurde die Aktion „Saubere Leinwand" aktiv" (gefunden im Internet).

Somit konnten wir damals als „Neuenkirchener Gruppe" von Glück sagen, dass die von uns angeschriebenen Parteien uns nicht den Verfassungsschutz ins Sanatorium geschickt haben. Zwischenzeitlich bin ich jedoch davon überzeugt, dass unser damaliges Schreiben beim bundesdeutschen Verfassungsschutz auf irgendeinem Schreibtisch landete. Da unser „Pamphlet" nicht weiter öffentlich wurde, gehe ich davon aus, dass man dort unser Schreiben „als einmalige Entgleisung" betrachtete, und somit nicht weiter verfolgte.

Doch wir jüngeren Leute hatten in dieser Neuenkirchener Zeit auch unsere vergnüglichen und sportliche Phasen. Sportlich versuchten wir durch lange Märsche durch Wald und Flur den durch die lange medikamentöse und chemotherapeutische Behandlung geschwächten Körper einigermaßen fitt zu halten (was sich jedoch als sehr kräftezehrend herausstellte - aber das waren wir uns selbst schuldig, denn schließlich würde es auch mal eine Zeit nach Neuenkirchen geben).

Ich kann mich noch sehr gut daran erinnern, dass ich mir bei einem solchen Gewaltmarsch in neuen Lederschuhen die Füße blutig gelaufen hatte, doch ein Aufgeben gab es für mich nicht (auch wenn die Füße höllisch schmerzten). Anschließend bin ich drei Tage Barfuss durch das Sanatorium gelaufen, habe mir die Schuhe von einem Schuhmacher weiten und das Oberleder weich machen lassen, und weiter ging es.

Die Veranstaltungen in Neuenkirchen und Umgebung wurden von uns jüngeren Freigängern auch gerne als Ventil zum „Dampfablassen" genutzt. Ob nun Kirmes, Schützenfeste oder dergleichen, wir waren dabei - und das eine oder andere Glas Bier wurde von uns auch nicht umgeworfen.

In dem Ort Neuenkirchen waren wir von der dortigen Bevölkerung nicht gerne gesehen - kamen wir doch aus der „Mottenburg" (so nannte man die Lungenheilstätten damals). Doch das hat uns weiter nicht gestört. Wurden wir deswegen von der Bevölkerung mal angegiftet, wusste man sich als Rock n Roller zu wehren, sodass man sehr schnell die Finger von uns ließ (was jedoch zur Folge hatte, dass keiner von uns alleine ins Dorf ging - wenn, dann nur als Gruppe - das war gesünder).

Anfang Juli 1966 kam absolut unerwartet meine Entlassung aus der Lungenheilstätte Neuenkirchen auf mich zu. Beim Abschlussgespräch wurde mir vom Chefarzt sehr zögerlich mitgeteilt, dass er bei meiner Erkrankung mit seinem „Latein am Ende war". „Alle medizinischen Tests hätten ergeben, dass keine Tuberkelbakterien bei mir vorhanden waren, doch die Röntgenbilder sagen genau gegenteiliges aus" - so der Chefarzt damals. Er riet mir damals sofort zu Hause meinen Lungenfacharzt und das staatliche Gesundheitsamt Norden zu konsultieren, um durch weitere Tests und Untersuchungen (notfalls mittels einer Gewebeprobe) der Sache auf den Grund zu gehen. Die Lungenheilstätte Neuenkirchen sei für solche Untersuchungen nicht ausgerüstet. Der Chefarzt kündigte mir an, dafür zu sorgen, dass mein Lungenfacharzt und das Gesundheitsamt Norden umgehend seinen medizinischen Abschlussbericht erhalten würden. Somit wurde ich „als nicht gesund" nach über 9 Monaten aus Neuenkirchen entlassen.

Freude und Nachdenklichkeit hielten sich Mitte 1966 die Waage

Ich war natürlich einerseits froh wieder nach Hause fahren zu dürfen - mich wieder mit den Freunden zu treffen, miteinander Spaß zu haben - doch andererseits stimmten die Worte des Chefarztes der Lungenheilstätte Neuenkirchen doch sehr nachdenklich - wie steht es nun tatsächlich um meine Gesundheit(?), waren die 9 Monate in Neuenkirchen für die Katz (?) und wie soll es nun weiter gehen (?), denn zum „abhängen lassen" war ich noch viel zu jung.

Ich will nicht behaupten, dass ich diese Krankheitsangelegenheit ab Juli 1966 nun wieder mit neuem Mut angepackt und fortgeführt habe - weiß Gott nicht, aber ein Aufgeben gab es für mich nun mal nicht (das war und ist nicht mein Naturell, und wird es auch niemals sein!). Es musste halt weitergehen, und als Ausgleich für diesen Frust hatte ich ja nun wieder meine Freunde in der Region mit den gemeinsamen Interessen zur Hand. Und so startete ich ab Mitte Juli 1966 wieder neu durch.

Mein Lungenfacharzt und dem Gesundheitsamt fiel nach mehreren Besprechungsterminen nicht besseres ein, als mich nach einer längeren Ruhephase wieder in ein neues Sanatorium zu schicken (diesmal jedoch sollte es ein Klinikum in Höhenlage sein). Von

Entnahme einer Gewebeprobe, wie vom Neuenkirchener Chefarzt empfohlenen war keine Rede mehr (konnte man scheinbar im medizinischen unterentwickelten Ostfriesland nicht durchführen). Die Ruhephase bis zum neuen Sanatoriumstermin, so hieß es damals von den ostfriesischen Medizinern, sollte ich „nach Herzenslust und allen Regeln der Kunst freizügig genießen".

Und so geschah es dann auch - es wurde mehr als ein heißer Sommer und Herbst 1966 und auch ein unruhiger Winter 1966 / 67. In erster Linie war jetzt bis Ende Oktober 1966 (Ende der Jahrmarktsaison) zusammen mit den Freunden wieder „Kalli Meyer Zeit" angesagt. Bei einer dieser Gelegenheiten habe ich dann erfahren, dass meine lockeren Beziehungen zu der niedlichen Irmtraud aus Norden und der sinnlichen Annegret aus Münkeboe, aus der Zeit vor dem Sanatoriumsaufenthalt in Neuenkirchen, in die Brüche gegangen waren - eine Dame musste heiraten, die andere hatte es beruflich woanders hin verschlagen.

Nun gut - die Schuld dafür lag eindeutig bei mir, hatte ich doch wegen der Aktivitäten unseres Freundeskreises diese Beziehungen nie so richtig ernst genommen (übrigens, mir ist nicht bewusst, dass ich beide irgendwann mal wiedergesehen habe).

Doch auch das Politisieren kam Ende 1966 nicht zu kurz. Grund war die ungeliebte „Große Koalition" ab 1. Dezember 1966 zwischen CDU / CSU und SPD im Bund, unter Führung des Alt-Nazis Kurt Georg Kiesinger – CDU - (ab Februar 1933, nur wenige Tage nach Hitlers Machtergreifung war Kiesinger Mitglied der NSDAP geworden) als Bundeskanzler - dieses war allemal Grund genug, um jetzt gegen diesen Alt-Nazi als neuen Regierungschef auf die Straße zu gehen. Doch damit nicht genug, auch etliche Bundesminister der Regierung Kiesinger gehörten vormals den Nazis an.

Ich kann bis heute nicht verstehen, dass die SPD, die doch zusammen mit den Kommunisten als Parteien der Weimarer Republik am meisten unter den Nazis zu leiden hatten (mit vielfachem Mord, Totschlag, Misshandlungen, KZ und Einkerkerung), ein ehemaliges NSDAP Mitglied -also ein Mitglied der verbrecherischen Mordbande- zum gemeinsamen

Bundeskanzler mitwählen konnte. Dieses war doch ein Verrat der eigenen Interessen.

Die linksgerichtete Presse und ein ARD Politmagazin berichtete damals über Kiesingers NS-Vergangenheit sehr kritisch. Straßendemos in den Zentren häuften sich. Und die Springer Presse? - Die Springer Presse wetterte -wie immer- heftig und aufrührerisch gegen den „Straßenpöbel" und gegen die linkslastige Berichterstattung der ARD.

Die erste Aufgabe der großen Koalition bestand in der Sanierung des Haushalts (Abbau des schwarz / gelben Haushaltsdefizits), der Eindämmung der von Konrad Adenauer und Ludwig Erhard (dem angeblichen Vater des Wirtschaftswunders) aufgehäuften Staatsschulden sowie die Bekämpfung der ersten Rezession nach 1945. Es gelang der Koalition jedoch recht schnell, die Wirtschaft wieder in Gang zu bringen.

Die noch bestehenden Eingriffsrechte der Alliierten in die Souveränität Deutschlands sollten angeblich nach dem Willen der Bundesregierung abgelöst werden. Die Alliierten forderten deshalb vermeintlich von der Deutschen Regierung zu dieser Herstellung der Souveränität die Verabschiedung der so genannten Notstandsgesetze, um die Sicherheit ihrer in Deutschland stationierten Truppen gewährleistet zu wissen (was natürlich auch ohne Notstandsgesetze möglich war!). Für die nötige Änderung der Verfassung war eine Zwei-Drittel-Mehrheit im Bundestag erforderlich.

Doch nach der Verabschiedung der Notstandsgesetze im Deutschen Bundestag gab es keine volle Souveränität für die Bundesrepublik Deutschland - die gab es erst nach der Ratifizierung des „Zwei plus Vier Vertrages" zur deutschen Einheit im Jahre 1990. Auch die Alliierten konnten sich nicht erinnern, ein solches Souveränitätsversprechen gegenüber der Bundesregierung schon 1966 gegeben zu haben.

Ein solches durchsichtiges Manöver der damaligen großen Koalition bleibt nun mal im Laufe der Zeit nicht unentdeckt. So wundert es auch nicht, dass sich besonders an diese Notstandsgesetze die Geister schieden, da es der Regierung während eines nationalen Notstandes nun möglich war, Grundrechte der Verfassung vorübergehend außer Kraft zu setzen. Die Außerparlamentarische Opposition (APO) nahm dieses Thema auf und machte ihrem Unmut darüber auf der Straße Luft. So kritisierte diese Bewegung, dass die Notstandgesetzgebung mit ihrer weitgehenden Entrechtung und Kontrolle der Bürger im Eventualfall, die Assoziation an den Faschismus weckten.

Aus meiner Sicht waren diese Notstandsgesetze die Geburtsstunde der 68iger Bewegung, wie sie auch im üblichen Sprachgebrauch noch heute bezeichnet wird, denn die APO als eigenständige Bewegung verschwand schon 1969 in der Versenkung.

Vor allem von der konservativen Seite wurde die 68iger Bewegung, und somit auch die APO, massiv abgelehnt, was sich auch in der teils hetzerischen und kampagnenartigen Berichterstattung der einflussreichen und auflagenstarken Zeitungen des Axel-Springer-Verlags über die Bewegung zeigte (vor allen Dingen die Bild Zeitung).

Die gesundheitliche Weichenstellung im Jahr 1967

Am 25. April 1967 war mein Antrittstermin in der Lungenheilstätte Schömberg (Schwarzwald). In den Minuten als Konrad Adenauers Leichnam von Köln nach Rhöndorf in einem Schiffskonvoi auf dem Rhein überführt wurde, donnerte ich mit dem Schnellzug Emden – Karlsruhe in Köln über die Rheinbrücke, sodass ich diese Schiffsprozession einige Sekunden mit eigenen Augen verfolgen konnte.

Im Sanatorium Schömberg am späten Nachmittag angekommen, stellte ich fest, dass es sich bei der Heilstätte um ein Privatsanatorium handelt, wo die damalige BfA (heute Deutsche Rentenversicherung) als mein Kostenträger etliche Belegzimmer hatte. Schon bei der ersten Inaugenscheinnahme stellte ich fest, dass beim Bau und der Einrichtung der Heilstätte wohl Geld im Überfluss dagewesen sein muss, denn diese Einrichtung war an Pracht und Luxus nicht zu überbieten. Und die Empfangsdame (so um die

30 Jahre alt) war auch ein richtiges Pracht- und Luxusweib (sie hatte von der Monroe die Kurven und von der Taylor die Schönheit). Dienstlich war diese Dame freundlich und zuvorkommend, doch privat kalt wie eine Hundeschnauze.

Diese Dame geleitete mich vor mir her stolzierend zu meinem Patientenzimmer im Nebengebäude, wobei ich inständig hoffte, dass sie mit ihren waffen-scheinpflichtigen Schuhen mal so richtig ins Schleudern kommt, und ich den Retter in der Not spielen darf. Tatsache ist, dass sie mir das „schönste Zimmer" des Hauses zuwies, Sehr schnell stellte ich fest, dass man aus diesem Zimmer durchs Fenster und über das angrenzende Küchen- und Speisesaalflachdach des Nachts so richtig schön abhauen kann (das Küchen- und Speiseraumflachdach war auch noch in einem stark ansteigenden Gelände eingebaut, sodass man mit einem kleinen Hüpfer aufs Flachdach kam). Da ich natürlich von der langen Anreise mit der Bahn ziemlich geschlaucht war, wurde die erste Nacht in Schömberg natürlich im Bett der Lungenheilstätte geschlafen.

Mein Zimmergenosse war ein gleichaltriger Student aus Stuttgart (der dort nicht nur studierte, sondern wo sich auch sein Elternhaus befand). Sehr schnell stellten wir fest, dass wir auf einer Wellenlänge schwammen (sowohl in der Musikrichtung als auch politisch). Da mein Zimmergenosse mit einem großen Amischlitten ausgestattet war, der vor der Heilstätte parkte, kann man sich vorstellen, wohin in den nächsten Monaten die Reise ging.

Am nächsten Tag die große medizinische Untersuchung, und die Festlegung der medikamentösen Behandlung. Hierbei traute ich dann meine Augen und Ohren nicht - gegenüber den Medikamenten in der Heilstätte Neuenkirchen (die 9 Monate gleichbleibend und für die Katz war) gab es in Schömberg keine Änderung in deren Zusammenstellung. Mein Protest dagegen wurde mit der Bemerkung zurückgewiesen, „dass man wisse was zu tun ist".

Da wir im Nebengebäude der Heilstätte ein reines „Bullenkloster" waren, bekam ich dann bei vorstehendem Untersuchungstermin im Hauptgebäude mit, dass dort nicht nur der Geldadel untergebracht war, sondern dass auch die Damen dort ihr Domizil hatten. Die

Verpflegung in dieser Einrichtung, die für alle gleich war (auch fürs Personal), war sehr gut und reichlich. Dazu gab es hier die Möglichkeit, dass man sich vom gemeinsamen Mittag- und Abendessen während der Frühstückszeit abmelden konnte (wenn man außerhalb speiste), und bekam dafür den Tagessatz in bar erstattet. Mein motorisierter Zimmergenosse und ich machten davon reichlich gebrauch.

Der erste nächtliche Ausflug wurde natürlich generalstabsmäßig geplant. Zuerst wurde dafür gesorgt, dass für den röhrenden Flitzer meines Zimmergenossen ein anderer Parkplatz gefunden wurde, damit nicht gleich beim Anlassen des Fahrzeugs jedermann im Sanatorium wusste, dass wir uns ins Nachtleben absetzen würden. Danach haben wir uns alte Putzlappen besorgt, damit wir eine Seite des Fensterflügels provisorisch von außen zudrücken konnten, ohne dass das Fenster vom Wind aufgedrückt werden kann. Den unteren weißen Putzlappen (in der Farbe des Fensterrahmens) ließen wir einige Zentimeter aus dem Rahmen heraushängen, sodass wir mit einem kleinen Ruck das Fenster von außen geräuschlos öffnen konnten.

In der Nacht vom 30. April zum 1. Mai war dann der erste Nacht-ausflug angesagt. Nachdem die Nachtschwester um 22 Uhr uns versorgt hatte (da wie keine Akutpatienten waren, war dieses jeweils der einzige Rundgang bei uns), schlüpften wir in die Klamotten, löschen das Licht, und auf ging es nach Stuttgart zur Maifeier. Alles hat hervorragend geklappt. Gegen 6 Uhr waren wir wieder an Deck, und konnten ab 7 Uhr mit verquollenen Augen am gemeinsamen Frühstück teilnehmen. Gleich nach dem Frühstück war die tägliche Medikation angesetzt, und danach war jeweils schlafen angesagt, sodass mein Kumpel und ich tief und fest schliefen, wenn der Arzt während der Wochentage seine Visite machte (irgendwelche Nachfragen nach unserem Schlafbedürfnis gab es nie). Die Nachtschwestern bekamen von uns hochprozentige Aufmerksamkeiten zugesteckt, sodass auch hier eine Zufallsent-deckung ausgeschlossen war.

Bei diesen nächtlichen Ausflügen, die zwei bis dreimal wöchent-lich stattfanden, hatten wir in Stuttgart gute und freundschaftliche Kontakte zu den Amis hergestellt. Da wie als „kranke Leute" über keine großmächtigen Einkünfte ver- fügten, haben die Amis uns mit allem reichlich eingedeckt (scheinbar aus Armeebeständen) was man als junger Mensch so brauchte (von Whisky, Zigaretten und, und, und), Selbst mein Kumpel konnte dort mit seinem Ami Schlitten sehr kostengünstig tanken (natürlich jeweils voll). Somit hatten wir immer genug Material, um unsere anderen Kumpels in der Heilstätte auch noch zu versorgen. Wir konnten damals nur von Glück sagen, dass man unsere Spinde nicht kontrolliert hat.

Es hat seinerzeit lange gedauert, dass wir den Amis beigebracht hatten, dass nicht alle „Krauts" Nazis waren. Schließlich einigten wir uns darauf, dass die Westdeutschen Staatsbürger die 1967 38 Jahre und älter waren wohl in der überwiegenden Mehrzahl überzeugte Nazis gewesen sind.

In dieser Zeit kam es dann auch ab und an vor, dass unsere Ami Freunde uns in Schömberg im Sanatorium besuchten. Schnell merkten wir aber, dass dieses der Geschäftsführung des Hauses nicht ganz recht war. Um jetzt nicht weiter aufzufallen bzw. auf unser Treiben aufmerksam zu machen, haben wir diese Besucher dann in der Ortschaft Schömberg empfangen. Bei diesen Gelegenheiten lernten wir dann auch noch andere Kurgäste in Schömberg kennen, mit denen man sich tagsüber dann immer wieder mal traf.

Unterbrochen wurde unser Treiben ab dem 2. Juni 1967, als während einer Demonstration gegen den Staatsbesuch des iranischen Schahs Mohammad Reza Pahlavi der Student Benno Ohnesorg von einem Polizisten erschossen wurde. Wie wir dann in kritischen Magazinberichten noch sahen, dass die iranischen Sicherheitskräfte des Schahs mit Knüppeln und Dachlatten auf deutsche Demonstranten einprügelten, ohne dass die deutschen Sicherheitskräfte eingriffen, war für uns klar, dass wir zusammen mit den Studenten in Stuttgart auf die Straße gehen, um gegen diese Abscheulichkeiten Rabatz zu machen. Und so geschah es dann auch. Soweit ich mich erinnere, sind wir dreimal in Stuttgart gewesen, und haben uns an Sitzblockaden beteiligt, haben uns von der Polizei von der Straße und hinter den Absperrgittern tragen lassen.
Da uns bekannt war, dass die Polizei bei solchen Blockaden die Personalien aufnimmt, haben wir immer schnell das Weite gesucht,

um diesen Maßnahmen zu entgehen. Etliche Hundert Meter weiter, haben wir uns dann jeweils wieder an Blockaden beteiligt.

Auch unter den Mitbrüdern des Sanatoriums gab es sehr gute Kontakte. So war in den Abendstunden, wenn wir kein Auswärtsspiel hatten, die Vernichtung unserer geistigen Getränke im Aufenthaltsraum des Nebengebäudes angesagt - was mehrfach in ein großes gemeinsames Besäufnis endete. Feucht fröhlich wie es dann nun mal vor sich ging, wurden dann auch allerlei schmutzige Lieder abgesungen - sehr zum Missfallen der Geschäftsleitung des Hauses, die uns dieses auch im August untersagte.

Man hatte auch Bekanntschaften mit dem anderen Geschlecht. Verabredet und getroffen hat man sich in Eisdielen, Kaffees oder im nebenan liegenden Kurpark (dann musste ich auch nicht so weit laufen). Dann kam es auch ab und an vor, dass die Bekanntschaft der Vortage einem beim „fremdgehen" erwischte, und schon gab es den Zickenalarm (woran ich natürlich meine helle Freude hatte - was ich natürlich nie zugab).

Man wird sich jetzt natürlich fragen, warum hat der Keller in Schömberg einen solchen ungesunden Lebenswandel geführt, warum hat er sich nicht mehr um seine Gesundung gekümmert?

Die Antwort ist ebenso schlicht wie einfach zu beantworten: Nachdem ich aus Neuenkirchen als nicht gesund entlassen wurde (die neunmonatige medikamentöse Behandlung nicht geholfen und somit für die Katz war), die Ärzte dort wegen meiner angeblichen Erkrankung ratlos waren und in Schömberg genau der gleiche unnütze Weg fortgesetzt wurde, war ich als Betroffener verunsicherter denn je. Da ich jetzt nicht wusste wie ich dran bin, ob ich überhaupt wieder gesund werde, hatte ich mir geschworen, zumindest noch mal gut zu leben - und diesen Schwur habe ich in Schömberg in die Tat umgesetzt. Nicht mehr und nicht weniger.

Am 25. August 1967 wurden etliche Mitpatienten aus der Heilstätte entlassen, darunter auch mein Zimmerkollege und der gute Schwerenöter James aus dem Zimmer gegenüber (doch dazu an anderer Stelle mehr).

Zwischenzeitlich hatte sich schon unter uns herum gesprochen, dass wegen Patientenmangel etliche Betten längerfristig nicht belegt werden können. Da alle anderen Mitpatienten älteren Semesters waren, stand ich jetzt mit meiner Kunst alleine auf weiter Flur.

Da meine nächste Hauptuntersuchung am 28. August (einem Montag) anstand, hatte ich mir fest vorgenommen, die Mediziner nun kräftig auf den Zahn zu fühlen. Ich wollte jetzt definitiv wissen, wie ich dran bin. Alle Tests und Röntgenaufnahmen wurden an diesem Montag gemacht. Bei der anschließenden Abschlussbesprechung drucksten der Chef- und sein Oberarzt jedoch kräftig herum und meinten, „dass wir noch nicht sehr viel weiter gekommen seien". Jetzt fragte ich gezielt nach, wo denn kleine Fortschritte gemacht wurden? Und wieder das Reden um den heißen Brei herum. Dann bat ich den Oberarzt, die Röntgenaufnahme vom Sommer 1965 neben der heutigen zu hängen, um mir zu erklären, wie der Stand der Angelegenheit nun tatsächlich ist. Da beide jedoch betreten schwiegen, habe ich die beiden Aufnahmen genau miteinander verglichen, und kam zu dem Schluss, dass sich in diesen beiden Jahren nun an Hand der Aufnahmen wahrlich nichts verändert hatte. Ganz kleinlaut gestanden die beiden Mediziner daraufhin ein, dass meine Beobachtung richtig sei.

Daraufhin kam meine schneidende Frage, „wie es denn nun weitergehen soll, denn nun stehe ja zweifelsfrei fest, dass mir die bisherigen 4 Monate im Schömberg nichts gebracht hätten". Und dann kam der Hammer: Der Chefarzt erklärte mir, dass nur noch eine operative Resektion des linken Lungenoberlappens mir das Leben retten könnte. Gleichzeitig wies er jedoch darauf hin, dass diese Operation auf Grund des bei mir vorhandenen „Situs Inversus Totalis" (das ist eine spiegelbildliche Unterbringung aller Organe im Körper - das heißt, jedes Organ ist bei mir genau entgegengesetzt zu finden) mit einem unkalkulierbarem Risiko verbunden sei.

Der Chefarzt bot dann an, dass alle medizinischen Vorbereitungen für eine solche OP in einer achtwöchigen Behandlung auch in seiner Heilstätte vorgenommen werden kann. Ich erbat mir jedoch zwei Tage Bedenkzeit, denn ich müsste dieses erst mit meinen Eltern telefonisch besprechen.

Das ich nun mit meinen Eltern telefonieren wollte, war bei vorstehender Ausgangslage doch wohl sonnenklar. Das ich jedoch die OP Vorbereitungen nicht in Schömberg machen lasse, stand für mich definitiv fest, denn zu diesen Medizinern hatte ich nun wahrlich kein Vertrauen mehr. Außerdem zweifelte ich an, dass solche OP Vorbereitungen 8 Wochen dauern sollten - ich hatte eher den Verdacht, dass ich deshalb noch länger bleiben soll, um den bestehenden Patientenverlust nicht weiter ausufern zu lassen.

Ich teilte dem Oberarzt somit am Mittwoch, dem 30. August mit, dass ich nunmehr beabsichtige, diese Heilmaßnahme abzubrechen. Man sollte mir bis zum 4. September die Entlassungspapiere fertig machen, weil ich gedenke am Dienstag den 5. September Schömberg in Richtung Marienhafe zu verlassen. Der Oberarzt machte daraufhin ein bedenkliches Gesicht, schüttelte mit dem Kopf und sagte, dass er meine Absichten an den Chefarzt weiterleiten will, der sich dann sicherlich noch vorher mit mir in Verbindung setzen werde. Zum Schluss habe ich den Oberarzt noch mit auf den Weg gegeben, dass meine Entscheidung unabänderlich sei.

Noch am gleichen Tage habe ich bei meinen amerikanischen Freunden in Stuttgart angerufen, und sie zu einer Abschiedsparty am Sonnabend in Schömberg eingeladen. Und wie es nun mal kommen mag, alle haben sich angekündigt, und sie kamen nicht mit leeren Händen. Es wurde eine Sause, die Schömberg sicherlich nicht so schnell vergessen hat. Zum Abschluss wurde ich mit einem Autokorso mit viel Lärm nach Mitternacht zum Sanatorium gefahren. Das war am 2. September das erste Mal, dass ich die Nachtschwester benötigte, um Einlass zu bekommen. Ein Beinbruch war auch dieses nicht, denn die Nachtschwester flüsterte mir zu, dass sie mich nicht bei der Geschäftsleitung verpfeifen würde.

Ab Sonntag wurden dann Fakten geschaffen. Als erste Handlung besorgte ich mir eine Bahnfahrkarte für die Rückfahrt am Dienstag (5. September) nach Hause und ließ mir die günstigste Bahnverbindung heraus suchen. An diesem Sonntag habe ich ein Großteil meines Reisegepäcks gepackt. Ich brachte sodann beide Koffer nachmittags zum Bahnhof in Pforzheim und gab sie als Bahnfracht auf. Am Dienstag nahm ich dann bei der Heimreise nur noch eine Reisetasche als nötigstes Handgepäck mit.

Am 4. September wollte der Chefarzt mich überzeugen in Schömberg zu verbleiben. Dieses habe ich jedoch vehement abgelehnt. Ein Abschlussbericht wurde mir bei diesem Gespräch verweigert - ich würde ja schließlich die Klinikmaßnahme abbrechen und somit auf eigenes Risiko gehen. Danach kündigte er an, dass er meinen Kostenträger entsprechend informieren werde, was wegen meiner Eigenmächtigkeit zur Folge haben könnte, dass bestimmte Kosten der Heilmaßnahme bei meinen Eltern hängen bleiben können. Die Fahrkostenerstattung und das Zehrgeld für die Rückfahrt wurden mir jedoch an diesem Montag von der Geschäftsleitung der Einrichtung ausgezahlt.

Am 5. September wurde ich morgens um 5 Uhr von der Nachtschwester geweckt und gebeten, um 5.30 Uhr zum Frühstück, das sie mir jetzt vorbereiten würde, in ihrem Dienstzimmer zu erscheinen. Ich machte mich dann reisefertig, packte meine restlichen Utensilien in die Reisetasche, und erschien pünktlich mit Sack und Pack zum Frühstück. Die Nachtschwester hatte mir zudem noch ein Verpflegungspaket geschnürt, sodass ich für die lange Rückfahrt gut mit Speis und Trank eingedeckt war. Um 6.30 Uhr trat ich dann meine Heimreise aus Schömberg über Pforzheim, Bruchsal, Mannheim, Köln nach Marienhafe. Am späten Nachmittag erreichte ich dann wieder heimatliche Gefilde - und den Marienhafener Herbstmarkt, der ein paar Tage später stattfinden würde.

Ein paar Tage später erfuhr ich aus einem Brief der Geschäftsleitung der Schömberger Heilstätte, dass der Chefarzt seine Drohung mit dem Kostenträger der Maßnahme nicht wahrgemacht hat, sondern dass er einen Abschlussbericht an meinem Lungenfacharzt in Norden geschickt hätte.

Nach dieser Zeit in Schömberg hatte ich noch längere Zeit Kontakt mit meinen dortigen Freunden - doch irgendwann schliefen diese Kontakte ein.

Daumen hoch oder Daumen runter

Nach meiner Schömberger Zeit habe ich mich im September 1967 mehrfach mit meinem Lungenfacharzt in Norden beraten, wie es nun weitergehen soll. Auch Dr. F. kam zu der Einschätzung, dass eine weitere herkömmliche Behandlung in Heilstätten nichts mehr bringen würde. Im Gegenteil - jetzt bestünde die Gefahr, dass mir die Zeit davonlaufen könnte. Somit käme auch nach seiner Ansicht nur noch eine OP in Betracht, die auch möglichst kurzfristig durchgeführt werden sollte.

Doch ebenso wie der Chefarzt in Schömberg hatte auch Dr. F. große Bedenken gegen eine solche OP bezüglich des Risikos wegen des bei mir vorhandenen „Situs Inversus Totalis". Wörtlich fügte er an, „dass die Chancen für einen guten Verlauf der OP bei 50 zu 50 stehen. Diese Verantwortung für eine solche risikoreiche OP könne er nicht übernehmen". Er versprach mir jedoch nach einem Operateur zu suchen, der es sich auch zutraut, eine solche riskante OP durchzuführen.

Anfang Oktober 1967 bekam ich aus der Praxis Dr. F. mitgeteilt, dass man einen Operateur gefunden habe, und dass ich zu dem nächsten Termin in Norden meinen Vater als Erziehungsberechtigten mitbringen solle, da ich noch nicht volljährig sei (war man damals erst mit Vollendung des 21. Lebensjahres). Im Termin Mitte Oktober wurde meinem Vater und mir von Dr. F. eröffnet, dass Dr. R., Chefarzt und Operateur vom Klinikum Wildeshausen, bereit sei, diese riskante OP durchzuführen. Dr. F. erbat jetzt von meinem Vater und mir unser schriftliches Einverständnis, dass er einerseits die Einweisung in das Klinikum in die Wege leiten kann, und zusätzlich das schriftliche Einverständnis meines Vaters als Vormund, dass er mit diesem Eingriff einverstanden ist. Nachdem mein Vater und ich schon vorher das „Für und Wider" dieser OP miteinander ausdiskutiert hatten, wurden die entsprechenden Erklärungen an Ort und Stelle von uns unterschrieben.

Vom Klinikum Wildeshausen bekam ich daraufhin die schriftliche Mitteilung, dass ich am 6. November 1967 im Klinikum anzutreten habe. Natürlich fuhr ich jetzt mit gemischten Gefühlen nach

Wildeshausen, keine Frage - aber trotzdem war ich wild entschlossen, dass diese gesundheitliche Ungewissheit nunmehr ein jähes Ende haben muss!

In Wildeshausen angekommen, wurde mir noch am gleichen Tage der Chefarzt und Operateur Dr. R. vorgestellt. In einem sehr ruhigen und freundschaftlichen Gespräch erklärte er mir, was in den kommenden Wochen auf mich zukommen wird. Er beschönigte nichts, malte aber auch nichts in düsteren Farben. „Es ist besser eine 50 %ige Chance zu haben als gar keine" - das war sein ab- schließender Kommentar. Und was soll ich sagen - von der ersten Sekunde an hatte ich Vertrauen zu diesem Menschen, und fühlte mich somit bei ihm gut aufgehoben.

In den darauf folgenden Tagen begannen dann die Vorbereitungen für diese OP. Nachdem diese Prozedur abgeschlossen war, genügend Blutkonserven bereit standen, und die „Herz-Lungen-Maschine" wegen meines Situs Inversus Totalis umgepolt war, wurde die OP für den 28. November 1967 um 8 Uhr angesetzt. Am Abend vor der OP gab es dann noch den beliebten Einlauf, um den Magen und die Därme gründlich zu reinigen, und anschließend verpasste man mir die Beruhigungsspritze (obwohl ich diese m. E. wohl nicht gebrauch hätte). Irgendwann am frühen Morgen des OP-Tages gab es dann noch einmal eine Spritze, sodass ich nicht einmal gemerkt habe, dass ich mit dem Bett in den OP-Saal geschoben wurde.

Irgendwann am Nachmittag des 28. November, ich lag noch auf dem OP-Tisch (konnte ich an den Lampen erkennen), bekam ich wohl leichte Schläge ins Gesicht, um zu sehen ob ich wieder bei Bewusstsein bin. Was ich sah und zur Kenntnis nahm war das zufrieden grinsende Gesicht des Dr. R. - und danach ging es schon wieder ab ins Reich der Träume. Dass ich mit Dr. R. auch gesprochen haben soll, wie er mir am nächsten Tag berichtete, daran fehlt mir jegliche Erinnerung.

Irgendwann in der Nacht bin ich dann wieder munter geworden, und fand mich in einem Einzelzimmer der Intensivstation wieder. Der Raum war hell erleuchtet, und bei mir am Bett saß ein Pfleger der Station. Ich hing am Tropf (Blutkonserve), und war bedeckt mit etlichen Schläuchen, die aus meinem Ober- und Unterkörper heraus kamen, Schmerzen hatte ich keine, fühlte mich jedoch unendlich schlapp. Da ich jedoch nun ansonsten munter war, habe ich die ganze restliche Nacht mit dem Pfleger gequatscht. In dieser Nacht wurden noch dreimal neue Blutkonserven angeschlossen.

So gegen 8 Uhr kam dann Dr. R, zu mir, und fragte mich nach meinem Befinden (zum Verlauf der OP und dergleichen aber kein Wort). Vom Pfleger bekam Dr. R, zu hören, dass ich irgend- wann ab 3 Uhr wieder putzmunter gewesen sei, und dass ich mich den Rest der Nacht und des frühen Morgens mit ihm unterhalten hätte. Dr. R, merkte abschließend an, das ich bei günstigem Verlauf wohl 10 Tage auf der Intensivstation verbringen muss, danach könnte ich dann zurück in mein Krankenzimmer und auch wieder mit leichtem Lauftraining beginnen.

Da ich 10 Tage lang auf der Intensivstation mehrfach am Tage mit Morphiumspritzen bis in die Haarspitzen zugedröhnt wurde, hatte ich auch keine Schmerzen zu ertragen. Stattdessen wurde ich schon wieder aufsässig und aggressiv. In der zweiten Nacht auf der Intensivstation ließ der Pfleger die große Deckenbeleuchtung an. Ich forderte ihn daraufhin auf, dieses Licht zu löschen, damit ich meine Ruhe finden kann. Dem kam er jedoch nicht nach. Da bat ich ihm, dass er mir mal seinen Kaffeebecher reichen möge. Er fragte nach, was ich denn mit seinem Becher vorhabe? Von mir bekam er die Antwort, dass ich mit dem Becher gedenke die Deckenbeleuchtung auszuschießen. Das hatte gewirkt, denn nunmehr besorgte er sich eine kleine Schreibtischlampe, und somit konnte er meiner Bitte nachkommen.

In der dritten Nacht dann die große Überraschung. Im zweiten Raum der Intensivstation, gleich nebenan, gab es gegen ca. 23 Uhr eine Einlieferung. Und dann hörte ich die unverkennbare Stimme (rauchiger geht es auch wohl nicht) - das konnte nur der Schwere-nöter James, mein Zimmernachbar von gegenüber aus Schömberg, sein. Nachdem die Weißkittel weg waren, nur noch sein Pfleger anwesend war, fragte ich laut: „Hey James, bist du das"? Als Antwort bekam ich ein „ja" zu hören, verbunden mit der Frage; „Wer bist du denn?" Nachdem ich mich zu erkennen gab, entwickelte sich eine lange Unterhaltung von Wand zu Wand. Und wie es bei solchen Anlässen nun mal so ist, begann die Konversation mit der Frage: „Weißt du noch...". Diese Unterhaltung ging stundenlang so weiter. Mit der Zeit wurde die Stimme von nebenan immer leiser - bis es ganz ruhig wurde. Nun muss er wohl eingeschlafen sein der gute James dachte ich mir so - am nächsten Morgen erfuhr ich, dass ich mit meiner Vermutung richtig lag - er war eingeschlafen - aber für immer. Die Ärzte haben sich anschließend bei mir bedankt, dass ich dem guten James einen stark abgelenkten Tod beschert hatte. Seine Überlebenschance, so berichteten die Mediziner, war sowieso gleich Null. Ja, und in Schömberg war er Ende August des Jahres als gesund entlassen worden.

Am siebten Tag nach der OP wurden die Schläuche gezogen, und die Wunden mit großen Pflastern abgeklebt, am achten Tag nach der OP konnte man wieder leichte Kost zu sich nehmen (bis dahin wurde man durch Infusionen künstlich ernährt). Ebenfalls am achten Tag nach der OP durfte man in Begleitung auch wieder zur Toilette. Am zehnten Tag nach der OP bekam ich die letzten Morphiumspritzen und am Abend wurde ich wieder in mein normales Krankenzimmer außerhalb der Intensivstation umquartiert.

Zwei Wochen nach der OP wurden an dem ca. 50 cm langen Rückenschnitt die Fäden gezogen, und der mittlerweile geschlossene Schnitt mit einem langen und breiten Pflaster überklebt. Anschließend war leichtes Gehtraining angesagt, auch um die Muskulatur und die durch OP und der schweren Medikamente verlorene Ausdauer wieder zu trainieren. Diese Fortschritte entwickelten sich so gut, dass ich über die Weihnachtstage, vom 23. bis 27.12., sogar Heimaturlaub bekam.

So kam es, dass ich schon Mitte April 1968 aus dem Klinikum in Wildeshausen entlassen werden konnte. Bei dem Abschlussgespräch mit Dr. R. dann einige Hiobsbotschaften; So teilte mir Dr. R. beispielsweise mit, das während der OP bei mir die Herz-Lungen-Maschine durch die Umpolung kurzfristig seinen Geist aufgegeben hatte. In dieser Zeit mussten mein Herz und Lunge manuell aktiviert werden (wie immer das auch ging). Während dieser Zeit wurde die OP unterbrochen. Laut Dr. R. hätte dieser

Maschinenausfall auch keine zwei Minuten länger andauern dürfen, denn ansonsten wäre nicht nur die auf halber Strecke bereits durchgeführte OP schief gegangen, sondern auch mein Lebenslicht erloschen gewesen. Doch dann kam der Hammer: Dr. R, teilte mir mit, dass nach der OP das entnommene Gewebe zwecks Beurteilung an ein Speziallabor geschickt worden sei. Dieses Labor sei bei der Gewebeprüfung zu dem Schluss gekommen, dass es sich im angeblich betroffenen Bereich nicht um eine Tuberkulose handelte, sondern nur um ganz normale körperliche Verwachsungen, die jeder Mensch an irgend einer Stelle seiner Organe in sich trägt, Da ich nun mal mit 1,87 Meter Körperlänge groß gewachsen bin, seien diese Verwachsungen eben bei mir am äußersten Rand des linken Lungenoberlappens vorhanden gewesen.

Das Labor habe aber auch zu erkennen gegeben, dass man diese Verwachsungen auf Röntgenbilder sehr leicht mit einem Tuberkulosen Schatten auf der Lunge verwechseln könne. Es hätte den Kliniken aber an Hand der vielen Röntgenbilder über eine Zeit von 2 Jahren auffallen müssen, dass sich Lage und Aussehen der vermeintlichen Lungenerkrankung nicht verändert haben. Spätestens vor einem klinischen Eingriff hätte man eine kleine Gewebeprobe der betroffenen Stelle der Lunge entnehmen und an ein Speziallabor schicken müssen, um sicher zu sein, ob es sich hierbei um eine gutartige Verwachsung oder um eine bösartige Wucherung handelt. Auf meine entsprechende Nachfrage hat Dr. R. geantwortet, dass eine sichere Gewebeprüfung schon im Sommer des Jahres 1965 möglich gewesen wäre.

Diese Beichte, oder wie man es sonst auch nennen mag, saß. Nun war ich mehr als nur bedient. Der Chefarzt erklärte abschließend, dass ich die Wiederherstellung meiner Kräfte, der Kondition und der Laufstrecken jetzt langsam angehen lassen soll (nur nichts übers Knie brechen und die OP-Nähte wieder reißen lassen). Er gab mir ein Jahr Zeit, meine Gesundheit und mein Wohlbefinden wieder halbwegs aufzubauen - wobei er mir viel und reichlich Seeluft empfahl. Aus diesem Grunde schrieb er mich bis zum 31. März 1969 weiterhin krank. Außerdem soll ich weiterhin in Lungenärztlicher ambulanter Behandlung verbleiben, denn dieses Aufbautraining sei nur unter strengster ärztlicher Aufsicht möglich.

Danach war das Kapitel Wildeshausen für mich erledigt.

Waren die letzten 2 ½ Jahre für die Katz?

Die zuvor genannten Erklärungen des Chefarztes des Klinikums Wildeshausen waren jetzt Grund genug, hier nun gezielt weiterzubohren. Doch vom Staatlichen Gesundheitsamt Norden als damalige Durchführungsorganisation der Röntgenreihenuntersuchung vom Sommer 1965, und als erste Untersuchungsstelle nach der Reihenuntersuchung am 5. Oktober 1965, sowie Herr Dr. F. als Norder Lungenfacharzt haben sich zur obigen Problematik auf mehrere Nachfragen nicht bzw. nur ausweichend geäußert. Während das Staatliche Gesundheitsamt Norden eisern schwieg, hat Herr Dr. F. sich nur dahingehend geäußert, „dass auch Speziallabore sich irren können", den Abschlussbericht aus Wildeshausen wollte er mir jedoch nicht zum Lesen aushändigen (ansonsten auch hier inhaltliche Fehlanzeige).

Gut, bei der Röntgenreihenuntersuchung im Sommer 1965 zeigte sich ein möglicher Verdachtsmoment für eine Lungentuberkulose. Dass das Gesundheitsamt Norden in einer weiteren medizinischen Untersuchung vom 5. Oktober 1965 dem nachzugehen hat, entspricht den Bestimmungen nach dem Seuchengesetz. Bei dieser medizinischen Untersuchung beim Gesundheitsamt Norden muss schon zwangsläufig festgestellt worden sein, dass es sich bei mir (wenn überhaupt) um keine ansteckende Lungentuberkulose handelte.

Wäre es anders, hätte man bei mir eine aktive, also ansteckende, Lungentuberkulose festgestellt, hätte man mich an diesem 5. Oktober 1965 als Krankheitsüberträger sofort aus dem Verkehr ziehen müssen (das heißt, ich wäre auf Grund der Seuchengefahr von dem allgemeinen Umgang mit Mitmenschen ausgeschlossen worden). Ebenfalls wären in einem solchen Fall meine Eltern, mein Bruder und meine Freunde, mit denen ich ständigen Kontakt hatte, zu einer Kontrolluntersuchung beim Gesundheitsamt gebeten / verpflichtet worden. Da dieses jedoch alles nicht geschehen ist, muss ich davon ausgehen, dass schon damals feststand, dass ich nicht ansteckungsfähig erkrankt bin. Dieses hat das Gesundheitsamt mir jedoch am besagten 5. Oktober 1965 nicht mitgeteilt. Man hat mir lediglich zu verstehen gegeben, dass ich angeblich an einer Lungentuberkulose erkrankt sei, und das diese in einer speziellen Einrichtung stationär behandelt werden müsse.

Wenn das nun wie zuvor geschildert alles so stimmt (gegenteiliges wäre übrigens eine grobe Pflichtverletzung des Staatlichen Gesundheitsamtes Norden gewesen), frage ich mich,

1) warum das Gesundheitsamt Norden nicht die Entnahme einer Gewebeprobe aus der angeblich betroffenen Lunge angeordnet hat? Da keine Ansteckungsgefahr bestand, wäre für eine solche Gewebeprüfung also Zeit genug vorhanden gewesen.

2) Und es gibt einen weiteren logischen Grund für eine frühe Gewebeprüfung: In der Regel entwickelt sich eine Lungentuberkulose in den unteren Lungenbereichen (kann man übrigens heute auch im Internet nachlesen). Dieses war den Medizinern auch schon 1965 bekannt. Da jedoch bei mir eine angebliche Lungenerkrankung an den Rändern des linken Lungenoberlappens diagnostiziert wurde, hätte bei den Medizinern doch unwillkürlich der Verdacht aufkommen müssen, dass es sich hierbei auch um ganz natürliche Verwachsungen handeln kann, die im Röntgenbild mit einer Tuberkulose verwechselt werden können.

3) Da jedoch bei mir auch alle Warnhinweise auf eine Lungentuberkulose fehlten, wie sich auf entsprechende Nachfragen des Gesundheitsamtes Norden bestätigte - wie z. B. ständiges Husten über mehrere Wochen, Müdigkeit, Gewichtsverlust, Appetitlosigkeit, leichtes Fieber, Nachtschweiß, Stechen in der Brust und Kurzatmigkeit - wäre auch aus diesem Grunde schon damals eine zwingende Gewebeprobe erforderlich gewesen, um eine Fehldiagnostik und eine damit einhergehende Fehlbehandlung zu vermeiden, notwendig gewesen.

Dem Staatlichen Gesundheitsamt Norden kann ich nur bescheinigen, dass man es grobfahrlässig versäumt hat, die Entnahme einer Gewebeprobe in Auftrag zu geben, um diese von einem Labor gründlich prüfen zu lassen!

Doch auch in der ersten Lungenheilstätte in Neuenkirchen hat man nicht so genau hingeschaut. Von der ersten Untersuchung im Oktober 1965 bis zur letzten im Juli 1966 wurde bei mir keine ansteckende Lungentuberkulose diagnostiziert (ansonsten wäre ich auch niemals vom ersten Tage an Freigänger mit Anspruch auf etliche Heimfahrten geworden. Neun Monate habe ich in Neuenkirchen damals, bis auf die Tage in Heimaturlaub, tägliche Chemotherapien mittels Infusionen in einer Vene eines Armes bekommen.

Hinzu kamen tägliche Spritzen ins Hinterteil (natürlich nicht während der Heimfahrten) und tägliche Tablettendosierungen (auch während der Heimfahrten). Bei dieser Fülle an Medikamenten und den Chemotherapien in den 9 Monaten in Neuenkirchen hätte eine beginnende inaktive Lungentuberkulose (wenn es eine war) in dieser Zeit mehrfach geheilt werden können und müssen - das sagen übrigens heute auch die Mediziner (und das dieses nicht so ist, hätte den Ärzten eigentlich auffallen müssen!) Ebenfalls wurde in dieser Neuenkirchener Heilstätte versäumt, sich die Röntgenbilder genauer anzuschauen. Spätestens nach 9 Monaten Dauerbehandlung hätten deren Mediziner an den Röntgenbildern erkennen können, ja sogar erkennen müssen, dass sich an meiner linken Lunge nichts verändert hatte (weder zum Guten noch zum Schlechten), dass deren Diagnostik nicht stimmte! Aus diesen genannten Gründen hat auch die Heilstätte Neuenkirchen ebenfalls grobfahrlässig versäumt, eine Gewebeprüfung in Auftrag zu geben!

Gleiche Feststellungen gelten auch für das Sanatorium Schömberg (bei gleicher Indikation wie in Neuenkirchen) und für das Klinikum Wildeshausen (dort wäre sogar die Durchführung der Entnahme einer Gewebeprobe möglich gewesen).

Fazit: Hier liegt nun mehrfach ein grobfahrlässiges und somit schuldhaftes Verhalten einer Staatlichen Einrichtung, zweier Heilstätten und eines Klinikums vor - also Einrichtungen die alle zur Seuchenbekämpfung im Auftrage des Bundesseuchengesetzes aktiv waren! Durch deren schuldhafte grobfahrlässige Verhalten, bezogen auf die mündlichen Feststellungen des Herrn Dr. R., Chefarzt und Operateur des Klinikums Wildeshausen, anlässlich der Abschlussbesprechung von Mitte April 1968, ist mir ein schwerer gesundheitlicher und finanzieller Schaden entstanden!

Meine erlittenen gesundheitlichen Schäden: Verlust des linken Lungenoberlappens - dadurch bedingte chronische obstruktive Bronchitis mit Lungenemphysem mit starkem zähem Auswurf (nach der OP - mit zunehmender Tendenz); ständige Kurzatmigkeit bei körperlichen Belastungen (nach der OP - ebenfalls mit zunehmender Tendenz): seit der OP ständige Rückenprobleme durch Verrenkungen, Verstauchungen und Bandscheibenvorfälle mit Verengung des Spinalkanals (Grund: Spreizung der Rippen während der OP und somit auch Schädigungen an der Wirbelsäule): Venenleiden in beiden Beinen (nach dem operationsbedingten kompletten Blutaustausch - mit zunehmender Tendenz) sowie Verlust der bisherigen (vor Oktober 1965 vorhandenen) Lebensqualität.

Finanzieller Schäden: Finanzielle Mehraufwendungen für die persönlichen Bedürfnisse in den Heilstätten und im Wildeshausener Klinikum - Kosten die in der Heimat nicht anfielen bzw. dort von den Eltern übernommen wurden (incl. Kosten für die Heimfahrten zwischendurch); Starke Lohn- und Einkommens- einbußen. Zum Zeitpunkt der vermeintlichen Erkrankung im Oktober 1965 war ich in der Mitte des zweiten von 3 Ausbildungsjahren, nachdem die erste Ausbildung von 1963 Ende des Jahres von der Handwerkskammer wegen eines fehlenden Meisters aufgelöst wurde (der Betrieb war nicht ausbildungsberichtigt). In diesem zweiten Lehrjahr bekam ich eine Ausbildungsvergütung von mtl. 75,00 DM. Nach dieser Ausbildungsvergütung wurde mein mir zustehendes Krankengeld von der Krankenkasse, und nach deren Aussteuerung das Übergangsgeld von der Bundesversicherungsanstalt für Angestellte (BfA) berechnet. Danach standen mir 1,50 DM pro Tag an Leistung zu (aber nur für die Tage in Heilstätten, Klinikum und in der anschließenden Umschulungsmaßnahme, weil ich die Ausbildung wegen der Staubbelastung nicht fortsetzen durfte. Die Umschulung wurde ebenfalls von der BfA finanziert). Dieser genannte Tagessatz hatte Gültigkeit bis zum 31. März 1970 (Beendigung der Umschulung). Demzufolge ist jetzt wohl nachvollziehbar, dass mir hier ein riesiger finanzieller Schaden entstanden ist.

Diese ganze obige unerfreuliche Geschichte habe ich in den Jahren 1968 und 1969 zweimal mit unterschiedlichen Rechtsanwälten besprochen. Beide erklärten mir übereinstimmend, dass die Beweislast bei einer Klage gegen die o. a. Verursacher bei mir liegt - dass ich beweisen muss, nicht an einer Tuberkulose erkrankt gewesen zu sein, dass ich beweisen muss, dass die Mediziner in meinem Fall wider besseres Wissens gehandelt haben und dass ich beweisen muss (am besten durch eine Kopie), dass von einem Laboratorium auch tatsächlich das bei mir durch Operation entnommene Lungengewebe untersucht wurde, und wie das Untersuchungsergebnis ausgefallen sei.

Diese Beweise beizubringen wird wohl fast unmöglich sein, so die Anwälte. In einer Klage darauf zu warten, dass von der Gegenseite Fehler eingeräumt werden, ist mit an Sicherheit grenzender Wahrscheinlichkeit nicht zu erwarten.

Bis auf horrende Prozesskosten, die bei mir hängen bleiben, hätte ich nichts an Erfolg in der Sache zu erwarten. Beide Anwälte gaben mir den Rat, durch eine Eingabe beim Bundesgesundheitsministerium zu erwirken, dass die Fronten bei den Medizinern von oben aufgeweicht werden.

Ende 1969 habe ich dann, wie vom Rechtsanwalt empfohlen, diese unerfreulichen Ereignisse per Eingabe an das Bundesministerium für Gesundheit in Bonn abgegeben, mit der Bitte, in vorstehenden Angelegenheiten dafür zu sorgen, dass nun mal die Wahrheit ans Licht kommt, damit ich meine Rechtsansprüche gegen die Verursacher auch durchsetzen kann. Ich bekam von dort jedoch weder eine Eingangsbestätigung noch die erbetenen Antworten. Im Februar 1970 habe ich dann beim Bundesgesundheitsministerium nachgefragt, wo meine erbetene Hilfe bleibt. Doch wiederum Fehlanzeige. Von daher musste ich annehmen, dass dem Bundesministerium für Gesundheit Ärztepfusch scheinbar nicht sonderlich interessierte.

Das heiße Jahr 1968

Nun galt es nach der langen Phase der vermeintlichen Erkrankung wieder Mensch zu werden - die Muskeln und Sehnen wieder zu stärken sowie die Ausdauerkräfte so langsam aber sicher zu aktivieren, ohne jedoch durch falschen Ehrgeiz zu übertreiben (wie Dr. R. es im Abschlussgespräch von Mitte April empfohlen hatte).

Mein Körper, der ab Oktober 1965 mit über 300 Infusionen Chemotherapie, mit weit über 300 Spritzen, unzähligen starken Tabletten und abschließend nach der schweren OP mit 30 Ampullen starken Morphiumspritzen zugedröhnt wurde, war Mitte April 1968 so etwas wie eine wandelnde Giftmülldeponie. Dieser ganze Mist mit den stark belasteten physischen und auch psychischen Nebenwirkungen, musste nun aus dem Körper raus. Laut Dr. R. wird es viele Jahre dauern, um diese einschränkenden Nebenwirkungen abzubauen - ja, man musste erst wieder Mensch werden. Somit hatte ich bis Mitte der 1970iger Jahre mehr Probleme mit mir selbst, als dass ich diese seinerzeit für andere Personen aus meinem Umfeld hatte und zu ihnen weder Draht noch Gespür für deren Last bzw. deren möglichen Kummer besaß.

Nach dem beschriebenem Abschlussgespräch mit Dr. R., Chefarzt und Operateur des Klinikum Wildeshausen, habe ich erst so richtig begriffen, wie kostbar das Leben ist - und an welch dünnem Faden dieses Leben doch manchmal hängt. Dieses Wissen um die selbst erlebte Verletzlichkeit des eigenen Wohlbefindens hinterließ bei mir ein ungutes Gefühl. Konnte ich jetzt so ohne weiteres zur von Dr. R. empfohlenen Tagesordnung übergehen? Diese Nachdenklichkeiten führten dazu, dass in dieser Phase meines Lebens mein inneres Gleichgewicht nicht mehr stimmte. Sollte ich jetzt weitgehend auf mein abenteuerliches Leben mit den Freunden wie vor dem 5. Oktober 1965 verzichten? - Nein, das wollte ich nun wahrlich nicht, denn schließlich hatte ich mit 20 ½ Jahren nach der Zeit der gesundheitlichen Abstinenz jetzt noch erheblichen Nachholbedarf. Auf der anderen Seite verbot mir aber mein geschundener Körper allzu sehr draufgängerisch zu sein. Somit reifte in mir der Entschluss heran, ab sofort bewusster zu leben - nicht mehr hinter jeder kurzlebigen Vergnüglichkeit und jedem Abenteuer her zu jagen (auch nicht im Umgang mit dem anderen

Geschlecht). Mit diesem Wissen wollte ich mir jetzt ein neues Image und verändertes Selbstbewusstsein aufbauen. Daran lag mir nun sehr viel. Ohne dabei die Freunde zu vernachlässigen, wollte ich mit der Zeit eine echte Partnerin finden, zu der man auch blindes Vertrauen haben kann, und die dann auch das nötige Verständnis für meine Situation aufbringen würde.

Zuerst hatte ich mich darüber gewundert, dass das Klinikum Wildeshausen mich bis zum 31. März 1969 arbeitsunfähig krank geschrieben hatte, doch sehr schnell wurde mir klar, dass die persönliche Rehabilitation, die Wiederherstellung des vormals existierenden körperlichen Zustandes, sehr mühsam wird, und eine Menge Zeit erfordert. Und bei allem bestand die Gefahr, sei es durch zu heftiges tiefes Einatmen, durch Hyperventilation sowie durch unkontrollierte ruckartige Bewegungen des Oberkörpers, die OP-Nähte wieder aufzureißen.

Anfänglich sah mein Tagesplan vor, nach dem Frühstück etliche Kilometer langsam zu gehen, später wurde daraus ein zügiger Marsch, und noch später kamen bei diesen flotten Märschen auch noch einige Zwischensprints dazu. Nach dem zweiten Frühstück war Gymnastik und leichtes Kraftsporttraining (später steigernd) angesagt.

Nach dem Mittagessen war Augenpflege nötig, natürlich nicht liegend und auch nicht in einem bequemen Sessel sitzend (machte ich mal einen Mittagsschlaf, war ich für den Rest des Tages nicht mehr zu gebrauchen - dann war ich ungenießbar - dieses hat sich auch aktuell noch nicht geändert).

Somit bestand meine Augenpflege darin, dass ich auf einem Holzstuhl ohne Armlehnen die Beine lang machte und die Augen für ca. 15 Minuten geschlossen hielt. Ich habe damals die Erfahrung gemacht, dass man selbst bei dieser ungemütlichen Augenpflege sehr gut entspannen kann.

Nach der nachmittäglichen Kaffeepause war dann Fahrradfahren angesagt (auch hier in der Anzahl der gefahrenen Kilometer und im Tempo so langsam steigend). Anzumerken ist, dass dieses Programm bei Wind und Wetter durchgeführt wurde (man konnte sich ja entsprechend kleiden). Es versteht sich wohl von selbst, dass diese Aktivitäten unter ständiger ärztlicher Kontrolle durchgeführt wurden.

Ab Mitte April 1968 gab es dann auch wieder das Kontrastprogramm mit den alten Freunden auf den verschiedenen Jahrmärkten in Ostfriesland bei „Kalli Meyer". Ich fand es rührend, wie meine Kumpels sich um mich kümmerten, bellte ein Außenstehender mich mal an, oder kamen andere mir zu nahe, dann wurden diese Leute von meinen Freunden halt mal kurz „auf den Pott gesetzt". Für irgendwelche Rangeleien, die ja damals immer mal vorkamen, stand ich damals körperlich noch nicht wieder zur Verfügung.

Am 11. April 1968 wurde einer der prominentesten Wortführer des SDS, Rudi Dutschke von dem Arbeiter Josef Bachmann durch Pistolenschüsse schwer verletzt. Dutschke überlebte das Attentat, starb aber 1979 an den Spätfolgen der Verletzungen, die eine Epilepsie bei ihm verursacht hatten. Ab diesem Zeitpunkt beteiligte ich mich auch wieder an politischen Demos. In der Regel fuhren wir damals mit etlichen Freunden nach Frankfurt, um uns den dortigen Demos anzuschließen. Aus Krawallen mit der Polizei hielten wir uns jedoch heraus. Für uns war nur wichtig, Flagge zu zeigen - auch weil der Alt-Nazi Kiesinger immer noch Bundeskanzler unserer Republik war.

Aus der 68iger Bewegung gründete sich später um Andreas Baader, Gudrun Ensslin und Ulrike Meinhof die terroristische Rote Armee Fraktion (RAF), die von meinen Freunden und mir strikt abgelehnt wurden. Große Teile der 68iger Bewegung wandten sich gegen diese gewaltbereite RAF-Szene, und sympathisierten stattdessen mit der SPD unter Willy Brandt (deren Mitglied ich 1971 wurde).

Zum Sommer 1968 hin verlegte ich an den Wochenenden, wenn meine Kumpels auch Zeit hatten, viele Aktivitäten zur Insel Norderney. Wir fuhren Freitagabends mit den Dampfer rüber, nächtigten in den Strandkörben, machten uns jeweils in der Nordsee frisch, und fuhren jeweils am späten Sonntagnachmittag mit dem Dampfer zurück ans Festland. Das strenge Laufen im

Dünensand ist zwar eine Schinderei, doch bei der frischen Seeluft haben mir diese Anstrengungen sehr viel gebracht. Während der Haupturlaubszeit wurde unsere Truppe natürlich auch etwas kleiner, weil etliche von uns auch selbst in Urlaub fuhren.

Vor und während meiner langen Erkrankungsphase bis April 1968 war ich stets bemüht, so lange wie möglich unabhängig zu bleiben, wollte erst meine Berufsausbildung abschließen. Ein Kostverächter bezüglich des weiblichen Geschlechts war ich natürlich nie, habe mitgenommen was nach meinem Geschmack war. Doch, wie zuvor auf Seite 64 schon ausgeführt, verfolgte ich diesbezüglich jetzt andere Interessen.

Anmerkung: Ich habe lange überlegt, nachfolgende Ereignisse, die nicht nur meine Privatsphäre sehr stark berührten, in diese Autobiographie aufzunehmen. Doch aktuelle Nachforschungen, Ereignisse und die Expertise eines bekannten Psychologen haben mich veranlasst, nachstehende Begebenheiten nun doch in meinem Buch zu veröffentlichen - auch um zu verdeutlichen, wie man nicht in einer Beziehungspartnerschaft miteinander umgeht. .

Da ich an einem Freitagnachmittag im August vor der Fahrt nach Norderney noch einen Kontrolltermin beim Arzt hatte, fuhren mein Kumpel und ich (die übrigen Freunde waren wegen des Urlaubs / der Ferien nicht in Ostfriesland bzw. hatten andere Verpflichtungen) erst am Sonnabend zur Insel. Doch, wie es dann scheinbar so sein sollte, an diesem Wochenende hat es mich dann doch erwischt.

An dem Sonnabend selbst war die Welt für mich noch in Ordnung - wir machten unsere Dünenläufe, erfrischten uns in der Nordsee, gingen zum Lokal „D-Zug" Bier trinken und hatten abends das Glück zu einer Grillparty am Strand eingeladen zu werden, wobei anzumerken ist, dass ich nach der OP vom November 1967 ein längeres Problem mit dem Alkohol hatte. Es gab damals Phasen, da kippte ich schon nach zwei kleinen Glas Bier aus den Schuhen - mir wurde dann speiübel (erst ab Mitte der 1970iger Jahre legte sich dieses Phänomen - doch ab da war mein Alkoholdurst ohnehin vorbei). Die Nacht verbrachten mein Kumpel und ich in den Strandkörben, die wir zu diesem Zweck zusammenstellten um einerseits gut liegen zu können, und andererseits vor dem Seewind geschützt zu sein (wobei wir mit den Strandwärtern seit Beginn dieser Touren vereinbart hatten, dafür zu sorgen, dass die Strandkörbe nicht beschädigt werden und anschließend alles wieder ordentlich aufzuräumen, damit der Platz wieder sauber verlassen wird, denn einen Platzverweis wollten wir nicht riskieren).

Am Sonntag nach dem Frühstück (das wir uns von zuhause mitgebracht hatten) waren wieder Dünenläufe angesagt. So gegen 10 Uhr zogen wir uns in ein Dünental in der Nähe des Jugendwerkes Detmold an der Lippestraße zurück, um nach den schweißtreibenden Anstrengungen uns die Sonne auf den Pelz brennen zu lassen. Irgendwann zwischen 10 und 11 Uhr tauchten dann zwei junge Damen auf den Dünenkamm auf, und fingen scheinbar wegen unseres abgekämpften Aussehens mit uns an zu schäkern (später beichtete man uns, dass man uns bei den Dünenläufen beobachtet hatte).

In der Regel einigten wir Jungs uns immer vorher wer mit wem - wie wir beide Damen baten sich zu uns zu setzen, erübrigte sich diese Einigung, denn die Damen wählten selbst aus zu wem man sich setzte.

Zu mir gesellte sich die Renate (in ihrem Elternhaus auch liebevoll „Molly" genannt - wie ich später erfuhr). Sie war mittelgroß, schlank, schwarzhaarig mit einer modisch eleganten Kurzharrfrisur, wodurch ihr schönes ebenmäßiges Gesicht mit den feurigen Augen (deren Blicke mir den Himmel auf Erden versprachen) und dem verführerischen zartroten Mund noch besonders vorteilhaft betont wurde - und auch sonst war alles dran, was man sich von einer Traumfrau versprach (später fiel mir auf, dass sie viel Ähnlichkeit mit der Schauspielerin Lilli Palmer in Jugendausgabe hatte). Die Renate war sehr dezent geschminkt, was mir besonders gut gefiel, somit musste man nicht raten, was sich eventuell. hinter einer Maske aus Puder und Farbe verbarg. Es ist keine Übertreibung, wenn ich jetzt feststelle, dass die Chemie zwischen uns vom ersten Augenblick an stimmte. Renate erzählte mir, dass sie in Hörstmar bei ihren Eltern wohnt (einem Ort zwischen den Städten Lage und Lemgo gelegen), dass sie derzeit eine 3 jährige Ausbildung als Dekorateurin in einem großen Bekleidungsgeschäft in der Stadt Lage absolviert, und dass sie mit mehreren Freundinnen Urlaub in dem schräg gegenüberliegenden Jugendwerk Detmold mache. Bis zur Mittagspause quatschten wir locker flockig über alles Mögliche, ohne die jungen Damen in irgendeiner Form zu bedrängen.

Zum Mittagessen gingen beide Damen zu ihrer Urlaubsherberge zurück. Nach der Pause kam jedoch nur Renate zurück und brachte meinem Freund und mir sogar etwas zu essen mit. Sie entschuldigte ihre Freundin, die angeblich von der prallen Sonne Kopfschmerzen hätte. Daraufhin zog sich auch mein Kumpel zurück, und wir vereinbarten uns am Abend beim Dampfer zur Rückfahrt wieder treffen zu wollen.

Somit war ich jetzt mit der schönen und angenehmen Renate allein. Sehr schnell merkte ich, dass Renate nicht nur eine bemerkenswerte äußerliche Schönheit besaß, sondern auch eine herz- und seelewärmende innere Schönheit, also eine innere Wärme ausstrahlte, die es zuließ, sofort ein besonderes Vertrauens-verhältnis zu ihr aufzubauen (was für mich besonders wichtig war, da ich auf Grund meiner besonderen gesundheitlichen Situation noch auf gewisse Rücksicht der Partnerin angewiesen war).

Ja, es hatte zwischen Renate und mir gefunkt, und wir standen beide lichterloh in Flammen. Es wurde nun ein Nachmittag und Frühabend, den man einfach nicht vergisst - mit viel Sinnlichkeit und Zärtlichkeit. Mit Renate hatte ich am Schluss des Tages vereinbart, dass ich am kommenden Wochenende (Sonnabend und Sonntag) wieder nach Norderney kommen werde. So wundert es auch nicht, dass ich mich sich nicht von Renate losreißen konnte, und somit erst in letzter Sekunde den Dampfer erreichte. Hätte mein Kumpel mein kommen nicht an der Pier gesehen, und hätte er nicht um ein paar Minuten Aufschub gebeten, wäre das Schiff für mich nicht mehr zu erreichen gewesen.

Die kommenden Tage waren nun natürlich nicht einfach für mich, einerseits spulte man sein tägliches Trainingsprogramm gewissenhaft ab, war jedoch mit den Gedanken in Norderney. Andererseits sehnte ich mit jeder Sekunde das kommende Wochenende mit heißem Herzen herbei (was mir vorher im Umgang mit dem anderen Geschlecht noch nie passiert war). Mit meinen Freunden, die jetzt teilweise schon wieder aus dem Urlaub zurück waren, vereinbarte ich, dass wir zwar gemeinsam am Sonnabend zur Insel fahren können, dass ich aber auf Norderney meine eigenen Wege gehe - und so wurde es auch gemacht (wobei ich später erfuhr, dass meine Freunde -für den Fall der Fälle- sich auf der Insel immer in meiner Nähe aufhielten, was ich dann auch sehr rührend fand).

Das Wiedersehen mit Renate an diesem Samstagvormittag war zärtlich, sinnlich und sehr romantisch. Es war uns auch egal, dass halb Norderney an dieser Wiedersehensfreude Anteil hatte. Den Rest des Tages verbrachten wir am Strand und in den Dünen - über den Rest schweigt „des Sängers Höflichkeit".

An diesem Sonnabend habe ich Renate aus Gründen der Fairness dann gebeichtet, wie es gesundheitlich um mich steht - was ich an Hindernissen und Risiken dies- bezüglich schon überstanden hatte, und welche Wegstrecke zum Abbau der belastenden Nebenwirkungen noch vor mir lag (ich habe ihr diesbezüglich absolut „reinen Wein" eingeschenkt - habe nichts hinterm Berg zurück gehalten). Ebenso habe ich ihr berichtet, dass ich noch bis Ende März 1969 krank geschrieben sei, und erst danach eine Ausbildung beginnen kann, was natürlich zur Folge hat, dass ich bis nach Abschluss der Ausbildung finanziell nicht auf Rosen gebettet, und somit auf die Unterstützung durch meine Eltern angewiesen sei. Ich war überwältigt, mit wie viel wärmenden Einfühlungsvermögen Renate diese Beichte zur Kenntnis nahm, indem sie anmerkte, dass sie in diesen geschilderten Tatsachen keine Hinderungsgründe für eine gemeinsame enge Freundschaft sah. Die Nachtstunden verbrachte ich mit den Freunden im Camp der zusammen- gestellten Strandkörbe.

Sonntagvormittag war ich wieder mit Renate am Strand verabredet - doch der an diesem Tage herrschende starke Wind vertrieb uns wieder in ein geschütztes Dünental (was uns auch gar nicht so unlieb war - konnten wir doch in diesem Dünental unbeobachtet unsere Zärtlichkeiten ausleben). Nach der Mittagspause ging es wegen des starken Windes dann in Richtung Norderney-Zentrum.

Renate, die sich richtig fesch zurechtgemacht hatte, war nun der Blickfang in der Stadt. Wir besuchten jetzt etliche Kaffees und Eisdielen.

Am Spätnachmittag dieses Sonntags rückte dann so langsam der Abschied heran - diesmal jedoch ein Abschied für längere Zeit, sodass sich eine wehmütige Stimmung sowohl bei Renate als auch bei mir ausbreitete, denn Renates Urlaub war zu Ende. Wir haben unsere Adressen miteinander ausgetauscht, und uns gegenseitig versprochen, uns zu schreiben. Außerdem haben wir beide damals nach Möglichkeiten gesucht, wie man sich zwischenzeitlich auch mal wiedersehen kann.

Renate brachte mich zum Schiff (wo meine Kumpels schon ganz dezent im Hintergrund warteten), und danach gab es den sehr rührseligen minutenlangen innigen Abschied mit viel Zärtlichkeit und reichlich Tränen. Kurz bevor ich nach diesem rührseligen Abschied an Bord des Schiffes ging gestand Renate mir noch, „dass sie für eine neue Beziehung zu mir nicht frei sei, weil sie einen festen Freund habe (obwohl ihre Körpersprache mir bei diesen Worten genau gegenteiliges signalisierte)".

Diese Worte Renates trafen mich wie ein Blitz aus heiterem Himmel, zumal die Abschiedsstimmung schon bedrückend genug war. Anschließend wartete Renate mit traurigen Augen (die ich nie vergessen werde) solange an der Pier, bis wir uns nach der Hafenausfahrt des Schiffes nicht mehr sehen konnten - was für mich bedeutete, dass ich ihr scheinbar doch nicht ganz egal war (ansonsten hätte sie mir nach der Verabschiedung den Rücken zugekehrt und wäre blicklos zu ihrer Urlaubsherberge zurückgekehrt). Es war nun schon gut, dass meine Freunde auch an Bord waren, denn so wurde ich wenigstens von dem Abschied von Renate und ihre letzten Worte ein wenig abgelenkt. Gleichzeitig haben wir als Freundeskreis festgelegt, dass Norderney nun als Anlaufpunkt unserer Gruppe passé ist. Ab jetzt sollten unsere gemeinsamen Aktivitäten nur noch ausschließlich auf dem Festland stattfinden (was unsere Norderneyer Freunde, die wir zwischenzeitlich kennengelernt hatten, anschließend gar nicht gut fanden).

Es ist wohl verständlich, dass mir die letzten Worte Renates bei unserem Abschied aus Norderney, dass sie für eine Beziehung zu mir nicht frei sei, nicht aus dem Sinn gingen. Einerseits machte mich diese Feststellung Renates sehr traurig, hatte ich mich doch bis über beide Ohren in sie verliebt, und andererseits wurde durch diese letzten Worte Renates der Kampfeswille in mir geweckt, denn jetzt wollte ich wissen wie ernst gemeint ihre letzten Worte denn nun wirklich waren, zumal unser rührselige und romantische Abschied an der Pier und ihr minutenlanges Ausharren an der Hafenausfahrt mit dem traurigen Blickkontakt Renates bis wir uns nach der Hafenausfahrt nicht mehr sehen konnten, mir genau gegenteiliges signalisierten.

Nun kehrte der Alltag wieder für mich ein. Trainieren vor Ort - wie gehabt, und Briefe schreiben waren jetzt angesagt - und an den Wochenenden die Unternehmungen mit den Freunden. Aber trotzdem fehlte mir jetzt etwas... - ein Ge- fühl das ich bisher nicht kannte, und das machte mich wiederum wütend und unzufrieden. Trotz zwei bis drei Briefe wöchentlich, die Renate und ich uns ständig schrieben, fehlte das sich gegenseitig tief in die Augen blicken, die Zärtlichkeiten und, und... - meine Freunde, denen mein merkwürdiges Verhalten auch auffiel, meinten dazu scherzhaft, „dass der knallharte Rock n Roller zu einem Romantiker mutiert sei".

Ja, diese miteinander ausgetauschten Briefe wurden beiderseits inhaltlich immer intensiver und sehnsuchtsvoller, von trennendem oder hindernden Gründen wegen einer anderen Beziehung gab es seitens Renate in ihren Briefen nichts mehr zu lesen - im Gegenteil, jetzt schrieb sie mir in jedem Brief, dass sie mich von ganzen Herzen liebt, dass sie große Sehnsucht nach mir hätte, und das sie es nicht erwarten könne bis wir uns endlich wieder in den Armen liegen...   So reifte gemeinsam eine innige, große und tiefe Liebe zueinander heran, aus der die gemeinsame Idee geboren wurde, dass ich doch sehr bald an einem Wochenende, von Freitag bis Montag, nach Hörstmar kommen soll, um sich wieder fest in die Arme schließen zu können.

Nach dem Marienhafener Herbstmarkt hatte ich mit einem Freund vereinbart, dass wir am nächsten Wochenende (zweite

Septemberhälfte - von Freitag bis Montag) mal probieren wollen, von uns (Marienhafe) bis nach Lage (NRW - dort wo Renate ihre Ausbildung als Dekorateurin absolvierte) zu trampen. In einem Brief habe ich Renate mitgeteilt, dass wir an dem betreffenden Freitag versuchen wollen bis 18 Uhr in Lage zu sein. Renate erklärte sich in einem umgehenden Antwortbrief mit der Durchführung des Vorhabens mehr als nur einverstanden zu sein, und drückte zudem deutlich aus, dass sie sich sehr über unser Wiedersehen freue, und das sie die Zeit bis dahin gar nicht abwarten könne.

Auf dem Weg nach Lage (NRW) in der Stadt Osnabrück - Fahrtrichtung Bielefeld im September 1968. In freudiger Erwartung auf das Wiedersehen mit meiner Herzdame.

Am besagten Freitag ging es dann um 8 Uhr in Marienhafe los -
bewaffnet mit je einer Reisetasche (gefüllt mit Pflegeutensilien,
Reiseproviant, Ersatzklamotten und Utensilien für Übernachtungen
in freier Natur) machten wir uns auf den Weg. Von Marienhafe bis
Osnabrück hatten wir mit dem Trampen kein Problem - kamen
sehr zügig voran. In Osnabrück stockte jedoch der Reiseweg, erst
als wir mit dem Stadtbus bis zur Stadtgrenze Osnabrück Richtung
Bielefeld fuhren, ging es zügig weiter. Ab Halle / Westfalen hatten
wir dann das Glück eine Mitfahrgelegenheit bis nach Lage zu
erwischen. Somit waren wir schon um ca. 15 Uhr in Lage, und
hatten noch ausreichend Zeit, uns die Innenstadt rund um Renates
Ausbildungsstelle anzusehen.

Die Wiedersehensfreude an diesem Freitagabend um 18 Uhr war
riesig, und ist mit Worten einfach nicht zu beschreiben - nichts
auf der Welt hätte Renate und mich jetzt von einander trennen
können (mein Freund war schon drauf und dran die Feuerwehr zu
alarmieren, denn Renate und ich brannten lichterloh vor
Glückseligkeit, und es bestand scheinbar aus seiner Sicht die
Gefahr, dass diese Flammen auf die Häuser der Stadt
übersprangen).

Mit dem Bus oder Zug (so genau weiß ich das nicht mehr) fuhren
wir anschließend gemeinsam bis nach Hörstmar (Renates
Wohnort). Renate hatte mir auf dieser Fahrt gebeichtet, dass ihre
Eltern von unserer Unternehmung nichts wüssten (was mir auch
gar nicht so Unrecht war).

In der Zwischenzeit, bis zur ersten abendlichen Unternehmung,
hatten mein Kumpel und ich die nähere Umgebung in Hörstmar
sondiert, um einen geeigneten Platz für die Freiluftübernachtung zu
finden. An einem nahegelegenen Feldweg, in einem kleinen
Gehölz, wurden wir dann auch sehr schnell fündig, wo wir
ungestört und unbemerkbar nächtigen konnten.

An diesem Freitagabend fuhren wir zusammen mit Renates
Schwester und deren Freund zu einem urigen Musikschuppen in
Bad Salzuflen, wo wir uns bis in die Nacht köstlich amüsierten.
Zudem war es dort so dunkel, dass Renate und ich dort auch
ausgiebig miteinander schmusen konnten (da gab es nun doch für

Renate und mich reichlich Nachholbedarf - über alles andere legen wir mal das Mäntelchen des Schweigens). Wieder in Renates Heimatort angekommen verabschiedeten wir uns voneinander und mein Freund und ich verdünnisierten uns Richtung ausgesuchter Freiluftschlafstelle. Dort fing es zwar leicht an zu regnen, und es wurde auch merklich kühler - aber so etwas stört hartgesottene Ostfriesen nun mal nicht. Da mein Freund und ich jedoch auch auf diese Wetterlage durch Mitnahme von Regenschutz und dergleichen vorbereitet waren, konnten wir uns trotzdem gut erholen, und bekamen auch eine Mütze voll Schlaf.

Nachdem wir am Samstagmorgen so langsam wieder munter wurden, waren wir durch die feuchte Luft doch etwas kalt geworden. Doch Gymnastik und einige Sprints brachten uns wieder auf Betriebstemperatur. Zähneputzen und die Katzenwäsche erledigten wir mit dem mitgebrachten Mineralwasser. Als nächstes stand an, eine ortsnahe Bäckerei zu finden, um uns Brötchen und warme Getränke zu besorgen. Am Ortsrand angekommen kam uns unerwartet Renate entgegen, die uns zu unserer Überraschung die Einladung ihrer Eltern überbrachte, in ihrem Elternhaus zu frühstücken. Renate teilte mir bei dieser Gelegenheit mit, dass sie inzwischen ihren Eltern gebeichtet habe, dass mein Freund und ich im Ort wären, und draußen übernachten würden.

Somit lernte ich jetzt Renates Eltern kennen - und auch schätzen, die uns sehr offen und warmherzig empfingen. Renates Eltern boten meinem Freund und mir an, die nächsten beiden Nächte „bei diesem Sauwetter" in ihrem Haus zu nächtigen und anschließend auch jeweils zu frühstücken. Mein Kumpel und ich nahmen dieses Angebot gerne und dankend an. Renate stellte für unsere Übernachtungen ihr Zimmer zur Verfügung, sie selbst quartierte sich bei ihrer Schwester im Zimmer ein, sodass ich sogar in ihrem Bett schlafen durfte (während mein Freund darauf bestand im gepolsterten Schlafsack auf dem Fußboden zu schlafen). Wir verständigten uns aber dahingehend, dass wir der Familie nicht weiter zur Last fallen wollten - das wir uns in den anderen Zeiten, auch zu den übrigen Essenszeiten, in Lage aufhalten werden.

Am Sonnabend wurde unsere Absicht auch in die Tat umgesetzt.

Im Laufe des Tages fuhren Renate, mein Freund und ich, nachdem wir zuvor einen Spaziergang in Hörstmar machten, nach Lage. Dort besuchten wir etliche Sehenswürdigkeiten, und stärkten uns zwischendurch im Imbiss bzw. in Cafés und Eisdielen.

Keller und Keller (mein Vetter und ich) bei einer Ruhepause während des Spaziergangs am Samstagvormittag in Hörstmar. Aufgenommen von Renate.

Abends gingen wir ins „Texas" - ein urgemütliches und gut frequentiertes Abendlokal mit fetziger Musik. Da Renate und ich jetzt Rücksicht auf meinen Freund nehmen mussten, kamen die ersehnten Zärtlichkeiten an diesem Abend leider viel zu kurz. Somit verstrickten wir uns in tiefgründige Gespräche bzw. lauschten andächtig der guten Musik. Renate interessierte sich natürlich sehr dafür, dass ich in meiner Krankschreibungsphase meine Aktivitäten von Marienhafe nach Lage verlege, um in ihrer Nähe sein zu können. Sie regte mit sehr viel verführerischem Charme an, mir bis zu meinem Schulungsbeginn in Bad Pyrmont doch eine Arbeitsstelle in Lage zu suchen und mir dort auch ein Zimmer anzumieten. Diesen Wunsch trug Renate so intensiv vor, sodass mein Freund mir schon etwas ungehalten den Rat gab, diesen Wunsch Renates nun auch zu entsprechen - wörtlich: „Sag doch endlich ja, du wirst das sicherlich nicht bereuen - und wir können uns endlich über andere Dinge unterhalten". Ich habe darauf erwidert, dass ich mir diesen Schritt aus bekannten Gründen natürlich erst gründlich überlegen müsse.

Am Sonntag wurden unsere Pläne allesamt über den Haufen geworfen. Renates Eltern luden uns nach dem Frühstück auch zum Mittagessen und zum Nachmittagskaffee ein, zudem lud Renates Vater meinen Freund und mich am Sonntagvormittag zu einer Mitfahrt zu einem Bekannten ein, mit dem er am Vormittag einen Termin zum Frühschoppen vereinbart hatte - somit war der Sonntag fest verplant. Nach dem Mittagessen präsentierte Renates Vater mir stolz seinen hervorragend gepflegten Garten. Bei dieser Gelegenheit fragte er mich ganz unvermittelt, wie ich zu seiner Tochter stehe, und ob Renate für mich nur ein flüchtiger Zeitvertreib sei. Ich habe ihm daraufhin erwidert, dass ich seine Tochter sehr mag, und ich sicherlich keinen solchen Stress auf mich nehmen würde, wie bei dieser Trampertour, wenn es sich nur um eine vorübergehende flüchtige Bekanntschaft handeln würde. Scheinbar war er mit dieser Antwort zufrieden, denn ich bekam von ihm ein anerkennendes Schulterklopfen.

An diesem Sonntag Abend (dem vorletzten Tag unserer Trampertour - am nächsten Morgen sollte es schon gegen ca. 8 Uhr wieder Richtung Marienhafe gehen), bei einem langen Spaziergang in Hörstmar, ergriffen Renate und ich die vorerst letzte Gelegenheit, um uns erneut mit Zukunftfragen zu beschäftigen. Renate griff mit viel Euphorie ihren Vorschlag vom Vorabend wieder auf, und bat mich erneut mit sehr viel liebenswertem Charme, dass ich bis zu meinem Ausbildungsbeginn am 1. April 1969 in Bad Pyrmont, doch in Lage eine Arbeit aufnehmen und ein möbliertes Zimmer anmieten könne, um in ihrer Nähe zu sein (was sie sich damals sehnlich wünschte). Nachdem ich jetzt ca. 24 Stunden Zeit hatte mich mit Renates vorstehender Idee zu beschäftigen, habe ich Renate signalisiert, dass ich mit ihrem Vorschlag grundsätzlich einverstanden bin. Da die Umsetzung dieser Idee, die Aufnahme einer verbotswidrigen Arbeit, jedoch auf Grund meines damaligen immer noch stark angeschlagenen Gesundheitszustandes nach überstandener schwerer Operation, die immer noch unkalkulierbare Risiken in sich bargen, einen tiefen Einschnitt in mein bisheriges Leben bedeuten würde, habe ich Renate gebeten, diese gemeinsame Vereinbarung mit einem gegenseitigen ewigen Liebes- und

Treueschwur zu besiegeln. Renate meldete gegen meinen Vorschlag keinen Widerspruch und auch sonst keine Einwände an, und somit schworen wir uns gegenseitig ewige Liebe und Treue. Renate versprach daraufhin freudig erregt (diese Bezeichnung ist noch sehr untertrieben) sich unter Mithilfe ihres Vaters um die Beschaffung eines Arbeitsplatzes und einer Einzimmerwohnung kümmern zu wollen.

Schon auf der Insel Norderney hatte ich Renate auf meine zurückliegende lange Erkrankung mit der abschließenden schweren Operation (die erst gut neun Monate zurück lag) und den immer noch vorhandenen großen Risiken z. B. durch Narbenbrüche an der Lunge und an dem 50 cm langen OP-Schnitt am Rücken durch falsche und unkontrollierbare ruckartige Bewegungen, durch Einatmung von Stäuben jeglicher Art und dergleichen aufmerksam gemacht. Somit kannte sie mein Risiko und wusste, dass ich mit einer verbotswidrigen Arbeitsaufnahme mich auf sehr dünnem Eis bewege. Hinzu kam, dass ich die letzten Worte Renates bei unserem Abschied aus Norderney, dass sie für eine neue Beziehung nicht frei sei, weil sie einen festen Freund habe,, immer noch im Ohr hatte, sodass ich auch auf Grund dieser Aussage, die zwar in den vielen Briefen die wir uns zwischenzeitlich schrieben keine Rolle mehr spielte, eine Absicherung brauchte, denn ich wollte mich auch nicht zum Narren machen lassen (als Nebenbuhler war ich nun mal nicht zu haben!). Damit war der vorstehende gegenseitige Schwur zur Besiegelung und Umsetzung der vorstehenden Idee vom wahren Sinn her an diesem Sonntag Abend weit mehr als nur ein dahin geplappertes lockeres Lippenbekenntnis - Renate und ich waren bereit das Risiko für meine verbots- widrige Arbeitsaufnahme in Lage gemeinsam zu tragen (Renate durch ihre Liebe und Treue zu mir und durch moralische Aufbauarbeit zur Stärkung meines Selbstwertgefühls, und ich durch besondere Vorsicht bei meiner neuen verbots-widrigen ungewohnten Aufgabe). Renate und ich wünschten uns damals nichts sehnlicher, als für immer vereint in unmittelbarer Nähe zueinander zu sein. Ohne diesen vorstehenden gemeinsamen Schwur hätte ich die riskante Unternehmung in die Stadt Lage auch niemals gewagt! - Dieses hatte ich Renate bei unseren gemeinsamen Überlegungen auch deutlich signalisiert. Renate war ohne Bedenken und Widerrede mit der gemeinsam gefundenen

Problemlösung einverstanden, sodass der anschließende Schwur der ewigen Liebe und Treue mit einem langen und innigen Kuss besiegelt wurde. Dieser geschilderte gemeinsame Schwur ist Fakt und somit die Schlüsselszene der nachfolgenden Geschichte.

Am Montag war dann die Rückreise nach Marienhafe angesagt. Wir verabschiedeten uns bei Renates Eltern mit einem herzlichen Dank, und brachten Renate an diesem Morgen noch zu ihrer Ausbildungsstelle. Dort berichtete sie mir freudestrahlend, dass ihr Vater uns bei der Suche nach einem Arbeitsplatz und einer Wohnung für mich kräftig unterstützen wird. Ich verabschiedete mich gebührlich mit allem was dazu gehört von meiner Herzdame, wobei es wieder Renates traurige Augen und die Tränen waren die mir das Herz besonders schwer machten, und dann ging es wieder „über den Daumen" nach Hause.

Anfänglich verlief diese Rücktour auch sehr zügig. Von Lage nach Bielefeld und von Bielefeld bis Osnabrück - bis auf eine ellenlange Panzerkolonne vor uns, die nur mühsam überholt werden konnte, was natürlich viel Zeit kostete, gab es kein Problem. Ab Osnabrück dann der große Regen, sodass es über eine Stunde dauerte, bis wir eine Mitfahrgelegenheit fanden. Wir hatten dann aber das Glück, dass wir in einem Zuge bis nach Papenburg mitgenommen werden konnten. Doch in Papenburg riss unsere Glückssträhne. Trotz mehrstündigen Ausharrens im Regen erbarmte sich niemand uns mitzunehmen, sodass wir uns in den Nachmittagsstunden entschlossen, die restlichen 70 km mit der Bahn nach Marienhafe zu fahren.

Von dieser Regentour musste ich mich am Dienstag erst mal erholen, waren wir doch am Vortag bis auf die Haut nass geworden, sodass ich, um nichts zu riskieren, an diesem Tage das Training ausfallen ließ. Doch ab dem Mittwoch war wieder der Alltag angesagt - Training, Briefe schreiben und das Wochenende mit den Freunden.

An meinem 21. Geburtstag (Tag meiner Volljährigkeit), am 5. Oktober 1968, bekam ich von Renate ein Päckchen mit den liebevollsten Glückwünschen und Geschenken die man sich nur vorstellen kann zugeschickt. In dem Brief brachte sie mehr als nur deutlich zum Ausdruck, dass sie „ohne wenn und aber" bereit war, mich bald wieder in Lage bzw. Hörstmar begrüßen zu können, indem sie mir dort unter anderem schrieb; „Ich werde am Samstag oft an dich denken müssen, aber vielleicht kann ich dich schon bald wieder in meine Arme schließen und deinen Geburtstag gemeinsam in Lage nachfeiern. Auf ein baldiges Wiedersehen, mach`s gut, viel Spaß beim Feiern, guck nicht zu tief ins Glas. Denk an mich. Deine Renate - Ich liebe Dich". Das Päckchen als solches und den Brief habe ich mir bis zum heutigen Tage aufbewahrt, denn Renate hatte beide Dinge (Päckchen und Brief) so liebe- und kunstvoll beschriftet, dass ich es auch später nicht übers Herz brachte, diese Kunstwerke zu vernichten.

Mitte Oktober 1968, an einem Dienstag, bekam ich dann von Renate die Nachricht, dass sie zusammen mit ihrem Vater einen Arbeitsplatz und eine Einzimmerwohnung für mich in Lage gefunden hätten. Die Wohnung könnte ich schon am kommenden Sonnabend beziehen und die Arbeit am darauffolgenden Montag beginnen.

Kurz entschlossen habe ich Renate dann mitgeteilt, dass ich am Sonnabend mit der Bahn nach Lage anreisen werde, habe ihr die Uhrzeit meiner Ankunft mitgeteilt und darum gebeten, dass sie mich dann zu meiner Wohnung, deren Anschrift ich noch nicht kannte, begleitet. Und so geschah es dann auch.

Worte der Kritik, der Zurückhaltung oder der Warnung vor der verbotswidrigen Arbeitsaufnahme in Lage waren damals weder von Renate noch von ihren Eltern zu vernehmen - im Gegenteil, Renate hat unsere gemeinsam geplante Unternehmungen damals nicht nur gewollt sondern auch freudig gefördert. Sie hatte sich also mit einer starken Bindung in mein inneres Seelenleben eingeklinkt, hat sich damit identisch erklärt. Somit war damals mein Vertrauen in Renate auch unerschütterlich. Das ich mich mit meiner Unternehmung in Lage vertrauensvoll in Renates Hände begeben habe (sie war meine einzige Stütze in fremder Umgebung), ich mich von ihr abhängig machte, war für mich zweitrangig, denn dieses alles macht man doch nur wenn man liebt und auch wiedergeliebt wird.

Schwer beladen kam ich am besagten Sonnabend mit dem Zug in Lage an. Renate und ihr Vater kutschierten mich dann zur neuen Wohnung, und zeigten mir anschließend noch den Standort meiner Arbeitsstelle. Am Samstagabend gingen Renate und ich zusammen in Lage aus, veranstalteten eine ausgiebige liebevolle, zärtliche und sehr romantische Wiedersehens- und meine nachträgliche Geburtstagsfeier - jetzt waren Renate und ich überglücklich, und am vermeintlich ersten Etappenziel unseres gemeinsamen Weges angelangt. Für den Sonntag lud Renate mich, auch im Auftrage ihrer Eltern, zu sich nach Hause ein.

Meine neue Wohnung in Lage, bestehend aus einem Zimmer, war nichts Besonderes. Bett, Nachtschränkchen, kleiner Kleiderschrank, Tisch und zwei Stühle - das war alles. Meine Waschgelegenheit bestand aus einem kleinen Waschbecken (nur mit Kaltwasser) in der im Hausflur befindlichen Gästetoilette - dafür war aber die Miete sehr günstig (die wöchentlich zu bezahlen war). Dusch- und Bademöglichkeiten gab es dort zwar nicht, aber um die Hygiene nicht zu kurz kommen zu lassen, besorgte ich mir eine Waschschüssel und einen größeren Topf mit Tauchsieder, sodass ich mit warmem Wasser zumindest halbwegs meinen Körper pflegen konnte.

Der neue Arbeitsplatz in einer „Stuhlfabrik" in Lage, die in erster Linie Einrichtungen für Kneipen und Bars herstellten und auch vor Ort jeweils installierten, bestand darin, dass ich zusammen mit einem weiteren Mitarbeiter für die auswärtige Belieferung und Installation der Einrichtungsgegenstände verantwortlich war. Nach einer Woche Innendienst, um den Betrieb kennen- zulernen, ging es dann von Montag bis Freitag in den Außendienst. Der Arbeitslohn richtete sich nach Stundenlohn incl. Überstundenentlohnung, und wurde jeweils am Freitag, bzw. am Tag vor Feiertagen ausgezahlt (wobei am Zahltag nur Touren gemacht wurden, die bis spätestens 16 Uhr erledigt waren). Nach vier Wochen Einarbeitungszeit gab es dann sogar eine Lohnerhöhung. Ich konnte zwar auf diesem Wege keine Reichtümer scheffeln, kam aber mit dem verdienten Geld gut über die Runden, und konnte sogar noch etwas für meine zukünftige Ausbildung in Bad Pyrmont zurücklegen. Um gesundheitliche Risiken durch Staub zu minimieren, trug ich bei den Verlade- und

Installationsarbeiten einen Mund- und Nasenschutz. Bei diesen Arbeiten stellte sich noch zudem heraus, dass dieses ein sehr gutes Muskelaufbautraining war, sodass ich meine abendlichen Trainingseinheiten auf das Lauf- und Ausdauertraining beschränken konnte.

Mit Renates Eltern hatte ich mich dahingehend geeinigt, um Renates Ausbildung nicht zu gefährden, dass wir uns nur freitags, samstags und sonntags sehen und auch zusammen so einiges unternehmen konnten, wobei ich sonntags jeweils von Renates Eltern zum dortigen Aufenthalt eingeladen war. Renate und ich waren mit dieser Situation mehr als nur glücklich. Trotzdem war ich nicht ganz zufrieden, denn durch die fehlende eigene Motorisierung, die ich mir durch den langen Verdienstausfall durch Krankheit noch nicht leisten konnte, empfand ich mich in dem was ich Renate an Freizeitgestaltung bieten konnte, deutlich zurückgesetzt (auch wenn Renate mir jeweils beteuerte, dass sie dieses nicht so sieht, denn für ihr sei nur wichtig mit mir zusammen zu sein).

Und so gingen die Wochen ins Land. Wir erlebten zusammen eine sehr glückliche Zeit - nichts auf dieser Welt hätte uns damals von einander trennen können - wir waren ein Herz und eine Seele. In der Vorweihnachtszeit besuchten Renate und ich auch Kirmessen in Lage und Detmold (die dort in der Vorweihnachtszeit an der Tagesordnung waren) sowie unseren gemeinsamen Weihnachts-einkauf in Bielefeld (wo ich Renate mit teuren Geschenken, die sie sich aussuchen konnte, überhäufte). Am 24. Dezember hatte ich mir erbeten den Tag alleine zu verbringen, denn ich wollte Renates Eltern an diesem Tage nicht zur Last fallen, und außerdem sollte Renate diesen Tag mit ihrer Familie verbringen (mich da einklinken zu wollen hielt ich für schäbig). Somit wurde ich für den 25. Dezember von Renates Eltern zum Festmahl eingeladen.

Ab dem 26. Dezember hatte ich eine Heimfahrt nach Marienhafe bis zum 29. Dezember eingeplant, denn meine Eltern hatten auch ein Anrecht über die Feiertage auf ihren ältesten Sohn im Kreise der Familie.

Am 30. Dezember meldete ich mich bei Renate zurück, und erfuhr, dass wir beide zusammen mit ihren Eltern an Silvester bei einer Freundin ihrer Familie eingeladen wären, und sie hätte mein kommen auch schon zugesagt (nun gut - ich hab das mal so hingenommen, obwohl ich ursprünglich etwas anderes für Renate und mich geplant hatte).

An Silvester dann, die schon angekündigte Feier. Anwesend waren die besagte Dame als Freundin der Familie, Renates Eltern sowie Renate und ich. Ich stellte jedoch innerhalb kurzer Zeit fest, dass die Chemie zwischen dieser resoluten „Dame" und mir nicht unbedingt stimmte. Sie war zwar freundlich, aber diese Freundlichkeit war immer wieder durchsetzt mit kleinen Giftpfeilen. Einmal merkte sie dann so beiläufig an, „dass es ja wohl ein Unding sei, dass ich mich so in die Familie S. hineingedrängt hatte". Renate flüsterte mir bei diesen Worten zu, dass sie dieses wohl nicht ernst gemeint hat, scheinbar wolle sie mich nur mal testen und auf die Palme bringen. Somit habe ich die Klappe gehalten, denn auch Renates Eltern schauten nach dieser Aussage doch etwas „bedröppelt" aus. Nachdem der Abend etwas feucht-fröhlicher wurde, und sie immer noch versuchte mich auf die Palme zu bringen, gab es auch die wohldosierten Spitzen von mir zurück (ohne dabei verletzend zu werden). Doch irgendwann wurde es mir zuviel, und -schon etwas angetrunken- bin ich einfach wortlos gegangen - denn ich kannte nun mal mein Temperament, und somit war das auch wohl die beste Lösung, um mir nicht meine Klappe zu verbrennen (obwohl es regnete, bin ich die paar Kilometer zu Fuß zu meiner Wohnung am Stadtrand marschiert).

Nachdem ich nun doch ein wenig schlechtes Gewissen hatte, bin ich am Vormittag des Neujahrstages wieder zu dieser Dame marschiert, habe mich für mein plötzliches Verschwinden (was ich mit Übelkeit begründete) entschuldigt, und habe ihr beim Aufräumen geholfen. Da jedoch an diesem Tage kein Treffen mit Renate vereinbart war, habe ich mich nach dem Training zurückgezogen, und den ganzen Tag gelesen (denn das hatte ich schon lange nicht mehr gemacht). Nur abends bin ich in Lage essen gegangen.

Am ersten Arbeitstag im neuen Jahr, am Donnerstag den 2. Januar

1969, bekam ich dann von der Sekretärin der Stuhlfabrik in Lage (mit der ich mich gut verstand, und die Renate und mich auch schon häufiger zusammen im „Texas" gesehen hatte) den dezenten Hinweis, dass ich auf einen gewissen Freund Renates (sie nannte mir den vollen Namen dieses Mannes - mit einem sehr geläufigen doppelten Vornamen) mal ein bisschen Obacht geben soll, denn der soll angeblich in meinem Revier wildern. Da ich mir jedoch schon vor vielen Jahren abgewöhnt hatte, irgendetwas auf Gerüchte zu geben, habe ich auch diesen Warnhinweis nicht weiter verinnerlicht. Trotzdem beschlich mich bei diesem Warnhinweis ein ungutes Gefühl, erinnerte ich mich doch in diesem Zusammenhang an die letzten Worte Renates bei unserem Abschied im August 1968 auf Norderney, dass sie wegen einer festen Bindung keine neue Beziehung mit mir eingehen könne. Dass mir jetzt sogar ein Name präsentiert wurde, den ich bisher weder von Renate noch aus ihrem Umfeld vernommen hatte, veranlassten mich jetzt lediglich aus Gründen der Vorsicht die Augen offen und die Ohren gespitzt zu halten - mehr nicht.

Das nächste Treffen mit Renate fand am darauffolgenden Freitag in unserer vielbesuchten Eisdiele in Lage statt. Bei diesem Treffen machte mir Renate leichte Vorwürfe, dass ich in der Silvesternacht wortlos gegangen sei. „Du hättest mir ja eben ein Wort sagen können, dann hätte ich zumindest gewusst wo du hingehst", so Renate. Auf meine Nachfrage, „ob sie denn mit mir gegangen wäre", bekam ich keine Antwort, womit für mich klar war, was ich ohnehin schon in der Silvesternacht wusste, dass Renate wegen ihrer Eltern nicht mit mir die Party verlassen hätte. Anschließend mäkelte Renate noch ein wenig an mir herum, dass ich zunehmend anfange mit ihrem Vater zu politisieren - was sie nun überhaupt nicht gut fand. Ich habe Renate daraufhin gebeten, mir klipp und klar zu sagen, wenn sie was an mir zu bemängeln hätte, denn ich würde alles unterlassen, soweit es nicht gegen meine Ehre geht, unsere sehr gute Beziehung und unsere gemeinsame große Liebe nicht zu belasten. Ansonsten verlief auch dieser gemeinsame Abend sehr harmonisch und glücklich.

Am kommenden Tag (Sonnabend) in der Musikkneipe „Texas" war die Welt für Renate und mich wieder ganz in Ordnung. Renate war so zärtlich, anschmiegsam und liebevoll zu mir, dass man vor lauter Glückseligkeit sich im siebten Himmel wähnte. Wir schmiedeten Zukunftspläne für meine Zeit der Ausbildung in Bad Pyrmont, und nach meiner Beendigung dieser Ausbildung. Da die Entfernung von Bad Pyrmont bis nach Hörstmar nur ca. 40 km betrug, die Verkehrsbedingungen mit dem Bus auch an den Wochenenden einigermaßen günstig waren, standen somit etliche Wochenendbesuche in Hörstmar nicht im Bereich der unerreichbaren Ferne - und das Übernachtungsproblem dürfte auch lösbar sein. Auch eine Arbeitsaufnahme nach Beendigung der Ausbildung im sogenannten Bermuda- Dreieck „Lage-Lemgo-Detmold", also in unmittelbarer Nähe Renates, konnte ich mir sehr gut vorstellen - genauso die Anmietung einer eigenen Wohnung in diesem Bereich, die schon so ausgelegt werden könnte, dass Renate nach ihrer Ausbildung zu mir ziehen kann. - Wir waren also der Realität in unserer Phantasie schon Jahre voraus.

Nachdem mir nach unserem gemeinsamen Freitagstreffen noch so einige kritische Anmerkungen Renates im Ohr waren, und ich auch die Aussage der Freundin von Renates Familie, „wonach ich mich dort in der Familie breit gemacht hätte", nicht so ohne weiteres vergessen konnte, habe ich am Sonntagvormittag bei Renate angerufen, um mich dafür zu entschuldigen, dass ich wegen eines Unwohlseins nicht zu ihr nach Hause kommen kann. Ich bat Renate diese Entschuldigung auch an ihre Eltern weiterzugeben. Somit lief ich an diesem Sonntag alleine in Lage herum - was auch so seine Vorteile hatte, denn so hat man Zeit und Muße, den eigenen Kopf mal wieder frei zu kriegen.

Die Tage bis zum nächsten Treffen mit Renate am kommenden Freitag, den 10. Januar 1969, wollten einfach nicht vergehen - doch dann war es endlich soweit. Wir trafen uns diesmal in unserer vielbesuchten Eisdiele in Lage. Doch dann der Hammer - nach einer kurzen Begrüßung, die im Gegensatz zu anderen Treffen fast schon geschäftsmäßig ausfiel, erklärte Renate mir, dass unsere Beziehung beendet sei. Erst war Renate bei diesen Worten noch sehr gefasst, so zumindest mein erster Eindruck, doch dann brach sie zum „Stein erweichen" in Tränen aus. Zu allem Überfluss wurde dann auch noch in der Musikbox der Song La Bambola von Patty Bravo gespielt - unser gemeinsamer Kultsong, bei dem wir in den zurückliegenden Wochen so herrlich miteinander schmusen konnten. Sie fasste meine Hände bei ihren Worten, und ließ diese auch lange Zeit nicht mehr los. Dann nahm sie meine Hände und legte ihr tränennasses Gesicht darin. Beruhigen ließ sich Renate nicht - im Gegenteil, sagte ich was, brach sie erneut hemmungslos in Tränen aus. Danach war minutenlanges Schweigen angesagt, selbst in der Lokalität, die an diesem Abend nur schwach besucht war, konnte man bis auf Renates Weinen die berühmte Stecknadel fallen hören. Kurze Zeit später nahm Renate mein Gesicht in beide Hände und sah mich mit ihren tränennassen Augen lange tief in die Augen - meines Erachtens war dies mehr ein fragender Blick Renates, so als ob sie von mir Hilfe erwartet (woraus ich mir jetzt natürlich überhaupt keinen Reim machen konnte, denn mit jemandem Schluss machen, eine Beziehung beenden geht anders - da sagt man doch höchstens „Das war's, es ist vorbei und Tschüs" - und alles ist binnen weniger Minuten vorbei). Bei dieser Gelegenheit fragte ich Renate jetzt ganz direkt, ob es in ihrem Leben einen anderen Partner gäbe - eventuell ihren vormaligen Freund (wobei ich den vollen Namen nannte)? Sie schüttelte den Kopf, und sagte leise „Nein". Bei meiner vorstehenden Frage und ihrer Antwort schaute ich Renate tief und fest in die Augen. Konnten diese Augen jetzt lügen? Diesen traurig schmerzlichen Blick sah ich beim Abschied von Renate an der Pier in Norderney im August und beim Abschied am Montag bei unserer Trampertour von Lage nach Marienhafe im September. Nein, dieser Blick und diese Augen konnten meines Erachtens jetzt nicht Lügen. Ich machte Renate daraufhin auch keine Szene und auch keine Vorhaltungen, denn ich wollte sie nicht verletzen - in der Hoffnung, dass sie es sich noch mal anders überlegt.

Diese ganze Prozedur dauerte weit über zwei Stunden. Renate rief dann von der Eisdiele aus ihren Vater an, der sie anschließend auch abgeholt hat. Bei der Verabschiedung, die auch alles andere als kalt ablief, sagte ich ihr noch, dass ich die nächsten zwei Tage, am Sonnabend und Sonntag, noch in meiner Wohnung in Lage zu erreichen sei, wenn sie noch Gesprächsbedarf hätte, oder sie mir noch eine zweite Chance gewährt, könne sie mich dort, bis auf die Mittagspausen (denn schließlich muss ich auch mal essen gehen), jederzeit erreichen. Renates Vater reichte mir zum Abschied wortlos die Hand, hielt aber den Blick gesenkt.

Danach saß ich minutenlang wie paralysiert in der Eisdiele. Dieser nicht vorhersehbare Blitz aus heiterem Himmel hatte mich eiskalt erwischt. Tatsache ist, dass Renate an diesem Abend mit ihren Worten mir den Boden unter den Füßen weggezogen hatte - ich fiel in ein tiefes Nichts - diesen Schock musste ich erst einmal verarbeiten. Renate hatte mich mit ihrer einseitigen Aufkündigung unserer Beziehung an der empfindlichsten Stelle getroffen - nämlich an meiner gesundheitlich stark ramponierten psychischen Konstitution. Meine diesbezügliche Belastbarkeit war nach der langen mysteriösen Erkrankungsphase gleich Null. Nachdem ich mir nun aus gesundheitlichen Sachzwängen (wie geschildert) ein neues Selbstwertgefühl aufbauen musste, war Renate in diesem Gebilde die aufgehende Sonne. Renate hatte mir von Beginn an das warmherzige Gefühl vermittelt, dass man zu ihr blindes Vertrauen haben konnte - und dann der vernichtende Blitz aus heiterem Himmel - das will in meiner damaligen Situation erst einmal verkraftet werden.

Anschließend kam der Chef der Eisdiele und setzte sich zu mir an den Tisch. Er entschuldigte sich quasi dafür, dass er Zeuge vorstehender Geschehnisse wurde, merkte dann aber an, dass er ein solches Szenario zuvor noch nie erlebt hat. „Ihr beide ward doch immer ein Herz und eine Seele, und jetzt so was - da stimmt doch was nicht", so der Eisdieleninhaber, und fuhr fort, „ich habe von meinem Platz Renate gut beobachten können, und nach alledem was ich sah und an Gesprächsfetzen so hörte, komme ich zu dem Schluss, dass sie dich nicht verlassen will, sondern dass sie zu diesem Schritt von irgendjemand gezwungen und somit fürchterlich unter Druck gesetzt wurde". Nach diesen Worten verließ ich die Eisdiele und tigerte tief in Gedanken versunken durch die kalte Nacht ziellos in Lage umher, bevor ich den Weg zu meiner Wohnung am Stadtrand von Lage fand. Bei diesem nächtlichen Stadtbummel, so meine damalige Vermutung, musste ich mich wohl verkühlt haben, denn in der schlaflosen Nacht bekam ich Schüttelfrost (die auch an den darauffolgenden Nächten nicht nachließen). Seit über 40 Jahren ist mir nunmehr bekannt, dass der Blitz aus heiterem Himmel vom 10. Januar 1969 (dem ominösen schwarzen Freitag) medizinisch festgestellte tiefe Spuren bei mir hinterlassen hat. Dieser Schock hatte bei mir mehr als nur einen simplen Schüttelfrost ausgelöst.

Renate hat damals scheinbar nicht bedacht, welchen Schaden sie mit ihren Worten und ihrer Handlung bei mir in meiner damaligen Situation anrichten konnte, zumal sie seinerzeit sehr wohl wusste, dass ich physisch und psychisch nach meiner langen Erkrankungsphase noch sehr labil und verletzlich war.

Es war ein sehr tief sitzender Schmerz der nun ab dem besagten Freitag in mir wühlte und rumorte - ein Schmerz, den ich bisher noch nie verspürt hatte. Dass Beziehungen auseinander gingen hatte ich nun, wie geschildert, schon mehrfach erlebt - das war normal und hinterließ bei mir auch keine nachhaltigen Spuren (da diese Beziehungen von mir in der Vergangenheit auch nie ernsthaft gepflegt wurden, denn meine Freunde und unsere teils abenteuerlichen Unternehmungen waren mir damals immer wichtiger gewesen). Doch bei der gemeinsamen ewigen Liebe und Treue, die Renate und ich uns gegenseitig geschworen hatten (und hier liegt die besondere Betonung auf das Wort **gemeinsam)**, die ich für unerschütterlich hielt, bereitete mir die jetzige Trennung einen tiefen und lang andauernden inneren Schmerz (wobei zu betonen ist, dass ich hier nur über meine Gefühle und meine Empfindungen schreiben kann).

Bei dem vorletzten Treffen mit Renate am Sonnabend, den 4. Januar 1969 in der Musikkneipe „Texas", an dem gemeinsamen glückseligen Abend, war die Welt in unserer Beziehung noch weit mehr als nur in Ordnung. An diesem Sonnabend haben wir sogar Zukunftspläne geschmiedet - und waren, wie man langläufig sagt, „ein Herz und eine Seele" - also rundherum glücklich - ich hatte mich lediglich am Sonntag (5. Januar) für diesen Tag wegen eines Unwohlseins bei Renate telefonisch abgemeldet - und an dieser Abmeldung kann die Beziehung wohl nicht gescheitert sein! - Dafür muss es andere Gründe gegeben haben!
Nicht mal eine Woche später, bei dem letzten Treffen am 10. Januar 1969 in der Eisdiele in Lage, dann der große Knall - Renate gab mir den Laufpass und kündigte unsere Beziehung und unseren gemeinsamen Schwur ohne Nennung von Gründen auf (wobei anzumerken ist, dass wir uns in der Zwischenzeit weder gesehen noch miteinander gesprochen hatten).
Was ist damals in den 6 Tagen zwischen dem 4. Januar und dem 10 Januar 1969 mit oder bei Renate geschehen, dass sie ihre

Einstellung zu mir um 180 Grad verändert hat?

Dass diese Geschehnisse von dem besagten Freitagabend in der Eisdiele auch weiterhin in den nächsten Tagen in mir arbeiteten, ist wohl verständlich, wobei ich in erster Linie immer erst die Schuld bei mir selbst suchte - was habe ich falsch gemacht? Habe ich Renate evtl. überfordert? Konnte ich Renate zu wenig an gemeinsamer Freizeitgestaltung bieten? War ich zu egoistisch gewesen?   -

Meine mir selbst gegebenen Antworten waren jedoch wenig zufriedenstellend, bzw. trafen den Kern der Trennung nicht - denn Renate kannte meine Geschichte, wusste, dass ich bis auf meine Liebe zu ihr, nach der langen Erkrankung und den enormen Verdienstausfall wenig zu bieten hatte, und damit war sie auch immer vollkommen einverstanden gewesen.

Dass ich nun zu egoistisch war, konnte ich eigentlich nicht feststellen (aber das liegt wohl in der Natur der Sache, dass man selbst den Wald vor lauter Bäumen nicht sieht). Ich habe jedenfalls von Renate nichts verlangt, was sie nicht freiwillig bereit war zu geben - bzw. habe ich sie niemals zu irgendetwas gedrängt. Fakt ist, dass es aus meiner Sicht für die Geschehnisse des Freitag-abends keine logische und nachvollziehbare Begründung gab!

Sollte der Eisdieleninhaber also mit seinem obigen Verdacht Recht gehabt haben? Auch dieser Überlegung bin ich damals nachgegangen. Nur, wer sollte diesen unmenschlichen Druck auf Renate ausgeübt haben? Ihre Eltern? - Dieses konnte ich mir nicht vorstellen, denn meines Erachtens hatte ich einen guten Draht zu beiden. Die Freundin ihrer Eltern? - Nach ihren Äußerungen bei der Silvester- party durchaus möglich. Aber ich konnte mir nicht vorstellen, dass Renate sich in ihren Gefühlen von dieser resoluten Dame leiten ließ!? Irgendwelche Verehrer oder sonstige Männer die sich bei Renate eine Chance ausrechneten? - Liegt auch im Bereich des Möglichen. Doch auch hier konnte ich es mir nicht vorstellen, dass Renate sich von möglichen Liebhabern unter Druck setzen ließ. - Es sei denn, dass Renate sich wieder ihrer vormaligen Beziehung zugewandt hatte, und sie sich somit selbst unter Druck setzte. Wenn dem so war, frage ich mich natürlich, warum hat Renate an dem besagten Freitagabend in der Eisdiele die Wahrheit vor mir verborgen, obwohl ich sie mit dem Namen ihres vormaligen Freundes konfrontierte, der mir von der Sekretärin meines damaligen Arbeitgebers als Warnhinweis signalisiert wurde? Bis auf die Frage einer möglichen Hinwendung zu ihrer vormaligen Beziehung, ist jedoch auch in den übrigen Fragen kein logischer und nachvollziehbarer Grund für Renates Entscheidung erkennbar.

War ich evtl. zu eigensinnig gewesen? Hatte ich die vielen Annehmlichkeiten, die Renates Eltern mir vor allen Dingen an den Sonntagen in ihrem Eigenheim zukommen ließen, zu wenig mit Dank und kleinen Aufmerksamkeiten honoriert?
Ich bin eigentlich ein anpassungsfähiger Mensch. Aber vielleicht habe ich alle Wohltaten als zu selbstverständlich angenommen, habe evtl. sogar Renates Eltern auch als meine Ersatzeltern empfunden (wenn man in der Fremde allein auf weiter Flur steht, soll sowas schon mal vorkommen). Ein Trennungsgrund sind vorgenannte Annahmen jedoch nicht. Wenn dem so gewesen sein sollte, hätte Renate dieses mit einem kleinen Hinweis mir gegenüber sofort korrigieren können.

Tatsache war, ist und bleibt, dass ich für die Beendigung der Beziehung durch Renate keine Erklärung hatte und diesbezüglich auch bis zum Beginn der Arbeit an diesem Manuskript immer noch nicht habe. Renate hat sich, wie beschrieben, zwar am besagten Freitag bei mir „zum Stein erweichen" ausgeheult, doch eine mündliche Erklärung warum sie unsere Beziehung aufkündigte blieb sie mir auf ewig schuldig.

Wütend machte mich damals nur, dass Renate bei allem verständlichen eigenen Egoismus, mein Risiko, das ich nach der langen Erkrankung mit der abschließenden schweren Operation mit diesen Unternehmungen in Lage auf mich genommen hatte, einfach so beiseite wischte, so als ginge ihr das alles nichts mehr an. Sie kannte aus vielen Gesprächen dieses Risiko - und dieses Risiko hat Renate damals nicht nur voll akzeptiert, sondern auch durch viel positiven Zuspruch noch freudig gefördert (sogar mit Hilfe ihrer Eltern). Renate wusste, dass ich damals wegen der gesundheitlichen Situation genug Probleme mit mir selbst hatte, und dass mir somit der Draht und das Gespür für die Last bzw. den möglichen Kummer aktueller Personen aus meinem Umfeld schlicht und einfach fehlte (somit habe ich die sich möglicherweise vorhandenen bzw. sich anbahnenden Probleme bei / mit Renate damals einfach nicht wahrgenommen).

Natürlich ist jeder Mensch in seinen Entscheidungen frei von jeglichen Zwängen, keine Frage, doch Renates Überlegungen zur Beendigung unserer Beziehung können nicht erst mit der Entscheidung vom besagten Freitagabend am 10. Januar begonnen haben, denn solche Überlegungen setzen in der Regel schon weit vorher ein. Gab es da was an meinem Verhalten ihr gegenüber zu bemängeln (Dinge die für mich eventuell mittlerweile automatisch zur Selbstverständlichkeit wurden - die sie mir vorher nie als Tadel mitgeteilt oder zu erkennen gegeben hatte)?

Mich würde natürlich brennend interessieren, seit wann Renate damals definitiv klar war, dass sie die Beziehung zu mir abbrechen wird? - Eventuell schon vor Weihnachten 1968 (welche Überlegungen mir bei dieser Teilfrage in den Sinn kommen möchte ich lieber für mich behalten)? - Oder war ich von Beginn an für Renate nur Spielball zum Zeitvertreib?

Jeder von uns lebt sein Leben selbstbestimmt so gut sie oder er kann - und das ist auch gut so. Aber Leben bedeutet auch andere Mitmenschen leben lassen. Das setzt natürlich voraus, dass man sich persönlich auch in das Seelenleben des Anderen (vor allen Dingen eines Partners) hineinversetzen kann, ohne sie oder ihn dabei zu verletzen.

Und genau hier setzt jetzt meine große Kritik ein - denn „Leben und leben lassen" geht anders. Zur Erinnerung:

Für meinen verbotswidrigen Arbeitseinsatz in Lage (wie schon ausführlich beschrieben), haben Renate und ich uns bei einem langen Spaziergang im September 1968 in Hörstmar gemeinsam ewige Liebe und Treue geschworen, damit wir gemeinsam mein geschildertes gesundheitliches Risiko tragen konnten. Hinzu kam, dass mir damals immer noch die letzten Worte Renates aus Norderney im Gedächtnis waren, das sie wegen einer festen

Freundschaft zu mir keine neue Beziehung eingehen könne. Das ich hier jetzt bei dieser Ausgangslage eine besondere Absicherung in Form eines gemeinsamen Schwurs brauchte, ist doch wohl verständlich und für jedermann nachvollziehbar. Es wäre mir nicht zuzumuten gewesen, „ohne Netz und doppelten Boden" für längere Zeit nach Lage zu kommen, um dort auch noch eine verbotswidrige Arbeit anzunehmen, nur um in Renates Nähe zu sein. Ohne diesen Schwur hätte ich das „Arbeitsprojekt" in der Stadt Lage niemals gewagt, was damals auch wohl das Ende unserer Beziehung zur Folge gehabt hätte - und dieses wusste Renate auch.

Worte der Kritik, der Zurückhaltung oder der Ablehnung waren damals von Renate nicht zu vernehmen - im Gegenteil, sie hat damals meine Unternehmungen nicht nur gewollt sondern auch freudig mit aller Kraft gefördert (wie schon ausgeführt, sogar mit Hilfe ihrer Eltern, die Renate bei der Arbeitsplatz- und Wohnungssuche für mich kräftig unterstützten). Für mich ein klares und eindeutiges Signal, dass Renate unseren gemeinsamen Schwur vermeintlich sehr ernst nahm.

Wenn man gemeinsam mit seiner Beziehungspartnerin vorstehende Vereinbarung trifft (und auch ein Schwur ist eine Vereinbarung), so überlegt jeder dieser Partner vorher genau, ob man auch Willens und in der Lage ist, eine solche Vereinbarung auch einzuhalten, zumal wenn damit ein gesundheitlich bestehendes Risiko eines Partners gemeinsam getragen bzw. aufgefangen werden soll.

Wird eine solche Vereinbarung dann einseitig und grundlos gebrochen, und somit eine Beziehung beendet, so hat ein solches Verhalten weit mehr als nur ein „Geschmäckle" - denn dann handelt es sich dabei um einen eklatanten vorsätzlichen Vertrauensbruch.

Erklärung dazu: In der Fachliteratur wird den Frauen bescheinigt, dass sie in Beziehungsfragen wesentlich sensibler und verbindlicher reagieren als Männer - das Frauen auch in jungen Jahren den Männern diesbezüglich intellektuell und emotional weit überlegen sind (somit kann Renates damaliger Schwur auch kein daher geplappertes unverbindliches Lippenbekenntnis gewesen sein - es sei denn, sie straft der Fachwelt und den Frauen allgemein mit ihrem damaligen Handeln Lügen). Somit konnte und kann Renate sich weder damals noch heute darauf berufen, dass sie im September 1968 von unserem gemeinsamen Schwur überfordert und von mir überrollt wurde.

Ja, so geht „Leben und leben lassen" nun wahrlich nicht! In einem solchen Fall bleiben immer zwei Verlierer auf der Strecke zurück - dem Einen ist ihr / sein Wort zukünftig nichts mehr wert (Verlust an Vertrauen), und dem Anderen entsteht durch einen solchen Wort- und Vertrauensbruch ein emotional irreparabler Schaden!

Natürlich kann es bei solchen Vereinbarungen vorher unabsehbare Gründe eines Partners geben, eine gemeinsam mit dem anderen Partner getroffene Vereinbarung (Schwur) nachträglich nicht einhalten zu können (z. B. durch widrige Umstände in der Partnerschaft selbst), so kommt man aus diesem Dilemma jedoch nur heraus, wenn man offen und fair miteinander über die Gründe in einer kriselnden Beziehung redet, und für die Gründe des Vertrauensbruchs um Nachsicht und um Entschuldigung bittet. Sprachlosigkeit oder sich einfach wortlos vom Acker machen, so wie Renate es praktiziert hat, führt nur zur Verbitterung des „gehörnten ehemaligen Partners". Wer jetzt meint sich solches Verhalten auf sein eigenes Gewissen laden zu können... - aber lassen wir das, bevor ich hier jetzt noch unhöflich rüberkomme.

Tatsache war, ist und bleibt jedoch, dass der einseitige Bruch vorstehenden gemeinsamen Schwurs mit allen beschriebenen Begleiterscheinungen durch Renate eine Schande ist - übel, verwerflich und gemein! Ein Schwur unter liebenden Partnern ist und bleibt nun mal die höchste und wichtigste Form einer gegenseitigen Versprechung und des Vertrauens darauf, die man nicht leichtfertig eingeht, und die erst recht nicht verantwortungslos, gedankenlos, fahrlässig und moralisch bedenkenlos zu brechen ist.

Wenn Renate damals Vorbehalte gegen unsere Beziehung in sich trug, dann hätte sie mir diese vor meinem Arbeitseinsatz in Lage auch klar und deutlich sagen müssen. So blieb nach der Trennung bei mir der Eindruck zurück, dass sie damals zu ihrem Zeitvertreib nur mit mir gespielt hat. Nein, so geht man nicht mit Menschen um - und in einer Partnerschaft schon gar nicht. Es ist im hohen Maße menschenverachtend, wenn in einer Partnerschaft ihr bzw. sein gegenüber als Spielball zur Steigerung des eigenen Vergnügens benutzt und missbraucht wird, nur um sein eigenes Ego zu befriedigen. Das bei einem solchen Verhalten der betroffene Partnerteil tief verletzt auf der Strecke bleibt, ist dem handelnden Part scheinbar „schnurzpiepegal".

Es dürfte wohl nachvollziehbar sein, dass man alle möglichen Fragestellungen bei seinen eigenen Überlegungen nachgeht, um zu ergründen, warum die Beziehung von Renate einseitig aufgekündigt wurde. Ich habe mich seinerzeit sogar ernsthaft gefragt, ob Renate in ihrer damaligen aufgekratzten Stimmungslage - mit sehr viel Euphorie und gespannter Erwartungshaltung (an dem besagten Sonntagabend in Hörstmar bei dem langen Spaziergang, als wir uns mit Zukunftsfragen beschäftigten) überhaupt wahrgenommen hat, dass wir uns soeben gemeinsam einen bindenden Schwur gaben? Oder ist diese vorstehende Tatsache evtl. wegen ihrer freudig erregten Erwartungshaltung (es ging um meine Zustimmung zu ihrer Idee, dass ich in Lage eine Arbeit aufnehmen und eine Einzimmerwohnung anmieten könne) einfach bei ihr untergegangen? Hatte Renate eventuell erst mit zeitlicher Verzögerung realisiert, dass wir uns einen gemeinsamen ewigen Liebes- und Treueschwur gaben, und mit dieser späten Erkenntnis hatte sie ein Problem?

Auch auf diese mir selbst gestellten Fragen gab es keine plausiblen Antworten. Sicherlich kann man in einer euphorischen Stimmungslage hier und da mal was nicht rechtzeitig realisieren. Doch wenn man sich in einer bestimmten freudigen Erwartungshaltung etwas Positives von seinem Gegenüber erhofft, kann ich mir nicht vorstellen, dass jemand bei der wahrgenommenen Zustimmung in der Sache gleich den Kopf verliert. Nein, ein solches Verhalten traute ich Renate nicht zu. Es mag sein, dass Renate später ein Problem mit unserem gemeinsamen Schwur hatte, eventuell versucht hat diesen sogar ungeschehen zu machen - Aber das ist aus meiner Sicht reine Spekulation und keine logische Erklärung für Renates mögliche Verhalten. Tatsache ist, dass mir hierüber keine Erkenntnisse vorliegen.

Weder am Sonnabend noch am Sonntag nach dem besagten Freitagstermin hat Renate sich bei mir in meiner Wohnung in Lage gemeldet. Da ich jetzt auch nicht unbedingt einen Narren aus mir machen lassen wollte, das verbot mir mein Stolz, bin ich an diesem Wochenende auch nicht in Hörstmar hinter Renate hergelaufen (wenn sie noch was für mich empfand, bzw. mit mir reden wollte, dann hätte sie sich halt bei mir in Lage bzw. später in Marienhafe melden müssen - ich laufe niemandem hinterher - das war so in der Vergangenheit, und hat sich auch aktuell nicht geändert!). Mir stand auch nicht der Sinn danach mich an die Fersen Renates vormaligen Freundes zu heften um ihn den „Heiligen Geist zu verpassen", denn einerseits war mir auch nach Renates Worten an dem besagten Freitagabend in der Eisdiele unklar ob ich nicht eventuell den Falschen zur Rede stellen würde, und andererseits hätte ich mich in Hörstmar erst erkundigen müssen, wo ich diesen Knaben denn überhaupt finden konnte - und genau dorthin wollte ich aus beschriebenem Grund eben nicht). Ebenso stand für mich fest, dass ich auch keine weitere Zeit in Lage verbringen werde, weitere Mietzahlung und Beköstigungskosten riskiere, nur um mich bei Renate wieder einzuschmeicheln, denn schließlich benötigte ich das in Lage verdiente Geld, um einen Teil meiner Ausbildung in Bad Pyrmont zu finanzieren ohne meine Eltern zur Last zu fallen Diese harte Haltung fiel mir zwar unendlich schwer, denn dafür liebte ich Renate noch immer viel zu sehr, doch mein Stolz und mein Verstand geboten mir diesen Weg zu gehen (wenn er möglicherweise auch falsch war).

Erschwerend kam für mich hinzu, dass diese Trennung zu einem sehr ungünstigen Zeitpunkt auf mich einstürzte, sodass mir sowieso keine Zeit blieb intensiv um Renates Zuneigung zu kämpfen und um ihre Liebe zurückzugewinnen, denn am 1. April 1969 hatte ich in Bad Pyrmont meine Fachschulausbildung zum Verwaltungsangestellten anzutreten, und bis dahin hatte ich noch viele persönliche und behördliche Dinge zu klären, die ich nur von meinem Heimatort Marienhafe aus erledigen konnte (wie z. B. die erforderliche amtsärztliche Klärung meiner Ausbildungs-tauglichkeit nach langjähriger Erkrankung mit abschießender riskanter und schwerer Operation, die mir zum Schulungsbeginn 1.

Oktober 1968 wegen der noch fehlenden körperlichen Fitness noch verweigert wurde; die Einholung und Zusammenstellung der nötigen Unterlagen; die Beschaffung einer privaten Unterkunft in Bad Pyrmont, denn eine Internatslösung lag nicht in meinem Interesse, wobei der Kostenträger, die Bundesversicherungsanstalt für Angestellte -heute die Deutsche Rentenversicherung-, mir in dieser Frage die freie Wahl bei voller Kostenübernahme überließ - und dergleichen mehr).

Somit stand für mich sowieso fest, unabhängig von der Beziehung zu Renate, dass ich Lage spätestens Mitte Februar 1969 verlassen musste, um vorstehende Dinge abschließend zu klären.

Wenn einem der Halt zu einer über alles geliebten Person verloren geht, zumal ohne festen Rückhalt durch das Elternhaus in fremder Umgebung, konnte ich die zukünftige erfolgreiche Gestaltung meiner Ausbildung und der daran anschließende Einstieg ins Berufsleben nicht frei von schweren Belastungen angehen - das sagte mir mein Verstand bei meinen Überlegungen an dem besagten Sonnabend und Sonntag nach der Beendigung der Beziehung durch Renate. Somit stand für mich schweren Herzens fest, dass ich Lage so schnell wie möglich verlassen und zum Elternhaus zurückkehren werde, um nach Möglichkeit den Kopf wieder frei zu bekommen.

Ja, dieser bevorstehende Schritt war weit mehr als nur schwer für mich, handelte es sich bei Renate doch um meine erste große und einzig wahre Liebe. Doch nun war damit schweren Herzens Schluss…, unter welchen Umständen auch immer…

Am Montag, den 13. Januar 1969, bin ich zum Arbeitsbeginn um 7 Uhr zur Firma in Lage gegangen, und habe dort meinen Arbeitsvertrag mit sofortiger Wirkung gekündigt. Die an anderer Stelle schon erwähnte Sekretärin des Betriebs hat mir noch die ausstehenden Überstunden berechnet, und somit mein letztes in Lage verdientes Geld ausgezahlt (den Wochenlohn für die vergangene Woche hatte ich ja schon am Freitag kassiert). Bei dieser Gelegenheit merkte meine Kollegin an, „dass sie meinen jetzigen Schritt habe kommen sehen, und sie bedauerte sehr, dass ich nicht noch in Lage verbleiben könne". Danach habe ich mich von den dortigen Kollegen verabschiedet.

Mein nächstes Ziel war der Bahnhof in Lage, um mir eine Fahrkarte nach Marienhafe zu kaufen, und um mich zu erkundigen, wann ich ohne allzu viel umzusteigen (wegen des vielen Gepäcks) die günstigste Zugverbindung nach Hause habe (die für den gleichen Tag um 12.30 Uhr angesagt war, wobei ich bei dieser Verbindung nur einmal umsteigen musste).

Der nächste Weg führte mich zu einem Blumenladen (Fleurop-Blumenversand) in der Nachbarschaft meiner Wohnung, um Renates Mutter einen großen bunten Blumenstrauß mit einer Dankeskarte für ihr rührendes Kümmern um mich per sofort zukommen zu lassen, und um einen großen Strauß mit roten Rosen für Renate zu bestellen, die in ein paar Wochen Geburtstag hatte (die dann an diesem Tage mit einer lieben Glückwunschkarte zugestellt werden sollte).

Danach ging es zurück zur Wohnung. Dort habe ich mich dann von meinen Vermietern verabschiedet, die zudem dankenswerter Weise noch darauf bestanden, mich mit dem vielen Gepäck zum Bahnhof zu fahren.

Um 12.30 Uhr war dann in Lage Abfahrt nach Marienhafe, Damit war Lage und alles was dazu gehörte nunmehr Geschichte. Ende Januar 1969 hatte ich Renate nochmals angeschrieben und gebeten, mir nunmehr die Gründe ihres Abbruchs der Beziehung zu mir mitzuteilen, sodass ich diese Ereignisse auch mal verarbeiten kann. Eine Antwort blieb jedoch aus, sodass ich Mitte Februar in einem Brief nochmals nachfragte. Doch es blieb beim großen Schweigen. So sah also die ewige Liebe und Treue aus, die wir uns einst geschworen hatten - aus den Augen, aus dem Sinn.

Anmerkung: In seiner Expertise zu meiner damaligen Beziehung zu Renate kommt ein bekannter Deutscher Psychologe auf meine Anfrage zu dem Ergebnis, dass das damalige Verhalten Renates scharf zu rügen ist. Dieses begründete er damit, dass Renate es damals niemals zulassen durfte, bei meiner ihr bekannten prekären Gesundheitslage (incl. der noch lang andauernden medizinischen Nachwirkungen, die jedermann zumindest erahnen konnte), wenn sie sich ihrer Gefühle zu mir nicht absolut sicher war, mich nach Lage zu lotsen, um dort aus gesundheitlichen Gründen einen verbotswidrigen Arbeitsplatz annehmen zu lassen (nur um mich in ihrer Nähe zu wissen), um dann, nach kurzer Zeit, trotz eines gemeinsamen Schwurs zur Absicherung meiner Arbeitsaufnahme, mich wie eine heiße Kartoffel fallen zu lassen. Dieses Verhalten von Renate sei im hohen Maße skandalös, und widerspräche jegliche hergebrachte weibliche fürsorgliche Logik im Umgang mit Beziehungen.

Abschließend kommt der Psychologe zu dem Schluss, „dass es absolut nachvollziehbar sei, dass diese skandalösen Ereignisse mich tief und nachhaltig auch gesundheitlich geprägt haben, die bis heute nicht überwunden sind. Das Ihre guten und logischen Vorsätze, nach Ihrer langen und unerfreulichen Krankengeschichte, ein neues Selbstwertgefühl aufzubauen, nach den Ereignissen der Beendigung der Beziehung wie ein Kartenhaus zusammenstürzten, ist nicht nur bitter, enttäuschend und unverzeihlich, sondern zeugt auch von einem verachtenswertem Verhalten Ihrer damaligen Beziehungspartnerin".

Erklärung: Nach vorstehendem Inhalt der Expertise eines renommierten Psychologen waren auch meine letzten Zweifel beseitigt, die vorstehenden Ereignisse in meiner Autobiographie aus Gründen der Intimsphäre und des Persönlichkeitsschutzes zu verheimlichen. Im Gegenteil, der Psychologe ermunterte mich sogar, für jedermann offen nachlesbar, dass ich mich diesen geschilderten Ereignissen von damals stellen solle - auch um einerseits die damaligen Geschehnisse besser zu verarbeiten, und andererseits als Beispiel den Lesern zu verdeutlichen, wie man in einer Beziehung nicht miteinander umgeht.

Irgendwann im Sommer 1969 (ob nun vor oder nach den Sommerferien weiß ich nicht mehr), ich war damals schon in der Ausbildungsmaßnahme in Bad Pyrmont, fragte einer meiner Klassenkammeraden, ob sich jemand von uns im Klassenverband in Lemgo auskennt, denn er möchte sich dort die bekannte Kirche mal ansehen, die ihm als Bauhistoriker interessiere. Ich habe ihn in der Pause dann informiert, dass ich schon ein paar Mal in Lemgo gewesen sei, und wisse wo die Kirche zu finden ist. Danach lud er mich ein, ihn nach Lemgo zu begleiten. Da wir wegen Erkrankung eines Lehrers den Unterricht um 16 Uhr beendeten, düsten wir anschließend nach Lemgo, und besichtigten dort bis ca. 19 Uhr die Kirche von innen und außen. Irgendwie ritt mich dann der Teufel, und ich lotste meinen Schulkameraden zu Renates Elternhaus, das nur 4 Kilometer von Lemgo entfernt zu erreichen war. Dort angekommen, ließ ich meinen Schulkameraden ein paar Häuser weiter parken, und versprach, gleich zurück zu sein. Ich lief dann die paar Meter bis zu Renates Elternhaus, und klingelte an der Tür. Es wurde geöffnet - und Renate stand vor mir, schön und lieblich wie immer, aber auch sehr erstaunt und ängstlich zugleich, dass ich auf einmal vor ihr stand (das konnte ich an ihrem Gesicht ablesen). Ich fragte sie dann, ob ich kurz mit ihr reden könne. Sie machte dann die Haustür weit auf und wies zur offenstehenden Wohnküche. Dort war ein Gewimmel von Damen zu sehen, die sich intensiv mit einem Brautkleid beschäftigten.

Dann sagte Renate zu mir: „Du siehst selbst das bei uns die Hölle los ist. Meine Schwester heiratet in ein paar Tagen, und das Brautkleid ist noch lange nicht fertig. Es tut mir leid, aber ich muss schnell wieder rein, da die Schneiderin nicht allzu viel Zeit mitgebracht hat. Ich hoffe, du hast dafür Verständnis" (ja, **natürlich** musste ich immer für alles Verständnis haben - aber, hatte Renate an dem besagten Freitag im Januar auch Verständnis für mich aufgebracht? - Nein! Jetzt aber ein Drama daraus zu machen, war auch nicht in meinem Sinne).Danach verabschiedete ich mich von ihr, und ab ging es nun wieder nach Bad Pyrmont.

Wenn man eine solche Biographie schreibt wühlt man nicht nur in alten Erinnerungen, sondern auch in alten aufbewahrten Schriftstücken und Bildern herum (soweit man diese damals nicht aus bestimmten Gründen vernichtet hat). So ist mir erst jetzt im Oktober 2013 ein bisher **ungeöffneter** Brief von Renate, datiert vom 22. Dezember 1969 -Poststempel- (über 11 Monate nach Renates Aufkündigung des gemeinsamen ewigen Liebes- und Treueschwurs und somit der gemeinsamen Beziehung vom 10. Januar 1969 - dem ominösen Freitagabend in der Eisdiele in Lage), in die Hände gefallen. Warum ich diesen Brief seinerzeit zwar aufbewahrt jedoch nicht geöffnet und gelesen habe ist mir ein Rätsel. Ebenfalls habe ich keine Erinnerung daran diesen Brief damals im Dezember 1969 überhaupt persönlich in Empfang genommen zu haben. Tatsache ist (wie ich nun rückschauend festzustellen habe), dass Renate mich damals im Dezember 1969 noch nicht vergessen hatte, sonst hätte sie mir diese Zeilen niemals geschrieben. Von Reue und / oder Erklärungen für ihre damaligen Gründe zum Abbruch der Beziehung war in diesem Brief zwar nichts zu lesen, doch zwischen den Zeilen war deutlich zu spüren, dass sie wieder engere Kontakte zu mir suchte. Heute im Jahre 2013 - 44 Jahre später, nachdem ich diesen Brief gelesen habe, ist es müßig darüber zu philosophieren oder nachzudenken, wie mein weiterer Lebensweg verlaufen wäre, wenn ich den besagten Brief zeitnah gelesen hätte.

In meinem Arbeitsurlaub im August 1970 war ich von einem Bekannten zu einer Geburtstagsfete in Bad Pyrmont eingeladen worden. Da ich jedoch noch nicht motorisiert war, erklärte sich ein Marienhafener Freund bereit, mit mir zusammen mit seinem PKW nach Bad Pyrmont zu fahren (selbstverständlich war er auch Gast dieser Fete). Nach Beendigung der Fete, am späten Morgen, fuhren wir Richtung Marienhafe zurück. Da wir jedoch ohne Frühstück losfuhren, machten wir in Lage eine ausgiebige Frühstückspause mit anschließendem Stadtbummel, um nach durchfeierter Nacht wieder einen klaren Kopf zu bekommen. Bei diesem Stadtbummel mussten wir vor einer roten Fußgängerampel Halt machen.

Mein Freund und ich waren so tief in ein interessantes Gespräch verstrickt, dass ich erst gar nicht realisierte, wer da an der Ampel neben mir stand. Aus den Augenwinkeln hatte ich zwar im Unterbewussten bemerkt, dass eine junge, schöne und elegant gekleidete Lady ein bisschen schräg nach hinten versetzt links neben mir stand, doch ich war wohl mit den Gedanken so weit weg, dass ich erst auf der anderen Straßenseite und noch etliche Schritte weiter realisierte, dass es Renate gewesen war. Eine sofortige eingeleitete intensive Suche nach Renate, auch in den umliegenden Geschäften, blieb jedoch erfolglos.

Laut fragte ich mich dann selbst; „Warum hat sie mich nicht angesprochen, ein „Hallo" wäre doch wohl allemal drin gewesen?" Mein Freund stellte auf meine Frage lakonisch fest: „Nach durchfeierter Nacht sehen wir beide nicht unbedingt Vertrauenserweckend aus, sondern im Gegenteil wild und übernächtigt. Zudem haben wir uns schon die ganze Zeit mit viel Temperament und gestenreich unterhalten, sodass deine Ex davon ausgehen musste, dass du ihr auf offener Straße evtl. eine Szene machst bzw. ihr gleich an die Wäsche gehst. Ich an ihrer Stelle hätte da vorsichtshalber auch wohl die Klappe gehalten".

Zwischenzeitlich wurde ich doch etwas unsicher. War es nun wirklich Renate die ich da aus den Augenwinkeln im Unterbewussten an der Fußgängerampel wahrgenommen hatte? Hatte ich mich evtl. geirrt und war einer Wahrnehmungstäuschung aufgesessen? Die Körpergröße stimmte, das unvergessene schöne Gesicht, die Haarfarbe und die Frisur auch - doch die elegante Kleidung an einem Wochentag und zudem in den frühen Vormittagsstunden machte mich stutzig, zumal sie um diese Uhrzeit eigentlich an ihrem Ausbildungsplatz als Dekorateurin sein müsste (die ein paar Häuser von der Fußgängerampel entfernt lag) - es sei denn, sie hatte Urlaub. Doch auch diese Urlaubstheorie passte nicht, denn Renate war in ihrer Freizeit an allgemeinen Wochentagen eher sportlich gekleidet - und nicht als große Lady. Aber wer weiß das bei einer schönen Frau schon so genau…, ich scheinbar wohl nicht - und dabei will ich es an dieser Stelle auch belassen. An diesem Vormittag blieben bei mir jedoch etliche Fragezeichen offen und somit unbeantwortet.

Verallgemeinernd für die Geschichte der vorstehenden Seiten möchte ich noch folgendes anmerken: Jedermann, ob sie oder er - ob jung oder alt sollte mit einem Liebes- und Treueschwur oder mit einer Versprechung (großartig gegebene Zusicherung, etwas Bestimmtes einzuhalten bzw. eine bestimmte Erwartung zu erfüllen) nicht leichtfertig bzw. inflationär (grenzenlos bzw. maßlos) umgehen!

Sie oder der Partner eines solchen Schwurs bzw. einer solchen Versprechung bleiben bei einseitiger Nichteinhaltung (Bruch des Schwurs / der Versprechung) in der Regel mit einer tief verletzten Seele zurück. Kommt es dann, wie in meinem Fall, zu einem gemeinsamen ewigen Liebes- und Treueschwur, um mein gravierendes gesundheitliches Risiko für unsere gemeinsam beschriebene Unternehmung in Lage zu minimieren, indem dieses

Risiko als Last fair und verantwortlich auf zwei Schultern gerecht verteilt wird, so bleibt es bei einem einseitigen Bruch dieses gemeinsamen Schwurs nicht nur bei einer tiefen Verletzung der Seele des Partners, sondern gleichzeitig wirft ein solcher einseitiger Bruch eines gemeinsamen Schwurs die Frage nach einer möglichen Gewissenlosigkeit des Schwurbrechers im Umgang mit Mitmenschen auf. Mit gesundheitlichen Risiken des vermeintlichen Partners spielt man nicht, nur um für eine Zeit lang den eigenen Spaßfaktor zu bedienen! Und genau dieses miese Gefühl des nur benutzt worden zu sein habe ich noch anschließend viele Jahre mit mir herumgeschleppt.

Sollte ich mich damals so in Renate getäuscht haben? Ich kann und will es einfach nicht glauben - und ich bin fest davon überzeugt, dass dem auch nicht so war! Da muss es andere Gründe bzw. Zwänge gegeben haben, die ich bis Heute nicht kenne. Dabei will ich es auch belassen.

Nach der vermeintlichen Wahrnehmung vom August 1970 vor der Fußgängerampel in Lage (wie geschildert) habe ich Renate nie wiedergesehen. Ich bin zwar ab 1972 bis Ende 1997 aus privaten und dienstlichen Gründen unzählige Male auf der Bundesstraße 66 (auf dem Weg von und nach Bad Pyrmont) direkt an Renates Elternhaus vorbeigefahren, verspürte jedoch nie mehr den Ehrgeiz dort mal mit der unbewältigten Vergangenheit aufzuräumen (vielleicht hatte ich später auch Angst vor Renates „Wahrheit" - wollte sie aus gemeinsamen schönen Zeiten in Erinnerung halten). Trotzdem würde ich jetzt Lügen, wenn ich behaupte, dass Renate mir nach dem besagten 10. Januar 1969 egal geworden wäre - dem ist nämlich nicht so! Etliche Jahre habe ich die Frauen aus meinem persönlichen Umfeld immer wieder mit Renate verglichen - und, ob nun bewusst oder unbewusst, auch 45 Jahre später denkt man noch ab und zu an diese gemeinsame schöne Zeit zurück - aber vielleicht ist das der mittlerweile tief vergrabene Romantiker in mir, der ab und an noch mal zum Vorschein kommt. Vergessen oder Verdrängen kann ich diese wunderschöne Romanze wohl nie - auch wenn es damals zum Schluss kein Happy End sondern nur ein gebrochenes Herz gab - nämlich meines. Zurückgeblieben ist zudem ein Mensch, der seit dem ominösen Freitag in der Eisdiele in Lage im Januar 1969 den Glauben an Versprechungen und

Schwüre von Personen nunmehr nachhaltig verloren hat.

Anmerkungen und Schlussfolgerungen zum Kapitel - „Das heiße Jahr 1968":

Beim Korrekturlesen meines Teilmanuskriptes verspürte ich das Bedürfnis, jetzt etwas mehr über Renate, wo sie wohnt und was sie aktuell so macht, in Erfahrung zu bringen. Außerdem lag in meiner Absicht, aus Gründen der Fairness, ihr meine geschriebenen Texte über ihre Person vor Abgabe an den Buchverlag zur Verfügung zu stellen, damit sie auch die Möglichkeit hat, sich dazu zu äußern bzw. Änderungswünsche anzumelden. Doch dazu benötigte ich ihre neue Anschrift. Somit habe ich mich Ende November 2013 mit der Stadtverwaltung Lemgo in Verbindung gesetzt (denn die frühere selbständige Gemeinde Hörstmar ist jetzt ein Ortsteil von Lemgo), um zu erfahren, wo Renate abgeblieben ist (wo sie jetzt wohnt, ob sie verheiratet ist und welchen Familiennamen sie jetzt trägt). Die Infos der Stadtverwaltung waren umfassend. So habe ich beispielsweise erfahren, dass Renate immer noch in Hörstmar wohnt und mit ihrem ehemaligen Freund verheiratet ist (dieser Freund taucht Anfang Januar 1969 schon zweimal in meinen Erinnerungen auf - erstmals am 2. Januar 1969 durch die Sekretärin der Stuhlfabrik in Lage, als sie mich darauf aufmerksam machte, dass dieser Herr angeblich als Nebenbuhler in mein Revier wildert, und ein weiteres mal an dem besagten Freitagabend -10. Januar 1969- als Renate unsere Beziehung aufkündigte, und ich sie in diesem Zusammenhang nach diesem besagten Freund befragte).

Jetzt, fast 45 Jahre später, hatte ich es nunmehr amtlich. Renate hatte mich am 10. Januar 1969 in der Eisdiele in Lage wissentlich belogen, als ich sie nach ihrer Aufkündigung unserer Beziehung nach einer Bindung mit ihrem vormaligen Freund befragte, und sie diese Frage „mit traurigen und verweinten Augen verneinte"! - Ja, das war eine schauspielerische Glanzleistung, die Renate an diesem besagten Abend in der Eisdiele in Lage mir dargeboten hatte - wenn auch eine höchst unehrliche!

Mit Schreiben vom 12. Dezember 2013 habe ich Renate dann angeboten, ihr mein Manuskript vorab per Mail zur Kenntnis zu geben (wozu ich natürlich ihre Mailadresse benötigte), und habe mich zugleich offen für Textänderungswünsche ihrerseits erklärt.

Eine Antwort von Renate auf mein Schreiben vom 12. Dezember 2013 blieb jedoch aus.

Nach den Informationen der Stadt Lemgo war jetzt natürlich meine Neugier geweckt, und ich wollte noch ein wenig mehr über die vorehelichen Beziehungen der beiden genannten Personen in Erfahrung bringen - vor allen Dingen, ob es diese Bindung schon vor und während meiner gemeinsamen Zeit von Anfang August 1968 bis zum 10. Januar 1969 mit Renate gab.

Aus vorstehendem Grunde hatte ich mich ab Anfang Dezember 2013 Informationsquellen in Hörstmar bedient, die man als langjähriger Landesbediensteter, Politiker und Parteimitglied gut kennt (ansonsten hätte man seine genannten Jobs verfehlt), und weiß, wie ich an bestimmte (auch persönliche, private) Informationen herankomme - und es ging wesentlich einfacher als ich ursprünglich vermutet hatte (manche Hörstmarer Bürger konnten sich sogar sehr gut an die „dubiosen" Geschehnisse von damals erinnern).

Ab 16, Dezember 2013 sind mir dann auf meine entsprechenden Anfragen aus Hörstmar Informationen bekannt geworden, die darauf schließen lassen, dass die damalige gemeinsame große Liebe scheinbar von Renates Seite her ein wohl durchdachter riesiger Schwindel war, denn sie soll auch während unserer gemeinsamen Zeit (von August 68 bis Anfang Januar 69) innige Beziehungen zu ihrem vormaligen Freund (und jetzigen Ehemann) gepflegt und aufrecht erhalten haben - dieser Freund soll angeblich auch damals in der fraglichen Zeit in Renates Elternhaus ständig ein- und ausgegangen sein.

Demzufolge hat Renate mich die ganzen Monate nicht nur angeschwindelt sondern auch vorsätzlich und wissentlich betrogen! Das wäre schäbig, unseriös und hundsgemein und lässt auf einen miesen Charakter schließen - so die vorstehenden Infos denn stimmen!

Obwohl durch die neuen offiziellen Infos der Stadt Lemgo und durch inoffizielle Informationen der Hörstmarer Bürger etliche bisher für mich offene Fragen nunmehr beantwortet wurden, bleiben doch noch immer einige Fragen unbeantwortet. So zum Beispiel:

1) Warum hat Renate unseren gemeinsamen Schwur aus Ende September 1968 einseitig und ohne Nennung von Gründen gebrochen und somit unsere gemeinsame große Liebe verraten?

2) Welche Rolle spielte ihr vormaliger Freund und jetziger Ehemann in diesem Drama, war er evtl. der Strippenzieher im Hintergrund?

Es gab auch noch weitere Informationen, die mich zwar interessierten, die jedoch auf dem Markt der Öffentlichkeit nichts zu suchen haben.

Ob diese Informationen aus Hörstmar jetzt alle stimmen, entzieht sich leider meiner Kenntnis - doch, warum sollten die Informanten mich anschwindeln? - denn man sieht sich im Leben bekanntlich immer Zweimal (in der Politik und in der Partei sowieso)! Es gibt zudem ein Indiz, der mir nach langer Überlegung über die vorstehenden Informationen wieder einfiel, den ich mit einem Sonntagnachmittag in Renates Elternhaus in Verbindung bringe (als wir seinerzeit alleine und somit ungestört waren - mehr möchte ich dazu nicht zu Papier bringen), der darauf schließen lässt, dass etliche dieser Infos aus Hörstmar wohl nicht aus der Luft gegriffen sind.

Fakt ist, das Renates Bruch des gemeinsamen Schwurs von Ende September 1968 doppelt schwer wiegt. Dies will ich zur Erinnerung auch näher in Kurzform begründen (kann man besser verinnerlichen als lange Abhandlungen):

1) Im August 1968 erklärte Renate beim Abschied von der Insel Norderney, dass sie für eine Beziehung zu mir keinen Platz mehr habe, da sie schon einen festen Freund hat, ohne jedoch seinen

Namen zu nennen, obwohl ihre Körpersprache (wie im Manuskript beschrieben) mir genau gegenteiliges signalisierte.

2) In den Briefen, die Renate und ich uns nach unserer Norderneyer Zeit ständig schrieben (mindestens 2 mal wöchentlich), war von Renates Seite her mit keinem Wort mehr zu lesen, dass es noch eine andere Beziehung für sie gab - im Gegen- teil, jetzt schrieb sie, dass sie mich liebt und starke Sehnsucht nach mir hätte.

3) Ende September 1968 unternahm ich zusammen mit einem Freund eine 4-tägige-Trampertour nach Lage, denn auch ich hatte nunmehr starke Sehnsucht nach meiner geliebten Renate und fühlte mich nach Renates Zeilen auch ermutigt diese Tour zu wagen. In den Gesprächen mit Renate während dieser Tage reifte dann auf Renates charmantes Drängen die Idee heran, dass ich bis zu meinem Ausbildungsbeginn am 1. April 1969 eine verbotswidrige Arbeit in Lage aufnehmen sollte, um mit ihr zusammen sein zu können. Diese Idee wurde dann am vorletzten Tag unserer Tour (an einem Sonntagabend) mit einem gemeinsamen ewigen Liebes- und Treueschwur besiegelt (mit der stärksten Form einer gegenseitigen partnerschaftlichen Versprechung).

4) Auf Bitten von Renate hat ihr Herr Vater die Umsetzung der vorstehenden Idee, meiner verbotswidrigen Arbeitsaufnahme in Lage, nach Kräften unterstützt und gefördert. Renates Vater war über meine Krankheitsgeschichte und die noch vorhandenen Risiken in vollem Umgang informiert.

5) Am 2. Januar 1969 bekam ich von der Sekretärin meines damaligen Arbeitgebers in Lage den Warnhinweis, dass ein vormaliger Freund Renates als Nebenbuhler in mein Revier wildert - wobei anzumerken ist, dass ich den Namen des Nebenbuhlers von der Sekretärin damals zum ersten Mal hörte (bis zu diesem Zeitpunkt tauchte dieser Name, auch in Gesprächen mit Renate, oder aus Renates Umfeld niemals auf).

6) Am 10. Januar 1969 in der Eisdiele in Lage, dem ominösen „schwarzen Freitag", dann die Aufkündigung unserer Beziehung und somit gleichzeitig der Bruch unseres gemeinsamen Schwurs

durch Renate. Nachdem Renate sich, wie beschrieben, an diesem Abend etwas beruhigt hatte, habe ich sie befragt, ob sie nunmehr mit ihrem vormaligen Freund eine neue Beziehung eingegangen sei. Diese Frage hat sie damals klar und deutlich mit „Nein" beantwortet, bevor sie wieder in Tränen ausbrach.

7) Ende November 2013 man die Info durch die Stadtverwaltung Lemgo, dass Renate mit ihrem vormaligen Freund verheiratet ist und dass sie als Eheleute zusammen in Hörstmar wohnen.

8) Ab 16, Dezember 2013 kamen Infos durch Bürger des Lemgoer Ortsteils Hörstmar: Renate soll schon vor und während unserer gemeinsamen Beziehung (von August 68 bis Anfang Januar 69) innige Beziehungen zu ihrem vormaligen Freund gepflegt und aufrecht erhalten haben - dieser Freund soll auch damals in der fraglichen Zeit in Renates Elternhaus ständig ein- und ausgegangen sein.

Damit dürfte wohl die besondere Schwere der Schuld Renates am Bruch unserer damaligen Beziehung und des gemeinsamen Schwurs hinlänglich bewiesen sein, denn es ging hierbei ja nicht nur um den einseitigen Bruch des gemeinsamen Schwurs ohne Nennung von Gründen, sondern auch um ihr Lügengebilde rund um ihren ehemaligen Freund. Renate hat mich also bewusst und vorsätzlich zum Narren gemacht - hat nur mit mir gespielt!

Inwieweit Renate sich jetzt alleine für dieses Drama verantwortlich zeichnet, vermag ich nicht zu beurteilen. Es ist durchaus denkbar, und diese Vermutung liegt auch nahe, dass es hierbei auch die oder den berühmten Drahtzieher (Strippenzieher) im Hintergrund gab. Da ich damals meinte Renate gut gekannt zu haben, ging und gehe ich nach wie vor davon aus, dass dieses üble und menschenverachtende Handeln nicht alleine auf ihrem Mist gewachsen ist. Trotzdem kann ich jetzt Renate nicht aus dieser Verantwortung entlassen, denn sie war mir gegenüber nun mal die ausführende und handelnde Person.

Mir wurde erst nach den Infos der Stadt Lemgo und von Hörstmarer Bürgern so richtig bewusst, was diese vorstehende Geschichte, die man durchaus als Drama bezeichnen kann, bedeutet.

Nach den neuen Informationen aus Hörstmar habe ich Renate mit Datum vom 2. Januar 2014 erneut angeschrieben, und einerseits mein Fairnessangebot wiederholt und habe andererseits jetzt mal Anspruch und Wirklichkeit unserer damaligen Beziehung gegenüber gestellt und auch einige Dinge zurechtgerückt - ich kann zwar verzeihen und vergeben, aber niemals vergessen - und Ungereimtheiten schon gar nicht.

Auch auf mein Schreiben vom 2. Januar 2014 bekam ich trotz der klarstellenden Worte und des mitgelieferten Manuskriptes wiederum keine Antwort.

Ich habe, wie zuvor geschildert, alle Möglichkeiten der Beteiligungs- und Anhörungsrechte der betroffenen Person in der fraglichen Geschichte umfassend ausgeschöpft. Darum konnte ich Anfang Februar 2014, auch ohne schlechtes Gewissen mein Manuskript zur Veröffentlichung freigeben. Dieses habe ich Renate auch mit Schreiben vom 5. Februar 2014 mitgeteilt.

Das Schweigen von Renate (incl. ihres Ehepartners, der bei mir zwar nie persönlich in Erscheinung trat, doch nach örtlichen Informationen aus Hörstmar eine Schlüsselposition in der Geschichte spielt) spricht einerseits Bände und zeugt andererseits von absolutem Desinteresse - so als ging ihr das alles nichts mehr an.

Apropos, Renates ehemaliger Freund und jetziger Ehemann: Je mehr ich über die Rolle dieses Herrn in diesem Drama nachdenke, desto undurchsichtiger erscheint mir sein Verhalten in diesen einzelnen Szenen. Warum ist er damals nicht selbst bei mir in Erscheinung getreten, um seine vermeintlichen Rechte an Renate bei mir einzufordern? Warum hat er Renate zu mir an die Front geschickt um die Beziehung zu beenden, damit sie für ihn frei wird? Hat er sich seinerzeit nicht getraut mir gegenüber zu treten, weil er evtl. die Hosen voll hatte? Nun gut, ich bin ca. 3 Jahre älter wie der Knabe, und nach den Bildern im Internet zu urteilen auch wohl um einiges größer gewachsen, doch wenn er damals Mann sein wollte, dann hätte er sich vor einem klärenden Gespräch mit mir nicht drücken dürfen! Obwohl ich in meiner Zeit in Lage immer die letzten Worte Renates auf Norderney im Ohr hatte, bin ich nicht vor einem möglichen Nebenbuhler davon gelaufen - das macht nun den entscheidenden Unterschied zu diesem Typen aus.

Mit Schreiben vom 3. April 2014, incl. der Mitlieferung des Teilmanuskriptes, habe ich Renate mitgeteilt, dass ich noch ein wenig an meinen Texten herumgefeilt habe, um unsere gemeinsame Geschichte der Leserschaft auch nachvollziehbar zu schildern.

Ich kann mir natürlich gut vorstellen, dass Renate nun händeringend versucht hat (auch um den häuslichen Frieden in ihrer Ehe zu wahren) den gemeinsamen Schwur vom September 1968 ungeschehen zu machen (diesen vielleicht sogar zu leugnen) - doch Tatsachen kann man weder wegdiskutieren noch verdrehen, denn niemand kann vor seinen Handlungen aus der Vergangenheit davonlaufen.

Ebenfalls bleibt es dabei, dass Renate mir bis dato eine Erklärung für ihren Bruch unserer damaligen Beziehung schuldig geblieben ist. Ich kann es mir nur so erklären, dass sie diese Erklärung scheute, wie „die berühmte Angst des Tormanns beim Elfmeter" - das sich Auge in Auge gegenüberstehen und der Entscheidung nicht mehr ausweichen zu können. Nun gut - ich hätte ihr sicherlich den Kopf nicht abgerissen bzw. ihr eine Szene gemacht.

Und jetzt wurde die vorstehende Geschichte kurios…

Vorweg sei angemerkt, dass ich mir im Jahre 2005 bei meinem Umzug von Marienhafe nach Aurich eine geheime Telefonnummer geben ließ (diese Nummer steht nicht im Telefonbuch, und ist auch sonst nirgends öffentlich zu finden).

Durch meine vielen öffentlichen Jobs war meine Marienhafener Telefonnummer (zudem noch 6666) so sehr gefragt, dass meine Familie die ständigen Anrufe zu allen möglichen Tageszeiten fürchterlich auf den Senkel gingen (und die Anrufe waren nicht immer dienstlicher und politischer Natur). Somit waren meine neuen Telefonnummern (Festnetz und Handy) nur sehr engen

Familienangehörigen und einigen wenigen guten Freunden bekannt. Meine ganze Kommunikation (bis auf Behörden und dergl.) wurde und wird per Mailverkehr abgewickelt.

Da ich jedoch Renate aus Gründen der Fairness die Möglichkeit angeboten hatte sich zu meinem Manuskript zu äußern bzw. mir Textänderungswünsche mitzuteilen, hatte ich ihr natürlich sowohl meine Mailadresse als auch meine privaten Telefonnummern in meinen Briefen mitgeteilt.

Ab Mitte Dezember 2013 war es jedoch mit der Ruhe vor mysteriösen Anrufen in den späten Abend- und Nachtstunden vorbei. Mein Festnetztelefon klingelte jeweils kurz (so kurz, dass man das Gespräch nicht annehmen konnte), doch es reichte allemal, um in den Nachtstunden aus dem Schlaf gerissen zu werden. Nach dem ersten mysteriösen Anruf Mitte Dezember 2013 habe ich gezielte Nachfragen am nächsten Tag bei engen Familienangehörige und guten Freunden gestartet, die jedoch alle ergebnislos blieben (was mir schon vorher klar war, denn man kennt ja seine Sippe und die guten Freunde). Dieses mysteriöse Telefonspielchen wiederholte sich Anfang Januar 2014. Doch nun ging mir ein Licht auf. Ob nun in Mitte Dezember 2013 oder in den ersten Januartagen 2014 - es muss jeweils der Tag gewesen sein an dem Renate meinen Brief in Empfang genommen hatte, als in den späten Abend- und Nachtstunden das Telefon bei mir läutete.

Natürlich kann sich mal jemand versehentlich verwählt haben, was ja mal vorkommen kann, doch immer gerade an diesen bestimmten Tagen und nur so kurz? - Nein, diesen Zufall konnte ich wohl getrost ausschließen.

Was macht man, um sich in seiner Annahme rückzuversichern? Richtig - man schreibt Renate wieder an (natürlich ohne diese mysteriösen Telefonanrufe zu erwähnen)! - So geschehen am 5. Februar 2014. - Ergebnis: Am Tage des Erhalts meines Schreibens klingelt in den späten Abendstunden wieder mein Telefon, im gleichen Kurzrhythmus, wie bei den anderen geschilderten mysteriösen Anrufen auch. Nun gab es für mich keine Zweifel mehr, wer Urheberin dieser Anrufe war - jeder Zufall war nun ausgeschlossen.

Diese ganze Geschichte wiederholte sich nach meinem Schreiben an Renate vom 3. April 2014.

Es ist und bleibt für mich unklar, was Renate mit diesen Kurzanrufen bezweckte? Wollte sie nur auf sich aufmerksam machen (aus welchen Gründen auch immer) oder gingen ihr meine Briefe und Manuskripttexte unter die Haut, weil ich möglicherweise mit meinen Texten alte Wunden wieder aufgerissen habe? Wie dem auch sei, wenn Renate Gesprächsbedarf hat, kann sie mich gerne anrufen, jedoch nicht in den Nachtstunden (dann will ich nur meine wohlverdiente Ruhe).

Zu meiner großen Verwunderung bekam ich am 26. April 2014 ein Einschreiben gegen Rückschein eines bekannten Rechtsanwaltes aus Nordrhein-Westfalen übermittelt. In seinem Schreiben vom 25. April 2014 teilte der Rechtsanwalt mir mit, dass er von Renate und ihrem Ehemann (mit denen er zudem noch befreundet ist) beauftragt wurde, deren Interessen zu wahren und durchzusetzen habe (die entsprechenden Vollmachten beider Mandanten wurden mir mitgeliefert).

„Inhaltlich führt der Rechtsanwalt an (auszugsweise wiedergegeben):

1) Meine Mandantin verbittet sich jegliche weitere Kontaktaufnahme, sei es per Post, telefonisch, per Telefax oder E-Mail. Sollten sie sich hieran nicht halten, werde ich einen entsprechenden Unterlassungsanspruch gerichtlich durchsetzen. Der guten Ordnung halber verweise ich auch auf den Straftatbestand des § 238 StGB „Nachstellung".

2) Namens meiner Mandanten erteile ich ihnen hiermit Hausverbot und das Verbot der Betretung von deren Grundstück in Hörstmar.

3) Diesen Punkt erspare ich mir, denn er betrifft nur Renates Ehemann.

4) Unbeschadet des Umstandes, dass in dem von Ihnen übermittelten Manuskriptentwurfs zahlreiche unzutreffende Informationen tatsächlicher Art enthalten sind, werden beide

meiner Mandanten, die dort genannt und aufgrund der weiter beschriebenen Umstände persönlich identifizierbar sind (Benennung von Wohnort, Vornamen, Lebensumständen, berufliche Tätigkeit etc.), gegen eine Veröffentlichung, in der sie genannt oder identifizierbar beschrieben werden, entschieden und mit Nachdruck vorgehen. Eine Veröffentlichung der von ihnen beschriebenen Umstände (die zudem noch unzutreffend sind, worauf es indessen aber nicht ankommt) verletzt massiv das Allgemeine Persönlichkeitsrecht meiner Mandantschaft."

Übrigens, das vorstehende Schreiben des Rechtsanwalts habe ich mit einer tiefen inneren Genugtuung schmunzelnd zur Kenntnis genommen. Zudem hat der Anwalt mir in seinem Schreiben bestätigt, dass meine im vorausgegangenen Text genannte Schreiben Renate auch tatsächlich erreicht haben und diese scheinbar auch wohl aufmerksam gelesen wurden (was mir bis dato nicht ganz klar war).

Mir war natürlich in dem Schreiben des Rechtsanwaltes sofort aufgefallen, dass in seiner Ziffer 4 (in 10 Zeilen!) zwei mal „von unzutreffenden Informationen tatsächlicher Art" die Rede ist, **ohne** jedoch „Ross und Reiter" zu nennen.

Mit Schriftsatz vom 28. April 2014 habe ich dem Rechtsanwalt nachstehende Antwort (hier auszugsweise wiedergegeben) zukommen lassen:

„Sehr geehrter Herr Rechtsanwalt,

bitte haben Sie Verständnis, dass ich mein Schreiben mit ein paar offenen Worten beginne. Es erstaunt mich doch sehr, ihre Freundschaft zu Ihren Mandanten (…..) in Ehren, dass Sie sich in offenen Fragen einer vormaligen privaten und intimen Angelegenheit zwischen Frau Renate (…) und mir instrumentalisieren lassen (wobei anzumerken ist, dass ich die Rolle die Herr (…..) damals in dieser Geschichte spielte noch nicht ganz durchschaue). Dies ist eine private Angelegenheit, die nur Frau (…) und mich betrifft - und dabei sollte es m. E. eigentlich auch bleiben.

Nach Erhalt Ihres obigen Schreibens stellte sich mir spontan die

Frage: Warum reagiert Frau (...) erst jetzt, obwohl sie seit meinem ersten Anschreiben vom 12.12.2013 wusste, dass ich eine Buchveröffentlichung in Form einer Biographie plante, in der sie eine gewisse Hauptrolle spielt (wobei das Manuskript inhaltlich mehr oder weniger fertig war)? Schon in diesem ersten Anschreiben hatte ich Ihrer Mandantin aus Gründen der Fairness ein Beteiligungsrecht für Textänderungswünsche angeboten, die ich in meinem zweiten Schreiben vom 02.01.2014 wiederholte.
Doch die Reaktion war gleich Null - also musste ich demzufolge absolutes Desinteresse bei Ihrer Mandantin an meinen Texten feststellen. Somit wurde das Manuskript Anfang Februar 2014 für eine Veröffentlichung von mir freigegeben.

Zu Ihrem obigen Schreiben nehme ich wie folgt Stellung:

Zu 1:
Eine weitere schriftliche Kontaktaufnahme zu Ihrer Mandantin Renate (...) ist meinerseits auszuschließen - denn es ist von mir informativ alles geschrieben, was zu Papier gebracht werden musste. Anzumerken ist, dass zu keinem Zeitpunkt eine fernmündliche Kontaktaufnahme mit Frau (...) stattgefunden hat (nur für den Fall, dass man Ihnen gegenteiliges berichtet hat).
Zu Ziffer 1 führen Sie weiter aus (Zitat): „Der guten Ordnung halber verweise ich auch auf den Straftatbestand des $ 238 StGB „Nachstellung". Diese Andeutung weise ich entschieden zurück, denn sie trifft nicht mal im entferntesten Rechtssinne zu!

Zu 2:
Das Hausverbot und das Verbot der Betretung des Grundstücks in Hörstmar habe ich mit einem Schmunzeln zur Kenntnis genommen, Selbstverständlich werde ich mich daran halten. Einen Besuch in der genannten Hörstmarer Immobilie bei Frau (...) hatte ich auch nie ernsthaft in Erwägung gezogen, denn ich laufe niemandem hinterher (diesen Grundsatz praktiziere ich seit Jahrzehnten - auch im Januar 1969 nach dem Bruch der Beziehung, als ich noch 2 ½ Tage in Lage weilte, ohne hinter Ihrer Klientin herzulaufen!). Wer was von mir will, muss sich halt selbst bei mir melden!

Zu 4:

Ich habe mich in meinem Manuskript an das allgemeine Presserecht gehalten. Natürlich sind in Publikationen mit Vornamen und Ortsangabe umschriebene Personen bei gründlicher Recherche identifizierbar - wie täglich in allen Zeitungen und sonstigen Informationsblättern praktiziert wird - das ist deren tägliches Brot. Das allgemeine Persönlichkeitsrecht in Ehren, aber bei genauer Auslegung dieses Rechts dürfte dann deutschlandweit der Blätterwald vom Markt verschwunden sein. Trotzdem werde ich mich diesbezüglich mit einem Fachanwalt zur Abklärung dieser Frage in Verbindung setzen.

Weitere Anmerkungen zu Ihrer Ziffer 4:

Nun gut, dass Ihren Mandanten meine über sie geschriebenen Texte nicht gefallen, kann ich sogar noch menschlich nachvollziehen. Doch ich verwahre mich dagegen, dass in meinem Manuskript zahlreiche unzutreffende Informationen tatsächlicher Art enthalten sind. Dem ist nämlich nicht so! Richtig ist, dass ich an zwei unbedeutenden Stellen meiner Texte -keine Schlüsselszenen- aus dramaturgischen Gründen („Filmreif machen" nennt man so etwas in Fachkreisen) verändert habe, ohne den wahren Sinn der Handlung zu verändern (auf diese Feststellung lege ich besonderen Wert)."

Am 6. Mai 2014 habe ich dem Rechtsanwalt nachstehenden weiteren (hier auszugsweise wiedergegeben) Schriftsatz zukommen lassen:

„Sehr geehrter Herr Rechtsanwalt,

den Inhalt der Ziffer 4 Ihres obigen Schreibens habe ich mit einem Fachanwalt erörtert. Der Anwalt für Verlagsrecht teilt Ihre Bedenken nicht. Meine Texte seien bezüglich des Persönlichkeitsschutzes Ihrer Mandanten zwar grenzwertig, jedoch nicht zu beanstanden.

Trotzdem bin ich bereit nachstehende Änderungen in meinem Manuskript vorzunehmen:

Der Vorname Ihres Mandanten (…..) wird in meinem Manuskript gelöscht. Stattdessen werden die Texthinweise auf Herrn (…..) mit dem Wort „Freund" umschrieben. - Auch die Vornamen von Frau (…) Schwester (…..) und deren Freund (….) wurden im Manuskript gelöscht.

Die Hinweise auf die genaue Lage von Renates Elternhaus in Hörstmar wurden ebenfalls gelöscht.

In Ergänzung meines Schreibens vom 28. April 2014 muss ich noch schlussfolgernd anfügen; Ich habe Ihre Mandantin, Renate (…), erstmalig mit Schreiben vom 12. Dezember 2013 über meine Absicht einer Buchveröffentlichung informiert. Dass Ihre Mandantin mein genanntes Schreiben auch tatsächlich erhielt, haben Sie mir in Ihrem Schreiben vom 25. April 2014 bestätigt - wie auch den Erhalt meiner Schreiben vom 2. Januar 2014, 5. Februar 2014 und 3. April 2014. - Mit meinem genannten Schreiben vom 12. Dezember 2013 (wie auch mit meinem Schreiben vom 2. Januar 2014) hatte ich Ihrer Mandantin aus Gründen der Fairness ein Mitspracherecht für Textänderungen an meinem Manuskript eingeräumt (wobei aus meinem Schreiben vom 2. Januar 2014 klar und deutlich hervorging, dass ich mein Manuskript Ende Januar 2014 zur Veröffentlichung freigeben werde). Diese Möglichkeiten hat Ihre Mandantin ungenutzt verstreichen lassen. Somit stelle ich fest, dass Ihre Mandantin ausreichend Zeit hatte, sich nicht nur mit meinen Texten zu beschäftigen, sondern sich auch entsprechend zu äußern. Dieses ist jedoch nicht geschehen! Somit hat Ihre Mandantin nunmehr jegliche Einspruchsrechte an meine Texte wie diese sich aus meinem Manuskript ergeben, und später im Buch erscheinen sollen, verwirkt.

Das Ihre Mandantin nicht mehr mit „der bitterbösen Geschichte" vom August 1968 bis zum 10. Januar 1969 konfrontiert werden will, nehme ich zur Kenntnis. Doch niemand von uns kann vor seiner Vergangenheit davonlaufen bzw. diese ignorieren - auch Frau (…) nicht. Es hilft auch nicht weiter, wenn sie durch einen Rechtsbeistand erklären lässt, dass sie sich jede weitere Kontaktaufnahme meinerseits in der fraglichen Angelegenheit (und auch sonst) verbittet. Es ist vielmehr ein Zeichen von

Unsicherheit bzw. Angst, wenn Frau (…) vor ihrem damaligen Handeln davonläuft - bzw. wenn sie ihre Augen und Ohren vor diesen Dingen verschließt, sich nicht mehr damit beschäftigen will.

Ich muss jetzt darauf bestehen, dass Ihre Mandantin, Renate (…), mir ihre Gründe für ihren Bruch unserer damaligen Beziehung nunmehr lückenlos und nachvollziehbar „unter vier Augen" als Bringschuld mitteilt. Auf eine förmliche Entschuldigung Ihrer Mandantin kann ich verzichten. Diese Erklärung ist sie mir schon wegen unseres damaligen gemeinsamen Schwurs schuldig."

Am 7. Mai 2014 lässt der Rechtsanwalt mir nachstehende Mail zukommen:

„Sehr geehrter Herr Keller,

auf ihre Zuschrift vom 06.05.2014 nehme ich Bezug. Bitte akzeptieren sie endlich, dass meine Mandantin, Frau Renate (…), keinen weiteren Schriftwechsel mit ihnen wünscht. Für Erklärungen - erst recht Entschuldigungen - besteht kein Anlass."

Anmerkung: Meine übrigen Erklärungen aus meinen Schriftsätzen vom 28. April 2014 und vom 6. Mai 2014 hat der Rechtsanwalt scheinbar geschluckt, denn eine Widerrede wurde nicht erhoben - auch nicht in den nachfolgenden Monaten!

Mit Schreiben vom 12. Mai 2014 habe ich dann eiskalt gekontert - hier im Volltext:

„Sehr geehrter Herr Rechtsanwalt,

auf Grund Ihres Schreibens vom 25. April 2014 und Ihre Mail vom 7. Mai 2014 habe ich folgende Anmerkungen zu machen:

Manchmal geschehen Dinge im Leben die man sich nicht erklären kann, die man auch deshalb gerne als Zufall bezeichnet, die sich jedoch bei genauerer Betrachtung nicht als solche erweisen - so bei mir ab Mitte Dezember 2013 geschehen.

Vorweg muss ich anmerken, dass ich mir bei meinem Umzug von Marienhafe nach Aurich im Jahre 2005 eine geheime Telefonnummer geben ließ (steht nicht im Telefonbuch und ist auch sonst nirgends öffentlich zu finden).

Nur in offiziellen Schreiben an Behörden, an Sie als Rechtsanwalt und an Frau Renate (…) (wegen des Fairnessangebots, damit sie sich mit mir in Verbindung setzen kann) gebe bzw. gab ich in meinem Briefkopf meine Telefonnummern bekannt. Alle anderen Schreiben bzw. Informationen übersende ich per Mail (ohne Briefkopf und ohne Telefonnummern). Demzufolge ist eine zufällige telefonische Kontaktaufnahme mit mir nur schwer möglich - es sei denn, jemand hat sich versehendlich verwählt (was ja mal vorkommen kann).

Doch ab Mitte Dezember 2013 stelle ich eine systematische sich in einem bestimmten Rhythmus wiederholende, telefonische Kontaktaufnahme zu mir fest, die nicht mehr dem Zufall unterliegt.

Jeweils an Tagen des Erhalts meiner Schreiben vom 12.12.2013, 02.01.2014, 05.02.2014 und 03.04.2014 an Frau Renate (…) sowie nach Erhalt meines Schreibens vom28. April 2014 durch Ihre Kanzlei an Ihre Mandantin, hat in den späten Abend- und Nachtstunden mein Festnetztelefon kurz geklingelt. Meine Frau kann diese Anrufe bestätigen. - Das ganze ist kein Zufall! - Und ich muss wegen der Ausgangslage auch nicht lange nachdenken wer hinter diesen Telefonaten steckt - für mich steht sonnenklar fest, wer die Urheberin dieser Anrufe ist!

In der Frage der unerwünschten Kontaktaufnahme scheint es Ihre Mandantin, Frau Renate (…), für sich selbst nicht besonders genau zu nehmen. Einerseits verbittet Frau (…) sich durch Sie meine Kontaktaufnahme jeglicher Art mit ihr, und andererseits hält sie sich selbst nicht dran - das ist ein Widerspruch in sich selbst.

Bezüglich des Inhalts Ihrer Mail vom 7. Mai 2014 ist anzumerken, dass ich ihre Einschätzung bezüglich meiner Forderung nach einer Erklärung durch Ihre Mandantin nicht teile. Ich habe zwar keinen Rechtsanspruch auf eine solche Erklärung, aber der Anlass für eine solche ist allemal gegeben - auch nach über 45 Jahren.

Ich jedenfalls, habe kein Problem damit, wenn Ihre Mandantin wegen der noch offenen Fragen Kontakt zu mir sucht - doch bitte nur nicht in den späten Abend- und Nachtstunden (und ein bisschen länger sollte man das Telefon schon klingeln lassen, um auch die Chance zu haben das Gespräch entgegenzunehmen)."

Doch damit nicht genug: Auch nachdem Renate scheinbar Kenntnis von meinem Schreiben an ihren Rechtsanwalt vom 6. Mai 2014 erhielt, klingelte in der Nacht wieder mein Telefon, ebenso nach Kenntnis meines vorstehenden Schreibens vom 12. Mai 2014 an den Anwalt.

Und jetzt bekommt die ganze Geschichte noch eine andere Qualität, denn auch ohne einen Anlass von mir, wurde ich am 21. Mai 2014 um 2.50 Uhr wieder mal durch das Telefon aus dem Schlaf gerissen. Dem ist nichts mehr hinzuzufügen.

Übrigens: Auf mein Schreiben vom 12. Mai 2014 an den Herrn Rechtsanwalt bekam ich **keine** Antwort.

Am 1. Juni 2014 habe ich Renate folgenden Brief zukommen lassen, den ich an dieser Stelle auszugsweise veröffentlichen möchte:

„Hallo Renate,

Wären meine obigen Vermutungen und Annahmen unrichtig (**Anm.:** Es geht hier um die mysteriösen Telefonate), gehe ich mit an Sicherheit grenzender Wahrscheinlichkeit davon aus, dass ich innerhalb weniger Tage einen geharnischten Brief Deines Anwaltes bekommen hätte, mit der Aufforderung die Verdächtigungen zu widerrufen, und mich bei Dir zu entschuldigen. Jetzt, 20 Tage nach Erhalt meines Schreibens, muss ich annehmen, dass Dein Anwalt nach Rücksprache mit Dir, nichts an meinem Schreiben zu bemängeln bzw. zu kritisieren hat. Spätere Reaktionen wären unlogisch und rechtlich nicht haltbar. Demzufolge muss ich nunmehr davon ausgehen, dass meine

Vermutungen und Annahmen (wie geschildert) den Tatsachen entsprechen.

Wegen Deines gravierenden Widerspruchs in Deinem Verhalten mir gegenüber (wie in meinen Ausführungen vom 12. Mai 2014 beschrieben) gilt für mich jetzt auch eine veränderte Geschäftsgrundlage. Nunmehr fühle ich mich nicht mehr in allen Punkten an meine Erklärungen gebunden, die ich Deinem Anwalt mit Schreiben vom 28. April 2014 und vom 6. Mai 2014 zukommen ließ.

Bis zum 26. April 2014 (Erhalt des ersten Schreibens Deines Anwaltes) hatte ich zwar die mysteriösen Anrufe bei mir registriert, war mir an und für sich auch verhältnismäßig sicher aus welcher Ecke unseres Landes diese kamen, doch fehlte mir für eine abschließende Meinungsbildung der Hinweis, dass Du meine Briefe und Mails auch tatsächlich erhalten und gelesen hast (was Dein Anwalt mir in seinem Schreiben vom 25. April 2014 dann ja dankenswerter Weise bestätigte).

Das ich wegen der Anrufe nicht gleich in meinem ersten Schreiben an Deinen Anwalt „mit der Tür ins Haus fallen wollte", ist aus taktischen Gründen doch wohl verständlich - erst wollte ich mal abwarten was an Reaktion auf meine Schreiben vom 28. April 2014 und 6. Mai 2014 seitens Deines Anwaltes auf mich zu kommt. Erst nach Erhalt des Schreibens Deines Anwaltes vom 7. Mai 2014 habe ich ihn mit meinem obigen Schriftsatz über die Widersprüchlichkeit Deines Handelns aufgeklärt.

Meine Aussagen über die von Dir erbetene Erklärung in meinen Schreiben vom 6. und 12. Mai 2014 an Deinen Anwalt gelten immer noch, wobei ich jedoch entgegenkommend auf ein „vier Augen Gespräch" verzichten kann - telefonisch als Bringschuld würde mir schon reichen. Mir ist zwar bewusst, dass ich keinen Rechtsanspruch auf eine solche Erklärung habe, jedoch appelliere ich an Dich, mich nicht irgendwann einmal unwissend sterben zu lassen.

Nein, ich bin nicht sauer, dass Du einen Rechtsanwalt mit der Wahrnehmung Deiner Interessen beauftragt hast, denn das ist Dein gutes Recht; ebenfalls bin ich nicht ungehalten über die Kurzanrufe zu teilweise Unzeiten - im Gegenteil, ich habe diese Anrufe mit einer tiefen inneren Zufriedenheit zur Kenntnis genommen.

An meiner Dir bekannten Absicht zur Veröffentlichung meiner Biographie halte ich mit den in meinem Schreiben vom 6. Mai 2014 an Deinen Anwalt zugesicherten Änderungen uneingeschränkt fest.

Um Dir jetzt nicht noch weiteren Kummer zu bereiten, möchte ich mit diesem schriftlichen Kontakt die einseitige Konversation beenden.

Ich bin mir im Klaren darüber, dass ich Dir mit meinen Schreiben und Manuskripttexten über unsere gemeinsame Vergangenheit sehr viel an unliebsamen Erinnerungen zugemutet habe - bitte sehe mir dieses nach. Abschließend sollst Du noch wissen, dass ich unsere damalige wunderschöne Lovestory mit dem für mich bitterbösen und schmerzlichen Ende bis zum heutigen Tage weder vergessen kann noch verarbeitet habe. Ich wünsche Dir jedenfalls für die Zukunft alles Gute und viel Gesundheit - mach´s gut.

Mit bestem Gruß"

Anmerkung: Eine erklärende Antwort von Renate auf vorstehendes Schreiben blieb aus, dafür gingen jedoch die „anonymen Anrufe" wie bisher, teilweise sogar in regelmäßigen Abständen, weiter.

Erklärung: Eingangs dieser Geschichte habe ich auf Seite 64 erklärt, dass ich mich im Frühling 1968 aus gesundheitlichen Gründen entschieden hatte bewusster zu leben - nicht mehr hinter jeder kurzlebigen Vergnüglichkeit und jedem Abenteuer her zu jagen (auch nicht im Umgang mit dem anderen Geschlecht). Um mit diesem Wissen mir jetzt ein neues Image und verändertes Selbstbewusstsein aufzubauen, lag mir nun sehr viel daran, ohne die Freunde zu vernachlässigen, mit der Zeit eine echte Partnerin zu finden, zu der man auch blindes Vertrauen haben kann, die auch das nötige Verständnis für meine Situation aufbringt. Mein mir, wie zuvor geschildertes selbstaufgebautes Gebilde eines neuen Selbstwertgefühls auf Grund meiner schlimmen gesundheitlichen Vorgeschichte, nunmehr bewusster und intensiver leben zu wollen, stürzte wie ein Kartenhaus an dem ominösen Freitag den 10. Januar 1969 von einem Tag auf den Anderen in sich zusammen. Ja, es ist schon weit mehr als nur eine bittere Erfahrung, wenn das eigene Vertrauen in die über alles geliebte Person und die Risiken die man zur Stärkung und Festigung der Beziehung eingegangen ist, derart mies und mutwillig zerstört wird! Wenn man nach langem Ringen mit sich selbst gute Vorsätze für die Zukunft plant, und muss dann feststellen wie fahrlässig andere Personen damit umgehen, ist dieses nicht nur bitter und enttäuschend, sondern für den weiteren Lebensweg ein prägendes Ereignis. Ich hoffe, dass die Leser meiner Autobiographie Verständnis dafür aufbringen, dass ich die üblen Geschehnisse, die schon eine halbe Ewigkeit zurückliegen, bis auf Details umfassend geschildert habe.

Von zwei Informanten aus Hörstmar wurde ich im Dezember 2013 gefragt, warum ich nach dem 10. Januar 1969 Renate aufgegeben, warum ich nicht um ihre Zuneigung und Liebe gekämpft habe?

Die Antwort ist schlicht und einfach, **Ich hätte ja liebend gerne, aber….** Das größte Hindernis war nach Abschluss meiner Ausbildung am 31. März 1970 die Entfernung zwischen meinem Wohnort Marienhafe und Hörstmar, die immerhin ca. 260 Straßenkilometer beträgt (einfache Entfernung). Motorisiert war ich erst ab Frühjahr 1972, eher konnte ich mir wegen des langen Verdienstausfalls durch Krankheit kein Auto leisten. Zudem fehlte mir in Hörstmar oder näherer Umgebung die für einen Berufsanfänger bezahlbare Übernachtungsmöglichkeiten (an Wochenenden und während des Urlaubs, um überhaupt um Renates Zuneigung kämpfen zu können, denn dieses Unterfangen war sicherlich nicht in kurzer Zeit machbar), sodass mein Kampfeswille um Renate vom Verstand her schon im Ansatz zunichte gemacht wurde. Schlicht und einfach auf dem Punkt gebracht - **…. ich hatte keine Chance!**

Zur Erinnerung:

„Ein **Schwur** ist ein Eid, den man sich selbst gibt oder gegenüber anderen ablegt (auch gemeinschaftlicher Schwur z. B. in Partnerschaften). Gegenstand des Schwurs kann das Versprechen einer künftigen Handlung oder eines künftigen Verhaltens sein, etwa eine Aufgabe zu lösen oder Abmachungen einzuhalten (**Treueschwur**)".

„**Treue** ist relevant bei längerfristiger sozialer Nähe von Mitgliedern in hochpersönlichen Institutionen wie z. B. in der Freundschaft, Partnerschaft oder Ehe. Sie kann über den Tod hinaus reichen. Goethe hebt dies hervor, wenn er im Faust II (im 3. Akt) die Chorführerin sagen lässt: „Nicht nur Verdienst, auch Treue wahrt uns die Person." Eine besondere Form ist hier die „Treue zu sich selbst", man steht dann zu seinen Grundsätzen, zu seinen Neigungen oder zu seiner Vergangenheit. Treue zwischen zwei Menschen basiert auf Erfahrungen, in denen ein Individuum die Wahrheit seiner Aussagen durch Taten der anderen Person gegenüber beweist".

„**Vertrauen** ist in psychologisch-persönlichkeitstheoretischer Perspektive definiert als subjektive Überzeugung von der Richtigkeit, Wahrheit bzw. Redlichkeit von Personen, von Handlungen, Einsichten und Aussagen eines anderen oder von sich selbst. Zum Vertrauen gehört auch die Überzeugung der Möglichkeit von Handlungen und die Fähigkeit zu Handlungen. Man spricht dann eher vom Zutrauen.

Vertrauen ist ein Phänomen, das in unsicheren Situationen oder bei risikohaftem Ausgang einer Handlung auftritt: Wer sich einer Sache sicher sein kann, muss nicht vertrauen. Vertrauen ist aber auch mehr als nur Glaube oder Hoffnung, es benötigt immer eine Grundlage, die sog. „Vertrauensgrundlage". Dies können gemachte Erfahrungen sein, aber auch das Vertrauen einer Person, der man selbst vertraut, oder institutionelle Mechanismen. Jemandem sein ganzes Vertrauen zu schenken, kann sehr aufregend sein".

„**Vertrauen** ist der Wille, sich verletzlich zu zeigen." Dieser einfache Satz umfasst mehrere Vertrauensdimensionen:

1. Vertrauen entsteht in Situationen, in denen der Vertrauende (der Vertrauensgeber) mehr verlieren als gewinnen kann – er riskiert einen Schaden bzw. eine Verletzung.

2. Vertrauen manifestiert sich in Handlungen, die die eigene Verletzlichkeit erhöhen. Man liefert sich dem Vertrauensnehmer aus und setzt zum Vertrauenssprung an.

3. Der Grund, warum man sich ausliefert, ist die positive Erwartung, dass der Vertrauensnehmer die Situation nicht zu seinen Gunsten ausnutzt".

Quellen: Internetplattform Wikipedia

Zurück zu 1969

Mitte Januar 1969 wieder zurück in Marienhafe. Sofort begann auch wieder der alte Trott - Training und sonstige körperliche Aufbauarbeit, so als hätte es vorher keine über alles geliebte Renate und keinen längeren Aufenthalt in der Stadt Lage gegeben, denn immer hatte ich noch gewaltigen Nachholbedarf, um körperlich wieder da hin zu gelangen, wo ich im Oktober 1965 einmal war. Den Freunden fiel jedoch auf, dass ich mich nun vermehrt und verbissen in irgendwelche politische Abenteuer stürzte (der Gerd will mal wieder mit dem Kopf durch die Wand, hieß es damals im Freundeskreis mehrfach - was jedoch die Freundschaften nicht schmälerten). Vielleicht brauchte ich damals dieses Ventil, um mein in Lage verloren gegangenes inneres Gleichgewicht wiederzufinden - später kam mir diese Verbissenheit und Hartnäckigkeit sehr entgegen, denn ich hatte nunmehr gelernt politisch zu denken, zu kämpfen und auch eigene Überzeugungen durchzusetzen.

In den Wochen bis zum 1. April 1969 (Ausbildungsbeginn in Bad Pyrmont) hatte ich nun Zeit genug, alle Formalitäten für die Umschulung zu erledigen. Der Amtsarzt stellte zwar nach gutem Zureden meinerseits eine zufriedenstellende körperliche Fitness bei mir fest, und gab somit grünes Licht für die Ausbildung -

formal wurde ich jedoch noch bis zum 31. März 1970 vom Amtsarzt krank geschrieben, weil die Lungenfunktionswerte durch meinen „unerlaubten" Arbeitseinsatz in Lage (den er Gott sei Dank nicht kannte) doch wieder erheblich gelitten hatten. Ich bat den Amtsarzt jedoch diese weitere Krankschreibung gegenüber der Schulungsstätte zu verschweigen, damit von dort keine weitere Ablehnung des Schulungsbeginns kommt. Dieser Bitte kam er auch nach. Der Amtsarzt warnte mich jedoch davor meine Grenzen der körperlichen Belastbarkeit weiterhin zu überstrapazieren, denn langfristig würde ich meine Lungen- funktionswerte dadurch nicht verbessern, sondern genau das Gegenteil davon bewirken. Somit gab er mir unbewusst klar und deutlich zu verstehen, dass sich mein eingegangenes Risiko in Lage nicht gelohnt hatte, was natürlich meine ohnehin gedrückte Stimmungslage nicht sonderlich förderte. Wütend machte mich zudem, dass ich diese bittere Pille nunmehr alleine zu tragen hatte - Renate hatte sich ja diesbezüglich leider ausgeklinkt (somit galt der alte Spruch für mich nicht mehr, wie ursprünglich miteinander vereinbart, dass geteiltes Leid nur halbes Leid ist).

Abschließend stellte der Amtsarzt klar, dass ich nach Beendigung der Schulungsmaßnahme, und vor Beginn einer Arbeitsaufnahme, eine weitere amtsärztliche Untersuchung benötige, wo dann die Arbeits- und Dienstfähigkeit festgestellt werden muss.

Ich suchte mir in Bad Pyrmont für die Zeit der Ausbildung eine private Unterkunft, um der verhassten Internatslösung zu entgehen (wie schon ausgeführt, kostenmäßig entstand mir dadurch kein Risiko).

Ab 1. April 1969 schloss sich dann aus medizinischen Gründen (wie berichtet - zur Vermeidung von handwerklichen und sonstigen Stäuben) eine Umschulung zum Verwaltungsangestellten mit staatlicher Abschlussprüfung (Verwaltungsprüfung I) bei der Landesversehrten Berufsfachschule Bad Pyrmont (eine staatliche Einrichtung des Landes Niedersachsen – heute Berufsförde-rungswerk) an

Mit Bad Pyrmonter Klassenkameraden auf dem Hermannsdenkmal bei Detmold im Sommer 1969. Mein verträumter Blick geht in eine ganz bestimmte Richtung.

Diese Einrichtung war an den allgemeinen Schulferienzeiten Niedersachsens angebunden. Hinzu kamen alle zwei Wochen eine Wochenendheimfahrt (ich hatte das Glück, dass ich aus meinem Marienhafener Umfeld zwei Mitschüler hatte, die auch die Pyrmonter Einrichtung besuchten, sodass meine Freizeitgestaltung mit meinen Freunden in Ostfriesland nicht zu kurz kam).

Ursprünglich konnte ich es mir wegen meiner politischen Überzeugungen nicht vorstellen, in Behörden zu arbeiten, die, wie ich aus meinem Elternhaus wusste, durch das 131iger Gesetz ab 1951 durch und durch mit alten Nazi-Kämpfern verseucht waren. Als ehemaliger aktiver 68iger und aktueller Jungsozialist war es für mich so eine Art „Kriegserklärung", mit solchen „braunen Geistern" unter einem Dach zusammenarbeiten zu müssen, zumal ich damals davon überzeugt war (und auch immer noch bin), dass diese Alt-Nazis nichts in den Behörden der neu aufzubauenden Bundesrepublik zu suchen hatten. Gerade gegen die Beseitigung dieses „braunen Miefs" in der Bundesrepublik waren wir als 68iger doch aktiv geworden. Doch durch gesundheitliche Zwänge gab es wohl keinen anderen Weg.

Es gab aber noch einen weiteren Grund, warum ich es mir nicht vorstellen konnte, in Behörden zu arbeiten. Seit Anfang der 1960iger Jahre war ich ein überzeugter Rock `n Roller. Mit dem Rock `n Roll veränderte sich damals meine bisherige Welt - mit dem musikalischen dümmlichen Einerlei war es nun für mich vorbei. Jetzt hatten wir eigene Ideale und Idole denen wir nacheiferten, jedoch ohne diese zu kopieren. Politisch wurde das Obrigkeitsdenken ein für alle mal abgestreift - wir rebellierten gegen alles, was sich nicht binnen Sekunden in die Bäume flüchten konnte. Ja, eine heiße Zeit - und dann in eine verstaubte Behörde mit den altpreußischen obrigkeitshörigen Hierarchien? - Ich weiß nicht… - passt das zusammen? Der Handwerker sagt: „Was nicht passt, wird passend gemacht". - Und es hat gepasst, wenn auch mit Startschwierigkeiten.

Im Herbst 1969 hatte ich mich dann auf öffentlich ausgeschriebene Arbeitsplätze beim Regierungspräsidenten in Aurich beworben. Das Vorstellungsgespräch fand dann in den „Pyrmonter Weihnachtsferien" statt. Nach damaliger Auskunft des Personalchefs der Behörde könnte ich gleich am 2. Januar 1970 an meinem neuen Arbeitsplatz anfangen. Ich bat jedoch um Verständnis, dass ich erst meine Ausbildung zum Verwaltungsangestellten mit Absolvierung der Angestellten-prüfung I beenden möchte. Die Behörde stimmte dem zu, sodass ich nach bestandener Prüfung Ende März 1970 zum 1. April 1970 als ausgebildeter Verwaltungsangestellter beim Regierungs-präsidenten Aurich anfangen konnte.

41 Jahre und 9 Monate - mein Leben in der Auricher Behörde, angefangen am 1. April 1970 beim letzten Häuptling der Ostfriesen - beendet am 31. Dezember 2011 beim unpersönlichen OFD-LBV Aurich

(eine ungewöhnliche biographische Darstellung gespickt mit kleinen Anekdoten)

Sowie weitere persönliche Ereignisse

Um in der zeitlichen Abfolge zu bleiben, habe ich die weiteren persönlichen Ereignisse unter der vorstehenden Überschrift chronologisch mit eingebaut.

Mein erster Arbeitstag beim letzten Häuptling der Ostfriesen

Mittwoch, 1. April 1970, als 22 jähriger (damals noch schwarzhaarig), um 8 Uhr, in Anzug, Schlips und Kragen (was ja nun gar nicht meine Welt war - aber den Eltern zuliebe) antreten beim großmächtigen Personalchef der Regierung Aurich zum Dienstantritt (zusammen mit 3 weiteren Frischlingen - unter anderem auch meine spätere Ehefrau). Wir wurden feierlich vereidigt, bekamen jeweils eine Handvoll Papiere mit auf den Weg, und wurden dann in die jeweiligen Dezernate / Abteilungen geleitet, wo wir zukünftig unseren Job zu machen hatten.

Mein erster Einsatzbereich war die Regierungshauptkasse. Dort wurde ich einem Kollegen zur Einarbeitung zugewiesen, der sich als „Hans Dampf in allen Gassen" erwies - ein Pfundskollege. Er machte mich mit den Mitstreitern der Buchhalterei bekannt, die mir von Beginn an das „Du" anboten. In der ersten Frühstückspause wurde ich vom Teeclub verdonnert, am kommenden Tag „meinen Einstand zu bezahlen". Auf meine Frage, ob ich dann Tee und Kuchen mitbringen solle, erntete ich nur unverständliche Blicke, und bekam zur Antwort, dass Bier und Korn reichen würden (wobei ich beim Bier nicht knauserig sein sollte). Nun gut, das war mir gar nicht so unsympathisch. Später war mir dann klar, dass man das Bier in den Behörden brauchte, um den Papierstaub wegzuspülen und mit dem Korn wurde die durch Staub angeraute Kehle wieder geschmeidig gemacht. Ja, ja – das soll man vorher alles wissen.

Damals hatte ich mir fest vorgenommen, mir mit meinen politischen Überzeugungen in der Behörde, Zurückhaltung aufzuerlegen (was mir teilweise bei etlichen Äußerungen älterer Kollegen sehr schwer fiel), denn ich kannte nun mal mein Temperament am besten, und wusste somit, dass ich da und dort auch mal kräftig anecken könnte. Somit habe ich anfangs den politischen Unbedarften gespielt.

Anzumerken ist, dass damals noch die 42-Stunden-Woche galt (von Montag bis Donnerstag von 8 Uhr bis 18 Uhr und freitags von 8 Uhr bis 17 Uhr, Die Mittagspause betrug jeweils 1 ½ Stunden - Stempeluhren oder sonstige Arbeitszeiterfassung gab es damals noch nicht). Zudem stellte ich damals sehr schnell fest, dass es wegen des alltäglichen Alkoholkonsums in der Behörde klüger war mit dem Bus zur Arbeit zu fahren, als mit dem eigenen Fahrzeug (Moped), denn der „Lappen" wäre täglich –mal mehr, mal weniger- hochgradig gefährdet gewesen (dieser übermäßige Alkoholkonsum in der Behörde war nun kein Auricher Problem, sondern –wie ich später erfuhr- ein allgemeines Behördenproblem in der ganzen Republik).

Angefangen bin ich seinerzeit, wie allgemein üblich, in der Vergütungsgruppe VIII BAT (Bundesangestelltentarif). Der erste Verdienst am 30. April 1970 wurde noch bar ausgezahlt (davon musste dann noch die gesetzliche Krankenversicherung bezahlt werden, die damals noch nicht vom Verdienst einbehalten und von der Dienststelle direkt an die Krankenkasse überwiesen wurde).

Naja. dass die neue Arbeit nun besonders viel Spaß machte, kann ich gerade nicht behaupten - dafür war sie viel zu eintönig, und mit der Arbeitsauslastung war es auch nicht weit her. In der Regel hatte man kurz nach der Mittagspause sein Tagespensum erledigt. Und dann kam bis zum Feierabend die große Langeweile und mit ihr die gemütlichen Bierrunden. Harte Zeiten für Leber und Nieren - frei nach dem Motto: „Zwischen Leber und Milz passt immer noch ein Pilz".

In den ersten Apriltagen 1970 bin ich auch Mitglied der Gewerkschaft DAG (Deutsche Angestellten Gewerkschaft) geworden - geworben von einem Kollegen meiner Buchhalterei. Da jedoch die Perspektiven für jüngere Mitarbeiter der Regierung in der DAG nicht gerade rosig waren, und die Gewerkschaft zudem keine Tendenzen hin zur progressiven Arbeitnehmerpolitik zeigte, habe ich die DAG 1975 wieder verlassen, und bin stattdessen in die Gewerkschaft ÖTV eingetreten (wo ich anschließend auch meinen Weg machte).

Mein erstes Büro.

Nach einer mehrwöchigen Einarbeitungszeit bekam ich einen eigenverantwortlichen Arbeitsplatz in der Regierungshauptkasse zugewiesen, verbunden mit der Unterbringung in einem kleinen Einzelzimmer (was sich in der Folgezeit durchaus als vorteilhaft erwies). Mein Büro lag nun direkt neben der Kanzlei (gespickt mit vielen jungen gutaussehenden Damen).

Irgendwann bekam ich als Zimmernachbar der Kanzlei eine kalte Dusche durch die Wand verpasst. Was war geschehen? Die jungen „Wilden" der Kanzlei hatten durch die Leichtbauwand aus Holzplatten ein ca. 5 cm großes Loch gebohrt, und mittels einer Plastikflasche für Geschirrspülmittel (mit entsprechender Dosierdüse) mein Haupt, den Nacken und den Rücken mit Wasser „gewaschen". Dies war dann das Signal für ausgiebige gegenseitige „Wasserschlachten". Getarnt wurde das Loch auf beiden Seiten mit Kalendern. Doch mehr ging noch nicht. Mir stand damals noch einfach nicht der Sinn nach neuen Abenteuern mit dem anderen Geschlecht - der Stachel der Trennung von meiner geliebten Renate saß immer noch sehr tief.

Der Tigersprung, und die Miniröcke.

Eines guten Tages im Sommer 1970, zu Beginn der Mittagspause, wurde mir beim Verlassen meines Büros von einer jungen Kollegin aus der Kanzlei mit einem Tigersprung meine gerade angezündete Zigarette aus dem Mund gerissen, die sie anschließend selbst weiterrauchte und dabei die Flucht Richtung Ausgang ergriff. Eine ungewöhnliche Art und Weise, sich näher kennenzulernen. Diese Tigerin ist seit nunmehr über 40 Jahren meine Frau. Ja, wie das Leben manchmal so spielt… Übrigens, meine Frau raucht immer noch, doch seit jenem Tag im Sommer 1970 frei von jeglicher handgreiflicher Aggression.

Das war damals auch die Zeit der super kurzen Miniröcke, die auch in unserer Behörde mit Begeisterung von etlichen Damen getragen, und von den „Herren der Schöpfung" wohlwollend begutachtet wurden - besonders wenn so ein Minirock die Treppe hinauf stolzierte. Auch unseren älteren Kollegen war es damals ein Bedürfnis am Treppenansatz stehen zu bleiben, wenn ein solcher Minirock mit dem nötigen Hüftschwung nach oben getragen wurde. Selbst unser Regierungspräsident machte da keine Ausnahme. Ich kann mich noch gut daran erinnern, als wir eines Morgens uns am Treppenansatz des Schlosses begegneten (ich kam durch die Eingangstür und der Präsident durch den Nebeneingang), als gerade einige Kolleginnen die Treppe hoch stolzierten. Er hielt mich am Arm fest, grinste, und sagte zu mir: „Lass uns mal ein Auge riskieren, denn dann wird der Tag auch viel freundlicher". - Ach ja, auch der letzte Häuptling der Ostfriesen war nur ein Mann.

Die Kneipe in der Behörde.

Im Herbst 1970 wurde die Regierungskasse Norden aufgelöst, und etliche der Norder Kollegen wurden zur Regierungshauptkasse Aurich versetzt. Das hatte eine harte Zeit für mich zur Folge, denn wir fuhren morgens und abends gemeinsam mit dem Bus. Da diese Norder Kollegen alle trinkfest waren, kreiste morgens im Bus schon die Flasche, und nach Feierabend auf der Rückfahrt wiederholte sich dieses Spielchen, sodass ich irgendwann im Jahre 1972 beschloss, mit dem eigenen Wagen zum Dienst zu fahren, um der ständigen Sauferei aus dem Wege zu gehen (schließlich hatte ich nach Feierabend auch noch andere Verpflichtungen).

Einer dieser neuen Norder Kollegen hatte dann den genialen Einfall, den bisher mit eigenen Kollegen durchgeführten täglichen Biertransport zu revolutionieren, und stattdessen das „flüssige

Brot" von einem Getränkehändler liefern zu lassen. Das Büro dieses Kollegen im Erdgeschoss hatte einen kleinen Erker, der sich fantastisch als Lagerstätte der Bierkästen und als „Stehkneipe" eignete. Zweimal die Woche war Liefertermin, und um den Bierfahrer die Arbeit zu erleichtern, wurde sogar an diesen Tagen das Haupttor vom Hausmeister aufgesperrt, sodass der Bierkutscher fast direkt bis an die Stehkneipe heranfahren konnte. So manche Kneipe in der Stadt hätte gerne einen solchen Umsatz während der Vor- und Nachmittagsstunden gehabt.

Der „leitende Beamte", und der Boxkampf.

Für manchen Kollegen war diese „Regierungs-Stehkneipe" Fluch und Segen zugleich, beispielsweise für einen hochrangigen Beamten in „leitender" Stellung. So manche Flasche Bier besorgte er sich täglich beim behördeneigenen Bierwart (2 Flaschen davon zum Frühstück). Und hatte er dann ein paar Flaschen zuviel verkonsumiert, reichte meistens der Weg zur Toilette nicht. Dann wurde das Fenster geöffnet, und … alles Gute kam von oben, immer an der verputzten und gefärbten Außenwand herunter. Am nächsten Morgen war er dann jeweils mit Eimer, Wasser und Schrubber bewaffnet fleißig dabei die Außenwand zu säubern. Ja, das kommt davon wenn man seinen Hintern betrügt, und nicht rechtzeitig den Mund zuhält.

Dieser hochrangige Beamte in „leitender" Stellung stand dann erneut in der Schusslinie, als er sich aus Nichtigkeitsgründen mit unserem Oberamtsmeister anlegte. Dieser Oberamtsmeister, ein Mime vor dem Herrn, konnte von einer Sekunde auf die andere einen Choleriker per Exzellenz spielen. Er schnappte sich am besagten Tag einen Tauchsiedertopf, hielt diesen schräg an seinen Mund, und benutzte diesen als Flüstertüte, Dann stellte er sich mitten im Flur hin, und verkündete, dass es am Nachmittag einen Boxkampf zwischen ihm und dem „leitenden" Beamten geben werde. Er verkündete zudem, wer in der blauen Ecke und wer in der roten Ecke seinen Platz einzunehmen hat. Beim Boxkampf ginge es nach seinen Worten um eine Frage der Ehre.
Jetzt muss man sich die äußerliche Wirkung dieser Ansage vorstellen. Wir befanden uns im alten Auricher Schloss mit hohen

Räumlichkeiten und langen hohlen Fluren über 3 Etagen.

Der Hall vorstehender Ansage muss somit auch im letzten Winkel des Schlosses verstanden worden sein (was mögen da wohl unsere Besucher gedacht haben?). Im Laufe dieses Vormittags wiederholte sich diese Ansage noch ein paar Mal. Anzumerken ist, dass der „leitende" Beamte sich den ganzen Tag nicht in den Büros der Kollegen blicken ließ.
Doch damit ist die Geschichte noch nicht beendet. Am besagten „Kampfnachmittag" gegen ca. 16 Uhr kam der Oberamtsmeister in unsere Nachmittagsrunde und spielte „den sterbenden Schwan". Er hatte die Haare zerzaust, das Hemd aus der Hose raus und erzählte unter Tränen (das konnte er meisterhaft), dass er bei dem Boxkampf von dem „leitenden" Beamten mit unfairen Mitteln übel zusammengeschlagen worden sei. Mit ein paar Kurzen und einer Flasche Bier wurden dann alle Wunden wieder geheilt.

Der Kopfstand

Ja, zu feiern gab es in unserer mittelgroßen Behörde mit über 300 Mitarbeitern immer etwas – sei es nun Geburtstage, Hochzeiten, weil man sich ein neues Auto gekauft hatte oder weil die Sonne schien oder es regnete. Und bei ganz besonderen Anlässen zeigte einer unser Mitstreiter sein akrobatisches Talent - dann machte er auf einem Bürostuhl einen formvollendeten Kopfstand (aber nur, wenn der Alkoholpegel stimmte). Wir alle waren fest davon überzeugt, dass er dieses riskante turnerische Kunststück im nüchternen Zustand nicht bringen würde. Es ist sicherlich nachvollziehbar wenn ich jetzt feststelle, dass unsere Kollegenschaft unseren Kunstturner zigmal aufgefordert hat, seinen legendären Kopfstand häufiger mal zu präsentieren. Doch jedermann holte sich hier einen Korb ab. Dieses Kunststück vollbrachte er nur, wenn ihm der Sinn danach stand.

Der Kassenleiter und die Einnahmebelege.

Trotz dieser „Feierlichkeiten" lief unsere dienstliche Arbeit meistens wie geschmiert. Es sei denn, wir hatten Probleme mit den täglichen Einnahmen, die mittels Datenträger (von Bank und Postscheckkonto) den Buchhaltern arbeitstäglich vom Kassenleiter geliefert wurden. Folgender Ablauf war bei uns an der Tagesordnung: Die Beträge der täglich eingegangenen Datenträger wurden vom Kassierer mittels Rechenstreifen zusammenaddiert (das waren in der Regel täglich etliche Meter). Diese Datenträger wurden anschließend auf die jeweilige zuständige Buchhalterei verteilt, die diese dann noch auf die einzelnen Buchhalter weiter unterteilte. Gegen Mittag eines jeden Arbeitstages wurden dann die gebuchten Einnahmen der einzelnen Buchhalter zusammengestellt, und in der Endsumme mit dem vom Kassierer erstellten Rechenstreifen verglichen. Stimmten beide Summen überein, war buchungstechnisch alles richtig gelaufen. Wenn nicht, und das kam häufiger mal vor, dann stimmte die Einnahmenrechnung nicht. Dann begann die große Fehlersuche. Der Rechenstreifen des Kassierers wurde mit jeder Einzelbuchung abgeglichen - gab es Zahlendreher, Doppelbuchungen, vergessene Buchungen oder dergleichen. Beim Abhaken des Rechenstreifens des Kassierers wurde dann sehr schnell klar, wo die Fehlerquelle lag - welcher Beleg bzw. welche Belege falsch oder nicht gebucht waren. Falschbuchungen zu korrigieren waren einfach. Doch bei den fehlenden Belegen, die in der Regel per Postscheck eingegangen waren (das waren so kleine hellblaue Papierschnipsel, die leicht mal abhanden kamen – wurden zum Beispiel bei geöffnetem Fenster schnell mal vom Schreibtisch geweht), war das so eine Sache.

Unser Kassenleiter hatte beim verteilen der Einnahmebelege an die einzelnen Buchhaltereien seine eigene Ordnung. So verstaute er die Einnahmebelege pro Buchhalterei in jeweils eine andere Anzugtasche (auch die kleinen Postscheck- belege). So kam es dann zwangsläufig vor, dass die kleinen Postscheckschnipsel sich häufiger mal im Futter der Anzugtaschen verfingen, und somit nicht zur Buchung kamen. Wurde der Fehler von ihm bemerkt, kam er kleinlaut mit den fehlenden Belegen an, und entschuldigte sich für dieses Versehen. Die Kosten für die nächste gemütliche Nachmittagsrunde waren damit gesichert - der Kassenleiter zahlte (auch so kann man dienstlich zum Alkoholiker werden).

Weihnachtsfeier 1970.

Dann kam die unvergessene Weihnachtsfeier 1970 unseres Teeclubs (gefeiert wurde natürlich in unseren Büroräumen - bis weit in den Abend hinein, bis der Hausmeister uns rausschmiss). Wir hatten uns reichlich mit kulinarischen und hochprozentualen Köstlichkeiten eingedeckt. Die Stimmung war bombastisch, es wurde gesungen was die Kehlen so hergaben (außer Weihnachtslieder). Zur fortgeschrittener Stunde bekamen wir alle „runde Füße", was sich natürlich beim laufen besonders bemerkbar machte. Es ist wohl auch klar und verständlich, dass auch der Weg zur Toilette etwas mühsamer wurde, und somit auch einige Zeit in Anspruch nahm.

Somit fiel auch nicht weiter auf, dass einer von uns schon längere Zeit sich nicht mehr in unserer Runde aufhielt. Doch irgendwann merkten wir trotz unseres aufgekratzten Zustandes, dass da irgendwas nicht stimmen konnte. War der Kollege eventuell auf dem Pott eingepennt? Hatte er sich evtl. in unseren heiligen Hallen verlaufen? – Möglich war ja alles. Die große Suchaktion begann - wir nahmen uns alle Toiletten und unverschlossene Büros des Schlosses gründlich vor. Nach kurzer Zeit alarmierte uns der Schrei eines mitsuchenden Kollegen, der uns signalisierte, dass er fündig geworden sei. Schleunigst liefen wir dann zum Fundort (einer Herrentoilette), und sahen dort unseren vermissten Kollegen quietschfidel mit dem blanken Hintern auf dem Fußboden sitzen. Das Bild hätte alleine schon gereicht, um in ein brüllendes Gelächter auszubrechen. Doch das Beste kommt noch. Rund um unseren Kollegen herum lagen die Scherben des geborstenen Handwaschbeckens. Allein diese Vorstellung, warum er den Weg zum Pott nicht gefunden hat, und sich stattdessen auf dem Handwaschbecken setzte (der nun auch noch höher angebracht ist wie der Pott), zumal der Kollege von der Körpergröße nicht gerade gut geeignet für diesen „Hochsitz" war, trieb uns die Tränen in die Augen. Die Frage nach dem warum, wurde nie beantwortet, sodass wir hier auf reine Spekulationen angewiesen waren, die dann wieder so vielfältig waren, dass wir noch anschließend wochenlang darüber lachten.

Eine fürsorgliche Untersuchung des Kollegen an Ort und Stelle ergab, dass er keine Verletzungen durch diese Bruchlandung erlitt, nicht mal Schrammen am Hintern aufzuweisen hatte.

Dieser Vorfall in Verbindung mit einer Sachbeschädigung erzeugte keine Reaktion bei der Behörde.

Der „durchsichtige Luftballon".

In den Wintermonaten 1970 / 71 hatten wir bei uns in der Behörde einen jungen Kollegen, der bei uns seine „auswärtige Ausbildungsstation" absolvierte. Es war, wie man damals sagte, ein flippiger Typ. Seine Markenzeichen waren damals neben der obligatorischen Felljacke mit Fransen sein Begrüßungsritual (beide Hände hochgereckt – und sein „hallo Freunde"). Somit war es für uns ausgemachte Sache, diesen Kollegen mal mit einer Besonderheit auf den Laufsteg zu schicken. Dazu verwandten wir einen „durchsichtigen Luftballon - auch Schlafsack für Mäuse genannt", füllten diesen mit einer halben Tasse Wasser (sodass dieser „Luftballon" auch schön lang durchhing), und befestigten dieses Gehänge mittels Paketklebeband auf die Rückenpartie seiner Felljacke. Um jetzt nicht gleich Schiffbruch mit diesem Späßchen zu erleiden, hatten wir vereinbart, dass einer von uns ihm zu Feierabend in die Jacke hilft. Gesagt – getan. Die anderen Kollegen, die auch mit dem Bus Richtung Norden fuhren, hatten sich schon vor der Ausgangstür der Behörde versammelt, um den „Auserwählten dieses Scherzes" in Empfang zu nehmen.

Auf dem Weg von der Behörde bis zur Bushaltestelle beim Bahnhof gab es ein fröhliches Hallo und jede Menge anzügliche Bemerkungen, so auch im Bus selbst (ein Gelächter und derbe Sprüche). Unser Freund hat von alledem nichts gemerkt. Erst am nächsten Morgen hat er uns berichtet, dass seine Mutter ihn auf diesen „baumelnden Luftballon" aufmerksam gemacht hat. Ja, er war ein flippiger Typ der Spaß verstand. Viel später hat er mir dann mal erzählt, dass er sich diesen Spaß auch ab und an bei anderen gegönnt hat - aber ohne den durchschlagenden Erfolg.

Das lärmende schwimmende Federvieh auf unserem Feuerlöschteich.

Im Frühjahr 1971 hatten wir einen Auszubildenden der Wasserschutzpolizei in auswärtiger Ausbildungsstation in unserer Regierungshauptkasse. Ein cooler Typ der einerseits trinkfest war und andererseits für jeden Spaß zu haben. Eines guten Tages, in unserem Teeclub ging es mal wieder hoch her, fühlten wir uns durch das lärmende Federvieh auf unserem Feuerlöschteich direkt vor unseren Fenstern gestört. Irgendjemand meinte dann so beiläufig, dass man diese Viecher mal abschießen sollte.

Am nächsten Tag, einer von uns hatte Geburtstag, war im Teeclub mal wieder ne wilde Party angesagt - und wie am Vortag, das Federvieh war mal wieder am randalieren. Unser Mitstreiter der Wasserschutzpolizei stand seelenruhig von seinem Stuhl an der „Teetafel" auf, ging an seinen Schreibtisch, und holte einen kleinen Waffenkoffer hervor. In dem Koffer befanden sich 2 Revolver und etliche Schachteln mit Munition. Er lud einen Revolver durch, entsicherte diesen und trat an das geöffnete Fenster. Er war also tatsächlich drauf und dran das lärmende Federvieh abzuknallen. Zwei ältere Kollegen, die den Durchblick trotz des Alkoholkonsums noch nicht verloren hatten, entspannten diese Situation, indem man den Scharfschützen die Waffe kurz und knapp aus der Hand nahm. Wir müssen alle einen Schutzengel gehabt haben, dass sich bei dieser Handlung kein Schuss gelöst hat. Danach wurden die Waffen eingeschlossen, die unser Mitstreiter dann am Folgetag wieder mit nach Hause nehmen konnte.

Piep, piep, piep - singen die Vögel nicht schön?

Eines Tages, im Sommer 1971, ein in jeder Hinsicht heißer Vormittag. Im großen Kassenraum ging mal wieder die Post ab. Diesmal jedoch so laut, dass sich unser Personalchef genötigt sah (der eine Etage über uns sein Büro hatte) nach unten zu kommen, um sich ein bisschen mehr Ruhe auszubitten, denn beim Regierungspräsidenten fand eine wichtige Besprechung statt. Es ging anschließend ein paar Minuten gut, doch dann brach wieder die Hölle los.

Ich kann mich noch gut daran erinnern, dass ein Kollege aus der Nachbarbuchhalterei zu uns in die Runde platzte, und nur drei Worte sagte: „Der Präsident kommt". Geistesgegenwärtig beseitigten wir die Gläser und Flaschen, setzten unseren Kollegen (der nun besonders gut drauf war) an seine Schreibmaschine, spannten einen Satz Überweisungsträger ein, und legten die Hände des Kollegen auf die Tastatur der Schreibmaschine, und gaben ihm zu verstehen, dass er jetzt mal kräftig in die Tasten hauen soll. Wir gingen nebenan ins Frühstückszimmer und begannen unsere Stullen zu essen.

In dem Moment geht im Schalterraum die Tür auf, und der Präsident kommt wutentbrannt hereingestürmt. Zu sehen bekam er nur unseren Kollegen, der wild seine Schreibmaschine bearbeitete. Uns im Frühstücksraum nahm er nur am Rande wahr (wir hatten ja auch alle den Mund voll). Dann fragte der Präsident barsch, was der Krach bei uns zu bedeuten hatte. Bevor einer von uns im Frühstücksraum antworten konnte, meldete sich unser Freund aus dem Schalterraum und sagte: „Piep, piep, piep – singen die Vögel nicht schön, Herr Präsident?".

Der Regierungspräsident stutzte kurz und sagte dann: „Bei euch ist Hopfen und Malz verloren, Euch ist nicht mehr zu helfen". Er machte auf den Hacken kehrt, und verließ den Schalterraum. Wir können nur von Glück sagen, dass der Präsident uns im Frühstücksraum wohl aus den Augen verloren hatte, denn bei dem Satz unseres Kollegen haben wir uns teilweise auf die Zunge gebissen bzw. übel gekniffen, sodass wir nicht lauthals loslachen mussten. Tränennasse Augen hatten wir jedoch alle.

Der Mann auf dem Schrank

Im Herbst 1971, diesmal keine feucht fröhliche Teerunde, sondern während der Frühstückspause eine heiße dienstliche Diskussion. Ein junger Buchhaltereileiter nahm bei dieser Diskussion die „kontra Position" (also die gegenteilige Meinung der anwesenden Buchhalter) ein. Da er seine kontra Position jedoch mit brüskierenden Worten vertrat, schaukelte sich diese Diskussion zu einer hitzigen Auseinandersetzung hoch. Zwei ältere Kollegen unserer Frühstücksrunde schauten sich wortlos an, standen von ihren Plätzen auf, schnappten sich den jungen Buchhaltereileiter, und setzten ihn oben auf einen Aktenkleiderschrank. Bei dieser Handlung gaben beide den Kollegen den Rat, da oben sitzen zu bleiben, denn ansonsten müsse er damit rechnen, sich ein paar blaue Flecken einzuhandeln.

Kurze Zeit später kam unser Kassenleiter in die Frühstücksrunde, Der Kollege auf dem Schrank war natürlich nicht zu übersehen. Der Kassenleiter grinste uns an, drehte sich dann zu dem Buchhaltereileiter auf dem Schrank um, und fragte ihn, was er dort auf dem Schrank zu suchen hätte. Nachdem der Kollege sich dann über unser Verhalten beschwerte, fragte der Kassenleiter uns, was denn nun tatsächlich vorgefallen sei. Der Kassenleiter bekam dann von uns einen umfassenden Lagebericht, was den Chef veranlasste seinem Buchhaltereileiter mitzuteilen: „Wenn sie ne große Klappe hatten, haben sie an dieser Situation selbst Schuld, dann bleiben sie mal schön da oben sitzen".

Bis zur Mittagspause durfte er dann auf dem Schrank brummen. Die Moral von der Geschichte: Der Kollege hat sich anschließend nie mehr mit uns angelegt.

1. Februar 1972 Umsetzung in das Verkehrsdezernat

Durch Umsetzung war die Stelle des Registrators im Verkehrsdezernat frei geworden. Ich wurde vom Personaldezernat gefragt, ob ich Interesse an diesem Arbeitsplatz hätte. Ich habe diesem Arbeitsplatzwechsel zugestimmt, um einerseits der Behörde zu signalisieren, dass ich flexibel bin, und um andererseits endlich aus der „feucht fröhlichen" Kasse raus zu kommen (nicht wegen der dortigen pfundigen Kollegen, sondern weil mir die dortige Sauferei fürchterlich auf den Keks ging). Zudem war diese Umsetzung mit einer Höhergruppierung nach BAT VII verbunden. Somit gibt es aus dem Verkehrsdezernat, bestehend aus 6 Kollegen, nichts Nennenswertes zu berichten.

Meine politische Vergangenheit als aktiver 68iger wurde bekannt, ebenfalls die Aktivitäten meines Vaters als Mitglied des Entnazifizierungskommandos.

So langsam wurde im Frühjahr 1972 meine politische Vergangenheit als ehemals aktiver 68iger, und das Wirken meines Vaters als Mitglied des Entnazifizierungskommandos in der Behörde bekannt. Offene und versteckte Schmähungen älterer Kollegen, vor allen Dingen gegen meinen Vater, machte jetzt immer häufiger die Runde. So gab es Sprüche zu hören, wie z. B.: „Leute deren Väter nach dem Kriege Gesinnungsschnüffelei" betrieben, haben hier bei uns in der Behörde nichts zu suchen" oder „Den hätte der Adolf man auch beseitigen sollen, dann müssten wir jetzt nicht seinen Sohn als Mahnmal ertragen".

Nun war das Maß voll! Jetzt musste ich eine knallharte Reaktion zeigen! - Das war ich meinem Vater und auch mir selbst schuldig!

In mehreren Gesprächen habe ich dann diesen Pseudokollegen klipp und klar zu verstehen gegeben, dass ich es unerhört finde, dass gerade die 131iger Alt-Nazis hier den Mund aufmachen, und als Moralapostel auftreten. Diese Leute (so wörtlich) „haben wegen ihrer schmutzigen braunen Vergangenheit in bundesdeutschen Behörden eigentlich nichts zu suchen" und weiter, „wer seinerzeit Mitglied bei den Nazis wurde, hat auch deren schlimmes Verbrechen mitzuverantworten, und sind daher in meinen Augen auch mitschuldig an den begangenen Gräueltaten", und weiter, „ihr solltet euch jetzt in Grund und Boden schämen, unbescholtenen Bürgern und vormaligen Nazigegnern etwas ans Zeug zu flicken". Ich habe damit gedroht dieses bei der Staatsanwaltschaft in Aurich zur Anzeige zu bringen, falls dieses üble Gerede nicht sofort unterbleibt. Diese vorstehende knallharte Zurechtweisung erfolgte meinerseits im ruhigen Tonfall.

Einige Tage später wurde ich dann zu unserem Verwaltungsrat, dem großmächtigen Personalchef, zum Rapport zitiert. Er machte mir schwere Vorwürfe, dass ich, wie zuvor beschrieben, etlichen Kollegen einige unangenehme Wahrheiten ins Stammbuch geschrieben habe. „Ich fordere sie hiermit auf, solche Entgleisungen nicht zu wiederholen. Sie haben sich damit ihr

Image in der Behörde nachhaltig selbst ruiniert", so der Personalchef wörtlich.

Im sachlichen Tonfall habe ich darauf geantwortet, dass ich es auch zukünftig nicht hinnehmen werde, wenn mein Vater oder ich von diesen Alt-Nazis in den Dreck gezogen bzw. beleidigt werden. „Und niemand wird mich daran hindern!" Ich habe dem Personalchef deutlich gemacht, dass es nunmehr Sache der Behörde sei, sich jetzt darum zu kümmern, dass mein Vater und ich von diesen Leuten nicht mehr belästigt werden.

Dann fragte er mich noch nach der Ernsthaftigkeit meiner angedrohten Anzeige. Ich habe ihm gesagt, dass dieses mein voller Ernst ist, und im Wiederholungsfall keine Sekunde zögern werde, diese Ankündigung in die Tat umzusetzen.

Nachdem der Personalchef noch ein paar beschwichtigende Worte von sich gab, war das Gespräch beendet. Anschließend stellte ich fest, dass ich seit diesem Zeitpunkt von vielen älteren Kollegen gemieden wurde. Ich erntete zwar deren böse Blicke, die sicherlich nichts Gutes bedeuteten, aber damit konnte ich umgehen.

Ab 27. Oktober 1972 im Hafen der Ehe

Wie schon zuvor zart angedeutet, hatte ich meine zukünftige Frau bei unserer gemeinsamen Einstellung am 1. April 1970 bei der Regierung Aurich schon mal flüchtig kennengelernt. Irgendwann im Sommer 1970, wie schon zuvor ausführlich beschrieben, der Tigersprung der blonden Wildkatze nach meiner mir gerade angezündeten Zigarette, sodass ich unwillkürlich auf diese Person aufmerksam wurde. Diese schöne, zierliche und sportliche Person mit den langen blonden Haaren, ca. 161 cm groß, war nun die richtige Medizin für Papas Sohnemann, Ungefähr ab Herbst 1971 hatten wir eine gemeinsame Beziehung zueinander aufgebaut, und wurden gute Freunde. Wir verstanden uns gut - man traf sich täglich bei der Arbeit, und an den Wochenenden privat, um sich gemeinsam zu vergnügen (Tanzen gehen, Musik hören, Bekannte besuchen und dergleichen mehr).

Über Pfingsten 1972 (20. bis 22. Mai) waren meine Freundin und ich bei Verwandten im nordhessischen Wrexen (heute ein Stadtteil von Diemelstadt) eingeladen. Am Pfingstsamstag auf dem Weg nach Wrexen hat es uns dann in Cloppenburg vor einer Ampelkreuzung fürchterlich erwischt. Ich stand mit meinem Wagen, ein schwerer Daimler 200 Diesel mit Anhängerkupplung, als erstes Fahrzeug vor der roten Ampel - und wie das denn so sein sollte, schaute ich in den Rückspiegel, und sah, dass ein 7,5 Tonnen LKW von hinten ohne zu bremsen auf uns zufuhr. Geistesgegenwärtig konnte ich noch den ersten Gang auskuppeln, die Kupplung gedrückt halten, und dann hat es auch schon gekracht. Ein fürchterlicher Ruck ging durch mein Fahrzeug, und mein Daimler wurde durch den ungebremsten Aufprall durch den Querverkehr katapultiert und kamen erst in der gegenüberliegenden Straße zum Stehen (wobei ich mir bis heute nicht erklären kann, wie ich ungeschoren durch den eng fließenden Querverkehr kam).

Wir hatten Glück im Unglück, dass auf der gegenüberliegenden Straße die Polizeistreife im Einsatz war, und somit den Unfallhergang aus nächster Nähe genau beobachten konnte.

Nachdem die Polizei den Unfallort sicherte, ging einer der Beamten zum besagten LKW, öffnete die Fahrertür, und drei schwer betrunkene Insassen purzelten aus dem Fahrzeug heraus. Bessere Unfallzeugen als diese Polizisten gab es nun nicht, die mir auch deutlich mitteilten, dass ich mir über die Schuldfrage und Schadensregulierung keine Sorgen machen müsste. Personenschäden gab es bei diesem Unfall zum Glück nicht. Natürlich war das Heck meines Fahrzeuges beschädigt, doch meine Anhängerkupplung hatte uns vor größeren Schäden bewahrt. Nach Abschluss der Unfallaufnahme nahm die Polizei uns bis zu ihrer Werkstatt mit, wo der anwesende Werkstattmeister eine Stauchung des hinteren Fahrzeugbleches vom linken Hinterrad mittels Brechstange vom Reifen abhebelte, den Kofferraum mit Draht zuband und die Glühbirnen hinten links wechselte (die incl. der Glasabdeckung zersplittert waren). Danach konnten wir die Fahrt nach Wrexen fortsetzen (während der unfallbeteiligte LKW fahruntüchtig liegen blieb, weil dieser sich an meiner Anhängerkupplung die Ölwanne aufgerissen hatte).

Somit sind wir mit dem Daimler im zügigen Tempo nach Wrexen weitergefahren, haben dort auch noch etliche Kilometer auf teilweise unbefestigten Straßen befahren, und haben am Pfingstmontag in den Abendstunden die Rückreise angetreten.

Die Cloppenburger Polizei hatte mir empfohlen sofort nach Rückkehr mein Fahrzeug durch einen Sachverständigen prüfen zu lassen. Diese Begutachtung fand dann am Dienstag nach Pfingsten in einer Marienhafener Kfz-Werkstatt statt. Beim hochfahren der Hebebühne brach die Hinterachse vom Fahrzeug ab, sodass diese nur noch von der Welle gehalten wurde. Erst danach wurde mir bewusst, welch Riesendusel meine Freundin und ich hatten, dass uns die Hinterachse beim durchfahren eines Schlaglochs in der Straße bei voller Geschwindigkeit nicht abgerissen ist. Übrigens: Mein Daimler wurde vom Sachverständigen als „Totalschaden" eingestuft.

Ja, soviel Dusel schweißt zusammen - diese Erfahrung haben meine Freundin und ich damals gemacht.

Und wie das denn bei verliebten jungen Leuten so sein kann, irgendwann hatte ich nicht aufgepasst - und, meine Freundin war schwanger. Damals war das gleichbedeutend mit der Beendigung meiner Junggesellenzeit - nunmehr musste halt geheiratet werden (alles andere hätte die damalige Gesellschaft in der ostfriesischen Provinz nicht akzeptiert). Meine Freundin und ich verstanden uns zwar sehr gut, hatten aber unsere Probleme mit einer solch frühen „Hochzeit" (auch in beiden Elternhäusern hätte es schwere Probleme gegeben, wenn meine damalige Freundin und ich uns anders entschieden hätten), aber was nun sein musste ließ sich halt nicht ändern.

Jetzt hieß es alle Vorbereitungen für den zukünftigen Ehestand zu treffen - Hochzeit terminieren, Aufgebot bestellen, eine große Wohnung suchen, damit auch der Nachwuchs Platz hat - und, und, und. Einvernehmlich hatten meine zukünftige Frau und ich vereinbart, dass wir keine große Hochzeitsfeier wollen - nur im engsten Familienkreis. Dafür sollte am Abend zuvor ein großer Polterabend mit Freunden und Arbeitskollegen stattfinden.

Als Hochzeitstermin wurde der 27. Oktober 1972 festgesetzt (sowohl standesamtlich als auch kirchlich). Am Abend zuvor die große Sause beim Polterabend. Für dieses Fest hatten wir uns extra einen Saal reservieren lassen, um alle Freunde und Arbeitskollegen auch unterbringen zu können. Tatsächlich war es jedoch mehr eine Junggesellenabschiedsparty - mit allem was dazu gehört. Der Alkohol floss in Strömen, sodass so manch einer das Problem hatte, den Weg nach Hause zu finden - ich gehörte auch zu diesen Kandidaten. Statt jetzt bei den Schwiegereltern zu übernachten (was ich nun, eigensinnig wie ich war, gar nicht wollte), habe ich mich im kalten Auto hingelegt (das bei den Schwiegereltern auf dem Hof stand), um eine Mütze voll Schlaf zu kriegen. Mitten in der Nacht ritt mich dann wieder mal der Teufel, nachdem ich mir im Auto fast den Hintern abgefroren hatte. Noch halb benommen startete ich den Wagen und fuhr nach Hause, legte mich in mein Bett, und schlief den Schlaf der Gerechten (natürlich ohne vorher den Wecker zu stellen). Hätten jetzt meine Eltern beim Verlassen des Hauses (sie wollten sich auf den Weg nach Aurich zur standesamtlichen Trauung machen) meinen Wagen nicht zufällig auf dem Hof gesehen, hätte ich tatsächlich meine eigene Hochzeit verpennt. Somit gab es nachdem meine Eltern mich weckten nur eine Katzenwäsche, Zähne putzen, schnell in den Hochzeitsanzug umsteigen und ohne Frühstück ab nach Aurich zum Standesamt (wo mich schon die ersten spitzfindigen Bemerkungen und etliche böse Blicke erwarteten). Nach der Zeremonie - ab zum gemeinsamen Mittagessen mit den Standesamtsgästen, was jedoch für mich keine so gute Idee war, denn der Magen war von der Zecherei am Vorabend noch nicht wieder so richtig in Stimmung - war noch ganz schön verkorkst. Die Hochzeitsfeier selbst, im engsten Familienkreis, war schön und sehr gemütlich.

Diese Ehe hält noch immer, was darauf schließen lässt, dass meine Frau und ich uns so richtig zusammengerauft haben. Aus dieser Ehe entstammen zwei prächtige Söhne - Horst, geb. am 21. Januar 1973, zwischenzeitlich studierter Sozialarbeiter, wohnhaft in Kiel-Raisdorf, und Jens, geb. am 11. Juni 1978, studierter Berufsmusiker, und wohnhaft in Düsseldorf (Jens ist ein begnadeter Musiker und hat die Gabe viele Instrumente perfekt zu beherrschen. Er ist darüber hinaus ein fantastischer Gitarrist, Songschreiber und Komponist und in der Düsseldorfer Musikszene bekannt). Beide waren und sind Sportler durch und durch - Horst als Kraftsportler und Leichtathlet und Jens als ehem. Fußballer und Fitnessfanatiker. Beide leben seit vielen Jahren in festen Beziehungen - doch eine Beförderung zum Großvater ist mir bisher verwehrt geblieben (ob das noch was wird?).

Meine familiäre Schilderung ist damit abgeschlossen, denn diese Intimsphäre steht bei mir unter besonderem Schutz und wird daher auch nicht weiter öffentlich durchleuchtet.

Zurück zu meiner Dienststelle

Brandwein und Rosinen

Nach der Geburt meines Sohnes Horst am 21. Januar 1973 wurde ich im Dezernat dazu verdonnert, wie bei Geburten in Ostfriesland allgemein üblich, Brandwein und Rosinen mitzubringen (in Ostfriesland auch „Kindertöön" genannt). Zur Einnahme dieses gemeinsamen Festtrunkes in der Frühstückspause stellte der Dezernatsleiter sogar sein Büro zur Verfügung.

Nachdem der Dezernatsleiter den großen Pott mit Brandwein und Rosinen erblickte stellte er lakonisch fest: „Obst ist immer gut". Doch die „niederschmetternde" Wirkung dieses Gebräus muss er wohl nicht gekannt haben, denn er langte kräftig und reichlich zu.

Als Folge dieses „Obstgenusses" war unser Chef den ganzen Tag nicht mehr ansprechbar - er schlief tief und selig in seinem Sessel. Wie am nächsten Tag gemunkelt wurde, soll unser damaliger Hausmeister beim abschließenden Kontrollgang unseren Dezernatsleiter am späten Abend aus seinem Tiefschlaf erlöst haben.

1. April 1973 Umsetzung in die Dezernate Wasserwirtschaft / Wasserrecht

Auf Grund einer sich abzeichnenden langwierigen Erkrankung eines älteren Kollegen, wurde ich vertretungsweise ab 1. April 1973 in die Dezernate 502 (Wasserwirtschaft) und 503 (Wasserrecht) umgesetzt. Dort übernahm ich die Aufgaben des Aktenverwalters in der dortigen gemeinsamen Großregistratur - mit fast ausschließlich technischen Akten und Verwaltung einer Vielzahl von großflächigen technischen Zeichnungen. In den beiden genannten Dezernaten waren 11 Kollegen beschäftigt (davon 3 Kollegen im Dezernat Wasserrecht).

Dieser Arbeitsplatz wurde nach Vergütungsgruppe VIb BAT dotiert, sodass ich ab 1. April 1973 für die Vertretungstätigkeit zusätzlich zu meiner bisherigen Vergütung eine persönliche Zulage in der Höhe des Unterschiedes zwischen den Vergütungsgruppen VII und VIb BAT erhielt. Zirka 3 Monate später wurde mir dieser Arbeitsplatz endgültig übertragen, da der erkrankte Stelleninhaber aus gesundheitlichen Gründen verrentet wurde. Somit erfolgte ab diesem Zeitpunkt auch die echte Eingruppierung nach BAT VIb (die bisherige Zahlung der Zulage wurde damit überflüssig).

Da sich die Bezirksreform so langsam abzeichnete, der Landtag hatte schon im Jahre 1972 beschlossen, dass die Regierungsbezirke grundsätzlich von 8 auf 4 reduziert werden sollen, gab es auch schon erste Überlegungen bei der Regierung Aurich, wie dieses räumlich zu organisieren sei.

Somit beabsichtigte meine Behörde im Verlauf des Jahres 1973 die Dezernate „Medizinal (303), Wasserwirtschaft (502) und Wasserrecht (503)" aus dem Behördenareal „Schlossplatz" (das sich im Eigentum des Landes Niedersachsen befand) auszusiedeln, und in einer großen alten Villa an der „Esenser Straße" in Aurich (die teuer angemietet werden musste) unterzubringen. Da mir der Sinn dieser Aktion verborgen blieb (einen sachlichen und räumlichen Grund konnte es ja für diesen Umzug nicht geben, da der Regierungsbezirk Aurich als Randbezirk zu den negativ betroffenen Bezirken zählte), gehe ich mal davon aus, dass es sich hierbei um eine politische Retourkutsche der Behörde in Richtung Landesregierung und Landtag handelte, um die Kosten für die Bezirksreform in die Höhe zu treiben.

Betroffen von diesem Umzug waren insgesamt 16 Kolleginnen und Kollegen der 3 genannten Dezernate. Somit bestand meine erste große „Amtshandlung" in meiner neuen Aufgabe darin, die Großregistratur für den Umzug am Schlossplatz vorzubereiten und in der Esenser Straße zu vollenden.

Der Nachteil dieser Behördenexklave „Esenser Straße" lag darin begründet, dass wir nun vom bisherigen Freundes- und Kollegenkreis des „Schlossplatzes" abgekoppelt waren. Die persönlichen Bindungen rissen somit sehr schnell ab (aus den Augen, aus dem Sinn).

Andererseits waren wir aus dem täglichen Blickfeld der damaligen Behördenleitung verschwunden (was natürlich auch seine Vorzüge hatte). Machte man seine Arbeit (dafür wurden wir ja alle bezahlt), konnte man in dieser Exklave ohne schlechtes Gewissen seine Freizügigkeiten auch wesentlich ausgiebiger nutzen (eine Hand wäscht die andere).

Großmächtig berichtenswertes gibt es aus dieser Phase meiner Beschäftigung in der „Exklave Esenser Straße" eigentlich nicht. Wir waren eine verschworene Einheit, und Probleme (so es diese denn gab), wurden unter uns intern gelöst (dafür brauchten wir nicht mal den Personalrat). Apropos Personalrat - in der ganzen Aufenthaltsdauer unserer Dezernate an der Esenser Straße, und das waren doch nun mal etliche Jahre, hat sich kein Personalrat bzw. Personalratsmitglied der Behörde bei uns blicken lassen. Wenn es mal Unfrieden bei uns gab, dann nur, wenn der vom „Schlossplatz" durch unsinnige Anweisungen herübergetragen wurde (aber dafür hatten wir ja einen Chef, den leitenden Regierungsbaudirektor, der in solchen Fällen im Laden „Schlossplatz" immer gründlich aufgeräumt hat).

Auch die Einführung der „gleitenden Arbeitszeit" (mit Stempeluhr) war bei uns an der Esenser Straße unproblematisch - und wurde auch „kollegial" gehandhabt. „Spitzel des Schlossplatzes", die meinten unser „Stempelverhalten" überprüfen zu müssen, wurden nicht nur vor der Betätigung der Stempeluhr erkannt, sondern anschließend auch noch mit Hohn und Spott überzogen.

Der Schreck um die Mittagszeit.

Beinahe hätte ich vergessen, dass auch in der Regierungsexklave hier und dort so einige kleine Dinge passierten, die uns die Tränen in die Augen trieben.

Den Tag kann man eigentlich nicht vergessen, als es in unserem Medizinaldezernat (die sich im Obergeschoss der Villa einquartiert hatten), ein riesiges hysterisches Geschrei einer älteren Kollegin unüberhörbar durchs Haus hallte, und ein Kollege des Dezernates anschließend mit Tränen in den Augen vor Lachen nach unten zu mir ins Büro gestürmt kam.

Was war geschehen: Um sich das anschließend geschilderte Vorkommnis auch bildlich vorstellen zu können, muss man die Räumlichkeiten des Obergeschosses der Exklave kennen, und welche Kollegen in welchen Büros untergebracht waren (an der Stirnseite des Obergeschosses zur Straße hin waren 2 Büros untergebracht, besetzt mit einem Kollegen und einer älteren Kollegin; genau 180 Grad gegenüber lag das Büro des leitenden Medizinaldirektors, der zudem über eine eigene Toilette verfügte, der nur von seinem Büro aus erreichbar war - stehen die Türen der Büros offen, und das war in dem Sommermonaten wegen der unisolierten Dachlage immer der Fall, kann man sich gegenseitig an den Schreibtischen gut sehen).

Der Kollege des Medizinaldezernates berichtete uns (mittlerweile waren noch etliche andere Kollegen des Dezernates 502 zu mir ins Büro gekommen, die von dem höllischen Gelächter angelockt wurden), dass bei seinem Chef im Büro das Telefon läutete. Die ältere Kollegin die jetzt meinte, dass der Chef nicht im Büro war, ging rüber und wollte das Telefongespräch entgegennehmen. In diesem Moment kam der Chef aus dem Toilettenraum, die Hose und die Unterhose auf den Hacken hängen - also mit blankem Hintern, und stürzte selbst ans Telefon. In diesem Moment als die ältere Kollegin dieses göttliche Bild wahrnahm, bekam sie einen hysterischen Schreianfall. Und der Chef? - der hat nur gegrinst, und wegen des Geschreis die Zimmertür hinter sich zu gemacht.

Die Eisbahn

An einem Wintermorgen, die Straßen hatten sich in Eisbahnen verwandelt, hatten wir einen Kollegen aus Neuenburg auf der Vermisstenliste. Irgendwann nach der Frühstückspause kam er dann endlich in der Esenser Straße an. Mit seinem trockenen Humor berichtete er dann, dass er gar nicht bemerkt habe, dass es glatt auf den Straßen war. In einer langgezogenen Linkskurve habe er zwar etliche Fahrzeuge am rechten Straßenrand stehen gesehen, aber den Grund dafür habe er nicht erkennen können. „Und weil die vor mir nicht wegfuhren, musste ich bremsen, aber das ging nicht - der Wagen schlidderte einfach weiter - und dann hat es gekracht". Nachdem wir ihn kräftig für diesen Auffahrunfall bedauerten, fügte er ganz trocken an: „Das ist ja noch gar nicht das schlimmste, nachdem ich aus dem Fahrzeug ausstieg, habe ich erfahren, dass die Leute den armen Kerl mit seinem Fahrzeug gerade erst aus dem Graben rausgeholt hatten, und ich habe ihn gleich wieder hineinbefördert - das war mir sehr peinlich, aber Gott sei Dank wurde niemand verletzt".

Aktionen zur Bezirks- und Verwaltungsreform

In der Dienstzeit unserer Dezernate in der „Exklave Esenser Straße" fielen auch die Aktionen „Rettet Aurich jetzt…" zur Bezirks- und Verwaltungsreform mit dem Ziel, die Arbeitsplätze der Regierung Aurich zu retten. Damals gab es auch etliche Protestveranstaltungen der Bediensteten der Regierung Aurich zum Erhalt der Arbeitsplätze, an der wir aus der Esenser Straße natürlich aus Solidarität auch teilnahmen,

Doch bei einer dieser Demos auf dem Denkmalplatz beim Schloss gab es auch einen handfesten Eklat, als etliche Alt-Nazis unserer Behörde während der Dienstzeit bei dieser Gelegenheit aus ihrer wahren Gesinnung keinen Hehl mehr machten, und „die alten nationalsozialistischen Kampfsprüche" wieder lauthals und für jedermann gut vernehmbar zum Besten gaben - und die ebenfalls anwesenden leitenden Behördenvertreter und die Presse haben diesen Eklat stillschweigend zur Kenntnis genommen.

Ja, auch ich habe aus Solidarität an diesen Demos teilgenommen - jedoch **nicht** aus Überzeugung. Dieses will ich auch begründen. Als ehemaliger aktiver 68iger und als Parteipolitiker war mir natürlich bekannt, dass man politische Themen beeinflussen kann, solange diese noch offen und somit noch nicht entschieden sind. Fakt ist, dass die Verwaltungs- und Gebietsreform (dazu gehört auch die Bezirksreform) in Niedersachsen schon in den frühen 1960iger Jahren politisch kontrovers debattiert wurde. Die Arbeit und die Zwischenergebnisse der Weber Kommission, die ab Oktober 1966 die vorstehende Reform vorantrieb, blieben in der Öffentlichkeit nicht unbemerkt. Ursprünglich war schon angedacht, die Bezirksreform mit der Schließung der Regierung Aurich zum 1. August 1968 durchzuführen. Jedermann in Aurich hätte schon zu diesem Zeitpunkt wissen können, so er denn wollte, dass Aurich als Regierungssitz (auch wegen seiner Randlage) nicht zu halten war.

Im Anschluss an meine mündlichen Prüfung, zum Abschluss meiner Verwaltungsausbildung bei der Landesversehrten Berufsfachschule in Bad Pyrmont Ende März 1970, wurde ich von Vertretern des Innenministeriums (die der Prüfungskommission angehörten) gefragt, ob ich schon einen Arbeitsplatz in Aussicht hätte. Ich habe darauf geantwortet, dass ich ab 1. April bei der Regierung in Aurich anfangen kann.

Beide Vertreter des Niedersächsischen Ministeriums haben mir versichert, dass ich eine gute Wahl getroffen hätte, und dass ich mir wegen der Bezirksreform keine Sorgen machen müsse, denn Aurich würde eine starke Außenstelle der neuen Oldenburger Bezirksregierung bleiben.

Im Jahre 1972, wie oben schon erwähnt, hat der Niedersächsische Landtag grundsätzlich beschlossen, dass die Regierungsbezirke von 8 auf 4 reduziert werden sollten,

Wer also die Eigenständigkeit der Regierung Aurichs erhalten wollte, der hätte spätestens 1966 aktiv werden müssen! Nach der Beschlussfassung des Niedersächsischen Landtages in 1972 war dieser Zug jedoch abgefahren!

Somit waren alle Aktivitäten zur Rettung der Regierung Aurich und deren Arbeitsplätze in den 1970iger Jahren nur noch lupenreine Spiegelfechtereien. Es waren nur noch Schaukämpfe, um den Auricher Bürgern und den Bediensteten zu suggerieren, dass man an allen Fronten aktiv ist. Für eine solche verlogene Politik, die vom Auricher Personalrat auch noch unterstützt wurde, obwohl die es besser wussten (wie ich zwischenzeitlich erfahren hatte) war ich nun mal nicht zu haben. Den richtigen Zeitpunkt zur Einflussnahme hatte Aurich Mitte der 1960iger Jahre verpennt - denn wie zuvor schon ausgeführt, stand schon im März 1970 definitiv fest, dass in Aurich eine starke Außenstelle der neuen Bezirksregierung Weser-Ems erhalten bleibt!

Mit dem „achten Gesetz zur Verwaltungs- und Gebietsreform vom 28. Juni 1977" (Reformschlussgesetz), das am 1. August 1977 in Kraft trat, setzte die Landesregierung den Schlussstrich unter die Bezirksreform. Ab 1. Februar 1978 ging der Regierungsbezirk Aurich dann gemeinsam mit dem Regierungsbezirk Osnabrück und dem Verwaltungsbezirk Oldenburg im neuen Regierungsbezirk Weser-Ems auf. In Aurich und Osnabrück entstanden ab diesem Zeitpunkt größere Außenstellen der Oldenburger Bezirksregierung.

Letzter Auricher Regierungspräsident war Hans Beutz (der letzte Häuptling der Ostfriesen), der dieses Amt von 1960 bis 1974 bekleidete. Von 1974–1978. war die Stelle vakant (wurde kommissarisch vom damaligen Regierungsvizepräsident wahrgenommen).

Mein Neubau eines Hauses wurde mit Hakenkreuzen beschmiert

Im Jahre 1975 habe ich in meinem Heimatort Marienhafe ein Einfamilienhaus errichten lassen. In der Rohbauphase wurde dieser Neubau mehrfach mit mehreren großflächigen Hakenkreuzen beschmiert. Bei den kriminaltechnischen Untersuchungen stellte sich heraus, dass es sich hierbei um eine schwer zerstörbare Schiffskorrosionsfarbe handelte, die sich nicht chemisch vom Mauerwerk entfernen ließ. Somit mussten diese Mauerteile jeweils entfernt und durch Nachbau erneuert werden. Da keine Versicherung diesen Sachschaden übernahm, entstand mir damals ein großer finanzieller Schaden. Obwohl es seinerzeit heiße Spuren gab, konnte(n) der oder die Täter nicht ermittelt werden. Somit dürfte klar sein, dass ich als ehem. aktiver 68iger, der gegen den nach wie vor vorhandenen „braunen Mief" in der BRD kämpfte, in Fragen und Handlungen des „ehem. tausendjährigen Reiches und seine Helfer" sehr sensibel reagierte.

Meine Aktivitäten als Jungsozialist

Als Parteimitglied der SPD (seit 1971) im Ortsverein Marienhafe hatte ich mir schnell einen Namen gemacht - ich war der Revolutionär geblieben, der ich auch schon in den 1960iger Jahren war (nicht als „Fundi", sondern als linker „Realo"). Somit war es auch kein Wunder, dass andere junge Genossen auf mich aufmerksam wurden. Meine parteiinternen Förderer waren damals Kurt Knippelmeyer (Bürgermeister der Gemeinde Marienhafe und der Samtgemeinde Brookmerland sowie erster stellv. Landrat) und Hinrich Swieter (Landrat und späterer Landtagsabgeordneter und Finanzminister in Niedersachsen). 1976 bei dem Parteitag der Jungsozialisten im SPD Unterbezirk Norden, wurde ich zu deren Vorsitzenden gewählt. Auch bei der Zusammenlegung der beiden bisher selbständigen SPD Unterbezirke Aurich und Norden zum neuen SPD Unterbezirk Aurich, wurde ich auf einer Mitgliederversammlung Ende der 1970iger Jahre auch zu deren Juso-Unterbezirksvorsitzenden gewählt. Gleichzeitig war ich auch kraft meines Amtes Mitglied des Juso-Bezirksvorstandes Weser-Ems in Oldenburg. In dieser Zeit habe ich die späteren Regierungsmitglieder des Landes Niedersachsen kennengelernt, unter anderem auch Gerhard Schröder (damals Juso-Bundesvorsitzender und späterer Niedersächsischer Ministerpräsident und Bundeskanzler) sowie meinen späteren Regierungspräsidenten Bernd Theilen (damals Jungsozialist und mein Kollege im Juso Bezirksvorstand Weser-Ems).

Zudem habe ich in dieser Zeit auch viele aktuelle und zukünftige Abgeordnete meiner Partei des Niedersächsischen Landtages und des Deutschen Bundestages persönlich gut kennengelernt (auch Abgeordnete anderer Parteien), deren Hilfe und Unterstützung ich bei meinen späteren Aufgaben als Personalrat auch häufiger in Anspruch nahm. In meiner Zeit als Juso-UB-Vorsitzender haben wir als Gremium (Vorstand) viele Aktionen angeschoben, die dann später von der Gesamtpartei auch in Programmen umgesetzt wurde Mit Vollendung des 35. Lebensjahres musste ich zwangsläufig meine Jobs als Juso satzungsgemäß aufgeben.

Anzumerken ist noch, dass mich Kirchturmpolitik nie sonderlich interessiert hat, sodass ich hier örtlich auch nur als Mitläufer in Erscheinung getreten bin. Die große Bundes-, Landes- und Weltpolitik war da schon wesentlich interessanter - und da habe ich, soweit dieses möglich war, in der Partei und in der Presse auch so manchen bissigen Kommentar abgegeben - und tue dieses heute immer noch.

Jugendreferent der AWO und der Jugendinitiative Brookmerland

Ab Frühling 1976 war ich 6 Jahre lang gewählter Jugendreferent der Arbeiterwohlfahrt (AWO) Brookmerland. In dieser Funktion war ich 6 Jahre verantwortlicher Leiter und Organisator der jährlichen Aktion „Ferien vor der Haustür", die von der Samtgemeinde Brookmerland finanziert wurden. Meine Aufgaben bestanden darin die einzelnen geplanten Aktivitäten für Kinder und Jugendliche auf die 6 Mitgliedsgemeinden der Samtgemeinde so organisatorisch zu verteilen, dass alle Ortschaften auch gleichmäßig bedient wurden. Um die Durchführung der einzelnen Maßnahmen auch zu gewährleisten, hatte ich auch einen großen Helferstab zur Hand (die auch dafür bezahlt wurden). Es fanden in den jeweiligen Sommerferien in allen Ortsteilen des Brookmerlandes Spielnachmittage statt (in der Regel zweimal wöchentlich), Halbtagesfahrten (jeweils Nachmittags), mehrere Ganztagsfahrten, Zeltlager (7 Tage lang), Discos und Filmabende (für Jugendliche - aber auch Erwachsene hatten an diese Filmabende Zutritt). An den Halb- und Ganztagsfahrten sowie an den Filmabenden kassierten wir von den Teilnehmern einen geringen Unkostenbeitrag.

Die Gesamtkosten einer solchen „Ferienaktion" (incl. der vorstehenden Unkostenbeiträge) incl. der Personalkosten beliefen sich in der Regel auf über 10.000 DM.

Diese Kosten wurden jeweils etliche Wochen vor Beginn der „Aktion" durch von mir gefertigte Kostenvoranschläge bei der Samtgemeinde Brookmerland eingereicht. Die Samtgemeinde fertigte darauf hin einen Bewilligungsbescheid an, und stellte mir das Geld für die Aktion zur Verfügung. Die Gesamtkosten einer solchen „Aktion" musste ich dann jeweils in einen umfangreichen Verwendungsnachweis bei der Samtgemeinde belegen. Nach Beendigung der jeweiligen „Aktion" habe ich für die Helfer noch eine Fete organisiert, damit diese Leute auch im nächsten Jahr wieder zur Verfügung standen.

Von meinem Arbeitgeber erhielt ich zur Durchführung einer solchen „Aktion" jeweils 4 Wochen Dienstbefreiung (unter Fortzahlung der Bezüge), weil es sich bei diesen Veranstaltungen um gemeinnützige und förderungswürdige Aktionen handelte, und mir zudem (zu meinen anderen Aufgaben) die Pädagogische Leitung dieser Veranstaltungen oblag.

Außerdem konnte ich zur Entlastung meiner Frau, unseren Sohn Horst an vielen dieser Veranstaltungen teilnehmen lassen (natürlich bei den kostenpflichtigen Veranstaltungen nicht zum Nulltarif), sodass er einerseits mit gleichaltrigen Kindern auch außerhalb der Kindergarten- und Schulzeit Kontakte hatte, und er zudem unter meiner Aufsicht stand.

Aus obigem Helferkreis, bestehend aus jungen Leuten der Region, entwickelte sich ab 1978 auch die **Jugendinitiative Brookmerland**, der ich als deren Jugendleiter (auf Initiative der örtlichen Politik) auch als gemeinnützigen Verein zu Anerkennung verhalf. Die Gemeinde stellte uns für diese Jugendarbeit auch etliche Räumlichkeiten zur Verfügung (für Discos, Filmabende, Versammlungen und dergleichen). Ebenfalls hatte ich als Jugendleiter dieser Initiative bei der Samtgemeinde Brookmerkand die Zuweisung eines geeigneten Jugendhauses beantragt, und deren weitere Planung und Ausgestaltung vorangetrieben, die dann nach meiner Zeit als Jugendleiter auch realisiert wurde. Nach ca. 2 Jahren Anschubarbeit habe ich Anfang 1980 meinen Job als Jugendleiter in andere Hände gelegt.

Zurück zu meiner Dienststelle

Auflösung der Regierungsexklave „Esenser Straße"

Zum 31. Dezember 1979 lief der Pachtvertrag der Regierungsexklave für die Villa in der Esenser Straße ab. Da durch die Verwaltungsreform auch die Dezernate 502 und 503 in Oldenburg konzentriert werden sollten, deutete sich schon Mitte 1979 an, dass diese beiden Dezernate binnen weniger Monate zweimal umziehen müssen (Umzug 1: Ende 1979 von der Esenser Straße zum Schlossplatz zurück, und Umzug 2: Am 1. Juli 1980 von Aurich nach Oldenburg).

Alle Bemühungen diesen Doppelumzug zu verhindern, scheiterten jedoch an der Oldenburger Behörde, da diese nicht in der Lage war, entsprechenden Büroraum rechtzeitig zur Verfügung zu stellen. Demzufolge ging dieser Doppelumzug auf Kosten der Kollegen, die diese Lasten (im wahrsten Sinne des Wortes) doppelt zu tragen hatten.

Ab Mitte 1979 machte sich in den Dezernaten der Regierungsexklave so etwas wie Wehmut breit, hatte man doch gemeinsam eine längere dienstliche und freundschaftliche Wegstrecke miteinander zurückgelegt.

Ende des Jahres 1979 kehrte ich also umzugsbedingt mit den Dezernaten 502 und 503 wieder ins Schloss zurück.

Personalratswahlen 1980

In meinen ersten Jahren meiner Zugehörigkeit zur Auricher Behörde habe ich erschreckend festgestellt, dass die

Personalentscheidungen der Behörde, in enger Abstimmung mit dem Personalrat, in vielen Fällen nicht schlüssig und somit nicht nachvollziehbar waren. Man konnte sich des Eindrucks nicht erwehren, dass es vielfach nur nach „Gunst und Gaben" ging und nicht nach „Eignung, Leistung und Befähigung". Aus diesen Gründen habe ich ab 1977 zusammen mit ein paar Mitstreitern bei der Regierung Aurich eine ÖTV-Betriebsgruppe aufgebaut. Durch meinen Dienstort in der Regierungsexklave „Esenser Straße" war es mir jedoch unmöglich, die Kolleginnen und Kollegen des „Schlossplatzes" für unsere Ideen zu begeistern, denn der Dienstbetrieb ließ es nicht zu, ständig während der Dienstzeit am „Schlossplatz" auf Stimmen- und Mitgliederfang zu gehen.

Nach unserem Umzug von der Esenser Straße zum Schlossplatz blieben uns also nur 2 ½ Monate Zeit zum Wahlkämpfen (und war man erst einmal viele Jahre aus den Augen der Masse der Kollegen verschwunden, ist es sehr schwer, diese für die eigene Wahl zu gewinnen – vor allen Dingen bei unserer Wahlkonkurrenz mit dem großmächtigen langjährigen Personalratsvorsitzenden von der DAG). Somit gingen wir als Gewerkschaftsliste „ÖTV" gehandicapt als krasser Außenseiter in die Personalratswahlen im März 1980 hinein.

Unser ÖTV Wahlergebnis für die die Personalratswahl für die Bezirksregierung Weser-Ems, Außenstelle Aurich (so hieß jetzt unsere Dienststelle) fiel dann auch entsprechend negativ aus. Mehr als ein Achtungserfolg war damals nicht drin.

Für die Wahl zum Gesamtpersonalrat der Bezirksregierung Weser-Ems fiel das Wahlergebnis für uns Auricher deutlich positiver aus. Unsere Auricher ÖTV-Betriebsgruppe war es für die ÖTV-Gesamtliste gelungen, unsere Auricher Kollegen dort gut zu platzieren (ein älterer langjähriger Kollege der Auricher Dienststelle, den ich wegen seiner Bekanntheit aus taktischen Gründen den Vortritt ließ, landete auf Platz 3 und ich auf Platz 5 der gemeinsamen ÖTV Angestelltenliste). Somit gewannen wir für den Gesamtpersonalrat ein Listenmandat bei der Gruppe der Angestellten, und in dieser Gruppe auch das Mandat des ersten Ersatzmitgliedes (das bei mir landete). Aus diesem Grunde war ich seinerzeit als erstes Ersatzmitglied unserer Gewerkschaftsliste an ca. die Hälfte aller Sitzungen des Gesamtpersonalrates der damals laufenden Legislaturperiode beteiligt.

Umzug der Dezernate 502 und 503 nach Oldenburg.

Ende Juni 1980 durfte dann mal wieder eingepackt werden, der Umzug der Dezernate 502 und 503 nach Oldenburg stand an. Am 1. Juli 1980 ging es mit Sack und Pack auf Reise nach Oldenburg.

Im Vorfelde dieses Umzuges ging es auch um Personalbewirtschaftungsfragen. Was wird mit wem ab dem 1. Juli 1980. Unser leitender Baudirektor des Dezernates 502 hat mich seinerzeit mehrfach gefragt, ob ich meinen Dienst in Oldenburg nicht fortführen wolle. Dieses habe ich jedoch jeweils dankend abgelehnt, weil mein privates Umfeld und auch mein politisches Handlungs- und Betätigungsfeld in meinem Heimatort und im Landkreis Aurich angesiedelt ist. Und jeden Arbeitstag 200 km zwischen Wohn- und Dienstort pendeln, wollte ich meiner Familie (mit 2 Kindern) und mir nicht antun.

Trotzdem wurde ich von der Auricher Dienststelle für etliche Wochen nach Oldenburg abgeordnet, um für einen reibungslosen Übergang meiner Aufgaben auf Oldenburger Bedienstete zu sorgen. Ein finanzieller Nachteil entstand mir nicht, da mir eine trennungsrechtliche Fahrkostenentschädigung (Kilometergeld) für die Dauer der Abordnung gezahlt wurde.

Mein Neuanfang bei der Außenstelle Aurich der Bezirksregierung Weser-Ems.

Am Montag, den 8. September 1980, nach meiner Oldenburger Stippvisite und meinem Urlaub (incl. meiner Dienstbefreiung für die Ferienaktion), kam der Neuanfang bei der Außenstelle Aurich der Bezirksregierung Weser-Ems. Mein Wunsch war, wieder in die Kasse (jetzt Regierungsbezirkskasse Aurich genannt) eingesetzt zu werden - was von der Dienststelle schon vor meinem Oldenburger Einsatz auch zugestimmt wurde. Somit meldete ich mich an diesem 8. September 1980 bei dem Kassenleiter zum Dienstantritt.

Mein dortiger Einsatz zur Einarbeitung war in der Buchhalterei 5 angesagt, und wie das Leben so spielt, in einem Büro, dass ich erst gut zwei Monate zuvor mit meiner damaligen Aufgabe Richtung Oldenburg verlassen hatte. Erst jetzt wurde mir so richtig deutlich, wie schnell sich das Personalkarussell seit Beginn der Bezirks- und Verwaltungsreform schon gedreht hatte. Viele bekannte Gesichter aus meiner Anfangszeit am Schlossplatz suchte man nun vergebens - waren scheinbar nach Oldenburg oder Osnabrück abgewandert. Dementsprechend gab es auch viele neue Gesichter zu bewundern, die erst vor kurzem ihren Job bei der Außenstelle Aurich aufnahmen. Doch dieses war erst die Spitze des Eisbergs, die große Verjüngungskur setzte erst um 1982 ein.

Andere ältere Kollegen, die ich noch aus meiner Anfangszeit am Schlossplatz kannte, waren jetzt in Dezernaten und auf Arbeitsplätzen zu finden, die man vormals nicht wahrgenommen hatte. Besonders betroffen waren davon die Besoldung, die Vorprüfstelle und die Innenrevision. Vormals war man in der Regel beständig auf einen Arbeitsplatz in einem Dezernat eingesetzt. Doch nach der Reform war nichts beständiger als der Wechsel.

Diese Rückkehr zum Schlossplatz war dann auch der Zeitpunkt die hausinterne Gewerkschaftsarbeit zu forcieren. Wenn wir auch bei der zurückliegenden Personalratswahl in Aurich einen Achtungserfolg erzielten, so wollten wir doch deutlich mehr. Was lag da also näher, als die 4 Jahre bis zur nächsten Wahl zu nutzen die interne Gewerkschaftsarbeit robuster und aggressiver zu gestalten - uns mit unserer Konkurrenz „in der Sache" anzulegen, deren Schwachpunkte vor allen Dingen in der Personalratsarbeit für jeden Bediensteten deutlich zu machen.

So kümmerten wir uns als ÖTV-Vertrauensleute, deren Sprecher ich war, seinerzeit offensiv um die undurchsichtigen Beförderungs- und Höhergruppierungskriterien der Dienststelle und des Personalrates. Wir thematisierten die nicht immer ausreichend zumutbare Unterbringungssituation der Kolleginnen und Kollegen. Ebenfalls prangerten wir die unzureichende Ausstattung mit sanitären Anlagen in allen Häusern des Standortes an. Außerdem thematisierten wir die Konzeption des Eingruppierungsrechts im staatlichen Kassenwesen (Kassentarifvertrag). Hier hatten die Kassen der Landesverwaltung erheblichen Nachholbedarf - auch unsere Regierungsbezirkskasse in Aurich.

Zurückkommend auf meine Einarbeitungsphase in der Buchhalterei 5, muss ich feststellen, dass ich dort eine lockere Mannschaft vorfand (bestehend aus 2 Kolleginnen und 3 Kollegen). Da für mich diese Aufgabe nun nicht ganz neu war, dauerte es auch nicht lange, bis man wieder voll im Geschäft war. Nachdem dann auch noch ein Kollege längerfristig erkrankte, übernahm ich bis Jahresende 1980 vollschichtig seine Arbeiten als Buchhalter in Vertretung.

Apropos lockere Mannschaft der Buchhalterei 5

In den arbeitstäglichen Freiräumen, die man sich gönnte, hatten wir auch viel Spaß miteinander. Ich kann mich noch gut daran erinnern, dass wir einen Leiter einer anderen Buchhalterei mal einen kräftigen Schreck verpasst haben, als er bei uns Vertretungsarbeit verrichtete. Wir hatten eine unserer Kolleginnen in einem Umzugskarton gesteckt, und diesem bei unserem Buchhaltereileiter auf seinen Aktenkleiderschrank heraufge-wuchtet. Nachdem die Vertretungskraft ins Büro kam, wurde dieser Umzugskarton so langsam aber stetig lebendig (erst durch Kratzgeräusche, dann durch undefinierbare Laute). Wir nahmen befriedigt durch heimliche Beobachtung zur Kenntnis, dass dem Kollegen nicht ganz wohl war in seiner Haut. Er fragte uns, ob es hier im Büro Mäuse gibt? Zwischenzeitlich hatte unsere Kollegin ihren Kopf aus dem Umzugskarton heraus gesteckt, und sagte: „Die Maus sitzt hier oben". Dann brachen wir alle in ein Gelächter aus, und befreiten unsere Kollegin von ihrem Hochsitz.

Dann gab es noch den medizinischen Schaukasten, der auf dem Aktenboden abgestellt war (direkt neben unseren Altakten). Thema dieses Schaukastens waren die Geschlechtskrankheiten bei Männern und Frauen. Teilweise waren diese Schaustücke in Spiritus eingelegt, teilweise zum Anfassen präpariert - auch die von schwerer Krankheit befallenen Geschlechtsorgane - sowohl männlich als auch weiblich (also etwas für hartgesottene Leute, denen sich nicht gleich der Magen umdrehte). Wir sahen unsere Aufgabe darin, diese Schaustücke den Berufsanfängern (sowohl männlich als auch weiblich) als abschreckende Beispiele zu präsentieren. So manch einer dieser Kollegen war anschließend ein bisschen blass um die Nase, und ans Essen war an diesem Tage wohl nicht mehr zu denken.

Weihnachtsfeier 1980

Die Weihnachtsfeier 1980 im Kreise der Buchhalterei 5 war ne Wucht. Unsere Kolleginnen hatten für Kaffee und Kuchen gesorgt, und wir Herren der Schöpfung für die flüssigen Köstlichkeiten. Zudem hatte ein Kollege Fernseher, Videorecorder und „muntere" Filme mitgebracht. Es war eine rundherum gelungene und gemütliche Feier - nur, das weihnachtliche kam wie immer bei solchen Anlässen zu kurz. Aber was soll`s – Hauptsache alles heil überstanden.

Umsetzung in die Buchhalterei 4

Ab Anfang Januar 1981 wurde ich dann als Buchhalter in die Buchhalterei 4 umgesetzt. Dort übernahm ich eigenverantwortlich die Aufgabe „Liegenschaften – Mieten, Pachten" und die Zusammenstellung der arbeitstäglichen Einnahmen für die gesamte Buchhalterei. Auf meinem Wunsch wurde mir als Büro ein Einzelzimmer zugewiesen.

Bewerbung um eine höherwertige Tätigkeit.

Zum 1. Januar 1982 wurde in der Buchhalterei 8 ein nach BAT Vc dotierter Arbeitsplatz ausgeschrieben, Dieser Arbeitsplatz umfasste Kapitel 0511 (Einnahmen der allgemeinen Verwaltung), die Einnahmen aus Ordnungswidrigkeiten im Güterkraftverkehr sowie die Überwachung des Kontos „Verwahrungen".

Auf diese Stelle habe ich mich dann auch umgehend beworben. Der Kassenleiter teilte mir nach Ende der Bewerbungsfrist mit, dass er für mich eine Beurteilung zu erstellen hat. Kurze Zeit später wurde ich zur Eröffnung der Beurteilung zum Kassenleiter gerufen. Dort stellte ich mit Zufriedenheit fest, dass er mir eine gute Leistung attestierte. Zusammenfassend endete diese Beurteilung mit der Bewertung „gut und besser". Soweit ich mich erinnere, musste ich auch dafür unterschreiben, dass mir die Beurteilung eröffnet wurde.

In den anschließenden Auswahlverfahren obsiegte ich gegen etliche Mitbewerber. Der neue Arbeitsplatz in der Buchhaltung 8 wurde mir von der Dienststelle übertragen, und nach 6 Monaten Probezeit wurde ich auch nach Vc BAT bezahlt.

Ich übernahm somit einen Arbeitsplatz der es „in" sich hatte. Der rechnerische Jahresabschluss 1981 war noch nicht getätigt, der Arbeitsplatz wies eine große Anzahl von „roten Kassenresten" auf, die vielfach schon Jahre zurück datiert waren (also Zahlungs-eingänge, die nicht in Annahmeanordnungen zu finden waren, und wo auch nicht geklärt war, ob die Regierungsbezirkskasse überhaupt Empfangsberechtigter dieser Gelder war). Mit einem Satz gesagt: „Der Arbeitsplatz ist über etliche Jahre schlampig bearbeitet worden".

Diese ganzen Fehler und den fehlenden Jahresabschluss 1981 während der arbeitstäglichen Dienstzeit aufzuarbeiten, war wegen des täglich aktuellen großen Arbeitsaufkommens nicht möglich (im Gegensatz zu meinem ersten Kasseneinsatz im Jahre 1970 - damals hatte man gleich nach der Mittagspause sein Arbeitspensum erledigt). Somit vereinbarte ich mit dem Chef, dass ich während meines Jahresurlaubs diese Abschluss- und Nachforschungsaufgaben bei mir privat zu Hause erledigen kann (was natürlich nicht den Sicherheitsbestimmungen der Kasse entsprach - doch dieses hatte ich nicht zu verantworten).

An meinem letzten Arbeitstag, vor Beginn meines Urlaubs von 4 Wochen, habe ich zusammen mit meinem Buchhaltereileiter etliche Meter mit Akten (Einnahmebelege, Annahmeanordnungen und Listen mit den „normalen" Kassenresten aus dem Haushalts-jahr 1980 und die Listen mit den „roten" Kassenresten aus den Vorjahren) in meinen PKW verstaut. Des Weiteren wurde mir eine große Rechenmaschine mit etlichen Rollen an Rechenstreifen zur Verfügung gestellt.

Meine Familie war über diese Heimarbeit während meines Urlaubs nicht unbedingt begeistert, akzeptierten dieses jedoch, weil ich dadurch über etliche Monate eine Menge an abendlichen Überstunden sparte, die zudem von der Behörde nicht bezahlt wurden.

Etliche Tausend Einnahmebelege waren mit den Annahmeanordnungen und den „normalen" Kassenrestelisten abzugleichen und durch abhaken auf den Rechenstreifen und in den Listen kenntlich zu machen. Bei dieser Gelegenheit wurden schon eine Reihe von Fehlbuchungen festgestellt (wofür ich gleichzeitig, um diese bei dem Wust an Umbuchungen nicht zu vergessen, die Umbuchungsanordnungen fertigte). Bei dieser Gelegenheit stellte ich dann zudem fest, dass in den Annahmeanordnungen Beträge als bezahlt ausgestempelt wurden, obwohl der eingegangene Zahlungsbetrag mit dem in der Annahmeanordnung nicht identisch war (obwohl der Zahlungsgrund stimmte). Nach etlichen Vergleichsrechnungen per Rechenstreifen (um bei den vielen tausend Zahlen nicht irgendwo durch Zahlendreher einen Bock geschossen zu haben) konnte ich, sobald die von mir gefertigten Umbuchungsanordnungen maschinell nach Beendigung des Urlaubs getätigt waren, den erfolgreichen Jahresabschluss für meinen neuen Arbeitsplatz feststellen.

Alleine diese vorstehenden Prüfungen haben ca. 2 Wochen in Anspruch genommen (bei mehr als 8 Stunden Arbeit täglich). Nun galt es noch die Kassenrestelisten zu schreiben, und deren Endbeträge abschließend mit den Beträgen des Jahresabschlusses zu vergleichen - zufrieden stellte ich fest, dass diese Arbeit sich gelohnt hatte - die Schlussrechnung stimmte.

Alle Arbeiten aus dem getätigten Jahresabschluss die jetzt noch zu erledigen waren (hunderte von Mahnschreiben an säumige Zahler, und die Aufklärung der langen Liste mit „roten" Kassenresten), konnten wegen der hohen Portokosten nur während der Dienstzeit nach meinem Urlaub in Angriff genommen werden.

Nach Beendigung meines Urlaubs wurden sofort die diversen Umbuchungen maschinell getätigt. Danach konnte der Kassenleiter feststellen, dass der Jahresabschluss 1981 der Regierungshauptkasse Aurich rechnerisch stimmte. Zur Fertigung der hunderter von Mahnschreiben wurde mir vom Kassenleiter eine Mitarbeiterin zur Verfügung gestellt. Da auch unser damaliger Regierungspräsident in Oldenburg zu den säumigen Zahlern gehörte, fragte ich beim Kassenleiter an, ob auch dieser „Schuldner" gemahnt werden sollte. Klare Anweisung des Kassenleiters: „Natürlich, auch der Regierungspräsident macht hier keine Ausnahme. Zahlt er nicht, wird auch er mit einer Mahnung bedacht".

Ein Problem blieben aber die „roten" Kassenreste. Alle Einzahler dieser Beträge wurden, soweit wir deren Anschriften im Wege der Amtshilfe bei den Gemeinden und den überweisenden Banken ermittelt werden konnten (und das waren leider die wenigsten - in der Regel bekamen wir nach längerer Zeit die Info, dass diese Leute unbekannt verzogen bzw. verstorben waren), angeschrieben und nachgefragt, ob die Regierungshauptkasse überhaupt Zahlungsempfänger des überwiesenen Betrages ist, wenn ja, ob man uns unser Kassenzeichen noch mitteilen könne. Auf diesem Wege konnten zwar etliche „rote" Kassenreste geklärt werden, jedoch die Masse blieb uns als Problem erhalten.

Somit entschloss sich der Kassenleiter mit diesen „roten" Kassenresten besonders umzugehen. Er erteilte mir die Weisung, eine nochmalige Nachforschung nach den Einzahlern bei den Kommunen und Banken zu starten (die jedoch überhaupt nicht begeistert waren, und mir auch entsprechende Kommentare übermittelten). Sollte diese Ermittlung wieder im Sande verlaufen, sollten diese „roten" Kassenreste auf Altschuldner umgebucht werden, wo ebenfalls die Anschrift nicht mehr zu ermitteln bzw. die Personen verstorben waren (diese Praxis entsprach zwar nicht den kassenrechtlichen Vorschriften, doch der Kassenleiter nahm dieses durch seine Anweisung auf seine Kappe).

Die ersten diesbezüglichen Umbuchungsanordnungen ließ ich mir jedoch vom Kassenleiter abzeichnen, denn dieser Weg war doch etwas „unnatürlich". Später erteilte der Kassenleiter mir die Weisung diese Umbuchungen eigenständig zu praktizieren. Dieses ließ ich mir natürlich schriftlich bestätigen.

Diese Umbuchungen und auch die Mahnungen an den Regierungspräsidenten wurden nach der schweren Erkrankung des Kassenleiters (schwerer Schlaganfall mit Verlust des Gedächtnisses über mehrere Jahre hinaus) von seinem Vertreter und späteren neuen Kassenleiter widerrufen.

Doch nicht nur das - ich wurde von dem neuen Kassenleiter und seinem Vertreter auch noch verdächtigt, hier eigenmächtig gehandelt zu haben. Selbst die von mir vorgelegten Umbuchungsanweisungen, unterzeichnet von dem alten Kassenleiter, und die schriftliche Bestätigung der Weisung des alten Kassenleiters, besänftigte diese „feinen" Herrschaften nicht.

Da dies nunmehr eine Frage der Ehre für mich war, habe ich beiden „Großkopferten" gehörig meine Meinung in nicht gerade sanftem Tonfall gegeigt. Ich habe darauf bestanden, dass dieser Vorfall aufgeklärt wird - vor allen Dingen auch deshalb, weil die neue Kassenleitung die Weisungen des alten Kassenleiters kannten, und damals in ihrer Eigenschaft als stellv. Kassenleiter und als Oberbuchhalter die entsprechenden Weisungen des alten Kassenleiters nicht widersprachen.

Diese Aufklärung hat zwar etwas länger gedauert, aber nach seiner Genesung hat der vormalige Kassenleiter klar Schiff gemacht, und deutlich hervorgehoben, dass ich in meiner Arbeit mich eindeutig nach seinen Weisungen gerichtet habe, alle Verdächtigungen seien an den Haaren herbeigezogen! Damit war ich rehabilitiert!?

Festzustellen bleibt jedoch, dass die neue Kassenleitung und auch die Dienststelle sich wegen dieser unberechtigten Verdächtigungen bei mir nicht entschuldigt haben! - Ja, dass war die vollendete Beamtenmentalität in der Führungsetage der Dienststelle! Für diese beiden genannten „Kassen-Kanaillen" hatte ich im Jahre 1982 nicht meinen Jahresurlaub geopfert.
Dieses war ich damals meinem neuen Arbeitsplatz schuldig, um nicht über viele Monate viele Überstunden machen zu müssen, und

wegen meines alten Kassenleiters, der mich seinerzeit freundlich darum gebeten hat, hier eine Sonderschicht während meines Urlaubs einzulegen.

Meine vorstehende Beurteilung vom Kassenleiter - und was daraus wurde.

Etliche Jahre nach der vorstehenden Beurteilung des Kassenleiters, zwischen- zeitlich war ich für meine Wahlämter als Personalrat und Vertrauensmann der Schwerbehinderten schon voll vom Dienst freigestellt, bewarb ich mich um eine ausgeschriebene Bewährungsaufstiegsstelle nach BAT Vb. Nach Abschluss der Bewerbungsfrist wurde mir von der Dienststelle mitgeteilt, dass man mit meiner Bewerbung ein Problem hatte. Nach deren Auffassung läge meine letzte Beurteilung aus 1974 zu lange zurück, und für eine Neubeurteilung käme ich auf Grund meiner Vollfreistellung nicht mehr in Frage.

Diese Aussage der Dienststelle konnte ich jetzt nun überhaupt nicht nachvollziehen. In einem Gespräch teilte ich dem Außenstellenleiter mit, dass ich Ende 1981 im Zuge einer Stellenausschreibung in der Kasse mit „gut und besser" beurteilt wurde, und mir aus diesem Grunde auch die ausgeschriebene Stelle gegenüber den Mitbewerbern übertragen wurde. Zu diesem damaligen Auswahlverfahren konnte der Außenstellenleiter keine Aussagen treffen, weil er zu diesem Zeitpunkt noch in der Oldenburger Behörde seinen Dienst verrichtete. Mein Chef sagte mir jedoch verbindlich zu, sich diese Sache anzunehmen.

Aus Befangenheitsgründen war es mir seinerzeit untersagt an der entscheidenden Personalratssitzung teilzunehmen, als es darum ging, wer bei der vorstehenden Stellenausschreibung im Wege des Mitbestimmungsverfahrens das Rennen macht. Somit kannte ich weder die einzelnen Beurteilungen der Mitbewerber noch die Votierung des Gremiums. Mir wurde vom Personalrat lediglich mitgeteilt, dass die Dienststelle mich für die Besetzung der ausgeschriebenen Stelle im Wege „der logischen Sekunde" vorgeschlagen hat, und dass der Personalrat dem zustimmte („logische Sekunde" bedeutet, dass vollfreigestellte

Personalratsmitglieder solche und ähnliche ausgeschriebenen Stellen „logisch eine Sekunde" antreten, um somit die Stelle für einen Mitbewerber gleich wieder frei zu machen - damit soll verhindert werden, dass freigestellte Personalratsmitglieder von ihren Wahlämtern zurücktreten müssten, um an Beförderungs- und Höhergruppierungschancen in der Behörde / Dienststelle teilzunehmen).

Kurze Zeit später habe ich bei der Dienststelle die Einsichtnahme in meine Personalakte beantragt, denn ich wollte wissen, was nun aus meiner Beurteilung von Ende 1981 geworden ist, und welche Rolle diese bei der vorstehenden Stellenausschreibung spielte. Die beantragte Einsichtnahme fand in Gegenwart einer Kollegin aus der Personalabteilung statt. Ich habe festgestellt, dass die fragliche Beurteilung sich tatsächlich **nicht** in meiner Personalakte befand!

Daraufhin habe ich den Außenstellenleiter in vorstehender Angelegenheit nochmals kontaktiert und gefragt, was denn nun mit meiner fraglichen Beurteilung sei (ich wollte den Stand der Angelegenheit erfahren). Er hat mir versichert, dass er alle Möglichkeiten ausgeschöpft habe, um den Verbleib meiner Beurteilung zu ergründen - doch Fehlanzeige. Bezüglich der fraglichen Personalentscheidung habe er auf die 1981iger Synopse zurück gegriffen, und daraus seine Entscheidung konstruiert, so damals der Außenstellenleiter.

Später erfuhr ich von der Dienststelle, dass mein ehemaliger Kassenleiter gegenüber dem Außenstellenleiter glaubhaft versichert habe, dass er diese fragliche Beurteilung mit der Benotung „gut und besser" für mich gefertigt habe, und dass diese auch an die Dienstellenleitung gegangen ist. Er konnte sich sogar daran erinnern, dass er seinerzeit die Bewertung meiner Beurteilung der Dienstelle telefonisch vorab mitgeteilt habe.

Fakt ist jedoch, dass diese fragliche Beurteilung in Schriftform immer noch fehlt!

Jetzt kann man sich die Frage stellen, ob diese verschwundene Beurteilung „Zufall" ist? Wer vorstehende Texte jetzt aufmerksam gelesen hat, wird wie ich zu der Schlussfolgerung kommen, dass es hier scheinbar einige Zufälle zuviel rund um meine Person zu vermelden gab. Hier kann man meines Erachtens schon von einem „System" ausgehen.

Zurück zu 1982…

Der Tod meines Vaters

Der Tod meines Vaters nach schwerer Krankheit in seinem siebzigsten Lebensjahr im April 1982 war und ist für mich schmerzlich - doch sterben müssen wir alle einmal. Somit ist diese Meldung hier in meiner Dienststellenbiographie eigentlich fehl am Platze. Doch da gibt es eine Begebenheit in Zusammenhang mit einem führenden Bediensteten der Auricher Behörde / Dienststelle, der aus einer Todesmeldung eine mysteriöse Geschichte macht.

Irgendwann im Herbst des Jahres 1982 oder 83 (das genaue Jahr weiß ich nicht mehr - das Datum habe ich mir leider nicht notiert) begegnete ich auf unserem Schlossplatzareal unserem vormaligen Verwaltungsrat (dem allmächtigen Personalchef) unserer Behörde / Dienststelle, der sich zu diesem Zeitpunkt schon in Ruhestand befand. Nach ein paar Freundlichkeiten die man bei solchen Treffen nach längerer Zeit so miteinander austauscht, fragte er mich unvermittelt, ob mein Vater verstorben sei? Diese Frage habe ich kurz und knapp und ohne weitere Erklärung mit „Ja" beantwortet. Danach unterhielten wir uns über „Gott und die Welt". Und dann kommt von meinem Gegenüber die Frage, die mich beinahe aus den Pantinen kippte: **„Ist ihr Vater wirklich gestorben?"** (wobei er das „wirklich" besonders betonte) Nachdem ich diese Frage nochmals mit „Ja" beantwortete, hatte ich so den Eindruck, dass sich seine Gesichtszüge merklich entspannten. Ganz locker wünschte er mir darauf „noch gute Verrichtung", und ließ mich mit meinen bohrenden Gedanken einfach so stehen.

Was hatte diese nochmalige Nachfrage nun zu bedeuten? Für mich stand nach vorstehender Unterredung definitiv fest, dass mein

Vater und der ehemalige Personalchef der Behörde sich gekannt haben müssen. Von meinem Vater, und auch aus meiner eigenen Erfahrung wusste ich, dass viele ehemalige Nazis wieder in den Behörden und Dienststellen des Landes aktiv ihren Dienst verrichteten. Gehörte der Verwaltungsrat also zu den ehemaligen Kunden meines Vaters, die nach dem Kriege das Entnazifizierungsverfahren über sich ergehen lassen mussten? Vom Geburtsjahrgang des Verwaltungsrats her war dieses gut möglich. Doch Namen hat mein Vater mir nie genannt (waren auch in seinen handschriftlichen Aufzeichnungen, die er sich über diese damalige Zeit gemacht hatte, nicht zu finden). Mein Vater hat mich auch Zeitlebens nie in meiner Beschäftigungsbehörde besucht - somit konnte auch ein Kontakt zwischen den beiden in der Zeit vom 1. April 1970 bis zu seinem Tode ausgeschlossen werden.

Wenn jemand stirbt, den man nur am Rande gekannt hat. nimmt man dieses nur zur Kenntnis (nicht mehr und nicht weniger). Hat man diesen Verstorbenen (ohne verwandtschaftliche Bindung) näher gekannt, trauert man kurz, um dann wieder zur Tagesordnung über zu gehen, oder (und auch das ist menschlich) man freut sich bzw. stellt zufrieden fest, dass der „Quälgeist" das zeitliche gesegnet hat – und damit ist der Fall erledigt, da wird nicht noch gezielt bei den Angehörigen nachgefragt, um eventuell noch „schlafende Hunde zu wecken".

Bei diesem beschriebenen mysteriösen Verhalten des Verwaltungsrats, dass alles andere als freundschaftlich gesinnt war, muss ich davon ausgehen, dass er vielleicht sogar entscheidend daran mitgewirkt hat, dass mein Image in der Behörde / Dienststelle negativ beeinflusst wurde (siehe auch die Vorgeschichte, wo ich immer mal wieder direkte und indirekte Berührungspunkte mit dem Verwaltungsrat hatte). Wer solche pietätlosen Fragen stellt, wie bei dem fraglichen mysteriösen Gespräch, der ist auch zu anderen fragwürdigen Dingen gegen unliebsame Personen durchaus in der Lage.

In diesem Zusammenhang muss man wissen, dass viele Führungspositionen der Auricher Behörde / Dienststelle mit Mitgliedern des Beamtenbundes besetzt waren, also mit Personen einer Standesorganisation, denen linke aktive Parteipolitiker und

Gewerkschaftler des Deutschen Gewerkschaftsbundes sowieso ein Dorn im Auge sind. Ebenfalls muss man wissen, dass der Beamtenbund seine Nazi-Vergangenheit nie aufgearbeitet hat – man trauert immer noch der vergangenen Wiederherstellung des Berufsbeamtentums und der Gleichschaltung des öffentlichen Dienstes nach, die durch das alliierte Kontrollratsgesetz Nr. 1 betreffend die Aufhebung von NS-Recht vom 20. September 1945 aufgehoben wurde.

Man war als Beamter „auf dem Papier" nun nicht mehr der bessere und angesehene Mensch, der sich durch seine Stellung aus der Masse der Arbeitnehmerschaft hervorhob. Doch diese Tatsache machte sich in der täglichen Behördenpraxis nicht bemerkbar. Man war immer noch im Dritten Reich stehen geblieben - auch durch die vielfältigen personellen Kontinuitäten in der neuen Bundesrepublik (die auch nachhaltig auf nachfolgende Beamtengenerationen abfärbten - wie z. B. durch Beamte in Positionen wie der fragliche Verwaltungsrat). Das heißt, eine Vielzahl von Beamten hat bis Heute nicht begriffen, dass sie keine unangefochtene elitäre Truppe mehr sind, die definiert, was Recht ist, und was nicht - und auf Angestellte des öffentlichen Dienstes überheblich mitleidig herunterblicken!

Somit wundert es auch nicht, dass ich mit etlichen dieser Kollegen in der Auricher Behörde / Dienststelle seit meiner Einstellung am 1. April 1970 bis zu meiner Verrentung am 31. Dezember 2011 einen verbalen Kleinkrieg wegen meiner aktiven Gewerkschafts- und Parteiarbeit führte (wobei ich durchaus einräume, dass ich hier aus tiefer Überzeugung, und aus den gemachten Erfahrungen, auch immer gerne mitgeholzt habe - um Wechselgeld war ich nie verlegen). Dazu an anderer Stelle mehr.

Persönliche Beleidigungen an den „schwarzen Brettern" der Behörde.

Im Jahre 1982 wurden Gewerkschaftsveröffentlichungen der ÖTV an den „schwarzen Brettern" der Auricher Dienststelle regelmäßig mit persönlichen Beleidigungen gegen unsere Mitglieder anonym beschmiert. Trotz unserer Bitte, hat die Dienststelle damals nichts gegen deren Urheber unternommen, obwohl jedermann wusste, wer dahinter steckte. Somit haben wir damals eine Anzeige „gegen Unbekannt" bei der Staatsanwaltschaft Aurich gestartet. Das Verfahren wurde zwar eingestellt, aber fortan hörten diese Schmierereien auf.

Das legendäre Auricher Gartenfest und seine Vorgeschichte

Ende April 1982, vor Beginn meines Resturlaubs aus dem Vorjahr, hatte ich als Ersatzmitglied einen Sitzungstermin beim Gesamtpersonalrat der Bezirksregierung Weser-Ems in Oldenburg. Urlaubs- und krankheitsbedingt nahmen aus der Außenstelle Aurich nur der damalige Personalratsvorsitzende und ich an dieser Sitzung teil. Damals war es so üblich, dass auch die Personalratsmitglieder mit dem Dienstwagen mit Fahrer zu auswärtigen Terminen gefahren wurden (somit fuhr ich Morgens mit dem Bus von Marienhafe nach Aurich, denn abends wurde ich mit dem Dienstwagen bis zur Haustür gefahren - und das war auch gut so).

Nach Beendigung der GPR-Sitzung ging es wieder nach Aurich. Doch auf der Rückfahrt gab es nun mal bestimmte Kneipen, an die der damalige Personalratsvorsitzende (ebenfalls Angestellter und auch Parteigenosse) nicht vorbei kam - da musste jeweils unbedingt eine Bierpause eingelegt werden.

Dem Personalratsvorsitzenden war bekannt, dass ich in der Regierungsbezirkskasse Aurich 1980 und 1981 die dortigen Dezernatsausflüge organisiert hatte, ferner wusste er als Parteipolitiker, dass ich im Auftrage der Samtgemeinde Brookmerland nebenamtlich seit etlichen Jahren die dortige Jugendarbeit leitete - dass ich also ein Typ bin, der sich sehr für Gemeinschaftsveranstaltungen einsetzt.

Nachdem wir nun in der Bierpause schon etliche „halbe" getrunken hatten, fragte er mich, ob wir bei der Auricher Dienststelle nicht auch einmal im Jahr eine Gemeinschaftsveranstaltung für alle Mitarbeiter durchführen sollten, denn schließlich müssten wir unseren Bediensteten auch mal Abwechslung von der täglichen Arbeit bieten. Anschließend philosophierten wir über die Möglichkeiten einer solchen jährlichen Veranstaltung. Abschließend bat er mich doch mal ein Konzept für solche Veranstaltungen anzufertigen.

Am nächsten Morgen stand der Personalratsvorsitzende bei mir im Büro schon wieder auf der Matte, und fragte, ob ich mir schon Gedanken über eine Gemeinschaftsveranstaltung gemacht hätte. Da diese ganzen wirren Überlegungen des Vortages aus einer „Bierlaune" heraus entstanden, habe ich diese auch nicht unbedingt ernst genommen. Da er nun ja wusste, dass ich in den nächsten Tagen in Urlaub gehe, bat er mich ihm möglichst umgehend ein schriftliches Konzept über eine Gemeinschaftsveranstaltung für alle Bediensteten der Auricher Außenstelle zu unterbreiten, damit er dieses dem Personalrat zur Abstimmung vorlegen könne. Dieser Bitte bin ich auch nachgekommen, die der Auricher Personalrat dann Anfang Mai per Beschluss umgesetzt hat. Als Ort des Gartenfestes hatte ich das große gepflasterte Rondell (in der Mitte mit einen vor wenigen Jahren neugepflanzten Baum und einem Rosenbeet drum herum) zwischen Schloss und Schlösschen auserkoren - die Dienststelle erteilte dafür „grünes Licht", sodass der auch als Veranstaltungsort vom Personalrat und Dienststelle gemeinsam abgesegnet wurde. Fester Bestandteil meines Konzeptes. war die Integration unserer Rentner und Pensionäre, die jeweils ab 15 Uhr noch zusätzlich zu Kaffee und Kuchen einzuladen waren (natürlich ohne Selbstkostenbeteiligung). Das Auricher Gartenfest, welches kurze Zeit später schon als legendär bezeichnet wurde, war geboren.

Nach meinem Urlaub habe ich auf Bitten des Personalratsvorsitzenden mich um die Einzelheiten der inzwischen genehmigten Veranstaltung gekümmert. Von der Stadt Aurich wurde die große überdachte und von drei Seiten geschlossene Veranstaltungsbühne, die wir ab 1982 als Tanzbühne und ab 1992 noch zusätzlich als Aufführungsbühne nutzten, kostenfrei zur Verfügung gestellt (ab dem Jahre 2000 war diese Einrichtung jedoch Geschichte, denn dem damaligen Personalrat interessierte scheinbar diese kostenfreie Bühne als Tanz- und Aufführungsort nicht mehr). Der Festplatz wurde ab 1982 weiter bestückt mit zwei

Schankwagen (ab 1992 ein normaler Schankwagen und ein Schankwagen mit integrierter überdachter Sitzmöglichkeit mit Festzeltgarnituren) und einem Getränkepavillon (Ossistand genannt - für spezielle hochprozentige Köstlichkeiten). Des Weiteren wurde für das leibliche Wohl eine Grillstation und für die Musik auf der Bühne ein Alleinunterhalter eingeplant.

Das erste Gartenfest fand dann Anfang September 1982, nach Beendigung der allgemeinen Urlaubszeit statt. Mir war es jedoch sowohl 1982 als auch 1983 wegen wichtiger unaufschiebbarer parteipolitischer Termine nicht vergönnt, an diesen genannten beiden Gartenfesten teilzunehmen. So war es mir auch nicht vergönnt zu sehen, wie der damalige Außenstellenleiter bei einem wilden Tanz auf der Bühne das Gleichgewicht verlor, und kopfüber ins Rosenbeet landete - bis auf ein paar Schrammen, die anschließend weggespült wurden, blieben keine Schäden zurück. Ein Kollege, der zu Hilfe eilte, aber scheinbar nicht wusste, wen es da von der Bühne gefegt hatte, soll (wie erzählt wurde) den Chef aus der misslichen Lage befreit haben - als er jedoch bemerkte, wem er geholfen hat, soll er lakonisch angemerkt haben: „Hätte ich gewusst, dass der es ist, hätte ich ihn im Rosenbeet liegen gelassen".

Ab dem Gartenfest 1984 war ich jedoch voll in den Geschehnissen eingebunden, wobei ich das 1984iger Gartenfest noch zusätzlich dazu nutzte, mir die einzelnen Angebote und deren Abläufe näher zu betrachten, um nach Verbesserungsmöglichkeiten zu suchen. So fiel mir beispielsweise auf, dass viele jüngere Kolleginnen und Kollegen (und davon hatten wir zwischenzeitlich sehr viel bei der Außenstelle Aurich beschäftigt) sich langweilten, weil einerseits die Musik des Alleinunterhalters auf der Bühne nicht gefiel, und andererseits der Kontakt zu den älteren Kollegen noch nicht so funkte. Hier musste also eine Änderung des Konzeptes für das Gartenfest her.

Somit hatte ich für das Gartenfest 1985 die Installation einer Disco und einer Sektbar im Personalrat durchgesetzt. Die Dienststelle stimmte dieser Planänderung zu, und stellte uns die Kellerräume des Schlösschens zur Dauernutzung zur Verfügung (somit hatten wir auch gleich sichere Aufbewahrungsräume für die eigenen

Gartenfestutensilien). Gleichzeitig hatte ich mich bereiterklärt, den Job des DJ zu übernehmen und auch für die Sicherheit und Ordnung während des Gartenfestes für die Disco und für die direkt angrenzende Sektbar zu sorgen (die von der Dienststelle dem Personalrat zur Auflage gemacht wurde).

Disco bei der Jahresabschlussfete 1993 - kurz vor dem Start (die Deckenbeleuchtung brannte noch). Ein Kollege begutachtete fachmännisch die aufgebaute Musikanlage mit den leistungsstarken Bose-Boxen.

Die Kellerräume (mit Gewölbedecken) des Schlösschens wurden für das Gartenfest 1985, nachdem die Dienststelle diese Räumlichkeiten noch mal von einem Maler überstreichen ließ, vorbereitet und „kunterbunt" geschmückt. Die Disco-Anlage des Landkreises, die mir aus der Brookmerländer Jugendarbeit gut bekannt war, wurde ausgeliehen, aufgebaut - und ab ging die Post. Für die fußkranken Kolleginnen und Kollegen gab es in

Disco und Sektbar auch ausreichend Sitzmöglichkeiten (mittels Festzeltgarnituren). Das war nunmehr das erste Gartenfest, das am kommenden Tag mit Dienstbeginn um 6 Uhr endete (was bis incl. 1995 dann die Regel war). Diese von mir konzipierte Neugestaltung des Gartenfestes hatte sich -bis auf die Musik des Alleinunterhalters- bestens bewährt.

Gartenfest 1993 - ein wenig spöttisch grinsend und einen lockeren Spruch auf den Lippen - so wurde der nächste Song angekündigt.

Und so sollte es in den kommenden Jahren auch weitergehen. Disco und Sektbar wurden ausgebaut - die Wände vertäfelt (weil der Putz bröckelte, und wir unseren Kollegen nicht zumuten wollten sich ihre Kleidung auch noch zu verschmutzen) und anschließend von der Malschule des Gymnasiums Aurich mit Motiven bemalt. Für den DJ wurde eine Box geschaffen, damit ich die Musikanlage, meine Schallplatten und meine CDs auch sicher unterbringen konnte. Die Decken wurden mit Tarnnetzen verhangen (die anfangs von der Bundeswehr Aurich ausgeliehen wurden - zum Gartenfest 1992 hatten wir uns diese Netze aus Halle in Sachsen-Anhalt besorgt, sodass diese sich nunmehr im Besitz des Personalrats befanden) und mit bunten Lichterketten dekoriert, die von meinem Pult aus geschaltet werden konnten (bis hin zum Tanz in absoluter Dunkelheit).

Hinzu kamen Hitparaden, die vorher in den Büros abgestimmt wurden (um die Kollegen für das Fest anzuheizen). Neben der jährlichen großen Tombola (mit Sachpreisen wie Reisen, Fernseher, Fahrräder und vieles mehr >alles von Auricher Firmen gespendet<, gab es auch bei den Hitparaden in der Disco etwas zu gewinnen.

Apropos Tanz bei absoluter Dunkelheit: Wenn man als DJ viele Stunden in einem spärlich beleuchteten Raum Musik macht, sind die Augen an diese Dunkelheit gewöhnt. Durch den verwinkelten Zugang von der Sektbar zur Disco drang zusätzlich noch immer etwas Restlicht, sodass ich schemenhaft alles bestens überblicken konnte… Aber der stille Genießer denkt und schweigt - und so soll es auch hier bleiben.

Auch der Festplatz im Rondell wurde mit den Jahren erheblich ausgebaut. So schafften wir uns ab 1992 einen großen bunten Freiluftstern aus Lichterketten an. Das heißt, wir beschafften uns eine Mittelachse, bestehend aus einem 8 Meter langen Aluminiummast mit Befestigungsmöglichkeiten für 8 ca. 12 Meter lange Lichterketten und eine Schalttafel für die Stromzufuhr. Dieser Aluminiummast kam in eine 1 Meter tiefe Bodenhülse und wurde zudem mit vier weiteren Spanndrähten an die innere Abgrenzung des Rondells (an der Begrenzung des Rosenbeetes) befestigt. An der äußeren Begrenzung des Rondells wurden ebenfalls Bodenhülsen einbetoniert, die mit 4 Meter langen Aluminiummasten bestückt wurden, um daran die acht Lichterketten festzumachen (somit wurde über den Köpfen der Gartenfestbesucher ein bunter Stern gebildet). Zudem bauten wir uns eine zerlegbare große Grillbude mit größerem Dachüberstand, damit man auch bei Regenwetter seine Wurst trocken genießen konnte. Diese ganzen baulichen Veränderungen im Rondell setzten aber voraus, dass für Auf- und Abbau immer genügend Kollegen bereit sind, und auch die nötige Zeit mitbringen, hier kräftig mit anzupacken.

Ab diesem Zeitpunkt gönnten wir uns für die Musik auf der Bühne einen Profi-Alleinunterhalter, der uns zwar von 18 Uhr bis 2 Uhr 900 DM kostete, der jedoch jeden einzelnen Pfennig seines Honorars wert war. Nun stimmte auch die Musik auf der Bühne, was sofort an der Steigerung der Gartenfestbesucher festgestellt werden konnte.

Das Gartenfest wurde legendär und bekam auch einen beabsichtigten leicht anrüchigen Charakter. Aus Nah und Fern strömten die Besucher herbei - von der Regierung Oldenburg (die sogar teilweise mit Bussen anreisten), von der Bezirksregierung Außenstelle Osnabrück und sogar von der Landesregierung in Hannover in Form eines leibhaftigen Ministers. Für die Regierungspräsidenten der Behörde war es eine Selbstverständlichkeit zum Gartenfest zu erscheinen. Ja, aus einer Schnapsidee wurde ein Event.

In den Jahren 1992, 93, 94 und 95 kamen sogar kurz vor Weihnachten noch jeweilige Jahresabschlussfeten in der Kantine und den Kellerräumen des Schlösschens hinzu, die auch vom Personalrat organisiert wurden. Doch weil diese Jahresab-schlussfeten zu sehr mit den Weihnachtsfesten der Dezernate und Abteilungen kollidierten, wurden diese Feten vom Personalrat anschließend ersatzlos gestrichen.

Mit Beginn der 1990iger Jahre wurden von Kollegen besondere Aufführungen auf der Bühne und Freiluftspiele, wie die Abhaltung einer Gartenfestolympiade, vorbereitet und auch durchgeführt. Auf der Bühne wurden Sketche mit besonderer Note nachgespielt und sonstige Darbietungen geboten, bei denen nun wahrlich kein Auge trocken blieb. Diese Aufführungen waren so legendär, dass etliche davon per Videokamera aufgenommen wurde. Ja, Hinni in der Badewanne, das Schwanenballett mit behaarten Männerbeinen - ein Bild für die Götter und unwiederbringlich. Danke dafür an Dirk, Ewald und Mannschaft. Auch ein bestaunter und umjubelter Bühnenauftritt eines jungen Zauberers (Sohn eines Arbeitskollegen) gehörte zu diesem Bühnenprogramm,

Als DJ des Gartenfestes musste ich im wahrsten Sinne des Wortes einen musikalischen Spagat schaffen, denn ich hatte ab der Eröffnungsdisco im Jahre 1985 nicht nur junge Musikliebhaber zu unterhalten, sondern auch viele ältere Musikfans - die, wie ich, nach wie vor den guten alten handgemachten Rock `n Roll (ohne Elektronik, Computer- und Synthesizer Schnick-Schnack, den es nur in der Zeit von 1958 bis 1970 gab) favorisieren. Somit bot ich den Discobesuchern einen musikalischen Querschnitt von Fats Domino über Marius Müller- Westernhagen bis hin zu Popgrößen der 90iger Jahre (wobei ich mir jeweils die neuen Hits von meinen beiden Söhnen auslieh). Dieser Hit-Mix muss wohl goldrichtig gewesen sein, denn kritische Töne waren aus dem Besucherkreis nicht zu vernehmen.

Gartenfest 1993: Die Gewinnerin der Hitparadenverlosung gewinnt 3 Flaschen Sekt. Neben mir die Glücksfee, die die Lose gezogen hat. Das ganze wurde überwacht von einem Festteilnehmer der Polizei.

Die Glanzzeit des Gartenfestes fand in den Jahren 1992, 1993, 1994 und 1995 statt - mehr ging nicht, wir waren personell und leistungsfähig an unsere Grenzen heran gekommen. Ich war zwar vom Dienst freigestellt, und konnte mich auch somit mit Vor- und Nachbereitungszeit voll in das Gartenfest einbringen, aber von meinen Mitstreitern, die alle einen vollschichtigen Arbeitsplatz hatten, konnte ich nicht mehr Freiraum für das Fest erwarten.

Danke für die Mitarbeit an Jürgen, Peter, Heinz, Johann und Johann, Emil, Remmer, Klaus-Dieter, Lammert, Werner, Willy, Reenhard, Abbo, Siebold, Helmut und Helmut, den leider viel zu früh verstorbenen Hans, Margret, Elfriede, Alma, Doris - ohne Euch wären diese Feste nie möglich gewesen.

Ein Highlight für etliche Kollegen war immer „der Morgen danach" - dann ging es auf Trophäen-Sammlung - bevorzugt wurde nach Damenunterwäsche Ausschau gehalten, aber auch sonstige Fundstücke wurden gerne präsentiert (deren Beschreibung ich mich hier verkneife).

Die Kellerräume wurden ab 1996 für dringende Bauarbeiten vorläufig geschlossen. Mit der Dienststelle und der Zustimmung des Regierungspräsidenten wurde vereinbart, dass diese Räumlichkeiten nach Beendigung der Bauarbeiten wieder für die Gartenfeste zur uneingeschränkten Verfügung gestellt werden. Die Staatshochbauverwaltung bekam sogar von der Dienststelle den Auftrag, unsere Umbauwünsche bezüglich der elektrischen Versorgung zu berücksichtigen - die dann auch ausgeführt wurden.

Doch nach Beendigung der Baumaßnahmen im Frühjahr 1998, wir waren nunmehr als Dienststelle Aurich schon Standort des NLBV, wurde uns durch den damaligen Standortleiter die weitere Nutzung der Kellerräume für unsere Gartenfeste verweigert. Nach meinem Einwand, dass wir eine klare Zusage der damaligen Auricher Dienstellenleitung und des Regierungspräsidenten für die Weiternutzung der Räumlichkeiten nach Abschluss der Baumaßnahme haben, wischte der Auricher NLBV Standortleiter dies mit dem Argument zurück: „Wir sind nicht mehr Teil der Bezirksregierung, und somit habe ich anders entschieden". So sieht also der ewige Treue- und Freundschaftsschwur aus, den Bezirksregierung Weser-Ems und das zukünftig neue NLBV Aurich (als ehemals alte Außenstelle Aurich der Bezirksregierung Weser-Ems) sich gaben, bevor man am 31.12.1997 auseinander ging - gleich bei der ersten Gelegenheit wurde das Wort eines Regierungspräsidenten von einem „windigen" Standortleiter gebrochen. So sah damals also die „Diktatur" des Auricher NLBV Standortleiters aus.

1997 und 1998 wurden die Discos des Gartenfestes (jedoch ohne Sektbar) in einer provisorischen Räumlichkeit des Schlösschens im Erdgeschoss durchgeführt - in einem ehemaligen Sitzungsraum mit schwankendem Holzfußboden bei stärkerer Belastung. Dieser Raum war also denkbar ungeeignet für eine solche Großveranstaltung. Außerdem fehlte die „Katakomben-Atmosphäre" an allen Ecken und Enden - zudem war die Akustik in diesem Raum miserabel. Somit stand für mich schon vorher fest, dass im Jahre 1998 nach Beendigung des Gartenfestes der Job als DJ für mich beendet war (dieses habe ich damals bei Eröffnung des Gartenfestes den Besuchern auch angekündigt).

In den ersten Jahren ab 1982 war der Besuch der einzelnen Gartenfeste befriedigend. Ab 1985 pendelte sich der durchschnittliche jährliche Gartenfestbesuch bei ca. 250 Kollegen und Gästen ein (mal ein paar mehr, mal ein paar weniger). Mit den Aufführungen auf der Bühne und mit dem Wechsel zu einem Profialleinunterhalter im Jahre 1992 steigerte sich mit Ausnahme von 1998, als wir wegen der Eisenbahnkatastrophe in Eschede das Gartenfest kurzfristig verlegten (Tag der Katastrophe war auch ursprünglich Tag des Gartenfestes), die Zahl der Besucher auf ca. 350.

Den Vogel bezüglich der Teilnehmerzahlen schossen wir jedoch ab, als wir 1999 unser Gartenfest um die Staatsanwaltschaft Aurich, Landgericht Aurich und Amtsgericht Aurich erweiterten (alle genannten Behörden waren am Schlossplatz beheimatet), An diesem Tage besuchten ca. 500 bis 600 Kollegen und Gäste das Fest (war auch festzustellen am Getränkekühlwagen, denn der musste mehrfach durch Nachlieferung aufgefüllt werden). Für Disco und Sektbar hatten wir uns von einem Zeltverleiher ein größeres Zelt anliefern und aufbauen lassen, das auf der Rasenfläche neben dem Rondell untergebracht wurde. Außerdem hatten wir uns für diesen Abend einen Profi DJ gegönnt.

Da diese Besucherströme absehbar waren, hatten wir einen zusätzlichen Getränkewagen bestellt, sowie einen Bierpavillon mit Sitzgelegenheiten statt eines herkömmlichen Getränkewagens (somit waren also insgesamt 5 Getränkestände auf dem Festplatz zu finden).

Dieses Gartenfest 1999 war nicht nur der Höhepunkt, sondern gleichzeitig auch mein letztes Gartenfest was ich organisierte und auch aktiv begleitete - danach war Schluss! Erst am 6. Juni 2013 war ich als Rentner mal wieder für ein paar Stunden Besucher des Auricher Gartenfestes.

Ab dem Jahre 2000 war ein gravierender Niedergang des Gartenfestes in den Aktivitäten und bei den Besucherzahlen festzustellen. Meinen Nachfolgern fehlten möglicherweise die Ideen, die Kreativität und der Einsatzwille zum Gelingen eines solchen Events. Ich weiß vom Hausarbeitsdienst der Dienststelle, dass die Arbeit zum Auf- und Abbau des Festes an diesen Kollegen hängen blieb. Aktivisten des Personalrats oder aus dem Kollegenkreis waren nicht mehr da - keiner wollte sich mehr die Hände dreckig machen.

Schade um das Gartenfest - aber die Gedanken an zurückliegende bessere Zeiten kann uns niemand nehmen. Aber vielleicht waren wir auch eine andere Generation - ja, „the good Old Rock `n Roll"...

Damit zurück zu 1983

Der „Schlosskurier"

Im April 1983 veröffentlichen die Vertrauensleute der Gewerkschaft ÖTV bei der Außenstelle Aurich der Bezirksregierung Weser-Ems ihre erste Hauszeitung - den „**Schlosskurier**". Für die Inhalte, auch der kommenden Ausgaben bis zum Herbst 1987, zeichnete ich mich im Sinne des Presserechts verantwortlich.

Mit dem Schlosskurier hatten wir uns eine Plattform geschaffen, um jeweils aktuelle Themen und Probleme in der Behörde / Dienststelle einem breiteren Publikum näher zu bringen. Auch aktuelle Themen und Aktionen unserer Gewerkschaft ÖTV gehörten zu den Standards dieser Hauszeitung. Natürlich kam auch der Humor durch entsprechende Karikaturen nicht zu kurz.

Bei den Beschäftigten der Außenstelle Aurich der Bezirksregierung Weser-Ems kam diese Zeitung überwiegend gut an, was sich auch durch viele positiven Reaktionen bemerkbar machte. So gab es beispielsweise aus dem Kollegenkreis viele Hinweise und Anregungen, die von uns aufgegriffen, recherchiert und anschließend im Schlosskurier auch veröffentlicht wurden.

Doch es gab auch vehemente Kritiker - allen voran der Auricher Beamtenbund (DBB) mit seinem angeschlossenen „Verband der Landesverwaltungsbeamten und Angestellten (VdL)". Diese Standesorganisation der Beamten (die Angestellten waren da nur schmückendes Beiwerk bzw. Alibi) attackierte uns wegen unserer kritischen Artikel und Anmerkungen im Schlosskurier - bezeichneten uns als Störenfriede, und bedachten uns mit sonstigen „Nettigkeiten" (so wurden zum Beispiel unsere Artikel als „beifallheischend" tituliert, wobei man sehr inflationär mit diesem Begriff umging, sodass sich viele Kolleginnen und Kollegen schon köstlich darüber amüsierten, und heiße Wetten abschlossen, wann und in welchem Zusammenhang dieser Begriff das nächste Mal bei den Beamtenbündlern auftaucht).

Nein, solche unqualifizierte Kritik konnte uns nicht bremsen. Vielmehr sahen wir uns darin bestätigt, dass diese „Beamtenbündler" vor unseren Recherchen Angst hatten - Angst davor, dass wir die diversen Verstrickungen unserer Dienststellenleitung mit dem DBB / VdL öffentlich aufdeckten (die Auricher Dienststellenleitung war damals fast ausschließlich mit Mitgliedern des DBB / VdL besetzt).

Bis zum Herbst 1987 erschien der „Schlosskurier" 20mal. Danach war Schluss. Zu der Zeit gab es im ÖTV Vertrauensleutekörper unserer Dienststelle scheinbar unüberbrückbare Gegensätze über unsere Außendarstellung und Außenwirkung. Für eine Zeit lang trennten sich also unsere Wege. Doch darüber im Verlauf dieser Biographie mehr.

Absolutes Alkoholverbot in den Büros

Im späten Frühling des Jahres 1983 wurde in der Außenstelle Aurich der Bezirksregierung Weser-Ems von der Dienststellenleitung ein absolutes Alkoholverbot in den Büroräumen verordnet.

Grund für diese Anordnung der Dienststelle war ein Vorfall mit einem Kollegen, der im schwer angetrunkenen Zustand mit einer großflächig verglasten Tür kollidierte, und sich dabei durch die Glasscherben erheblich verletzte. Dieser Kollege, der bei dieser Kollision viel Blut verlor, war auch nach dieser Verletzung durch mehrere Kollegen nicht zu bändigen, er konnte erst durch einen herbeigerufenen Rettungssanitäter mittels eines K. O.-Schlages zur Ruhe gestellt, um dann ins Krankenhaus transportiert werden.

Die Entscheidung der Dienststelle nunmehr ein absolutes Alkoholverbot in den Diensträumen zu verhängen war sachgerecht und nicht zu beanstanden. Wir hatten bis zu diesem Zeitpunkt alle einen Schutzengel, denn wie auf etlichen Seiten dieser Biographie schon beschrieben, gab es mehrere alkoholbedingte Situationen, die auch schlimm enden konnten. Bis dahin hatten wir einfach nur Glück.

Personalratswahl 1984

Im Vorfelde der Personalratswahl 1984 führten wir als Gewerkschaft ÖTV in Aurich einen klassischen offensiven Personalratswahlkampf. Für die Wahlen zum Auricher Hauspersonalrat und dem Gesamtpersonalrat der Bezirksregierung Weser-Ems hatten wir auch ein gutes alternatives Kandidatenangebot aufzubieten (für beide genannten Personalräte war ich der Auricher Spitzenkandidat).

Die einzelnen Wahlergebnisse waren für uns optimal. Für den Auricher Personalrat gewannen wir 2 Mandate (ein weiterer ÖTV Kollege zog mit mir in den Auricher Personalrat ein), und für den Gesamtpersonalrat erlangten wir ein Mandat (hier gab es scheinbar ein Stimmensplitting, denn nach der Wahlordnung werden nur die beiden erstplatzierten Wahlbewerber einer jeden Liste auf dem Wahlschein genannt, sodass mein dritter Listenplatz für Aurich auf der ÖTV Angestelltenliste dort nicht in Erscheinung trat, während Auricher Kollegen der DAG und des DBB / VdL auf dem Wahlschein namentlich genannt wurden).

Wahlergebnis Personalrat Aurich

DBB /VdL 4 Mandate
DAG   3 Mandate
ÖTV   2 Mandate

Bei der Wählerwanderung im Vergleich zur Wahl 1980 stellten wir für Aurich fest, dass viele ehemalige DAG Wähler zur ÖTV gewechselt sind. Somit hatte auch die DAG zwangsläufig 2 Personalratssitze an uns verloren, während das Wahlergebnis bei dem DBB / VdL gegenüber 1980 gleich blieb.

Wahlergebnis Gesamtpersonalrat

ÖTV   7 Mandate
DAG   3 Mandate
DBB /VdL 3 Mandate

Bei der Wählerwanderung zum Gesamtpersonalrat im Vergleich zu 1980 stellten wir fest, dass wir als Auricher ÖTV im Bereich der Angestelltenliste nur leicht zugelegt hatten.

Beim Personalrat Aurich hatten wir als ÖTV eine Zusammenarbeit mit der DAG vereinbart. In der konstituierenden Sitzung wählten wir den bisherigen Personalratsvorsitzenden (DAG) nunmehr mit, sodass er in seinem Amt bestätigt wurde. Neben dem Personalratsvorsitzenden (DAG) gingen 2 weitere Vorstandssitze an die DBB / VdL (für einen Beamten- und den Arbeitervertreter). Da der Personalrat per Gesetz nicht daran gehindert wird, die Anzahl der Vorstandssitze eigenmächtig festzulegen - was in Aurich unterlassen wurde (es ist nur darauf zu achten das alle Personengruppen im Vorstand vertreten sind), was mit einfacher Stimmenmehrheit möglich ist, bekamen wir als ÖTV Gewerkschaft **keinen** Vorstandssitz. Demzufolge war die mit der DAG vereinbarte Zusammenarbeit gleich wieder Makulatur.

Beim Gesamtpersonalrat (GPR) der Bezirksregierung Weser-Ems wurde der Kollege Ulrich Erdmann aus der Außenstelle Osnabrück (ÖTV Beamtenliste) wieder zum GPR Vorsitzenden gewählt.

Da die DAG und der DBB / VdL sich im Lande nicht an langjährige Verabredungen hielten, dass alle Gewerkschaften eines gewählten Personalrates mit Sitz und Stimme in deren Vorstände der Personalräte zu finden sein müssen, hat die ÖTV Fraktion im GPR seinerseits beschlossen, diesem Beispiel zu folgen. Somit verloren DAG und DBB / VdL Sitz und Stimme im Vorstand des GPR. Die beiden vakanten Sitze gingen nunmehr auch an die ÖTV. Somit wurde ich zum 3. stellvertretenden Vorsitzenden des GPR gewählt.

Wahl der Schwerbehindertenvertretung bei der Dienststelle Aurich

Im Mai 1984 wurde die Neuwahl des Schwerbehindertenvertreters bei der Außenstelle Aurich auf Grund einer Pensionierung des bisherigen Amtsinhabers erforderlich (auch weil kein gewählter Vertreter mehr zur Verfügung stand).

In einer Kampfabstimmung gegen einen Mitbewerber habe ich mich in geheimer Wahl mit deutlicher Mehrheit durchgesetzt. Demzufolge hatte ich nunmehr noch neben meine Personalratsmandate noch ca. 30 schwerbehinderte Kolleginnen und Kollegen zu betreuen und deren Interessen zu vertreten.

Somit hatte ich rechnerisch 90 % an Freistellung von meinem Dienstbetrieb (50 % für den GPR mit Vorstandssitz, 20 % als Auricher Personalratsmitglied und 20 % als Auricher Schwerbehindertenvertreter). Doch diese Freistellung stand nur auf dem Papier - an meinem vollschichtigen Arbeitsplatz änderte sich nichts!

Umsetzung aus der Kasse in die Besoldung

Im August 1984 wurde ich aus der Regierungsbezirkskasse Aurich in das Dezernat 104 (Besoldung) umgesetzt. Einerseits hatte die Kasse ein Problem mit meiner Freistellung, denn ich war nun doch schon sehr in die Personal- und Schwerbehindertenvertretung eingebunden, sodass ich täglich doch erhebliche Ausfallzeiten am Arbeitsplatz hatte. Dieses war jedoch mit meiner vollschichtigen Aufgabe als Buchhalter nicht in Einklang zu bringen.

Andererseits stimmte nach den Vorfällen durch die Anweisungen der neuen Kassenleitung mit den versteckten Anschuldigungen der eigenmächtigen Handlungen, nach dem gesundheitlichen Ausfällen meines ehemaligen Kassenleiters (wie schon geschildert), die Chemie nicht mehr zwischen uns. Somit kam mir die Umsetzungsverfügung in das Dezernat 104 (Besoldung) auch nicht ungelegen. Ich bestand jedoch darauf, dass die mir ans Zeug geflickte „Eigenmächtigkeiten" auch nach meiner Zeit als Buchhalter in der Regierungsbezirkskasse Aurich lückenlos aufgeklärt werden.

Wahl zum Bezirksvertrauensmann der Schwerbehinderten

Im Oktober 1984 rief der bisherige Bezirksvertrauensmann der schwerbehinderten Verwaltungsangehörigen im Geschäftsbereich der Bezirksregierung Weser-Ems die örtlichen Schwerbehindertenvertretungen zusammen, und kündigte an, dass er am 31. Dezember 1984 aus dem Dienst ausscheiden werde. Seine beiden Stellvertreter, die jetzt auch nicht mehr die jüngsten waren, verzichteten auf die Übernahme dieses Wahlamtes bis zur Beendigung der Legislaturperiode.

Somit wurde eine Neuwahl des Bezirksvertrauensmannes der Schwerbehinderten erforderlich. In dieser Oktobersitzung wurde ich gefragt, ob ich eine Kandidatur für dieses vakante Amt akzeptieren würde. Andere Kandidatenvorschläge aus unserer Mitte gab es nicht, sodass ich als „Neuling" meinen Hut nunmehr auch in den Ring legte (ich habe damals zuerst gezögert, weil ich niemand der Altvorderen den Job streitig machen wollte).

Da nur die örtlichen gewählten Schwerbehindertenvertretungen für die im Januar terminierte Wahl wahlberechtigt waren, stand das Ergebnis der noch durchzuführenden Wahl faktisch schon jetzt fest.

Am 17. Januar 1985 wurde ich dann einstimmig in geheimer Wahl zum Bezirksvertrauensmann der Schwerbehinderten gewählt. Die beiden bisherigen Stellvertreter wurden ebenfalls jeweils einstimmig wiedergewählt. Somit war ich nunmehr als Interessenvertreter für ca. 600 beschäftigte schwerbehinderte Kolleginnen und Kollegen in ca. 100 Dienststellen des Bezirks zuständig.

Für diese Wahl erhielt ich von der Oldenburger Behörde eine weitere Freistellung von 100 % (rechnerisch zusammen –mit Personalratstätigkeiten und als Auricher Schwerbehindertenvertreter- 190 %). Von der Bezirksregierung Oldenburg wurde ich jetzt voll vom Dienst freigestellt. Die Außenstelle Aurich erhielt die Weisung, mir ein eigens geräumiges Büro zur Verfügung zu stellen. Außerdem erging die Weisung, dass ich für meine Dienstfahrten Anspruch auf einen Dienstwagen mit Fahrer habe.

Der freie Freitagnachmittag

Nach der Sommerpause 1985 hatten sich die Auricher ÖTV Vertrauensleute mit der Neuregelung der Arbeitszeit in der Niedersächsischen Landesverwaltung beschäftigt, die von der damaligen Landesregierung in Aussicht gestellt wurde. Als deren Sprecher habe ich dann am 25. September 1985 den Niedersächsischen Innenminister angeschrieben, und gebeten, er möge bei der Neuregelung der Arbeitszeitordnung berücksichtigen, dass das Kernzeitende in der Landesverwaltung am Freitagnachmittag, wie auch in der Kommunalverwaltung üblich, auf 12 Uhr festgelegt wird. In der Begründung meiner Bitte habe ich besonders darauf hingewiesen, dass es anders als in der Kommunalverwaltung, in der Landesverwaltung keinen umfangreichen Publikumsverkehr gibt. In einem weiteren Schreiben gleichen Datums habe ich die im

Landtag vertretenen Parteien aufgefordert, unseren Antrag im Landtagsausschuss für öffentliches Dienstrecht zu unterstützen.

Mit Schreiben vom 4. Oktober 1985 teilte mir der MdL **Josef Dierkes – CDU** (Vorsitzender des Arbeitskreises öffentliches Dienstrecht) mit, dass er unseren Wunsch mit dem Herrn Innenminister erörtern will. Anschließend, so Herr Dierkes weiter, will er wieder mit uns Kontakt aufnehmen.

Die Herren MdL **Dr. Friedrich Hruska – FDP** (Mitglied des Ausschusses für öffentliches Dienstrecht und gleichzeitig auch stellvertretender Vorsitzender der FDP Landtagsfraktion), MdL **Hans Alexander Drechsler – SPD** (Vorsitzender des Arbeitskreises öffentlichen Dienstrechts der SPD Landtagsfraktion) und MdL **Jürgen Trittin – Die Grünen** (Mitglied im Landtagsausschuss für öffentliches Dienstrecht) teilten mir schriftlich mit, dass ihre Parteien unser Anliegen unterstützen.

MdL **Josef Dierkes – CDU** teilte mir mit Schreiben vom 29.Oktober 1985 noch mit, dass der Entwurf einer Änderung der Arbeitszeitverordnung demnächst in die Anhörung gehen wird. Er geht davon aus, dass unsere Anregungen dann erneut und offiziell vorgebracht werden. Darüber hinaus habe er veranlasst, dass der Niedersächsische Innenminister durch eine Länderumfrage klärt, wie die Kernarbeitszeit in den Landesbehörden anderer Bundesländer geregelt ist.

Am 10. Dezember 1985 teilt mir der Niedersächsische Innenminister mit, dass unsere Anregungen bei der Neuregelung der Arbeitszeitordnung keine Berücksichtigung gefunden haben. Der Innenminister macht geltend, dass bei einer Verkürzung der Kernarbeitszeit am Freitag die Kommunikation innerhalb der Landesbehörden gefährdet sei, und somit nicht vertretbar ist. - Dieses Argument war m. E. jedoch an den Haaren herbeigezogen, und war zudem Realitätsfern.

Nach Beendigung der verschiedenen Landesregierungen unter **Ministerpräsident Ernst Albrecht –CDU-** am 21. Juni 1990, hat sich die nachfolgende „rot-grüne" Landesregierung unter

Ministerpräsident Gerhard Schröder –SPD- an vorstehender Thematik erinnert (ganz bescheiden darf ich hier noch anfügen, dass ich meine Genossen diesbezüglich auch kräftig auf die Sprünge geholfen habe), dass man uns im Jahre 1985 zusicherte, die Kernarbeitszeit am Freitagnachmittag abzuschaffen. Somit hat die rot / grüne Landesregierung die Möglichkeit geschaffen, u. a. **„den freien Freitagnachmittag"** durch Änderung der Arbeitszeitverordnung einzuführen. Mit Stolz kann ich hier feststellen, dass wir als ÖTV Vertrauensleute der Außenstelle Aurich entscheidend an dieser Arbeitszeitwende mitgewirkt haben.

Das Bezirksrechenzentrum

Von der ÖTV Bezirksverwaltung Niedersachsen erhielten wir im August 1986 die Information, dass ein neues Kassenverfahren bei den Regierungsbezirkskassen des Landes eingeführt werden soll. Mir war als ÖTV-Vertrauensmann von Beginn an klar, dass die Einführung eines neuen Kassenverfahrens zu erheblichen Arbeitsplatzverlusten führen wird, denn eine solche Reform gibt es nicht zum Nulltarif. Um hier jetzt mehr Informationen zu bekommen habe ich das Nds. Innenministerium und das Nds. Finanzministerium am 11. September 1986 angeschrieben, und um Auskunft nachgesucht.

Oldenburger ÖTV Personalratskollegen sandten mir (unter der Hand) ein Schreiben zum obigen Thema des Finanzministeriums vom 20. Oktober 1986 an die Bezirksregierung Weser-Ems Oldenburg zu. In diesem Schreiben kündigt das Ministerium an, am 3.12.86 eine Besprechung zur Vorbereitung der organisatorischen Vorarbeiten, die spätestens Anfang 1987 eingeleitet werden, bei der Behörde in Oldenburg durchzuführen. Aus den Besprechungspunkten war zu erkennen, dass hier ein „Knaller" auf uns zu kam.

Mit Schreiben vom 4. November 1986 teilte mir der Finanzminister auf mein Schreiben vom 11. September 1986 wie folgt mit:

„Im Einvernehmen mit dem Niedersächsischen Minister des Innern beantworte ich ihr Schreiben vom 11. September 1986 wie folgt:

Das neue automatisierte Kassenverfahren und die mit der Umstellung verfolgten Ziele sind in meinem Hauptuntersuchungsbericht vom 26. Juli 1983 ausführlich dargestellt (**Anm.:** Lag mir nicht vor). Diesen Bericht hat seinerzeit der Hauptpersonalrat bei dem Niedersächsischen Minister des Innern zur Kenntnis erhalten. Darüber hinaus habe ich das Vorhaben mit dem Hauptpersonalrat schon 1984 mündlich erörtert (**Anm.:** Dieses war nie bis nach Aurich durchgedrungen). Dabei habe ich erklärt, dass durch die Automatisierung von den Kassenbediensteten bisher wahrzunehmenden Aufgaben teilweise vereinfacht, teilweise wegfallen werden und daher eine Verringerung der Personalkosten um 20 % angestrebt werde."

Jetzt war die Katze aus dem Sack – meine entsprechenden Befürchtungen hatten sich im vollen Umfange bestätigt – in der Regierungsbezirkskasse Aurich sollten also Stellen (Arbeitsplätze) in einer Größenordnung von 20 % reduziert werden (das waren rechnerisch 24 Kassenstellen). Eine Vereinfachung der Arbeit, wie zudem beabsichtigt, hat zur Folge, dass die Eingruppierung der Beschäftigten sich negativ nach unten entwickelt (Beförderungs- und Höhergruppierungsmöglichkeiten fallen zukünftig weg).
Somit haben wir als ÖTV damals am 7. November 1986 per Rundschreiben unsere Auricher Kollegen umfassend über die auf uns zu kommende Situation informiert.

Bei einem Telefongespräch mit dem „Schreiberling des Finanzministeriums" erfuhr ich dann so beiläufig, dass im Zuge der Kassenautomatisierung auch ein neues Bezirksrechenzentrum in Oldenburg eingerichtet werden soll. Die entsprechenden Grundsätze für den Betrieb und die Nutzung von Mehr-zweckrechenzentren des Landes sollen auch im Dezember 1986 im Niedersächsischen Ministerialblatt veröffentlicht werden. Auf meine spontane Frage, warum dieses Rechenzentrum für die Bezirksregierung Weser-Ems nicht dort eingerichtet wird, wo auch Stellen durch die Kassenautomatisierung eingespart werden – nämlich in Aurich, antwortete mir der Kollege aus dem Finanzministerium, (wörtlich) „dass wir dann wohl Krieg mit unserem Regierungspräsidenten bekämen, denn schließlich betrachte er dieses Zentrum auch als persönliches Prestigeobjekt".

Durch ein Rundschreiben „ÖTV aktuell" haben wir unsere Auricher Kollegen am 4. Dezember 1986 auch über diese Absichten des Landes informiert.

Durch die neuen telefonischen Informationen des Finanzministeriums rund um das neu zu errichtende „Prestigeobjekt" Bezirksrechenzentrum (und die möglichen Empfindlichkeiten des Regierungspräsidenten), wurde diese ganze Geschichte (zusammen mit der Kassenautomatisierung) jetzt so heiß, dass ich mich entschloss hier nicht als ÖTV Vertrauensleutesprecher der Außenstelle Aurich der Bezirksregierung Weser-Ems aktiv zu werden, sondern als stellvertretender Vorsitzender des ÖTV Abteilungsvorstandes „Allgemeine Landesverwaltung" (eine Abteilung der Gewerkschaft ÖTV Kreisverwaltung Ostfriesland mit Sitz in Emden).

Somit habe ich als Vorstandmitglied der ÖTV Kreisverwaltung Ostfriesland am 10. Dezember 1986 eine umfassende Presseinformation an die ostfriesischen Zeitungen herausgegeben. Am 11. und 12. Dezember 1986 haben alle angeschriebenen Zeitungen in großer Aufmachung über diese Stelleneinsparungen bei der Außenstelle Aurich berichtet. Die Ostfriesen-Zeitung hatte zudem in einem pfundigen Kommentar das neue Bezirksrechenzentrum als Kompensation für die verlorengehenden Kassenstellen gefordert.

Als ÖTV Abteilungsvorstand „Allgemeine Landesverwaltung" habe ich dann mit Schreiben vom 12. Dezember 1986 alle ostfriesischen Landtagsabgeordneten um Hilfe bei der vorstehenden Thematik gebeten. Gleichzeitig habe ich die Abgeordneten gebeten, an einer geplanten öffentlichen Anhörung des ÖTV Abteilungsvorstandes teilzunehmen.

Mitte Dezember 1986 kam dann die erste schriftliche Reaktion des DBB / VdL. In einem Rundschreiben an alle Auricher Kolleginnen und Kollegen wurden unsere bisherigen Veröffentlichen in vorstehender Angelegenheit „kleinlaut" bestätigt. Im letzten

Absatz schrieb hier der DBB / VdL: „Um weiteren, noch nicht absehbaren Schaden für die Außenstelle Aurich zu verhindern, werden wir uns mit den anderen Interessenvertretern im Hause zusammensetzen, um das weitere Vorgehen abzustimmen und um vereint tätig zu werden." Eine billige und durchsichtige Kampagne: Der DBB / VdL wollte nur auf unseren schon fahrenden Zug aufspringen (man war also aus der Vergangenheit scheinbar doch noch klug geworden).

In einem weiteren „Offenen Brief" vom 20. Dezember 1986 an alle Ostfriesischen Landtagsabgeordneten habe ich als Privatperson die Abgeordneten noch mal eindringlich an diese Auricher Problematik erinnert. Auch dieser offene Brief wurde in allen ostfriesischen Zeitungen veröffentlicht.

Die **Ostfriesen-Zeitung** veröffentliche am 23. Dezember 1986 neben dem Hauptartikel auch einen knalligen Kommentar mit der Überschrift **„Hartnäckig"**

„Hartnäckig ist er ja, der Gerhard Keller von der ÖTV Kreisverwaltung Ostfriesland. Seit gut einem Monat bringt er mit immer neuen Briefen ins Gedächtnis zurück, was sonst vielleicht zu schnell in Vergessenheit geriete: Die Personalfrage der Außenstelle Aurich der Bezirksregierung Weser-Ems.
Natürlich ist Keller als Gewerkschaftler nicht neutral in seinen Äußerungen. Aber er vertritt die Arbeitnehmer in der Auricher Behörde – und damit ostfriesische Interessen. Er verdient schon aus diesem Grunde Aufmerksamkeit.

Der ÖTVler weist auf drohende Arbeitsplatzverluste in Aurich hin. Aber nicht nur deshalb sollten ostfriesische Politiker aller Parteien aufhorchen; Keller bringt außerdem ein geplantes Bezirksrechenzentrum ins Spiel, dass in Oldenburg angesiedelt werden soll.
Die Bezirksregierung Weser-Ems begründet dies mit arbeitstechnischen Überlegungen. Die meisten Dezernate seien nun mal in Oldenburg angesiedelt, könnten ein Rechenzentrum direkt nutzen. Beruhigend wird hinzugefügt, Aurich werde ja über Kabel und Bildschirm direkt angeschlossen. Doch dieses Argument kann Aurich ebenso gut umkehren: Warum, so fragt Keller zu

Recht, wird nicht Oldenburg über Kabel mit einem Rechner in Aurich verbunden?

In diesem Fall müssen ostfriesische Landtagsabgeordnete einmal nicht mit ihren (übermächtigen) Kollegen aus Hannover – Braunschweig – Hildesheim streiten, um Strukturpolitik zu betreiben. Die Kämpfer für das spöttisch- neidvoll „niedersächsisches Bermuda-Dreieck" genannte Gebiet sind diesmal nicht betroffen. Hier ist eine Möglichkeit, über eine dezentrale Rechner-Ansiedlung in Aurich Ostfriesland durch aktive Strukturpolitik voranzubringen. Allerdings, so viel ist klar: Ohne Hartnäckigkeit wird wohl kaum etwas zu machen sein. - Hannes Boekhoff"

Am 3. Januar 1987 lud die Gewerkschaft ÖTV Kreisverwaltung Ostfriesland die ostfriesischen Landtagsabgeordneten aller Parteien, die ostfriesischen Parteivor- stände, die Niedersächsische Landesregierung, den Regierungspräsidenten der Bezirksregierung Weser-Ems, die Personalvertretungen der Bezirksregierung Weser-Ems und die ostfriesische Presse zu einer am 18. Februar 1987 im Hotel Piqueurhof in Aurich zum obigen Thema stattfindenden öffentlichen Anhörung ein.

Viele Politiker aller Parteien meldeten sich für diese öffentliche Anhörung an. In einem Telefonat vom 7. Januar 1987 mit mir entschuldigte sich der MdL **Günther Boekhoff (SPD)** dafür, dass er wegen eines Termins beim Innenausschuss des Landtages nicht an unserer Veranstaltung teilnehmen könne, sicherte uns aber voll Unterstützung für unsere Absichten zu. Er wolle zudem am 18. Februar 1987 im Innenausschuss Überzeugungsarbeit für unsere berechtigten Forderungen leisten. Des Weiteren regte er an, bezüglich der Probleme der Außenstelle Aurich eine Resolution anzufertigen, diese von möglichst vielen Kolleginnen und Kollegen unterschreiben zu lassen, und sie dann als Landtagseingabe an den Innenausschuss zu richten.

Mit Datum vom 7. Januar 1987 (Datum handschriftlich gefertigt) tauchte dann ein paar Tage später ein Schreiben einer ominösen **„Gemeinschaftsaktion der DAG, ÖTV und des VdL bei der Bez. Reg. Weser-Ems. Außenstelle Aurich"** (so im Briefkopf als Absender) bei mir auf. Adressiert ist dieses Schreiben (mit etlichen

Anlagen) an den MdL Günter Lüttge (SPD). Unterschrieben ist dieses Papier von unserem damaligen Auricher Personalratsvorsitzenden.

Anmerkung dazu: Eine solche Gemeinschaftsaktion wurde mit uns ÖTVlern (weder als Vertrauensleuten der Außenstelle Aurich, noch mit der ÖTV Kreisverwaltung Ostfriesland) **nicht** vereinbart (eine entsprechende Zusammenkunft zur Bildung einer themenorientierten „Gemeinschaftsaktion" der bei der Außenstelle Aurich vertretenen Gewerkschaften hat es auch **nie** gegeben - wobei ich bezweifele, dass der DBB überhaupt eine Gewerkschaft ist!). An dem vorliegenden Schreiben an MdL Günter Lüttge hat auch **kein** ÖTVler mitgewirkt. Dieses Schreiben ist uns auch **nicht** vor Abgang zur Kenntnis gegeben worden. **Hier hatten also DAG und DBB / VdL den geschützten Namen der Gewerkschaft ÖTV widerrechtlich missbraucht!** Außerdem konnten wir uns als Gewerkschaft ÖTV inhaltlich **nicht** mit dem Text des Schreibens und der Anlagen identifizieren, denn dort waren Forderungen aufgestellt die zwar wünschbar aber unrealistisch sind!

Doch es wird noch mysteriöser: Mit Schreiben vom 16. Januar 1987 teilt mir MdL **Walther Graetsch – FDP** wie folgt mit: „Mittlerweile habe ich **auch** eine Einladung der **„Gemeinschaftsaktion"**, an der auch die ÖTV beteiligt ist, für ein Gespräch im März erhalten. Zwei Diskussionsrunden, wenn sie so kurz nacheinander erscheinen, sind nicht unbedingt sinnvoll, zumal die „Gemeinschaftsaktion" auch eine öffentliche Diskussion angekündigt hatte."

In diesem Zusammenhang erinnerte ich mich an die Veröffentlichung des DBB / VdL Aurich aus Mitte Dezember 1986. In dieser besagten Veröffentlichung regte der DBB / VdL an: „Um weiteren, noch nicht absehbaren Schaden für die Außenstelle Aurich zu verhindern, werden wir uns mit den anderen Interessenvertretern zusammensetzen, um das weitere Vorgehen abzustimmen und um vereint tätig zu werden".

Wenn mir der **MdL Walther Graetsch** jetzt in seinem obigen Schreiben mitteilt: „Zwei Diskussionsrunden, wenn sie so kurz nacheinander erscheinen, sind nicht unbedingt sinnvoll, zumal die

„**Gemeinschaftsaktion**" auch eine Diskussion angekündigt hatte",
so kam in mir jetzt der Verdacht auf, dass der Schreiberling des
DBB / VdL Rundschreibens aus Mitte Dezember 1986 scheinbar
der „Drahtzieher" dieser ominösen Schreiben der fraglichen
Gemeinschaftsaktion war. Mich irritierte nur, dass der amtierende
Personalratsvorsitzende (DAG) diese Schriftstücke auch noch
bedenkenlos unterzeichnet hat.

Doch es kommt noch besser.

Nunmehr war das Maß jedoch voll. Der **Geschäftsführer der
ÖTV Kreisverwaltung Ostfriesland** hat in einem Schreiben vom
3. Februar 1987 gegenüber den Landtagsabgeordneten wie folgt
richtig gestellt:

„Dass dieses Aktionspapier nicht die Meinung der Gewerkschaft
ÖTV darstellt. Außerdem ist dieses Schreiben der
Gemeinschaftsaktion nicht mit uns besprochen bzw. abgestimmt
worden. In diesem Aktionspapier werden Forderungen erhoben,
die unserer Meinung nach nicht realistisch und somit nicht
durchsetzbar sind. Verschiedene Presseveröffentlichungen
(Oldenburger-Nordwest-Zeitung vom30. Januar 1987 und
Ostfriesenzeitung vom 31. Januar 1987) haben bestätigt, dass
bedingt durch die Irritation um die Forderungen der Auricher
Gemeinschaftsaktion, verschiedene Oldenburger
Landtagsabgeordnete sich jetzt in Fragen des
Bezirksrechenzentrums für Oldenburg aussprechen. Bei diesem
Aktionspapier handelt es sich vielmehr um einen Alleingang
verschiedener Kollegen aus dem Bereich der Außenstelle Aurich,
an der wir als Gewerkschaft ÖTV inhaltlich **nicht** beteiligt waren -
wir arbeiten **nicht** mit dieser Gemeinschaftsaktion zusammen.
Diese „Gemeinschaftsaktion" hat widerrechtlich den Namen
unserer Gewerkschaft ÖTV missbraucht."

Resolution und Landtagseingabe

Die ÖTV Vertrauensleute der Außenstelle Aurich fertigten am 16.
Januar 1987 nachstehende Resolution an die Landespolitik, und
ließ diese von den Bediensteten der Außenstelle Aurich
unterschreiben:

„Resolution

In der Kasse der Bezirksregierung in Aurich werden durch die Automation in absehbarer Zeit mindestens 20 Stellen abgebaut. Weitere Arbeitsplatzverluste stehen der Außenstelle Aurich durch die geplante Automation in der Besoldung und Beihilfe bevor. Beschwichtigende Einwände, dass ja niemand entlassen wird und das der Stellenabbau im Rahmen der Personalfluktuation erfolgt, sind kurzsichtig. Sie übersehen, dass sichere Arbeitsplätze im öffentlichen Dienst für Jugendliche Ostfrieslands für immer vernichtet werden. Diese einschneidende Entwicklung für die Außenstelle Aurich und damit die Fortsetzung des negativen Trends für Ostfriesland insgesamt muss verhindert werden. Es ist unverzichtbar, mindestens den derzeitigen Stellenbestand in Aurich von ca. 340 Arbeitsplätzen zu halten. Dies ist nur bei Zuweisung neuer Aufgabenbereiche in Aurich möglich.

Die Bezirksregierung Weser-Ems plant das demnächst aufzubauende Bezirksrechenzentrum in Oldenburg einzurichten. Diese Oldenburger Entscheidung stellt sich für uns so dar, dass die durch Automation und Rationalisierung einzusparenden Stellen in Aurich wegfallen sollen. Die zusätzlich qualifizierten Arbeitsplätze durch die neue Technik werden dagegen in Oldenburg im künftigen Bezirksrechenzentrum angesiedelt. In Aurich wird also abgebaut, damit in Oldenburg weiter aufgebaut werden kann!

In dieser Situation fordern wir für Ostfriesland einen gerechten Interessenausgleich! Wenn schon die Automation bei uns Arbeitsplätze kostet, dann gehören die neuen Arbeitsplätze des Bezirksrechenzentrums ebenfalls nach Aurich. Die Einwände hiergegen sind abwegig. Nach den bisherigen Plänen soll die Außenstelle Aurich durch die Datenfernübertragung an das Rechenzentrum in Oldenburg angeschlossen werden. Ebenso problemlos kann natürlich auch Oldenburg an ein Bezirksrechenzentrum in Aurich angeschlossen werden. Die Technik kennt hier keine Einbahnstraße.

Wir fordern die Politiker aller Parteien Ostfrieslands und die Landesregierung auf, dafür zu sorgen, dass das künftige Bezirksrechenzentrum der Bezirksregierung Weser-Ems in Aurich aufgebaut wird, und zwar Zug um Zug mit dem Beginn der Automation in Aurich. Wir appellieren eindringlich an alle Verantwortlichen, sich für die arbeitsmarkt- und strukturpolitischen Belange Ostfrieslands besonders stark zu machen."

Es folgen 310 Unterschriften der Kolleginnen und Kollegen der Außenstelle Aurich (das sind 93 % der 333 Gesamtbeschäftigten - wobei etliche Kollegen krankheitsbedingt bzw. durch Weigerung nicht unterschrieben haben).

Resolution, Landtagseingabe und Presseinformation

Am 25. Januar 1987 wurde vorstehende Resolution als Petition mit einem gesonderten Anschreiben beim Niedersächsischen Landtag eingereicht. Durchschriften dieser Resolution mit der Landtagseingabe gingen am gleichen Tage nachrichtlich an den Ministerpräsidenten, den Innenminister, an die ostfriesischen Landtagsabgeordneten aller Parteien, an die Landtagsfraktionen der im Landtag vertretenen Parteien und an die ostfriesische Presse (die in den nachfolgenden Tagen auch wieder umfangreich berichteten). Am 29. Januar 1987 teilte uns der Niedersächsische Landtag mit, dass der „Ausschuss für innere Verwaltung" sich mit unserer Eingabe befassen wird,

Und dann kam die Breitseite der Dienststelle.

Am 2. Februar 1987 wurde ich zum Auricher Außenstellenleiter zitiert. Hier nun als **Zitat der entsprechende Gesprächsvermerk** meines Außenstellenleiters:

„Resolution der Vertrauensleute der ÖTV bei der Bezirksregierung Weser-Ems - Außenstelle Aurich.

Der Unterzeichner hat heute Herrn Verwaltungsangestellten Gerhard Keller zu der in den Ostfriesischen Nachrichten vom 28.01.87 veröffentlichten Resolution angehört.

Herr Keller hat eingeräumt, die Resolution verfasst zu haben. Ebenso erklärte er, alleine während der Dienstzeit die Unterschriften eingeholt zu haben

Ich habe ihm vorgehalten, dass dies aus verschiedenen Gründen eine Pflichtverletzung darstellen könne.

1) Wenn er als Personalratsmitglied tätig gewesen sein sollte, so habe es an einem Auftrag des Personalrats ebenso gefehlt wie an der Genehmigung der Dienststelle, die Bediensteten am Arbeitsplatz aufzusuchen.

2) Sollte er allein als Sprecher der ÖTV-Vertrauensleute gehandelt haben, so sei dieses ebenso zu sehen, wie die unzulässige Verteilung von Werbungs- und Informationsschriften.

3) Gleich in welcher Eigenschaft er gehandelt habe, widerspräche das Einsammeln von Unterschriften dem Zweck seiner Freistellung als Personalvertreter und Vertrauensmann der Schwerbehinderten.

Herr Keller erklärte, er habe nicht in seiner Eigenschaft als Personalratsmitglied gehandelt, sondern wie auch aus dem Zeitungsartikel ersichtlich, als Sprecher der ÖTV-Vertrauensleute. Er habe aus seiner Sicht nicht unzulässig allgemeine Informationen verteilt, vielmehr bezöge sich die Frage der Zuordnung des Bezirksrechenzentrums konkret auf die Zukunft der Bediensteten der Außenstelle Aurich. Auch habe er nicht seine Pflichten als Personalratsmitglied und Vertrauensmann der Schwerbehinderten verletzt, da er auch außerhalb der Dienstzeit und zu Hause Arbeiten aus diesem Pflichtenkreis erledige.

Herr Keller wurde auch darauf hingewiesen, dass die Weitergabe der Resolution an die Presse als unzulässige „Flucht in die Öffentlichkeit" erscheinen könne.

Hierzu erklärte er: Eine solche Resolution sei ihm durch Landtagsabgeordnete nahe gelegt worden, an die er sich gewendet habe, um eine Entscheidung zu Gunsten Aurichs zu bewirken. Zudem solle diese Resolution eine entsprechende, beim Landtag eingereichte Petition unterstützen. In der Veröffentlichung der

Resolution habe nicht nur er, sondern auch die ÖTV-Kreisverwaltung die einzige Chance gesehen, den Entscheidungsprozeß über den Standort des Bezirksrechenzentrums zugunsten von Aurich zu beeinflussen.

Unterschrift des Außenstellenleiters"

Na ja, ne volle Breitseite unterhalb der „Wasserlinie", dass ein „Kampfschiff zum kentern" bringt, sieht anders aus. Tatsache ist aber wohl, dass die Behörde Bezirksregierung Weser-Ems in Oldenburg mich wegen des „Prestigeobjekts Bezirksrechenzentrums" zum Schweigen bringen wollte. Vermutlich wollte man bei der Behördenleitung in Oldenburg verhindern, dass unsere geplante öffentliche Anhörung in Aurich stattfindet. Interessant in diesem Zusammenhang ist, dass unsere gewerkschaftliche Konkurrenz in Aurich sich während der Dienstzeit wesentlich mehr herausnahmen, ohne dafür von der Dienststelle gerügt zu werden (so hat z. B. der DBB / VdL alle seine Druckerzeugnisse in der dienststelleneigenen Druckerei auf Papier der Behörde und durch den vom Steuerzahler bezahlten Drucker erstellen lassen, der nebendienstliche Unterricht der Auszubildenden durch langjährige Mitarbeiter der DAG und des DBB / VdL wurde dazu benutzt, Werbung für die eigene Gewerkschaft / Verband zu machen, um auf diesem „dienstlichen Wege" neue Mitglieder zu gewinnen usw.).

Ein paar Tage später der nächste Versuch der Oldenburger Behördenleitung mir nicht nur einen „Maulkorb" zu verpassen, sondern auch im Auricher Personalrat dafür zu werben, dass mir dort mehrheitlich das Misstrauen ausgesprochen wird. Zu diesem Zweck lud sich der Abteilungsdirektor 1 der Oldenburger Bezirksregierung (die rechte Hand des Regierungspräsidenten) selbst für die nächste Sitzung in dem Auricher Personalrat ein (was rechtlich nicht zu beanstanden ist). Jedem im Personalrat war klar, dass er einen klaren Auftrag des Regierungspräsidenten in der Tasche hatte.

Er schien sich seiner Sache so sicher zu sein, dass er es sogar zuließ, dass ich mich bei dieser Debatte vehement beteiligte und sogar an der Schlussabstimmung teilnehmen konnte (ein Befangenheitsantrag gegen meine Person wurde nicht beantragt).

Fazit: Die Mehrheit des Auricher Personalrats lehnte mit 5 Neinstimmen (von 9 anwesenden Personalratsmitgliedern) den von der Oldenburger Behörde ins Spiel gebrachte Misstrauensantrag gegen meine Person als Personalratsmitglied ab. Mit diesem Ergebnis konnte der Abteilungsdirektor 1 nach Oldenburg zurückfahren, und dem Regierungspräsidenten Bericht erstatten.

Die Gemeinschaftsaktion – und kein Ende in Sicht

Ende Januar 1987, vor dem schon erwähnten Schreiben des Geschäftsführers der ÖTV-Kreisverwaltung Ostfriesland an die ostfriesischen Landtagsabgeordneten, habe ich bei den ostfriesischen MdL angerufen, um sie darüber aufzuklären, dass wir Vertrauensleute der ÖTV bei der Außenstelle Aurich nichts mit der „Gemeinschaftsaktion der DAG, ÖTV und des VdL bei der Bez. Reg. Weser-Ems, Außenstelle Aurich" zu tun haben, und das diese Kollegen widerrechtlich den Namen „ÖTV" verwenden - somit distanzieren wir uns auch von deren Schriftsätzen, an denen wir weder beteiligt noch das diese uns vor Abgang zur Kenntnis gegeben wurden.

Die MdL waren über dieses Gebaren etlicher Kollegen unseres Hauses maßlos enttäuscht, und rieten mir, mich öffentlich von dieser Gruppe zu distanzieren. Ich habe darauf geantwortet, dass ich dieses auch beabsichtige, jedoch nicht vor unserer öffentlichen Anhörung am 18. März, um die Bediensteten des Hauses nicht zu verunsichern.

Bei dieser Gelegenheit berichtete mir der **MdL Günter Lüttge (SPD),** dass er mit dieser „Aktionsgemeinschaft" einen Termin am 12. Februar im Landtag vereinbart hatte, und fragte mich, ob ich darüber informiert sei. Diese Frage habe ich „verneint". Daraufhin lud er mich zu dieser Unterredung in Hannover ein. Wir vereinbarten Stillschweigen über diese Einladung, um die Kollegen der „Gemeinschaftsaktion" vorläufig noch in Sicherheit zu wiegen.

Und wieder taucht ein Schreiben vom 4. Februar 1987 der „Gemeinschaftsaktion" an den Herrn Oberkreisdirektor des Landkreises Aurich bei mir auf - wieder mit der Bezeichnung „ÖTV" im Absender des Briefbogens, und wieder unterschrieben von dem damaligen amtierenden Personalratsvorsitzenden. Tenor des Schreibens: Stellenabbau bei der Außenstelle der Bezirksregierung in Aurich (diese Unverfrorenheit nahm mittlerweile dramatische Züge an - die Not unserer Gewerkschaftskonkurrenz muss wohl groß gewesen sein).

12. Februar 1987 - Termin im Landtag

Kurz vor 6 Uhr bei den Garagen der Außenstelle Aurich, der Dienstwagenfahrer war schon da. Seine Reaktion: „Du bist mir als Mitfahrer gar nicht gemeldet". Ich sagte dann zu ihm, dass es schon alles seine Richtigkeit hätte. Der Mitfahrer des DBB / VdL hatte einige Minuten Verspätung. Wie er mich sah, fragte er ganz erstaunt: „Wo willst du denn hin?". Er bekam von mir lediglich die Antwort, dass ich einen Termin in Hannover hätte. Unterwegs holten wir noch den damaligen Personalratsvorsitzenden (DAG) von zu Hause ab, wobei die verwunderten Fragen nach meinem „Wohin" und meine knappen Antworten sich wiederholten. Von der ÖTV gab es keinen weiteren Mitfahrer. Somit war klar, dass die ominöse „Gemeinschaftsaktion der DAG, ÖTV und des VdL bei der Bez. Reg. Weser-Ems, Außenstelle Aurich" ein lupenreiner Schwindel war - der geschützte Name „ÖTV" wurde vorsätzlich missbraucht, um Außenstehenden zu suggerieren, dass die Gewerkschaften und Verbände der Außenstelle Aurich an einem Strang   zogen.

In Hannover angekommen, stiefelte ich schnurstracks, ohne auf meine Mitfahrer zu warten, ins Landtagsgebäude, und meldete mich dort für die Unterredung an. An der Unterredung nahmen der **Staatssekretär Dieter Haaßengier (CDU) aus dem Innenministerium, Herr Bruns (Referent im Innenministerium), Johann „Joke" Bruns (SPD Landesvorsitzender und MdL). Günther Boekhoff (SPD MdL), Walther Graetsch (FDP MdL)Udo Koeneke (SPD MdL), Günter Lüttge (SPD MdL), Wolfgang Sehrt (CDU MdL aus**

Braunschweig) und Brigitte Stoll (CDU MdL) sowie wir drei Kollegen aus der Außenstelle Aurich und Herr **Konrad Heilemann** (Aktion für Ostfriesland) teil.

Es war ein gutes und sachdienliches Gespräch, wobei die SPD-MdL „Joke" Bruns und Günter Lüttge es immer geschickt verstanden, mich in unsere Auricher Sachargumentation einzubinden, sodass meine beiden Mitstreiter der „Gemeinschaftsaktion" nur sporadisch zu Wort kamen. Es versteht sich natürlich von selbst, dass Herr Staatssekretär Haaßengier sich in dieser Unterredung mit Bewertungen zur Standortfrage des Bezirksrechenzentrums zurückhielt.

Auf der Rückfahrt nach Aurich war dann auch eisiges Schweigen angesagt - unter anderem auch deshalb, weil beide Kollegen der „Gemeinschaftsaktion" von MdL Günter Lüttge dahingehend geimpft wurden, nicht deren Wunschpaket bezüglich der Rückverlagerung des Wirtschaftsförderungsdezernates nach Aurich und dergleichen in die Diskussion einzubringen.

Und dann kam der DBB / VdL-Hammer

In einem Rundschreiben des DBB / VdL an alle Kolleginnen und Kollegen der Außenstelle Aurich, datiert vom 16. Februar 1987 (verteilt am 18. Februar - Tag der öffentlichen Anhörung auf Initiative der ÖTV in Aurich), war gleich im ersten Satz zu lesen: „**Die Schlacht ist geschlagen.** Alle Argumente sind ausgetauscht und diskutiert worden. Das endgültige Wort haben nun die verantwortlichen Minister des Landes Niedersachsen".

Nachfolgend listeten die Kollegen des DBB / VdL im besagten Rundschreiben noch mal alle Auricher Sachargumente für die Ansiedlung des Bezirksrechenzentrums in Aurich auf, wobei ich feststellen muss, dass man **alle Argumente** aus unseren bisherigen ÖTV-Veröffentlichungen abgeschrieben hatte (teilweise sogar wortgleich) - neues gab es in diesem Papier nicht.

Im letzten Satz dieses besagten Rundschreibens heißt es dann noch einmal - „Die Schlacht ist geschlagen".

Das der DBB / VdL mit diesem Rundschreiben versuchte, unsere Anhörung am gleichen Tage ab 16 Uhr (also nach Dienstschluss) zu boykottieren -unseren Kolleginnen und Kollegen von einer Teilnahme abzuhalten- ist schlechter Stil, und zeugt davon, wie sehr man als Verband in dieser Angelegenheit der Auricher Dienststelle ins Hintertreffen geraten war.

Zudem zeugte dieses DBB / VdL Rundschreiben von politischer Unerfahrenheit, denn **eine Schlacht ist erst dann geschlagen, wenn das Ergebnis feststeht!** Das sollten diese Kollegen sich auch zukünftig merken (eine entsprechende Antwort bekamen diese Helden von den Politikern schon in der nachfolgenden öffentlichen Anhörung aufs Brot geschmiert).

Öffentliche Anhörung am 18. Februar 1987 zur Ansiedlung des Bezirksrechenzentrums.

Auf Initiative der Gewerkschaft ÖTV-Kreisverwaltung Ostfriesland fand am 18. Februar 1987 um 16 Uhr im Hotel Piqueurhof in Aurich die öffentliche Anhörung zur Ansiedlung des Bezirksrechenzentrums bei der Außenstelle Aurich der Bezirksregierung Weser-Ems statt.

Von den geladenen Gästen nahmen teil: **Eduard Bojunga** (Geschäftsführer DGB-Kreis Aurich-Wittmund), **„Joke" Bruns** (SPD Landesvorsitzender und MdL). **Manfred Detterbeck** (ÖTV-Kreisverwaltung Ostfriesland – gleichzeitig als Veranstaltungsleiter), **Walther Graetsch** (FDP MdL), **Udo Koeneke** (SPD MdL), **Alfred Meyer** (SPD Unterbezirk Aurich), **Wolfgang Ontijd** /CDU MdL, **Brigitte Stoll** (CDU MdL) sowie die ostfriesischen Pressevertreter.
Entschuldigt fehlten: **Günter Lüttge, Hinrich „Hinni" Swieter** (beide wegen Krankheit) und **Günther Boekhoff** (wegen Termin im Innenausschuss des Landtages) - alle drei SPD.

Knapp über 40 Besucher hatten sich trotz des Boykottaufrufs des DBB / VdL im Saal des Hotels Piqueurhof eingefunden. Noch vor Eröffnung der Veranstaltung, wurde von etlichen Besuchern kritisch angemerkt, dass die Teilnehmerzahl unter dem

Boykottrundschreiben des DBB / VdL „die Schlacht ist geschlagen" vom heutigen Tage leide. Mit Befremden aber auch mit Empörung wurde von allen Podiumsrednern dieses Flugblatt zur Kenntnis genommen.

Hierzu äußerten sich auch etliche MdL laut Tonbandmitschnitt wie folgt:

Johann Bruns –SPD:
„Ich sehe darin einen verschlüsselten Boykottaufruf gegen die heutige Veranstaltung. Ich meine, dass der Schreiberling den ostfriesischen Interessen damit geschadet hat".

Walther Graetsch – FDP:
„In Abwandlung des Flugblattes, was heute noch einmal verteilt wurde, möchte ich sagen, dass ich die Schlacht noch nicht als geschlagen ansehe. Denn das würde sicherlich heißen, dass schon feststehen würde, wie das Ergebnis ist. Die Kabinettsvorlage liegt jedoch noch nicht vor, und das Kabinett selber hat auch noch keine Entscheidung getroffen. Das heißt, wir werden den Spielraum nutzen müssen, der uns noch bleibt".

Udo Koeneke – SPD:
„Ich teile die Ansicht, die auch hier geäußert wurde, dass das Rennen noch nicht gelaufen ist. Die vorausgegangenen Gespräche, an denen ich ebenfalls teilgenommen habe, zeigen uns, dass sich die Regierung an dieser Stelle sehr schwer tut".

Wolfgang Ontijd – CDU:
„Ich glaube, hier müssen wir noch einmal ansetzen, um die Argumente, die dafür herhalten sollen, dass die neuen Technologien in Oldenburg angesiedelt werden, entkräftet werden. Wir dürfen jetzt nicht locker lassen".

(In einem Rundschreiben, ein paar Tage **nach** dieser Veranstaltung, haben wir als ÖTV Vertrauensleute diesen versteckten Boykottaufruf auch noch mal deutlich angeprangert, und dazu die vorstehenden Erwiderungen der Politiker in der Auricher Dienststelle veröffentlicht).

Nach der Begrüßung durch den Kollegen Manfred Detterbeck hielt ich ein ca. 20minütiges Einleitungsreferat über die geplanten Stelleneinsparungen bei der Dienstelle Aurich und deren Kompensation durch die Neuansiedlung des geplanten Bezirksrechenzentrums in Aurich. Abschließend habe ich noch mal deutlich gemacht, dass es uns als ÖTV nicht darum geht, die Bezirksreform wieder zurückzudrehen, dass wir anderen Dienststellen der Bezirksregierung Weser-Ems nichts wegnehmen wollen (dieses auch, um meinen beiden Mitfahrern vom 12. Februar nach Hannover zum Landtag, die an dieser Anhörung auch als Besucher teilnahmen, gleich den Wind aus den Segeln zu nehmen).

Danach folgten die einzelnen längeren Statements der genannten Podiumsteilnehmer. Hier jetzt im Einzelnen darauf einzugehen, würde den Rahmen dieser Veröffentlichung sprengen. Somit möchte ich hier lediglich feststellen, dass alle Podiumsredner sich mit großer Überzeugung für die Ansiedlung des Bezirksrechenzentrums in Aurich ausgesprochen haben.

Anschließend folgte eine offene Diskussion, an der sich etliche Besucher beteiligten. Hier beschränke ich mich auf zwei Wortmeldungen und die anschließenden Reaktionen vom Podium (alle Beiträge sind wörtliche Wiedergaben, denn die Veranstaltung ist mit Billigung aller Teilnehmer auf Tonband mitgeschnitten worden):

Frage eines Arbeitskollegen in Kurzform: Wir haben aus Oldenburg Gerüchte gehört, dass unser Kollege Keller wegen seiner Aktivitäten um die Ansiedlung des Bezirksrechenzentrums arbeitsrechtlich abgemahnt werden soll – man will ihn also einen Maulkorb verpassen. Hat die Behörde das Recht in dieser für Aurich so wichtigen Frage dem Kollegen ans Leder zu gehen?"

Antwort des ÖTV-Sekretärs Manfred Detterbeck: „Wir hören diese Information heute zum ersten mal. Natürlich werden wir als Gewerkschaft, falls die Bezirksregierung in dieser Richtung etwas unternehmen will, alle Schritte unternehmen, um Herrn Keller insoweit zu schützen. Herr Keller hat das verfassungsgemäße Recht in seiner Eigenschaft als Funktionär der Gewerkschaft ÖTV

Stellung zu nehmen, und auch innerdienstlich dafür zu arbeiten und zu werben. Daran gibt es auch überhaupt keinen Zweifel. Die Damen und Herren Abgeordneten können hier sicherlich keine Stellungnahme dazu abgeben".

Frage eines Arbeitskollegen in Kurzform (er war Schreiberling des fraglichen Flugblattes des DBB / VdL): „Wie soll es in Fragen des Bezirksrechenzentrums jetzt weitergehen? Ich halte es für sinnvoll, jetzt ein Aktionskomitee unter Leitung des MdL Günter Lüttge ins Leben zu rufen. Würden sie diesen Vorschlag unterstützen?"

Antwort MdL Walther Graetsch: „Ob hier jetzt noch ein Aktionskomitee zu gründen ist, halte ich nicht mehr für sinnvoll, sondern wir sollten jeder auf seiner Schiene im gemeinsamen Konzert versuchen die Entscheidungsbildung zu beeinflussen".

Antwort MdL Johann Bruns: „Ich möchte Herrn Graetsch völlig zustimmen. Dieser Weg, den wir hier auf dem Podium seit Monaten miteinander gehen, hat sich bewährt, und daran sollten wir auch nichts ändern. Jetzt einen dicken Knüppel vor uns her Schwingen, und so tun, als hätten wir was im Kreuz, wäre genau der falsche Weg".

Danach beendete Kollege Manfred Detterbeck gegen 18 Uhr die öffentliche Anhörung und bedankte sich bei allen Teilnehmern.

Nach Beendigung kam MdL Frau Stoll (CDU) zu mir, und befragte mich, auf Grund des Hinweises eines Kollegen in der Diskussion, nach meinen Schwierigkeiten mit der Behörde. Nachdem ich ihr den Sachverhalt schilderte, sicherte sie mir zu, diesbezüglich mit dem Regierungspräsidenten zu reden.

Etliche Tage später rief Frau Stoll bei mir im Büro an und erklärte (wörtlich), „ich habe mit dem Regierungspräsidenten gesprochen, und ihm deutlich gemacht, dass sie nicht gegen die Bezirksregierung kämpfen, sondern für den Erhalt der Auricher Arbeitsplätze - und bekanntlich sei die Außenstelle Aurich ja ein fester politischer Bestandteil der Bezirksregierung Weser-Ems. Damit ist diese unnötige Angelegenheit für sie vom Tisch".

In den nachfolgenden Tagen fand diese geschilderte Podiumsdiskussion ein großes journalistisches Echo. Etliche Zeitungen berichteten sogar mehrfach.

Hier einige Pressereaktionen zur obigen Veranstaltung:

Ostfriesen-Zeitung vom 19.02.1987

„RP Oldenburg kämpft „mit harten Bandagen"

mag **Aurich / Oldenburg** Bei seinen Bemühungen, das neue Gebietsrechenzentrum an den Sitz der Bezirksregierung nach Oldenburg zu holen, kämpft der Regierungspräsident „mit harten Bandagen", wie ein Teilnehmer der ÖTV-Podiumsdiskussion gestern in Aurich (siehe gesonderten Bericht) formulierte.
Ein Diskussionsteilnehmer wies nämlich darauf hin, dass gegen den stellvertretenden Vorsitzenden der ÖTV-Abteilung allgemeine Landesverwaltung Gerhard Keller in seiner Eigenschaft als Landesbediensteter ein Abmahnverfahren eingeleitet worden sei, was Keller am Podium bestätigte. Mitarbeiter der Regierungsaußenstelle protestierten gestern spontan gegen die Handlungsweise der Bezirksregierung. ÖTV Sekretär Detterbeck versicherte, dass die Gewerkschaft alles dransetzen werde, dass Keller seine verfassungsmäßigen Rechte wahrnehmen könne.
Auch Konrad Heilemann berichtete, dass er nach Oldenburg zitiert worden sei, um ihm dort unmissverständlich zu erklären, dass er „keine zwei Hüte tragen könne", den des Vorsitzenden des Vereins „Aktion für Ostfriesland e. V." und dem seines Dienstherrn".

Kommentar der Ostfriesischen Nachrichten vom 20.02.1987

„Das falsche Argument - von Alf Hitschke

Aurich. Die Diskussion über den Standort des geplanten Rechenzentrums der Bezirksregierung Weser-Ems ist seit Mittwoch um eine Auseinandersetzung zwischen Bezirksregierung und Gewerkschaft bereichert. Die Mutmaßung des ÖTV-Funktionärs und Regierungsmitarbeiters Gerhard Keller, sein Arbeitgeber wolle ihm einen Maulkorb verpassen, hat zu wütenden Protesten der Gewerkschaftler geführt - und zu einer Reaktion der

Bezirksregierung auf diese Proteste. Sie ist, gestern per Fernschreiber den Redaktionen übermittelt, ein Beispiel dafür, wie schwer sich Behörden im Umgang mit Gewerkschaften tun können. Die Begründung dafür, dass man Keller lud und seine Unterschriftensammlung kritisierte, ist juristisch vermutlich einwandfrei, ist sie aber auch vernünftig? Zweifel sind angebracht. Natürlich haben die Mitarbeiter der Außenstelle die geschuldete und vom Steuerzahler finanzierte Arbeitsleistung unterbrochen. Na und? Es ist doch wohl selbstverständlich, dass sich Arbeitnehmer auch während der Arbeitszeit mit ihren Kollegen über die Zukunft des eigenen Arbeitsplatzes unterhalten, sich schriftlich zu äußern, wenn dieser Arbeitsplatz im Mittelpunkt inzwischen landesweiter Diskussionen steht. Jeder Steuerzahler, der auch nur ein klein wenig Interesse am Erhalt von Arbeitsplätzen in Aurich hat, muss damit einverstanden sein.

Die angebliche Verschwendung von ein paar Mark Steuergeldern ist das falsche Argument, wenn der Region Ostfriesland auf der anderen Seite durch die Streichung von Arbeitsplätzen ein jährlicher Kaufkraftverlust von mehreren hunderttausend Mark droht".

Warten auf die Kabinettsentscheidung

In einem kleinen Pressebericht der **Ostfriesen-Zeitung** vom 25. Februar 1987 war zu lesen:

„Der Regierungssprecher Hilmar von Poser habe gestern auf Anfrage der Ostfriesen-Zeitung erklärt, dass ein Beschluss des Kabinetts über den Standort des Rechenzentrums voraussichtlich in vierzehn Tagen fallen werde. Nach seiner Einschätzung tendiere der Ministerpräsident aus strukturpolitischen Überlegungen für den Standort Aurich und damit gegen Oldenburg. Dr. Ernst Albrecht konnte gestern nicht an der Kabinettssitzung teilnehmen, weil er bei den Koalitionsverhandlungen in Bonn war, Eine Probeabstimmung im Kabinett habe aber ergeben, dass Aurich dort mit 9 zu 1 Stimmen favorisiert wurde".

Am 24. und 25. April 1987 überschlagen sich die Ereignisse. Am 24. April 1987 steht als Eilmeldung in allen ostfriesischen

Tageszeitungen, dass die Landesregierung die Entscheidung traf, dass Bezirksrechenzentrum in Aurich anzusiedeln. Informant war kein geringerer als FDP Wirtschaftsminister Walter Hirche., der in einem Gespräch mit Aurichs Bürgermeister Werner Stöhr dieses als nunmehr beschlossene Tatsache zum Besten gab.

Ein Tag später gab es dann das große Dementi Hirches – er sei angeblich falsch verstanden worden. Wirtschaftsminister Hirche sprach jetzt von einem Missverständnis.

Die große Überraschung folgte dann am 15. Mai 1987. Die Presse meldet: **„Land verzichtet ganz auf neues Rechenzentrum".**

<u>In einem **Kommentar** der Ostfriesischen Nachrichten vom 15. Mai 1987 heißt es dazu:</u>

„Schweers Rechnung ist nicht aufgegangen - von Alf Hitschke

Aurich. Jetzt haben wir es schwarz auf weiß: Für den Regierungsbezirk Weser-Ems wird es vorerst kein Rechenzentrum geben - weder in Aurich noch in Oldenburg.
Es darf bezweifelt werden, dass ausschließlich Geldmangel ausschlaggebend war für diesen Beschluss der Landesregierung. Die Kosten der Einrichtung sind seit langem bekannt - folglich hätte man in Hannover nicht mehrmals vertagen und Ostfriesland monatelang im Ungewissen lassen müssen, wäre es nur um Geld gegangen.
Wahrscheinlich fehlte es vielmehr vor allem an Mut, eine klare Entscheidung zu treffen. Dem Präsidenten der Bezirksregierung Weser-Ems einen Korb geben oder eine aufsehenerregende Entscheidung gegen Ostfriesland treffen - unbequeme Lösungen, die keine Befürworter fanden.
Regierungspräsident Dr. Joseph Schweer steht vor einem Berg von Scherben - Porzellan, das er selber zerschlagen hat. Seine Weigerung, den berechtigten Forderungen aus Aurich nachzugeben, hat den Streit ausgelöst und die Landesregierung in eine äußerst peinliche Lage gebracht. Dass sie sich aus dieser Situation herausmogeln würde, hätte Schweer voraussehen müssen. Angesichts dieses Debakels ist die Übertragung weiterer Verwaltungsaufgaben an die Außenstelle Aurich nur ein schwacher

Trost, auch wenn damit Stellenstreichungen ausgeglichen werden können. Die Einrichtung des Rechenzentrums hätte nicht nur Arbeitsplätze gebracht - sie wäre der Einstieg gewesen in eine Nutzung neuer Datenverarbeitungstechniken auch in Ostfriesland, hätte vielleicht sogar eine Signalwirkung für Privatunternehmen gehabt. Diese Chance ist vertan.

Immerhin brachte das Gezerre um das Zentrum eine neue Erkenntnis: Auf das Wort des Wirtschaftsministers ist nicht mehr uneingeschränkt Verlass. Was sich FDP-Mann Walter Hirche leistete, als er Aurichs Bürgermeister Werner Stöhr von einer Entscheidung zugunsten Aurichs erzählte, war eine üble Fahrlässigkeit. Hirche blamierte einen Bürgermeister und machte vielen tausend Bürgern einen ganzen Tag lang falsche Hoffnungen, weil er - so ist zu vermuten - drauflos- plapperte, ohne informiert zu sein. Seiner Vorgängerin Birgit Breuel wäre das nicht passiert".

Ostfriesen-Zeitung vom 25. Mai 1987

„Falsche Argumente - ÖTV Kritik

Aurich/ Emden. Die Entscheidung der Landesregierung, dass für Weser-Ems geplante Bezirksrechenzentrum vorerst nicht in Aurich oder Oldenburg anzusiedeln, sondern diese Aufgaben vorläufig vom Landesverwaltungsamt in Hannover mitbearbeiten zu lassen, hat die Gewerkschaft ÖTV kritisiert. Es sei eine vorkalkulierbare Entscheidung gegen die Region Ostfriesland, erklärte Gerhard Keller, stellvertretender Vorsitzender des Abteilungsvorstandes „Allgemeine Landesverwaltung" in einer Presseerklärung.

Ich bin davon überzeugt, so Keller weiter, dass, wenn erst einmal „Gras über die Sache gewachsen ist", und die Ostfriesen sich ruhig verhalten, das Bezirksrechenzentrum sehr bald in Oldenburg installiert werde.

Die schlechte Finanzlage des Landes sei für die Entscheidung nur ein vorgeschobenes Argument. Denn die Kosten für die Installierung dieses Bezirksrechenzentrums und die notwendigen Personalkosten seien schon in der mittelfristigen Finanzplanung des Landes für das Haushaltsjahr 1988 ausgewiesen und veranschlagt. Darum wolle die ÖTV weiterhin für den Standort Aurich kämpfen.

Zur Entscheidung der Landesregierung, der Außenstelle Aurich der

Bezirksregierung Weser-Ems zusätzliche Aufgaben und Arbeitsplätze durch die Verlagerung von Universitäts- und Hochschulbesoldung zu geben, meint die ÖTV, dass der Kampf um eine Bestandsgarantie für die Außenstelle Aurich nicht umsonst gewesen sei".

(Wie recht ich mit dieser o. a. Einschätzung pro Oldenburg hatte, sollte die Zukunft zeigen.)

Der Kampf um das Bezirksrechenzentrum geht weiter

In der Zeit vom 9. bis zum 14. Juni 1987 planten wir als ÖTV-Vertrauensleute Infostände in der Auricher Fußgängerzone, bei der Auricher Weser-Ems Ausstellung mit Unterschriftensammlung und den Einsatz von Lautsprecher- wagen. Von der Stadt Aurich erhielten wir die erforderlichen Genehmigungen.

Die Presse hat uns bei diesen Aktionen durch hervorragende Berichterstattung kräftig unterstützt. Bei der Weser-Ems Ausstellung wurde uns von der Presse sogar der Wirtschaftsminister Walter Hirche (FDP) zu einem Gespräch zugeführt - nur den Aufruf an die Landesregierung nunmehr das Rechenzentrum in Aurich anzusiedeln, wollte er nicht unterschreiben.

Bei diesen Aktionen wurden über 1.400 Unterschriften gesammelt, die ich nach der Sommerpause zusammen mit dem **MdL Hinrich Swieter** (SPD) dem **Ministerpräsidenten Ernst Albrecht** in Hannover überreichen konnte. Bei diesem kurzen Gespräch war Herrn Albrecht deutlich anzumerken, dass ihm nicht sehr Wohl in seiner Haut war. Er versprach jedoch, weil ihm Ostfriesland sehr am Herzen liege, den Vorgang rund um das Bezirksrechenzentrum nochmals gründlich prüfen zu wollen.

Die Entscheidung des Landtages zu meiner Petition vom 10. Juni 1987

Mit Schreiben vom 10. Juni 1987 (bei mir am 12.06.87 eingegangen) teilt mir der Landtagspräsident mit, dass der Ausschuss für innere Verwaltung des Niedersächsischen Landtages meine Petition beraten hat:

„Das für die Angelegenheit zuständige Ministerium hat zu der Eingabe Stellung genommen. Der Ausschuss hat ihre Eingabe und die Stellungnahme erörtert. Er ist zu dem Ergebnis gekommen, dass sie über die Sachlage, wie sie sich aus der Stellungnahme ergibt. Unterrichtet werden sollen und die parlamentarische Behandlung der Angelegenheit damit abgeschlossen wird.

In seiner Sitzung am 10. Juni 1987 hat der Landtag die Auffassung des Ausschusses gebilligt.

Zu ihrer Unterrichtung ist daher die Stellungnahme des Ministeriums beigefügt".

Unterzeichnet ist dieses Schreiben von dem Landtagspräsidenten Herrn Dr. Edzard Blanke persönlich (daran kann man auch den Stellenwert der Petition erkennen).

Hier nun die Stellungnahme des Innenministeriums im Wortlaut:

„Stellungnahme
des Niedersächsischen Ministers des Innern zur Eingabe Nr. 721 / 2 / XI der ÖTV-Vertrauensleute bei der Bezirksregierung Weser-Ems, Außenstelle Aurich, z. H. Herrn Gerhard Keller (Anschrift), betr. Standort des Bezirksrechenzentrums bei der Bezirksregierung Weser-Ems.

Mit ihrer Eingabe vom 25.01.1987 bitten die ÖTV-Vertrauensleute der Bezirksregierung Weser-Ems (Außenstelle Aurich) darum, sie bei ihrer Forderung, das geplante Bezirksrechenzentrum der Bezirksregierung Weser-Ems nicht bei der Zentrale in Oldenburg, sondern am Standort der Außenstelle Aurich einzurichten, zu unterstützen. Durch diese Maßnahme soll der Verlust von Stellen infolge der Automation der Regierungsbezirkskasse ausgeglichen und den arbeitsmarktpolitischen Belangen Ostfrieslands, die durch besonders hohe Arbeitslosigkeit gekennzeichnet sind, Rechnung getragen werden. Zwischenzeitlich hat der MI im Einverständnis mit dem Kabinett beschlossen, zunächst von der Einrichtung eines Bezirksrechenzentrums für die Bezirksregierung Weser-Ems abzusehen. Der durch die Kassenautomation drohende Stellenverlust in der Außenstelle Aurich soll dabei durch Verlagerung von bisher im Landesverwaltungsamt wahrgenommenen Bezügezahlfällen zur Außenstelle Aurich ausgeglichen werden. Die Entscheidung des MI wird von den nachfolgend dargestellten Entwicklungen und Gesichtspunkten getragen.

Nach dem Konzept der Mehrzweckrechenzentren beabsichtigte MI zunächst, im Jahre 1988 auch in der Bezirksregierung Weser-Ems ein Bezirksrechenzentrum einzurichten, das als Dezernat 108 (Automatisierte Datenverarbeitung) Bestandteil der Behörde Bezirksregierung sein sollte. Auf diese Weise sollte erreicht werden, dass die bezirksbezogenen automatisierten Aufgaben des Regierungsbezirks Weser-Ems wie in den Bezirksregierungen Braunschweig und Lüneburg, die bereits über eigene Bezirksrechenzentren verfügen, nicht mehr vom Mehrzweck-rechenzentrum des Landesverwaltungsamtes, sondern von einem eigenen Bezirksrechenzentrum verarbeitet werden.

Für den Betrieb eines Bezirksrechenzentrums Weser-Ems wären insgesamt 11 Stellen erforderlich gewesen, die durch Einsparung von Stellen aus den Regierungsbezirkskassen nach Einführung des automatisierten Kassenverfahrens und Verlagerung von Stellen aus dem Rechenzentrum des Landesverwaltungsamtes infolge der Aufgabenübertragung finanziert werden sollten. Die räumliche Unterbringung des einzurichtenden Bezirksrechenzentrums konnte bisher noch nicht abschließend geklärt werden. Hierfür werden klimatisierte Räume benötigt. Diese stehen weder in Aurich noch in Oldenburg in landeseigenen Gebäuden zum beabsichtigten Errichtungszeitpunkt 1988 zur Verfügung, so dass an beiden Standorten eine Miet- oder Umbaulösung hätte gefunden werden müssen.

Im Zusammenhang mit der Vorbereitung der Automation der Regierungsbezirkskasse Aurich hatten zunächst Vertreter der ÖTV in Aurich als Kompensation für den dadurch entstehenden

Stellenverlust gefordert, das Rechenzentrum am Standort Aurich einzurichten, denn die Regierungsbezirkskasse in Aurich wird als letzte Kasse der Bezirksregierungen im Jahre 1988 auf das automatisierte Kassenverfahren umgestellt werden. Wie bei den anderen Bezirksregierungen, bei denen das neue Buchungsverfahren bereits eingeführt ist, lässt dies auch bei der Regierungshauptkasse in Aurich eine Senkung der Personalkosten von ca. 20 % erwarten. Dies bedeutet, dass sich der Stellenbestand in der Kasse um ca. 15 Stellen verringern wird, wobei der dadurch entstehende Personalüberhang durch Umsetzung von Kassenmitarbeitern auf im Rahmen der Personalfluktuation frei werdende Stellen in der Außenstelle abgebaut werden muss. Dieser Forderung schlossen sich Landtagsabgeordnete aus der Region Aurich sowie später andere Berufsverbände (DAG, DBB) an. Ihre Forderung nach dem Standort Aurich begründeten sie dabei sowohl mit arbeitsmarktpolitischem Argument der Schaffung von 11 neuen Stellen als Ersatz für den Stellenverlust infolge der Kassenautomation als auch mit der überwiegenden Auslastung des Rechners durch in Aurich zu erledigende Kassen- und Besoldungsaufgaben.

Demgegenüber verlangten der DGB Kreis Oldenburg, die ÖTV-Kreisverwaltung Oldenburg, die DAG-Bezirksleitung Oldenburg sowie Landtagsabgeordnete aus dem Raum Oldenburg, das Rechenzentrum am Standort Oldenburg anzusiedeln. Hierfür trugen sie als wichtigsten Grund vor, dass das Rechenzentrum eine zentrale Betreuungs- und Unterstützungsfunktion bei der Automatisierung der Verwaltungsabläufe in den 37 in Oldenburg zusammengefassten Dezernaten zu erfüllen habe, die von Aurich aus nicht wahrgenommen werden können. Dabei ist zu dem auch vom Petenten angeführten Standortargument der überwiegenden Auslastung des Rechners durch in der Außenstelle Aurich zu erledigende Verwaltungsaufgaben anzumerken, dass entgegen dieser Darstellung der Rechner des Rechenzentrums nicht zu ca. 60 % sondern nur zu 30 % durch die Kassenautomation (Fachdezernat in Aurich) und zu ca. 60 % durch das Katasterverfahren (Fachdezernat in Oldenburg) ausgelastet würde. Der Regierungspräsident der Bezirksregierung Weser-Ems vertrat ebenfalls die Auffassung, dass das Bezirksrechenzentrum sachgerecht am Standort der Zentrale in Oldenburg eingerichtet werden müsste.

Wegen der derzeitigen Finanzlage des Landes und der jüngsten vom Landesministerium beschlossenen Einsparungen bei den Personalkosten hat der MI mit Einverständnis des Kabinetts nunmehr entschieden, die bisher vorgesehene Einrichtung eines Bezirksrechenzentrums bei der Bezirksregierung Weser-Ems zunächst zurückzustellen. Die Schaffung eines solchen Rechenzentrums zum bislang vorgesehenen Zeitpunkt würde zu betriebswirtschaftlichen Mehrkosten für neue Stellen und bei der räumlichen Unterbringung führen, die gegenwärtig nicht vertretbar erscheinen. Die dem neuen Rechenzentrum zugedachten Aufgaben des automatisierten Kassenverfahrens und des erweiterten automatisierten Katasterverfahrens sollen nunmehr vorübergehend für den Regierungsbezirk Weser-Ems vom Rechenzentrum des Landesverwaltungsamtes in Hannover wahrgenommen werden. Damit bleibt die Entscheidung über den Standpunkt eines künftigen Rechenzentrums bei der Bezirksregierung Weser-Ems offen.

Den mit Nachdruck vom Petenten vorgetragenen ostfriesischen Belangen auf Ausgleich des Stellenverlustes infolge der Kassenautomation bei der Außenstelle Aurich beabsichtigt MI dadurch Rechnung zu tragen, dass er die Aufgaben der Lohn-, Vergütungs-, und Besoldungszahlfälle der Universitäten Oldenburg und Osnabrück sowie der drei Fachhochschulen des Regierungsbezirks Weser-Ems vom Landesverwaltungsamt Hannover und zu einem geringeren Teil aus dem Geschäftsbereich des MWK zur Außenstelle Aurich der Bezirksregierung Weser-Ems verlagert. Hierdurch wird sich der Stellenbedarf in Aurich um 16 Stellen erhöhen und somit den Verlust von 15 Stellen infolge der Kassenautomation vollständig kompensieren. In Aurich könnten dadurch die in der Kasse entbehrlich werdenden Mitarbeiter mit den neuen Aufgaben des Besoldungsdezernats betraut werden. Der Stellenabbau wäre dann in entsprechendem Umfange im Niedersächsischen Landesverwaltungsamt anstatt in Aurich durchzuführen".

Zwischenfazit

Natürlich war ich damit einverstanden, dass die durch Automation frei werdenden Stellen in der Regierungsbezirkskasse Aurich mit neuen Aufgaben kompensiert werden - keine Frage. Doch es war ein Erfolg mit einem bitteren Beigeschmack, denn die Argumente des Innenministers zum vorläufigen Verzicht eines Bezirksrechenzentrums für die Bezirksregierung Weser-Ems (siehe vorstehende Stellungnahme) waren an den Haaren herbeigezogen - das war aus jedem einzelnen Satz der Stellungnahme des MI auch deutlich herauszulesen.

Hinzu kam die Schwäche der Landesregierung, die es nicht fertig brachte, eine klare Entscheidung in der Sache zu treffen. Man scheute einerseits den Konflikt mit dem Oldenburger Regierungspräsidenten bzw. andererseits mit der benachteiligten Region Ostfriesland.

Gelernt habe ich, dass man sich nicht auf Lippenbekenntnisse pro Aurich verlassen darf - weder vom damaligen Ministerpräsidenten noch vom damaligen Wirtschaftsminister - nach deren vorherigen öffentlichen Bekundungen war Aurich als Standort für das Bezirksrechenzentrum ausgemachte Sache. Schade, eine Chance für Aurich und Ostfriesland wurde leichtfertig verspielt.

Nach der Sommerpause 1987 gab es bezüglich meiner Arbeit rund um das Thema „Bezirksrechenzentrum" gewerkschaftsinterne Irritationen im hauseigenen Vertrauensleutekörper (auf die ich in einer der nächsten Abhandlungen zurück komme), die mich veranlassten, als Aktivist aus dieser Thematik auszusteigen.

Zeitsprung in den September 1989

Vom Sommer 1987 bis zum September 1989 war in der Angelegenheit Bezirksrechenzentrum absolute Ruhe angesagt - aus Aurich und Ostfriesland gab es in Fragen des Standortes des Bezirksrechenzentrums keinerlei Aktionen zu vermelden. Und dann der Hammer:

„Rechenzentrum nach Oldenburg - Innenminister hat bereits „vor einiger Zeit" entschieden

jok. **Aurich.** Stadt Aurich und hiesige Gewerkschafter lagen richtig; das Bezirksrechenzentrum der Bezirksregierung Weser-Ems kommt nach Oldenburg.

Volker Benke, Pressesprecher des niedersächsischen Innenministeriums, hat gestern die Aussage seines Vertreters korrigiert; wie er den ON auf Anfrage mitteilte, sei die Grundsatz-Entscheidung durch den Minister bereits „vor einiger Zeit" gefallen, und zwar zugunsten Oldenburgs. Am Wochenende habe der Minister zwar noch einmal die Gründe pro und kontra Oldenburg bzw. Aurich abgewogen, sei aber zu keiner neuen Einschätzung gelangt.

Laut Benke sind Überlegungen im Gange, durch welche Ausgleichsmaßnahmen der RP-Außenstelle Aurich „geholfen" werden könne.

Was unter „Hilfe" zu verstehen ist und welche Gründe den Ausschlag bei der Standortwahl gegeben haben, konnte Benke gestern nicht beantworten: „Alle zuständigen Herren sitzen im Haushaltsausschuss"."

In vorstehendem Zusammenhang erinnere ich an meine Presseerklärung vom 25. Mai 1987 in der Ostfriesen-Zeitung mit der Überschrift:

„Falsche Argumente - ÖTV Kritik

„Ich bin davon überzeugt, so Keller weiter, dass, wenn erst einmal „Gras über die Sache gewachsen ist", und die Ostfriesen sich ruhig verhalten, das Bezirksrechenzentrum sehr bald in Oldenburg installiert werde".

Mein Leserbrief vom 16. September 1989

„Was bleibt für Ostfriesland?

Betr.: Rechenzentrum nach Oldenburg, ON vom 13. und 14. September.

Die Entscheidung des Innenministeriums, das Bezirksrechenzentrum nach Oldenburg zu geben, und bei der dortigen Bezirksregierung anzusiedeln, ist für die Ostfriesen und für die Beschäftigten der Außenstelle Aurich der Bezirksregierung Weser-Ems ein offener Schlag ins Gesicht.

Vor allen Dingen spricht es Bände, wie dieses „Mach- oder Machtwerk" zustande gekommen ist. Hieß es noch im Mai / Juni 1987 „keine Standortentscheidung ohne Kabinettsbeschluss" (belegt durch zigfache Presseverlautbarungen der Politiker - auch aus der Ministerriege), so mutet es doch heute sehr seltsam an, dass der Herr Innenminister ohne Kabinettsbeschluss schon vor Monaten die Standortentscheidung zugunsten Oldenburgs getroffen hat.

Zitat aus einer Stellungnahme des Innenministeriums vom 10. Juni 1987: „Wegen der derzeitigen Finanzlage des Landes und der jüngsten vom Landesministerium beschlossenen Einsparungen bei den Personalkosten hat der MI mit Einverständnis des Kabinetts nunmehr entschieden, die bisher vorgesehene Einrichtung eines Bezirksrechenzentrums bei der Bezirksregierung Weser-Ems zunächst zurückzustellen. Die Schaffung eines solchen Rechenzentrums zum bislang vorgesehenen Zeitpunkt würde zu betriebswirtschaftlichen Mehrkosten für neue Stellen und bei der räumlichen Unterbringung führen, die gegenwärtig nicht vertretbar erscheinen. Die dem neuen Rechenzentrum zugedachten Aufgaben des automatisierten Kassenverfahrens und des erweiterten automatisierten Katasterverfahrens sollen nunmehr vorübergehend für den Regierungsbezirk Weser-Ems vom Rechenzentrum des Landesverwaltungsamtes in Hannover wahrgenommen werden. Damit bleibt die Entscheidung über den Standpunkt eines künftigen Rechenzentrums bei der Bezirksregierung Weser-Ems offen."

Diese Stellungnahme des Innenministeriums mit dem zuvor abgedruckten Zitat ist mir vom damaligen Präsidenten des Nds.

Landtages, Herrn Dr. Edzard Blanke persönlich übermittelt worden. Auch der Landtag hat in seiner Sitzung am 10. Juni 1987 sich mit dieser Angelegenheit beschäftigt, und die Auffassung des Ausschusses gebilligt, so der Landtagspräsident in seinem Schreiben vom 10. Juni 1987 weiter.

Ich frage mich nun allen Ernstes, was denn nun nach dem besagten 10. Juni 1987 in Hannover geschehen ist? Ist etwa der Landtag, das Kabinett und / oder der Innenminister von den Oldenburger Polit-Mächtigen überrollt worden? Oder, was noch viel schlimmer wäre, stand schon vor dem besagten 10. Juni 1987 fest, dass das Bezirksrechenzentrum nach Oldenburg kommt - nur keiner der Polit-Profis vermochte dieses in Ostfriesland laut zu verkünden? Wie dem auch sei, Tatsache ist doch, dass das Landeskabinett im März 1987 in einer Vorabstimmung mit 9 zu 1 Stimmen für den Standort Aurich votiert hat! Tatsache ist weiterhin, dass der Ministerpräsident Dr. Ernst Albrecht, der Wissenschaftsminister Dr. Johann-Tönjes Cassens und der Wirtschaftsminister Walter Hirche sich in der Presse offen für den Standort Aurich ausgesprochen haben. Albrecht in einer Presseveröffentlichung: „Es wird keine Kabinettsentscheidung gegen die Region Ostfriesland geben".

Ich möchte den besagten Politikern kein „Kurzzeitgedächtnis" unterstellen. Aber eines sollten diese Politiker wissen, wir Ostfriesen haben ein sehr gutes Erinnerungsvermögen - vor allen Dingen wenn es um unsere Belange - um unsere Zukunft geht! Uns machte auch mächtig stutzig, dass neuerdings zuerst von den Pressesprechern des Innenministeriums so getan wird, als wenn sie von nichts wüssten - als wenn unsere Vermutungen eine „Ente" wären.

Ein paar Tage später korrigiert man sich selbst und verkündet gegenüber der Presse, „die Standortfrage ist schon vor längerer Zeit vom Innenminister zugunsten Oldenburg entschieden worden". Ich frage mich, was diese Nebel- bomben zu bedeuten haben? Sollten damit etwa die hektische Betriebsamkeit in Oldenburg und die tonnenweisen Altakten, die die Außenstelle Aurich von der Zentrale in Oldenburg erhalten hat, zugedeckt werden? Sollten wir nicht merken, wie wir verschaukelt wurden? Nein - ihr lieben in Hannover und Oldenburg –so dumm wie ihr uns manchmal hinstellen wollt, sind wir Ostfriesen nun wirklich nicht!

In den letzten Tagen haben wir aus Hannover zur Kenntnis genommen, dass dort über Ersatzmöglichkeiten für Ostfriesland und der Außenstelle Aurich „für das entgangene Bezirksrechenzentrum" nachgedacht wird. Es wäre interessant zu erfahren, wie dann dieser Ersatz aussieht. Bekanntlich sind ja das „Wattenmeerdezernat" und die „Windenergiebehörde" in Wilhelmshaven angesiedelt worden. Der Dollarthafen ist vom Winde verweht. Das Bezirksrechenzentrum geht ja jetzt nach Oldenburg. Was bleibt denn da noch für Ostfriesland? Hat der Ersatz für Ostfriesland und die Außenstelle Aurich irgendetwas mit Giftmüll zu tun? Vielleicht in Form einer Deponie (die man anderenorts nicht haben will) oder als Giftmüllverwaltung oder vielleicht sogar beides? Oder denkt man vielleicht sogar daran, dass Wirtschaftsförderungsdezernat und / oder die gesamte Vorprüfstelle von der Bezirksregierung Weser-Ems in Oldenburg nach der Außenstelle Aurich zu verlagern? Wie dem auch sei - wir sind gespannt auf das Ersatzergebnis - falls es tatsächlich eines gibt!

Zum Abschluss meines Leserbriefs möchte ich unseren Landesvater an seine Kompetenzen erinnern. Als Ministerpräsident bestimmt er die Richtlinien der Politik im Aufsteigerland Niedersachsen. Er sollte jetzt schnurstracks zu seinem Innenminister gehen und ihm bezüglich der getroffenen Standortentscheidung für das Bezirksrechenzentrum gehörig die Leviten lesen. Er sollte ihm klarmachen, dass man die Ostfriesen nicht so verschaukeln kann.   Gerhard Keller, Marienhafe"

„Für das entgangene Bezirksrechenzentrum", und für unseren engagierten Kampf um die Ansiedlung des Bezirksrechenzentrums in Aurich (so auch wörtlich die damalige Regierung unter Leitung des Ministerpräsidenten Ernst Albrecht) bekamen wir zusätzlich 11 Stellen mit den Besoldungsaufgaben der Staatshochbauverwaltung aus dem Geschäftsbereich der Bezirksregierung Weser-Ems von der Landesregierung zugewiesen.

Anzumerken ist, dass bei der „Kompensation des entgangenen Bezirksrechenzentrums" für Aurich hier scheinbar das schlechte Gewissen der Landesregierung bezüglich der eigenen Handlungen / Unterlassungen in Fragen der Ansiedlung und des Standortes des Bezirksrechenzentrums wohl eine erhebliche Rolle gespielt hat. Aber sei`s drum, für Aurich war es wichtig, dass es hier einen Ausgleich gab - somit wurde zumindest unsere aufreibende Arbeit mit unseren Aktionen als Gewerkschaft ÖTV, und für den angedrohten „Maulkorb" durch den damaligen Regierungspräsidenten gegen meine Person, angemessen ausgeglichen.

Zur Klarstellung: Meine Auffassung über die Bedeutung des Wortes „Maulkorb" in Verbindung mit gewerkschaftlicher Interessenvertretung ist sammelbegrifflich zu sehen. Das Wort „Maulkorb" umschreibt hier sowohl den Versuch des Regierungspräsidenten mir dienstliche Einschränkungen hinsichtlich meines schriftlichen und persönlichen Umgangs mit Kolleginnen und Kollegen während der Arbeitszeit aufzuerlegen, als auch den Einschränkungsversuch, mir außerdienstlichen Umgang mit außerdienstlichen Institutionen - wie Presse, Funk und Fernsehen zu erschweren.

Den vorstehenden Leserbrief, der auch gleichzeitig eine weitere Zusammenfassung dieser Thematik erübrigt, sandte ich auch als Privatperson ohne weitere Kommentierung mit einem kurzen Anschreiben an den Niedersächsischen Ministerpräsidenten, den Niedersächsischen Innenminister und die im Landtag vertretenen Parteien zur Kenntnis. Ich erinnerte in meinem Anschreiben lediglich daran, die in Aussicht gestellten Stellen „für das entgangene Bezirksrechenzentrum" nunmehr nicht wieder „auf die lange Bank" zu schieben.

Zurück zu 1987.

Interne ÖTV Probleme beim Vertrauensleute-körper der Außenstelle Aurich

Entweder war ich mit der Auseinandersetzung rund um das Bezirksrechenzentrum zu sehr beschäftigt - oder ich wollte es nicht wahr haben; Tatsache ist, dass sich im Verlaufe meiner Aktivitäten rund um die Ansiedlung des Bezirksrechenzentrums im Frühsommer 1987 Unmut im Auricher ÖTV-Vertrauensleutekörper breit gemacht hatte. Meine Kollegen machten mir meine Auseinandersetzungen mit unserem Regierungspräsidenten rund um meine Unterschriftensammlung zur Begründung der Petition zum Vorwurf (incl. der Tatsache, dass der Abteilungsdirektor 1 der Oldenburger Bezirksregierung -die rechte Hand des Regierungspräsidenten- meine Arbeit zum Anlass nahm, einen Misstrauensantrag des Auricher Personalrates gegen mich zu erwirken). Zudem warf man mir Eigenmächtigkeiten im Kampf um das Bezirksrechenzentrum vor (angeblich hätte ich den Vertrauensleutekörper nicht umfassend in meinen Aktivitäten durch Vorabstimmungen eingebunden).

Meines Erachtens waren alle diese Vorwürfe an den Haaren herbeigezogen. Alle Aktionen, die ich im Namen der ÖTV Vertrauensleute durchführte (mit Ausnahme meiner Aktionen als stellv. Vorsitzender des ÖTV Abteilungsvorstandes „Allgemeine Landesverwaltung", die ich mit der ÖTV Kreisverwaltung Ostfries- land abstimmte), habe ich auch immer mit den Auricher ÖTV Vertrauensleuten abgestimmt!

Diesen obigen Vorwurf kann man natürlich auch sachlich umkehren. Wo waren denn meine Auricher Mitstreiter aus dem ÖTV Vertrauensleutekörper als es darum ging, aus theoretischen Beschlüssen realpolitische Handlungen zu machen - also wenn malocht werden musste? Bis auf eine Ausnahme, dem es zwischenzeitlich beruflich in andere Gefilde getrieben hat, waren alle anderen Kollegen aus dem Vertrauensleutekörper nicht zu finden (Ausreden waren an der Tagesordnung). Wer Idealist sein will, darf nicht nur im Büro theoretisieren, sondern muss praktisch vor Ort auch kräftig mit anpacken (auch ab und zu nach Feierabend und an Wochenenden).

Übrigens, manchmal lassen sich Theorie und Praxis nicht 1 zu 1 umsetzen - aber diese Erfahrung kann nur machen, wer auch in der Praxis aktiv ist - im Nachhinein dumme Sprüche klopfen ist keine Kunst - das kann jeder.

Besonders wütend hat mich damals gemacht, dass meine ÖTV Vertrauensleute mir die alleinige Schuld an den Auseinandersetzungen mit den damaligen Regierungspräsidenten gaben.

Fakt ist, dass wir als ÖTV gemeinsam für die Außenstelle Aurich erreichen wollten, dass das geplante Bezirksrechenzentrum in Aurich aufgebaut wird. Jedermann von uns der Realist sein wollte, musste eigentlich wissen, dass wir dem Regierungspräsidenten sein Prestigeobjekt für Oldenburg streitig machten. Und genau das war damals auch der Knackpunkt (darum bin ich damals auch hauptsächlich als Mitglied des ÖTV-Kreisvorstandes Ostfriesland in die Bütt gegangen). Haben wir einen Regierungspräsidenten der über den Tellerrand schaut, dann hat er auch seine Außenstellen gleichberechtigt fest im Blick - dann hätte es auch keiner Konkurrenzsituation bedurft, denn - ob nun in Aurich oder Oldenburg, das Bezirksrechenzentrum liegt immer in seinem Hoheitsbereich. Da dem Regierungspräsidenten diese „freie und ungetrübte Sicht" auf die Außenstelle Aurich mit dem Prestigeobjekt jedoch abhandengekommen war - er unsere Außenstelle scheinbar nur als notwendiges politisches Übel betrachtete, musste es zwangsläufig zu den beschriebenen Auseinandersetzungen kommen - das ist Fakt!

Die mir von den Aurichern ÖTV Vertrauensleuten zugedachte Schuld an der damaligen Situation mit dem Regierungspräsidenten musste ich demzufolge scharf zurückweisen. Anstatt mir Rückendeckung zu geben, wie z. B. durch die ÖTV Kreisverwaltung Ostfriesland und durch die ostfriesischen MdL, haben meine ÖTV Vertrauensleute sich damals feige weggeduckt, um nicht in diese Auseinandersetzung hineingezogen zu werden. Ja, wer kein Rückgrad hat, taugt auch nicht zum Politiker und / oder Gewerkschaftler!

Bei den im Herbst 1987 durchgeführten Organisationswahlen der Gewerkschaft ÖTV wurde ich als Vertrauensleutesprecher der Außenstelle Aurich abgewählt, während ich bei den Wahlen für den ÖTV Kreisvorstand meine Positionen nicht nur behaupten sondern sogar noch stärken konnte.

Bei der damaligen Listenaufstellung für die im März 1988 stattfindenden Personalratswahlen zum Personalrat der Außenstelle Aurich und dem Gesamtpersonalrat der Bezirksregierung Weser-Ems, die in Aurich bzw. in Cloppenburg (für den Gesamtpersonalrat) stattfanden, verlor ich ebenfalls meine

Spitzenplätze - somit hatte ich keine Chance in den genannten Personalräten meine Mandate zu behaupten (was mich letztlich bewog, ganz aus den ÖTV Listen auszusteigen).

Für die Wahl zum Gesamtpersonalrat war meine Chance sowieso sehr dünn, denn die Oldenburger Kollegen hatten im Herbst 1987 nicht vergessen, dass ich Oldenburg das Rechenzentrum streitig gemacht hatte - was ich den Kollegen auch nicht verübelte. Trotzdem hätte es zusammen mit Osnabrück gereicht, meinen vormaligen Listenplatz zu halten, wenn die Auricher Vertrauensleute sich nicht quer gelegt hätten.

Von der vormaligen aktiven ÖTV Gewerkschaftspolitik war in Aurich nach den Organisationswahlen vom Herbst 1987 nicht mehr viel (bis gar nichts) übrig geblieben. Genau so verhielt es sich auch im neu gewählten Auricher Personalrat ab März 1988. Auch dort hat der einzig übrig gebliebene ÖTV Mandatsträger, nach schwerer Wahlniederlage für die ÖTV-Liste, keine Bäume mehr ausgerissen - dieses konnte ich beurteilen, da ich als Schwerbehinderten-vertreter an allen Personalratssitzungen teilnahm.

Hier ist besonders zu erwähnen, dass es bezeichnend ist, dass in der ÖTV Vertrauensleutearbeit ab Herbst 1987, und im Personalrat ab März 1988 (und diese Feststellung gilt für den gesamten Auricher Personalrat) bezüglich der Ansiedlung des Bezirksrechenzentrums in Aurich keine einzige Aktivität mehr gab. Somit konnten der Regierungspräsident und der Innenminister ihren gemeinsamen Deal „in aller Seelen Ruhe" durchziehen, mit dem Ergebnis, dass das Bezirksrechenzentrum im Herbst 1989 in Oldenburg landete.

Bezeichnender Weise wurden die Auricher Gewerkschaftler in der Frage Bezirksrechenzentrum erst wieder ab dem 9. September 1989 aktiv, als in der Presse die Meldung verbreitet wurde, dass das Rechenzentrum möglicherweise nach Oldenburg geht - also zu einem Zeitpunkt, als der Innenminister seine Entscheidung pro Oldenburg schon lange getroffen hatte (siehe hierzu auch die Pressemeldung).

„Ich bin davon überzeugt, so Keller weiter, dass, wenn erst einmal

Gras über die Sache gewachsen ist", und die Ostfriesen sich ruhig verhalten, dass das Bezirksrechenzentrum sehr bald in Oldenburg installiert werde" - so hatte ich in einem Pressegespräch vom 25. Mai 1987 gemutmaßt. Und genau so kam es auch. Aurich hatte hochgradig gepennt, statt auf meinen vorstehenden Rat zu hören, der schon fast 2 ½ Jahre zurücklag.

Wer jetzt in Aurich auf die Landespolitiker schimpfte, das waren damals viele Auricher Kolleginnen und Kollegen, die haben bei dieser Schimpfkanonade ganz übersehen, dass die Abgeordneten auch noch mehr zu tun hatten, als sich ausschließlich mit dem Rechenzentrum für Aurich zu beschäftigen, Es ist eine bekannte Weisheit, dass man den Volksvertretern in regelmäßigen Abständen daran erinnern muss, dass da noch was aussteht - Hartnäckigkeit wäre notwendiger gewesen statt eines sanften Ruhekissens. Rührt man sich nicht, gehen die Abgeordneten davon aus, dass alles in bester Ordnung ist. Ja, die Auricher ÖTV-Vertrauensleute hatten auf der ganzen Linie versagt - und deren Protagonisten fühlten sich auch noch großartig dabei.

Mein personalvertretungspolitisches Ende war noch nicht gekommen

Nach den vorstehenden gewerkschaftlichen Irritationen setzte ich meine personalpolitischen Tätigkeiten ab Ende März 1988 - diesmal jedoch mit dem Schwerpunkt Schwerbehinderten-vertretung fort. Meine dienstliche Vollfreistellung änderte sich durch meine Mandate nach dem Schwerbehindertenvertretungs-recht nicht. Als gewählter Vertrauensmann der Schwerbehinderten bei der Außenstelle Aurich der Bezirksregierung Weser-Ems, und als Bezirksvertrauensmann der schwerbehinderten Verwaltungsan-gehörigen im Geschäftsbereich der Bezirksregierung Weser-Ems, war ich Kraft meines Amtes durch die Bestimmungen des Schwerbehindertengesetzes auch an allen Personalratssitzungen des Personalrats der Außenstelle Aurich und des Bezirkspersonalrats der Bezirksregierung Weser-Ems zu beteiligen. Das heißt, ich nahm an allen Sitzungen der genannten Personalräte teil (bei meiner Abwesenheit durch Krankheit, Urlaub oder anderweitigen auswärtigen Verpflichtungen, nahmen meine jeweiligen Vertreter an den Personalratssitzungen teil.

Als gewählter Vertrauensmann der Schwerbehinderten hatte ich in beiden genannten Personalräten ein uneingeschränktes Vetorecht gegen alle Beschlüsse der Personalräte in allen Personalangelegenheiten an denen Schwerbehinderte Kollegen beteiligt waren (wie z. B. Einstellungen, Höhergruppierungen, Beförderungen und dergleichen, außerdem bei allen Personalratszustimmungen allgemeiner Natur, von denen in der Regel auch alle schwerbehinderten Kollegen der betroffenen Dienststellen / Behörden betroffen waren).

Somit hatte ich in den genannten Personalräten eine herausgehobene Stellung, denn durch mein Vetorecht konnte ich diese Personalräte und somit auch die Dienststellen und Behörden durch die Aussetzung der Beschlüsse auch hervorragend erziehen. Anzumerken ist, dass die durch Veto ausgesetzten Beschlüsse binnen Wochenfrist, nach entsprechenden vorherigen Einigungsverhandlungen, zu wiederholen sind. Somit waren die Personalräte und Dienststellen / Behörden gehalten, sich mit mir in allen Fragen die schwerbehinderte Kollegen betrafen, rechtzeitig zu einigen, denn ansonsten waren die Personalräte binnen weniger Tage durch ein Veto zum Nachsitzen verdonnert (dieses war beispielsweise beim Bezirkspersonalrat nur schwer möglich, denn deren Mitglieder mussten aus dem ganzen Regierungsbezirk Weser-Ems zusammengekarrt werden).

Die Kunst eines Schwerbehindertenvertreters lag jetzt in seinem Verhandlungsgeschick, um sein Vetorecht nicht als Blockademittel zu missbrauchen. Hier ist mir, wie selbst Dienststellen und Behörden mir nachsagten, eine gute und ausgewogene Mischung gelungen - ich benötigte dieses Vetorecht nicht inflationär. Zudem bescheinigten die Dienststellen und Behörden mir, dass ich ein fairer aber harter Verhandlungspartner war.

Bei den Neueinstellungsverfahren setzte ich bezirksweit neue Richtlinien in Absprache mit der Hauptfürsorgestelle Hildesheim bei der Bezirksregierung Weser-Ems durch. So musste jetzt von den Dienststellen und Behörden bei Neueinstellungen bei der

Arbeitsverwaltung und den Berufsförderungswerken nachgefragt werden, ob schwerbehinderte Bewerber für die ausgeschriebenen Arbeitsplätze zur Verfügung standen. Diese neue Regelung wurde von der Personalabteilung der Bezirksregierung Weser-Ems allen ca. 100 nachgeordneten Behörden und Dienststellen per Weisung zur sofortigen Anwendung ins Stammbuch geschrieben.

Die Fürsorgebestimmungen des Landes wurde in Zusammenarbeit mit der Hauptfürsorgestelle Hildesheim, so Stück für Stück erweitert, und später auch in dem neuen Fürsorgerunderlass des Landes Niedersachsen übernommen. Außerdem erstellte ich so eine Art Kommentierung dieser Fürsorgebestimmungen des Landes in Form von Arbeitshinweisen für alle Schwerbehindertenvertretungen in meinem Aufgabenbereich.

Für den Geschäftsbereich der Verwaltungsangehörigen bei der Bezirksregierung Weser-Ems, hatte ich die Abhaltung von regelmäßigen Tagungen der örtlichen Schwerbehinderten-vertretungen (viermal im Jahr) mit der Bezirksregierung vereinbart. Bei diesen Tagungen wurden aktuelle anonymisierte Fälle aus dem Geschäftsbereich sowie allgemeine Fragen erörtert und Lösungsmöglichkeiten gemeinsam erarbeitet. Diese Tagungen wurden regelmäßig von ca. 90 % der gewählten örtlichen Schwerbehindertenvertretungen besucht.

Wenn ich Ende 1987 meinte, dass ich es zukünftig etwas ruhiger angehen lassen könne, so hatte ich mich doch gewaltig getäuscht. Da meine Devise nun mal lautet, „ganz oder gar nicht", kniete ich mich in die Arbeit als Schwerbehindertenvertreter in zwei Bereichen nach Beendigung meiner Personalratszeit (die für mich nur als vorübergehend galt) so richtig rein. Dieses auch deshalb, um später -bei meiner geplanten Rückkehr in den Personalrat- es handwerklich etwas einfacher zu haben (das war meine Lehre aus der Mehrfachbelastung von Anfang 1985 bis Ende März 1988). Daher auch mein Bestreben, in den Fürsorgerichtlinien des Landes für die Arbeit der Schwerbehindertenvertretungen besondere Automatismen einzubauen
.

Mit der Hauptfürsorgestelle Hildesheim war es mir gelungen, für die Schwerbehindertenvertretungen meines Geschäftsbereiches alle

2 Jahre (beginnend 1989) eine jeweilige 5tägige gemeinsame Schulungsveranstaltung über „Neuerungen im Schwerbehinderten- recht" durchzusetzen. Da ich den Schulungsort bestimmen konnte, entschied ich mich -nach vorheriger Rücksprache- diese im Berufsförderungswerk in Bad Pyrmont durchzuführen (Schulungsräume wurden uns dort kostenlos, Mittagessen, Abendbrot und Kaffee mit Kuchen zu einem günstigen Preis zur Verfügung gestellt). Die Unterbringung erfolgte gemeinsam in einem Hotel in der Nähe des Kurparks.

Zu der ersten Schulungsveranstaltung im November 1989 in Bad Pyrmont hatte ich Referenten der Hauptfürsorgestelle, des Bundesarbeitsgerichts und des Niedersächsischen Sozialministeriums gewinnen können. Es war eine hervorragende Veranstaltung - alle Teilnehmer -immerhin 21 örtliche Schwerbehindertenvertreter- waren restlos begeistert. Diese Feststellung gilt auch für die anschließenden gemütlichen „Bierabende" in Bad Pyrmonter Lokalitäten. Da ich vom 1. April 1969 bis zum 22. März 1970 hier in Bad Pyrmont meine Ausbildung zum Verwaltungs- angestellten machte (wir alle 2 Jahre hier auch zu Pfingsten unsere Klassentreffen feierten), wusste ich natürlich auch, wo ich meinen Mitstreitern etwas Besonderes bieten konnte.

Der Bullengriff

Nachdem wir am ersten Abend in Bad Pyrmont dieser ersten Schulungsveranstaltung den Kneipenbummel absolviert hatten, mein Kumpel aus Emstek (bei Cloppenburg) und ich aber noch putzmunter waren, sind wir beide noch mal losgezogen, und haben dabei ein Abendlokal in der Nähe unseres Hotels entdeckt, dass mir bis Dato völlig unbekannt war - „Jägerlatein" hieß dieses Kellerlokal (benannt nach seinem Betreiber Horst Jaeger). In diesem Lokal wurde nicht nur fleißig getrunken - sondern auch getanzt. Die Musik war Querbeet - man konnte aber auch Musikwünsche äußern. Nachdem Horst Jaeger von mir wusste, dass ich früher sehr oft die Lokalität „Meta" in Norddeich besuchte (die ihm persönlich auch gut bekannt war), war das „Eis gebrochen", Da auch mein Kumpel ein Rock n Roller war, war natürlich klar welche Musik nun angesagt war - und keiner der anderen Gäste hat gemeckert, denn jetzt ging die Post zur fortgeschrittenen Stunde so richtig ab - und der Horst Jaeger machte alles mit.

Da in Bad Pyrmont auch gerade die Möbelmesse stattfand, waren auch etliche dänische Gäste im Lokal - die sich die Spirituosen nur so reinkippten, als ob am nächsten Tag die große Trockenheit angesagt war. Einer dieser Typen war dann so abgefüllt, dass er das dringende Bedürfnis hatte seinen Rausch auszuschlafen. Unbemerkt hatte er sich dann in der Nähe des Eingangs auf einer gepolsterten Rundecke aufs Ohr gelegt. Nachdem der Horst Jaeger diesen Schlafenden bemerkte, wurde mit allen Regeln der Kunst versucht diesen jungen kräftigen Mann wieder munter zu kriegen - doch vergebens, der Typ war im Reich der Träume und gedachte auch nicht diesen Zustand zu beenden.

Da es nun auf Feierabend zuging war Holland in Not. Der Horst Jaeger war schon drauf und dran einen Krankenwagen zu alarmieren. Jetzt griff mein Kumpel ins Geschehen ein und fragte, was wir denn bekämen, wenn wir es schafften den Typen binnen Sekunden aus dem Lokal zu entfernen. Der Horst Jaeger versprach uns, auch in den kommenden Tagen für die „freien Getränke" zu sorgen.

Jetzt begannen unsere Vorbereitungen. Wir entfernten die Barhocker im Bereich vor der Rundecke bis zum Ausgang und sperrten auch die Eingangstür voll auf (damit der Typ nicht durch die Scheibe geht). Zwischen Theke und Rundecke bauten wir eine menschliche Kette auf, sodass der Typ nur den Weg zum Ausgang frei hatte.

Um sich jetzt bildlich vorstellen zu können was anschließend folgte, muss man die Schlafhaltung des jungen Mannes kennen. Der Typ lag auf dem Rücken auf der Rundecke, dass rechte Bein lag leicht angewinkelt an der Rückenpolsterung der Rundecke angelehnt und das linke Bein hing seitlich auf den Fußboden runter - seine Weichteile waren also gut zugänglich.

Und dann kam der Bullengriff meines Kumpels. Einmal fest in die

Weichteile zupacken, einmal kräftig zugedrückt - und sich dann mit einem Pantersprung nach hinten in Sicherheit bringen. Nach diesem Griff war dann ein gewaltiger Urschrei des jungen Mannes zu hören, er sprang mit einem Riesensatz aus seiner Schlafhaltung hoch und rannte anschließend mit einem Gebrüll aus dem Lokal raus. Gewundert hat uns alle nur, dass er bei seinem Sprung aus der Schlafhaltung nicht über den seitlich stehenden Tisch gestolpert ist.

Horst Jaeger, seine Mitarbeiter und die Gäste brachen nach dieser Aktion in ein schallendes Gelächter aus - und, ab diesem Zeitpunkt wurde in dem Lokal die typische Handbewegung des Bullengriffes zum Standard des Begrüßungsrituals. Mein Kumpel berichtete mir bei dieser Gelegenheit, dass er in seiner Freizeit Tiertransporte begleitet, und von daher solche Praktiken wie den Bullengriff kannte.

Der Inhaber des Lokals „Jägerlatein", Horst Jaeger, hielt Wort, und mein Kumpel und ich hatten somit, bis auf ein paar anderweitige kleinere Ausgaben, bis zum Abschluss dieser Schulungsveranstaltung einen billigen Aufenthalt in Bad Pyrmont.

Auch bei unserer Schulungsveranstaltung im Jahre 1991 war das vorstehende Begrüßungsritual im „Jägerlatein" immer noch Kult. Obwohl der Horst Jaeger und seine Mitarbeiter uns nun ca. 2 Jahre nicht gesehen hatten, wurden mein Kumpel und ich am ersten Besuchsabend mit der „typischen Handbewegung" und einem lauten Hallo begrüßt. An diesem ersten Abend mussten wir gegenüber vielen Gästen immer wieder die Story des Bullengriffs erzählen.

Gespräch mit Vertretern der neuen Landesregierung im Herbst 1990

Ein paar Wochen nach dem Wechsel in der Niedersächsischen Landesregierung (nunmehr bestimmte „rot / grün" die Geschicke der Landespolitik) lud mich im Herbst 1990 der neue Niedersächsischer Finanzminister und MdL **Hinrich „Hinni" Swieter** zu einem Gespräch in den Räumen des Landtages ein (am Rande der damaligen Sitzungswoche). „Hinni" Swieter war mein langjähriger SPD Parteifreund, und in meiner Zeit als Vorsitzender der Jusos im Unterbezirk Norden und anschließend in Aurich auch mein Mentor.

Thema dieses Gesprächs, zu der auch die MdL **Johann „Joke" Bruns** und **Hermann Bontjer** (beide SPD) hinzukamen, war die Zukunft der Arbeitsplätze bei der Bezirksregierung Weser-Ems, Außenstelle Aurich.

Den Abgeordneten war noch gut in Erinnerung, dass es um das Bezirksrechenzentrum zwischen Aurich und Oldenburg ein riesiges Gezerre gab, ausgelöst -nach Meinung der Politiker- durch die beabsichtigte Stelleneinsparung im Zuge der Kassenautomation.

Korrigierend habe ich angemerkt, dass wir in Aurich auch ohne diese Einsparabsichten des Landes unseren Hut für die Ansiedlung dieses Rechenzentrums in den Ring gelegt hätten, denn uns ging es in erster Linie darum, dass Ostfriesland bei der Einführung neuer Technologien nicht abgehängt wird. Außerdem betrachteten wir ein solches Rechenzentrum als Garanten für die Sicherung unseres Behördenstandorts Aurich. Denn eines war uns klar, dass gerade unsere Aufgaben Kasse und Besoldung und somit unsere Arbeitsplätze bei beginnender Rationalisierung und Automation die ersten sein werden, die rigoros zusammengestrichen werden.

Da die neue Landesregierung noch in der laufenden Legislaturperiode den Beginn einer umfassenden Verwaltungsreform plante, so „Hinni" Swieter, wäre es klug vorher miteinander zu vereinbaren, wie man sich gegenseitig rechtzeitig informiert, damit man Reformprojekte aus Auricher Sicht noch positiv beeinflussen kann. Somit wurde ein ständiger Telefonkontakt in Fragen der zukünftigen Verwaltungsreform vereinbart.

Zudem wurde miteinander vereinbart, dass dieses Gespräch für die nächsten Jahre streng vertraulich zu behandeln ist, denn, so „Hinni" Swieter, „ich bin nicht nur Finanzminister für Auricher Belange".

Die Wende in der Auricher ÖTV

Schon Anfang 1991 war bei den ÖTV Kollegen der Außenstelle Aurich spürbar, dass man mit der Auricher Gewerkschaftspolitik in zunehmendem Maße unzufrieden war. Diese Unzufriedenheit galt auch dem einzigen ÖTV Personalratsmitglied im Auricher Gremium, der -vielfach wörtlich- „nichts von sich und seiner Arbeit hören lässt".

Auch im ÖTV Vertrauensleutekörper, wie mir von einem Vertrauensmann berichtet wurde, stimmte es vorne und hinten nicht mehr. Im Laufe des Frühjahrs wurden diese kritischen Stimmen immer lauter und auch zahlreicher (vor allen Dingen bei den Mitgliedern die nicht im Vertrauensleutekörper Sitz und Stimme hatten). Jetzt wurde ich auch erstmals gefragt, ob ich nicht wieder bereit zur Kandidatur sei. Ein Kollege wörtlich: „Wenn du nicht zur Personalratswahl antrittst, werden wir auch noch unser letztes Personalratsmandat in Aurich verlieren". Ich habe den Kollegen geantwortet, dass ich durchaus wieder für Kandidaturen zur Verfügung stehe, doch die Grundsatzentscheidung, ob man mich überhaupt will (bevor eine Mitgliederversammlung über die Listenaufstellungen abstimmen), muss vom Vertrauensleutegremium ausgehen. Ich habe diesen Kollegen geraten, die Mehrheitsverhältnisse im Vertrauensleutekörper argumentativ zu ändern. Ähnliches hörte ich auch aus dem Umfeld des Gesamtpersonalrats, die ebenfalls ein Interesse daran hatten, dass ich auch dort wieder für eine Kandidatur zur Verfügung stehe.

Das in der Auricher Dienststellen-ÖTV zunehmend Unruhe herrschte, wurde natürlich auch von den Konkurrenzorganisationen DAG und DBB / VdL bemerkt. So war man z. B. in der DBB / VdL Aurich fest davon überzeugt, die kommende Personalratswahl in Aurich gewinnen zu können. Die ÖTV Aurich hatte man dort wegen der internen Zwistigkeiten schon gar nicht mehr auf der Rechnung.

Gleich nach der Sommerpause 1991 fiel dann im ÖTV Vertrauensleutekörper der Außenstelle Aurich die Entscheidung. In einer Kampfabstimmung, bei vorhergehender hitziger Diskussion, wurde dann mit 4 zu 2 Stimmen der Vertrauensleuteleitung das

Misstrauen ausgesprochen, zudem wurde entschieden, dass ich mit der Listenaufstellung zu den Personalratswahlen beauftragt werden soll (die beiden Gegenstimmen kamen aus dem Lager des Vertrauensleutesprechers).

Nunmehr ging ich ans Werk für den Auricher Personalrat eine gute Mannschaft und für den Gesamtpersonalrat der Bezirksregierung Weser-Ems die richtigen Kandidaten zu finden. Für die Personengruppen der Angestellten und Arbeiter war dieses auch problemlos. Schwieriger gestaltete sich dieses jedoch bei der Gruppe der Beamten, wo wir in der Vergangenheit immer chancenlos waren. Ich hatte zwar einen herausragenden Kandidaten, aber ob das alleine reichte, war mir nicht ganz klar.

Hier kam mir dann der Zufall zur Hilfe, als mein Favorit für den Spitzenkandidaten der Beamtengruppe mir berichtete, dass er mit der Gruppierung „kritische Beamte" in Kontakt stehe, und das diese Gruppierung durchaus bereit sei, mit unserer Beamtengruppe gemeinsam zu kandidieren. Somit nahmen wir die Gespräche mit den „kritischen Beamten" zur Bildung einer gemeinsamen Personalratsliste auf, die dann auch schnell und positiv beendet wurden. Gemeinsamer Spitzenkandidat für unsere Beamtenliste wurde dann ein gewisser **Johann Saathoff (der jetzt aktuell am 22. September 2013 als SPD Abgeordneter direkt in den Deutschen Bundestag gewählt wurde).**

In der nachfolgenden ÖTV Mitgliederversammlung der Auricher Dienststelle wurden dann die aufgestellten Personalratslisten und die Listenzusammenarbeit mit den „kritischen Beamten" mit großer Mehrheit beschlossen. Nunmehr konnte der Personalratswahlkampf beginnen.

Die Personalratswahlen vom März 1992

Bei der Auszählung der abgegebenen Wählerstimmen durch den Wahlvorstand wurde folgendes Mandatsergebnis ermittelt:

Bei der Gruppe der Arbeiter (1 Mandat) ging das Mandat mit deutlicher Mehrheit an die **ÖTV**.

Bei der Gruppe der Beamten (2 Mandate) ging 1 Mandat an den **DBB / VdL** und 1 Mandat an die **ÖTV / „kritische Beamte"**.

Bei der Gruppe der Angestellten (6 Mandate) gingen jeweils 2 Mandate an die **ÖTV, DAG** und **DBB / VdL**.

Bei der Gruppe der Angestellten war festzustellen, dass die ÖTV mit deutlichem Vorsprung die meisten Wählerstimmen holten. Bei der Berechnung der Sitzverteilung nach dem „D'Hondt-Verfahren" sind wir als ÖTV nur knapp an dem dritten Angestelltenmandat, und somit an der absoluten Mehrheit im Personalrat, vorbeigeschrammt (das letzte Mandat nach D`Hondt ging ganz knapp >eine hauchdünne Entscheidung nach dem Komma< an die DBB / VdL Angestelltengruppe).

Somit setzte sich der Auricher Personalrat wie folgt zusammen:

ÖTV	**4 Mandate**
DBB / VDL	**3 Mandate**
DAG	**2 Mandate**

Bei der **konstituierenden Sitzung** des neugewählten Auricher Personalrats am 21. März 1992 wurde dann auf Grund des komplizierten Niedersächsischen Personalvertretungsgesetzes, durch die besondere Hervorhebung des damaligen Personengruppenrechts, die Wahl des neuen Personalratsvorstandes zu einem besonderen Prozedere.

Die Wahl des **Arbeitervertreters** in den Personalratsvorstand war noch sehr einfach, denn hierfür stand nur unser Kollege zur Verfügung, der sich dann auch selbst gewählt hat.

Bei der Wahl des **Beamtenvertreters** standen für den Vorstandsposten im Personalrat 2 Wahlbewerber zur Verfügung. Nach dem dritten erfolglosen Wahlgang musste dann im Wege des Losverfahrens dieser Vorstandsposten ermittelt werden. Das Glück lag hierbei auf Seiten des DBB / VdL.

Bei der Wahl des **Angestelltenvertreters** verlief das Prozedere ähnlich wie in der Beamtengruppe. In den ersten beiden

Wahlgängen entfielen jeweils 2 Stimmen auf die entsprechend vorgeschlagenen Gewerkschafts- und Verbandsvertreter.

Erst im dritten Wahlgang verzichtete die DAG auf eine Kandidatur. Somit wurde ich in diesem dritten Wahlgang mit 4 zu 2 Stimmen zum Angestelltenvertreter in den Personalratsvorstand gewählt.

Bei der Schlussabstimmung zur Wahl des **Personalratsvorsitzenden** wurde ich bei einer Gegenkandidatur des Beamten des DBB / VdL mit 6 zu 3 Stimmen zum neuen Personalratsvorsitzenden der Außenstelle Aurich der Bezirksregierung Weser-Ems gewählt.

Anzumerken ist, dass dieses unwürdige vorstehende Wahlprozedere nach dem Personengruppenwahlprinzip von der rot / grünen Landesregierung abgeschafft wurde. Zukünftig waren alle Personalratsmitglieder zur Vorstandswahl mit der Maßgabe wahlberechtigt, dass alle Personengruppen (Angestellte, Arbeiter und Beamte) im Vorstand vertreten sein müssen.

Meine Aufgaben als Personalratsvorsitzender ab 21. März 1992

Meine erste Aufgabe als Personalratsvorsitzender bestand darin, den alten Mief aus diesem Gremium zu vertreiben - alte antiquierte Rituale in der Geschäftsführung über Bord zu werfen.

Neu eingerichtet wurden Ausschüsse für besondere Aufgaben. So z. B. Ausschuss für den Kantinenbetrieb (Prüfung des Angebots, Preise und dergleichen), Ausschuss für die Unterbringung der Kolleginnen und Kollegen in den Büroräumen (Prüfung der Ausstattung, Prüfung der zumutbaren Raumgrößen nach der Arbeitsstättenverordnung und dergleichen) und den Kassenprüfer für die Durchführung des jährlichen Gartenfestes und der späteren Jahresabschlussfeten.

Es wurde zudem beschlossen, allen „Geburtstagskindern des Hauses" jeweils persönlich eine Geburtstagskarte mit

Glückwünschen des Personalrats zu überreichen. Dieses auch deshalb, um bei solchen Anlässen auch mal die Sorgen und Nöte der einzelnen Kolleginnen und Kollegen direkt am Arbeitsplatz zu erfahren, und sich diese anhand von Beispielen auch mal zeigen zu lassen (soweit diese mit dem Dienstbetrieb in Verbindung standen).

In den ersten Monaten meiner neuen Aufgabe war bis auf den normalen Dienstbetrieb verhältnismäßige Ruhe angesagt. Somit hatte ich Zeit und Muße mich in die Akten meiner Vorgänger einzulesen (soweit diese noch vorhanden waren - was vielfach nicht der Fall war), um mir ein Gesamtbild meines neuen Amtes zu verschaffen.

Interessant waren in diesem Zusammenhang die Vorgänge, die ich jedoch nicht mehr in schriftlicher Form vorfand, obwohl ich aus den Diskussionen aus der vorherigen Legislaturperiode wusste, dass es diese Unterlagen seinerzeit gab.

Meinen ersten großen Einsatz hatte ich dann in der Regierungsbezirkskasse Aurich, nachdem dortige Kolleginnen und Kollegen sich beim Personalrat über die unzumutbare Arbeitsfülle und über unzumutbare Arbeitsbedingungen (vor allen Dingen an den sogenannten „Trögen" der Buchhaltung der Gerichtskasse) beschwerten.

In mehreren Besuchen vor Ort ließ ich mir die vorstehenden Beanstandungen der Kollegen nicht nur zeigen, sondern auch demonstrativ vorführen, sodass ich mir selbst ein Bild über die dortigen Schwierigkeiten machen konnte. Im Personalrat wurde daraufhin einstimmig beschlossen, dass wir diesbezüglich mit der Dienststellenleitung im Gremium über die Lösung der Probleme reden wollen.

Es zeigte sich jedoch bei den Gesprächen mit der Dienststelle, dass die Kassenleitung in diesen Fragen eine Blockadehaltung einnahm. Besonders der damalige Oberbuchhalter hatte für die Beschwerden seiner Kollegen überhaupt kein Verständnis, und meinte, dass hier „aus einer Mücke ein Elefant gemacht werden sollte". Diesen Einwand ließ ich jedoch nicht gelten und habe ihm verdeutlicht, dass ich mich persönlich von den beschriebenen Schwierigkeiten überzeugt hätte.

Nach längerer Diskussion sagte der Auricher Dienststellenleiter zu, sich bei dem Ministerium für eine personelle Verstärkung im Bereich der „Gerichtskasse" einsetzen zu wollen. Diese Verhandlungen mit dem Innenministerium über eine personelle Verstärkung gestalteten sich jedoch als schwierig, weil die Auricher Kassenleitung diese Notwendigkeit bestritt, und das Ministerium demzufolge neue Stellenzuweisungen blockierten. Doch „steter Tropfen höhlt den Stein" - bei den Haushaltsberatungen für 1993 wurden 2 zusätzliche neue Stellen für die Gerichtsbuchhaltung Aurich genehmigt.

Meine erste Personalversammlung im Januar 1993

Als Personalratsvorsitzender hatte ich jetzt meinen ersten großen Tätigkeitsbericht abzugeben. Da ich jetzt meine Schwächen am besten selbst einschätzen konnte, war mir bei meinem ersten großen Auftritt nicht sehr wohl in meiner Haut, denn ich hatte ein Problem mit dem anfänglichen „Lampenfieber" (kannte ich aus meinen längeren Reden in Partei und Gewerkschaft vor hunderten von Zuhörern, bei Besprechungen und Verhandlungen im überschaubaren Teilnehmerkreis gab es dieses Lampenfieber jedoch nie).

Nach ca. 2 Minuten meines Rechenschaftsberichtes habe ich diesen dann auch unterbrochen, und dem vollen Hause auch „frank und frei" erklärt, dass ich mehr mit meinem Lampenfieber zu kämpfen habe als mit meinem Rechenschaftsbericht. Daraufhin bekam ich größeren „aufmunternden Beifall" - und mein Lampenfieber war schlagartig verflogen. Nun war ich voll im Geschäft, und konnte mein Programm auch frei von Belastungen professionell abspulen. Am Schluss meines Rechenschaftsberichts bekam ich auch großen Beifall.

Nach meinem Bericht hatte unser Regierungspräsident **Dr. Eckart Bode** das Wort. Er bedankte sich für meinen Bericht und merkte anschließend anerkennend an, dass er es als Zeichen von Größe betrachte, wenn ich eine Schwäche vor versammelter Mannschaft auch öffentlich bekenne und entsprechend um Nachsicht bitte. Dr. Bode setzte sich sehr positiv mit meinem Rechenschaftsbericht auseinander, und versprach, dass er für unseren Personalrat auch immer ein offenes Ohr haben wird.

In der anschließenden Diskussion meinten dann einige Kollegen meine anfängliche „Lampenfieberschwäche" ausnutzen zu können, wie z. B. der Oberbuchhalter der Regierungsbezirkskasse Aurich, - doch diesen Kollegen habe ich „diesen Zahn sehr schnell und schmerzvoll gezogen". Mit stoischer Ruhe und Eiseskälte habe ich diese Wortmeldungen argumentativ abgebürstet, sodass diese Kollegen anschließend mit hängenden Köpfen diese Personalversammlung verließen.

Kommentar des Regierungspräsidenten nach der Versammlung: „Selbst Schuld, die Kollegen haben nicht gemerkt bzw. nicht merken wollen, dass sie nach dem kurzen Anfall von Lampenfieber zu Beginn Ihrer Rede voll im Saft standen",

Nach einer der kommenden Personalversammlungen hat ein Kollege mal in einem Gespräch mit anderen Kollegen angemerkt (wie er mir etliche Jahre später berichtete): „Der Keller ist dafür bekannt, dass er bei seinen großen Personalversammlungen ca. 2 Minuten Vorlaufzeit benötigt, bis er auf Touren gekommen ist - aber danach geht bei ihm die Post ab, dann deckt er schonungslos und ohne Rücksicht auf Personen Schwachstellen der Landespolitik und der Auricher Dienststelle auf, und dann ist es immer besser, sich ihm nicht in den Weg zu stellen"

Nach einer verhältnismäßig ruhigen Arbeitsphase überschlugen sich ab Anfang Juni 1993 die Ereignisse in Aurich und Hannover, sodass nun bis Ende 1997 eine Dauerbelastung für mich angesagt war - verbunden mit einem ständigen Dienstreisetourismus zwischen Hannover (Landtag und Ministerien), Oldenburg (Bezirksregierung) und Aurich (meiner Dienststelle). Für meine Dienstfahrten ließ ich mein PKW (ein Daimler 124, E 230 - ein Geschoss auf vier Rädern) schon ab 1991 dienstlich anerkennen, damit ich auch ein höheres Kilometergeld in Anspruch nehmen konnte. Grund: Bei meinen vielen Dienstfahrten konnte die Dienststelle mir nicht ständig einen Dienstwagen garantieren.

Modellvorhaben zur globalen Steuerung von Hochschulhaus- halten

Anfang Juni 1993 erhielt ich Kenntnis von einer Kabinettsvorlage des Niedersächsischen Ministeriums für Wirtschaft und Kultur vom 24. Mai 1993. Das Landesministerium (so wird das Kabinett auch bezeichnet) wird gebeten zuerst die Universität Oldenburg, die TU Clausthal und die FHS Osnabrück und zu einem späteren Zeitpunkt die übrigen Universitäten und Fachhochschulen des Landes gemäß § 26 Landeshaushaltsordnung als Landesbetriebe geführt werden. Das kameralistische Rechnungswesen wird durch ein kaufmännisches Rechnungswesen abgelöst.

Minister für Wirtschaft und Kultur(MWK), Finanzministerium (MF) und Innenministerium (MI) wurden beauftragt, in drei Stufen in den Jahren 1993 bis 1995 die haushaltsrechtlichen und organisatorischen Maßnahmen für die Errichtung der Landesbetriebe zum 1. Januar 1995 zu realisieren.

Aus der o. a. Kabinettsvorlage ging aus dem Statistikteil hervor, dass bis Vollendung dieses Modellvorhabens zur globalen Steuerung von Hochschulhaushalten bei der Außenstelle Aurich der Bezirksregierung Weser-Ems ca. 40 Stellen (Arbeitsplätze) in der Regierungsbezirkskasse, Besoldung mit Angestellten-, Arbeiter- und Angestelltenrate, Beihilfeabteilung und Trennungsgeld / Umzugskosten verloren gehen - also 40 Stellen der damals in Aurich vorhandenen ca. 364 Stellen (das ist nun wahrlich kein Pappenstiel).

Anzumerken ist: 16 dieser jetzt hochgradig vom baldigen Abzug betroffenen Stellen hat die Außenstelle Aurich erst im Jahre 1988 als Kompensation für die Stellenverluste durch die Kassenautomation erhalten (durch Beschluss des Landesministeriums).

Mit Erlass des Innenministeriums vom 13. Juni 1993 wurde dann bekannt, dass bei der Außenstelle Aurich im ersten Zuge vorstehender Reform 17,7 Stellen entfallen sollen. In einem Gespräch mit der Behördenleitung vom 21. Juli 1993 haben Gesamtpersonalrat und Personalrat Aurich darauf gedrungen, dass die Behörde Bezirksregierung Weser-Ems diese Absicht der Landesregierung mit Hinweis auf die Strukturschwäche Ostfrieslands versucht zu unterbinden bzw. die Entscheidung der Landesregierung solange hinauszuschieben, bis es für Aurich die notwendigen Ersatzaufgaben gibt. Die Behörde sagte zu, in unserem Interesse tätig zu werden.

Und - die Behörde hat Wort gehalten. Mit Schreiben vom 12. August 1993 hat die Bezirksregierung Weser-Ems dem Innenministerium berichtet, dass diese Umsetzung des o. a. „Modellvorhabens" für die Außenstelle Aurich zu große Belastungen mit sich bringe. Die Bezirksregierung schreibt dazu u. a.:

„Meines Erachtens müssen für die Verwirklichung des Modellvorhabens neue Überlegungen angestellt werden mit dem Ziel, den Stellenabbau in Aurich zu vermeiden, durch neue Aufgabenzuweisungen zu kompensieren oder zumindest erheblich zu reduzieren. Insbesondere müssen folgende Möglichkeiten näher untersucht werden:

1. Vorrangig sollte eine Lösung angestrebt werden, nach der die Hochschulen die Kassengeschäfte und Bezügeberechnung nicht selbst erledigen, sondern gegen Kostenerstattung weiterhin in Aurich erledigen lassen.

2. Letztlich müsste geprüft werden, ob die geplante Aufgabenverlagerung durch Zuweisung anderer Aufgaben kompensiert werden kann. Denkbar wäre die Verlagerung von Aufgaben der Bezügestellen bei der OFD Hannover-Oldenburg oder beim OLG Oldenburg."

Zwischenzeitlich hatte ich für den Auricher Personalratsvorstand mit Nds. Finanzminister Hinrich Swieter einen Gesprächstermin am 19. August 1993 im Gebäude des Landtages in Hannover zur Thematik „Modellvorhaben" vereinbart. An diesem Gespräch nahm neben Finanzminister Hinrich Swieter (SPD) auch die MdL Johann Bruns und Hermann Bontjer und Regierungspräsident Dr. Bode (alle SPD) teil.

Wir, die Auricher Personalratskollegen, haben den obigen Politikern klipp und klar deutlich gemacht, dass es für Aurich aus den bekannten strukturpolitischen Gründen Ostfrieslands unverantwortlich zu vertreten sei, hier in Aurich durch das „Modellvorhaben" auch noch ca. 40 bisher sichere Arbeitsplätze abzubauen.

Alle drei Politiker haben uns Unterstützung zugesagt. MdL Johann Bruns (gleichzeitig auch SPD Landesvorsitzender) hat zum Schluss für die Partei verdeutlicht, dass für Aurich der derzeitige Stellenbestand erhalten bleiben müsse.

Kurz danach wurde mir aus Hannover ein Papier „unter der Hand" zugeschickt, das mir ein zufriedenes Lächeln entlockte. Mit Schriftsatz vom 7. September 1993 schreibt das Niedersächsische Innenministerium an das Niedersächsische Ministerium für Wirtschaft und Kultur zum Thema „Modellvorhaben" im letzten Absatz:

„Ich sehe es als erforderlich an, noch mal konkret zu prüfen, ob nicht die Bezügebearbeitung weiterhin durch die Außenstelle der Bezirksregierung Weser-Ems erfolgen kann. Eine sorgfältige Prüfung dürfte auch deswegen unerlässlich sein, weil andernfalls mit eindringlichen und massiven Eingaben bis hinein in den politischen Raum gerechnet werden muss, die zwangsläufig zeitliche Verzögerungen mit sich bringen. Ich beziehe mich auf die hier vorliegenden Erfahrungen bezüglich der Errichtung eines Bezirksrechenzentrums in Weser-Ems."

Und danach „ging es Kraut und Rüben durcheinander"

Am 23. November 1993 erreichte mich ein Telefax von der Landesregierung mit folgendem Inhalt:

„Auszugsweise Abschrift aus der Niederschrift über die Sitzung der Niedersächsischen Landesregierung am 23. Nov. 1993 zu TOP IX – Verschiedenes:

<u>Modellvorhaben Hochschulverwaltung</u>
Im Kabinett besteht Einvernehmen, dass ein denkbarer Stellenabbau aufgrund der Modellvorhaben der Hochschulverwaltung bei der Bezirksregierung Weser-Ems, Außenstelle Aurich, im Rahmen der Organisationsreform ausgeglichen werden."

In der ostfriesischen Presse war am 24. November 1993 zu lesen: „Arbeitsplätze in Aurich gerettet. Kabinettsbeschluss pro RP-Außenstelle" oder „Kabinett für Erhalt. Regierungsaußenstelle Aurich bleibt".

Am 25. November 1993 schreibt mir MdL Hermann Bontjer per Telefax:

„Das Kabinett hat heute beschlossen, dass im Zuge der Umstrukturierung keine Arbeitsplätze bei der Außenstelle Aurich der Bezirksregierung Weser-Ems abgezogen werden, sondern durch Umorganisation der Aufgaben diese Arbeitsplätze in Aurich gesichert werden.

Begründung: In der von hoher Arbeitslosigkeit gebeutelten Region Ostfriesland dürfen wegen der strukturpolitischen Bedeutung öffentliche Arbeitsplätze nicht abgezogen werden."

Doch „das Haar in der Suppe" ließ nicht lange auf sich warten. In einem Telefongespräch mit dem Innenministerium wurde mir von dort erklärt, „dass es sich bei dem vorstehenden Inhalt um **keinen verbindlichen Beschluss des Kabinetts handelt, sondern lediglich um eine lose Absichtserklärung**, denn das „Modellvorhaben Hochschulverwaltung als Ganzes" stünde noch gar nicht auf der Tagesordnung des Kabinetts".

Der Auricher Personalrat hat daraufhin mit Schriftsatz vom 7. Dezember 1993 Innenminister Gerhard Glogowski angeschrieben, und um Aufklärung der Sachlage gebeten.

Nachdem der Innenminister in den kommenden Wochen nicht auf unser obiges Schreiben reagierte, hat der Personalrat am 18. Januar 1994 **einen offenen Brief** an die Niedersächsische Landesregierung, Innenminister Gerhard Glogowski, alle ostfriesischen Landtagsabgeordnete, an die Landtagsfraktionen der im Landtag vertretenen Parteien und an die ostfriesische Presse geschrieben. Tenor unseres Schreibens: „Als Interessenvertreter der Bediensteten der Außenstelle Aurich können wir uns nicht damit abfinden, dass die Frage der Stellenabsicherung (Arbeitsplatzsicherung) bis nach den Landtagswahlen vertagt wird."

Dieser „Offene Brief" wurde nach Absendung allen Kolleginnen und Kollegen der Außenstelle Aurich in schriftlicher Form zur Verfügung gestellt.

Auch die Presse hat diesen „Offenen Brief" aufgegriffen, und am 22. und 24. Januar 1994 mit den Schlagzeilen: „Verlagerung von Aufgaben gefährdet Arbeitsplätze" oder „Bedienstete trauen dem Braten nicht – Personalrat fordert nun klare Verhältnisse" und „Jetzt ist Skepsis angesagt" entsprechend veröffentlicht.

In seinem Schreiben vom 8. November 1994 teilte mir Innenminister Gerhard Glogowski mit:

„Sie baten mich um Mitteilung, wie in oben genannter Angelegenheit eine Kompensation für die aufgrund der Aufgabenverlagerung wegfallenden 13 Stellen bei der Bezirksregierung Weser-Ems -Außenstelle Aurich- geschaffen werden soll.

Zunächst möchte ich klarstellen, dass der Stellenabbau in zwei Stufen erfolgen soll, d. h. zum 1.1.1995 werden 7 Stellen und zum 1.1.1996 6 Stellen wegfallen. Dementsprechend kann grundsätzlich eine Kompensation ebenfalls in zwei Stufen zum 1.1.1995 und 1.1.1996 erfolgen.

Erste Ausgleichsmaßnahmen für die zum 1.1.1995 wegfallenden Stellen sind bereits erfolgt. Den in der Außenstelle Aurich befindlichen Dezernaten 104 „Besoldung" und 105 „Regierungsbezirkskasse" sind aufgrund gestiegener Fallzahlen im Jahre 1994 schon 5 zusätzliche Stellen zugewiesen worden. Demnach hat eine Kompensation für die zum 1.1.1995 wegfallenden Stellen nur noch in Höhe von 2 Stellen zu erfolgen. **(siehe zu diesem Absatz nach Beendigung des Zitats dieses Schreibens auch die Anmerkungen dazu).**

Es ist beabsichtigt, die besoldungsrechtlichen Zuständigkeiten für die Zahlfälle der Bediensteten der Landesbereitschaftspolizei Niedersachsen von der Bezirksregierung Hannover und die besoldungsrechtlichen Zuständigkeiten für die Zahlfälle der Landespolizeischule Niedersachsen von der Bezirksregierung Braunschweig auf die Bezirksregierung Weser-Ems -Außenstelle Aurich- ab 1.1.1995 zu verlagern. Mit diesen Aufgabenverlagerungen sind Stellenbedarfsänderungen zugunsten der Bezirksregierung Weser-Ems -Außenstelle Aurich- und Stellenverlagerungen von der Bezirksregierung Hannover und Braunschweig zur Bezirksregierung Weser-Ems -Außenstelle Aurich- verbunden. Diese werden nach den derzeitigen Fallzahlenberechnungen 8 Stellen umfassen, so dass einer zum 1.1.1996 zu schaffenden Kompensation vorgeleistet wird.

Die erforderlichen Umsetzungsschritte habe ich eingeleitet. Ich bitte aber um Verständnis, dass ich bei der Umsetzung auf die personalwirtschaftlichen Möglichkeiten der Bezirksregierungen Hannover und Braunschweig Rücksicht nehmen muss. Gleichwohl gehe ich davon aus, dass ihrem Anliegen in vollem Umfange Genüge getan ist.

In diesem Zusammenhang bitte ich um Verständnis, dass es nicht möglich sein wird, jeden Aufgaben- und Stellenwegfall bei der Bezirksregierung Weser-Ems -Außenstelle Aurich- zukünftig auszugleichen, der u. U. auch durch Vorhaben der Verwaltungsreform eintreten könnte. Eine Berücksichtigung von Belangen der strukturschwachen Region Aurich kann im Rahmen des Beschlusses der Landesregierung vom 11.10.1994 erfolgen, wonach die Ressorts gebeten werden, das MI sehr frühzeitig über alle Vorhaben mit strukturellen Auswirkungen auf die Regionen oder einzelne Standorte zu unterrichten, um eine Abstimmung mit anderen Reformprojekten zu ermöglichen, damit negative

Kumulationseffekte soweit wie möglich vermieden werden können. Sofern Reformprojekte strukturelle Auswirkungen auf einzelne Regionen oder Standorte haben, würde ich daneben Vorschläge aus dem kommunalen Bereich zur Vermeidung derartiger Kumulationseffekte sehr begrüßen.

Unterschrift Gerhard Glogowski"

Anmerkungen zum Schreiben des Innenministers: Es war schon „ne linke Tour" die Ausgleichsmaßnahmen zum 01.01.1995 (insgesamt 7 Stellen) mit den 5 zugewiesenen Stellen des Jahres 1994 zu verrechnen, die wir aufgrund der gestiegenen Fallzahlen des Jahres 1993 zugewiesen bekommen haben, sodass nur für diese Stufe noch 2 Stellen zu kompensieren sind. Tatsache ist, dass die Stellenerhöhungen für die gestiegenen Fallzahlen einer Automatik unterlagen, und nur zur Folge hatten, dass die Mehrarbeit durch die gestiegenen Fallzahlen damit ausgeglichen wurden - nicht mehr, und nicht weniger. Mit dieser Problemlösung hat das Innenministerium Aurich klar „über den Tisch gezogen"!

Durch die 1995igerVorleistung der Stellenkompensation für die 2. Stufe, die eigentlich erst ab 01.01.1996 erfolgen sollte, haben wir damals davon abgesehen, hier nun nochmals das „Kriegsbeil" auszugraben, denn im Jahre 1995 hatten wir schon ganz andere Sorgen - da ging es schon um die Existenz unserer Außenstelle insgesamt.

Zurück zu 1993

Dunkle Wolken ziehen über die Außenstelle Aurich auf.

In einem Kurzbericht im „Rundblick" vom 26.10.1993 hatte ich gelesen, dass das Niedersächsische Innenministerium, die Staatskanzlei und das Finanzministerium eine ganze Reihe von Projektideen zur Verwaltungsreform vorgelegt hatten, wo u. a. daraus hervor ging, dass es für prüfenswert erachtet wird, die

Kassen- und Besoldungsdezernate aus den Bezirksregierungen herauszulösen.

Diese vorstehenden Reformideen habe ich damals über Landtagsabgeordnete angefordert, die mir dann auch Ende November 1993 zusammen mit einem entsprechenden Kabinettsentwurf zur Verwaltungsreform zur Verfügung gestellt wurden.

In diesen Unterlagen war zu lesen, dass im Laufe des Jahres 1993 von Vertretern der Niedersächsischen Staatskanzlei, des Nds. Innenministeriums und des Nds. Finanzministeriums die Verwaltungsreform (Modernisierung der Landesverwaltung) vorbereitet wurde. In dem Kabinettsentwurf vom 3. November 1993 waren die Reformgrundsätze verankert.

Zudem wurden eine große Anzahl von Schlüsselbegriffe und etliche Reformideen mit Datum vom 28. Oktober 1993 für das Kabinett zusammengestellt, So unter anderem als

Projektidee Nr. 1:   Herauslösung der Kassen- und Besoldungs- dezernate aus den Bezirksregierungen,

Projektidee Nr. 2:   Umgestaltung des Landesverwaltungsamtes

Die Bedeutung und die Gefahren dieser Reformideen und deren mögliche Auswirkungen auf die Auricher Außenstelle der Bezirksregierung Weser-Ems waren mir von Beginn an sehr wohl bewusst. Ebenso war mir sonnenklar, dass die Führung des Hannoveraner Landesverwaltungsamtes alles dran setzen würde, mögliche Reformgefahren durch Kompensationsgeschäfte mit der Landesregierung vom eigenen Personal abzuwenden.
Auf der anderen Seite sah ich aber in diesen Reformideen der Landesregierung auch eine Chance für die Außenstelle Aurich durch eine landespolitische Umstrukturierung der bisherigen Landesbehördenstruktur für eine langfristige Arbeitsplatzsicherung in Aurich zu sorgen (die ja bisher bei der Landesregierung immer wieder zur Disposition stand).

In mehreren Gesprächen in meinem Amt als Personalrats-vorsitzender der Außenstelle Aurich habe ich den Inhalt vorstehenden „Rundblick Artikels" und die Projektidee Nr. 1 der Landesregierung mit unserem Regierungspräsidenten erörtert. Sein jeweiliger Kommentar: „Soweit wird es nicht kommen, da habe ich auch noch ein Wörtchen mitzureden". Somit haben wir uns diesbezüglich vorläufig noch keine größeren Sorgen um unsere Arbeitsplätze gemacht - und die Kollegen mit „Unausgegorenem" aufzuschrecken wollten wir als Personalrat auch nicht.

Auch aus den Protokollen der Reformausschüsse der Landesregierung, die unser Regierungspräsident mir ständig zur Verfügung stellte, gab es keine Hinweise auf den Wegfall der Auricher Dezernate „Kasse" und „Besoldung". Ebenso wenig war bei meinen Telefongesprächen mit dem für unsere Dienststelle zuständigen Innenministerium zu erfahren - wobei ich bei diesen Telefonaten immer den Eindruck hatte, dass man dort beim Thema „Abzug von Dezernaten aus Aurich", so ziemlich „zugeknöpft" war.

Einige Tage vor Weihnachten 1994 rief mein Parteifreund und damaliger Niedersächsischer Finanzminister Hinrich „Hinni" Swieter bei mir zu Hause an, und berichtete mir sinngemäß:

„Es gibt handfeste Bestrebungen in den Ministerien, die Besoldungsaufgaben der Außenstelle Aurich nach Hannover zu verlagern, in einigen Ministerien und im Landesverwaltungsamt wird schon fleißig daran gebastelt". - „Im Reformausschuss gibt es weitgehend Einigkeit darüber, dass die Aufgaben der Regierungsbezirkskasse Aurich ins Finanzministerium verlagert werden". - „ Du kennst euren Laden am besten, kannst dir ein Bild von euren Aufgaben machen. Mach dir mal deine Gedanken, wie wir als Landespolitiker euch helfen können, sodass zumindest die Besoldungsaufgaben nicht aus Aurich abgezogen werden müssen".
Swieter ganz eindringlich: „Eines musst du wissen, gelingt uns bis zum 31. 12. 1999 für Aurich nicht der große Wurf, macht der Letzte von euch am letzten Arbeitstag im Jahre 1999 das Licht für immer hinter sich aus!" - „Du weißt, dass ich als Finanzminister neutral sein muss - ich kann hier in diesen Fragen nicht

ausschließlich für Aurich in die Bütt gehen. Unterbreite gute Vorschläge für Aurich, und ich werde diese dann auch in meiner Eigenschaft als Finanzminister unterstützen - aber, wie schon gesagt, die Ideen und Lösungsvorschläge sowie die Aktivitäten zu deren Umsetzung müssen von euch kommen".

Beginnen möchte ich diesen Abschnitt mit einem persönlichen Schreiben als SPD Mitglied an die Landtagsfraktion meiner Partei, Aus dem Text dieses Schreibens ist erkennbar was unserer Außenstelle droht - incl. meiner Ideen zur Lösung dieser Auricher Probleme:

Mein Schreiben als Parteipolitiker vom 6. März 1995 an die SPD Landtagsfraktion

„Betreff: Meine Ideen zur Gründung einer neuen Landesbehörde in Aurich aufgrund der Befürchtung, dass alle jetzigen Arbeitsplätze der Außenstelle Aurich der Bezirksregierung Weser-Ems zukünftig im Wege der Verwaltungsreform in Hannover angesiedelt werden.

Liebe Genossinnen und Genossen!

Heute wende ich mich aus einem besonderen Grund an Euch, denn von einem hochrangigen Vertreter der Landesregierung habe ich vor etlichen Wochen erfahren, dass unsere Aufgaben der Außenstelle Aurich der Bezirksregierung Weser-Ems im Wege der Verwaltungsreform nach Hannover verlagert werden sollen. Gleichzeitig gab dieser Genosse mir den Rat, Ideen zu entwickeln, wie der Behördenstandort Aurich als Sitz einer Landesbehörde dauerhaft erhalten bleiben kann.

Noch ein paar Sätze zur Geschichte der Außenstelle Aurich.

Bis zum Herbst 1978 hatte Ostfriesland eine eigenständige Regierungsbehörde, Im Wege der Bezirksreform wurde die bisherige Regierungsbehörde Aurich ab August 1978 zur Außenstelle der Oldenburger Bezirksregierung degradiert (geschichtlich für Ostfriesland eine unerträgliche Zumutung).

Diese Außenstellenlösung für Aurich war eine politische Entscheidung, um Landesaufgaben in der strukturschwachen Region Ostfriesland zu erhalten (das scheint jetzt in Hannover nicht mehr zu gelten).

Von 1978 bis zum heutigen Tage hat Aurich immer wieder mit Arbeitsplatzproblemen zu kämpfen gehabt, die von der Oldenburger Zentrale nicht immer „zur Kenntnis genommen wurden", Wir hatten also nie die Chance im ruhigen Fahrwasser unseren Job zu machen. Ob nun Gerichtskassenumstellung, die Integration der Regierungsbezirkskassen aus Oldenburg und Osnabrück und die Automation der Regierungsbezirkskasse Aurich (soweit man diese überhaupt als Automation bezeichnen kann) - alles ohne funktionierende IuK-Technik auf den einzelnen Buchhaltungsplätzen - das konnte nur zu Spannungen und körperlicher Abnutzung führen. Gleiches gilt für die Auricher Besoldungsstelle mit seinen verschiedenen Abteilungen durch die Gruppenbildung im Jahre 1982 und durch die Übernahme der jeweiligen Besoldungsstellen Oldenburg und Osnabrück. Auch heute noch wird in diesen Abteilungen mit Klemmbrett, Blaupapier und Kugelschreiber gearbeitet. IuK-Technik Fehlanzeige.

Und jetzt will man Aurich diese Außenstelle auch noch dicht machen? Und sei die Arbeit auch noch so antiquiert - über 350 Kolleginnen und Kollegen und deren Familien geben diese Aufgaben in Aurich und Ostfriesland sichere Arbeit und gewährleisten somit auch ein sicheres Auskommen. Nimmt man der Region Ostfriesland diese Regierungsaußenstelle, dann ist das so, als wenn man Wolfsburg das VW-Werk nähme. Darum, Hände weg von Auricher Arbeitsplätzen!

Nach einer Veröffentlichung im „Rundblick (Drei Quellen Verlag aus Hannover)" vom 26.10.1993 haben das Innenministerium, die Staatskanzlei und das Finanzministerium eine ganze Reihe von Projektideen zur Verwaltungsreform vorgelegt, womit sich demnächst das Kabinett zu beschäftigen hat. Unter anderem heißt es in der Veröffentlichung, (Zitat) „für prüfenswert wird auch die Herauslösung der Kassen- und Besoldungsdezernate aus der Bezirksregierung gehalten".

In mehreren Gesprächen in meinem Amt als Personalratsvorsitzender der Außenstelle Aurich habe ich den Inhalt vorstehenden „Rundblick Artikels" mit unserem Regierungspräsidenten erörtert. Sein jeweiliger Kommentar: „Soweit wird es nicht kommen, da habe ich auch noch ein Wörtchen mitzureden". Somit haben wir uns diesbezüglich vorläufig noch keine größeren Sorgen gemacht - und die Kollegen mit „unausgegorenem" aufzuschrecken wollten wir als Personalrat auch nicht.

Auch aus den Protokollen der Reformausschüsse der Landesregierung, die unser Regierungspräsident mir ständig zur Verfügung stellte, gab es keine Hinweise auf den Wegfall der Auricher Dezernate Kasse und Besoldung. Ebenso wenig war bei meinen Telefongesprächen mit dem für unsere Dienststelle zuständigen Innenministerium zu erfahren   - wobei ich bei diesen Telefonaten immer den Eindruck hatte, dass man dort beim Thema „Abzug von Dezernaten aus Aurich", so ziemlich „zugeknöpft" war.

Doch nun ist schnelles Handeln angesagt.

Hier jetzt mein Vorschlag zur Lösung des Auricher Problems:

Alle Besoldungsaufgaben des Landes, mit allen Sparten, werden in Aurich zu einem neu zu gründenden **Landesbesoldungsamt** zusammengeführt. Diese Fachbehörde nimmt dann alle Aufgaben der bisherigen Dienststellen und Behörden des Landes wahr, die sich bisher mit Angestelltenvergütungen, Arbeiterlöhne, Beamtenbezüge, Versorgungsbezüge für Pensionäre, Beihilfen für aktiv Beschäftigte und Pensionäre und Trennungsgeld / Umzugskosten beschäftigten (und das sind derzeit immerhin z. B. für die Beihilfen ca. 20 unterschiedliche Dienststellen).

Diese bisherige Praxis des Landes ist uneffizient, uneffektiv und wirtschaftlich für das Land unattraktiv (diese enormen Personalkosten, verursacht unter anderem eben wegen dieser Aufsplitterung, kann sich das Land m. E. nicht mehr leisten).

Die Arbeitsplätze dieser neuen Landesbehörde sollten von Beginn an mit einer neu anzuschaffenden IuK Technik ausgestattet werden. Für den Betrieb einer solchen Fachbehörde mit IuK

Technik ist ebenfalls die Installation eines eigenen Rechenzentrums nötig. Die Wartung der IuK Technik an den einzelnen Arbeitsplätzen der neuen Behörde und die Schulung der Mitarbeiter sollte ebenfalls vom Personal des Rechenzentrums wahrgenommen werden.

Da es sich bei diesem neuen Landesbesoldungsamt um eine lupenreine Fachbehörde handelt, sollte m. E. hier auch eine sehr flache Personalhierarchie eingebaut werden. Personal mit einem breiten Wissensspektrum, wie in allgemeinen Behörden, wird m. E. nur in der neuen Abteilung 1 des neuen Landesbesoldungsamtes benötigt.

Hier nun meine Idee für ein Kurzorganigramm des neu zu gründenden Landesbesoldungsamtes

Der Behördenleiter, der Präsident, sollte nach B 2 besoldet werden.

Die Abteilung 1 (innere Verwaltung) sollte mit jeweils einem Dezernat „Personal" (Dezernat 10), „Organisation" (Dezernat 11) und einem „Rechtsdezernat" (Dezernat 12) ausgestattet sein.

Der Abteilungsleiter 1 ist auch gleichzeitig Dezernatsleiter der in seiner Abteilung befindlichen Dezernate. Diese Stelle sollte nach A 16 besoldet werden. Die jeweiligen Dezernenten der einzelnen Dezernate (insgesamt drei) könnten dann nach A 15 besoldet werden.

Das Personal des „Rechtsdezernates (Dezernat 12) sollte mit Personal der Fachdezernate besetzt werden, da m. E. in diesem Dezernat die Bearbeitungshinweise der einzelnen Fachbereiche erstellt werden sollten.

Die Abteilung 2 umfasst die Fachbereiche „Angestellten-vergütung" (Dezernat 20) und „Arbeiterlöhne" (Dezernat 21). Auch hier ist der Abteilungsleiter 2 gleichzeitig Dezernatsleiter der beiden Dezernate. Die Besoldung dieser Leitungspositionen ist wie in der Abteilung 1 zu gestalten.

Die Abteilung 3 umfasst die Bereiche „Beamtenbesoldung"

(Dezernat 30), „Beamtenversorgung" (Dezernat 31), „Beihilfen" (Dezernat 32) und „Trennungsgeld / Umzugskosten" (Dezernat 33). Auch hier ist der Abteilungsleiter 3 gleichzeitig auch Dezernatsleiter der Dezernate 30 bis 33. Die Besoldung dieser Leitungspositionen ist wie in der Abteilung 1 zu gestalten.

Die Abteilung 4 umfasst die Bereiche „IuK Technik und Rechenzentrum" (Dezernat 40), „Schulung IuK" (Dezernat 41) und „Service" (Dezernat 42). Der Abteilungsleiter 4 ist auch gleichzeitig Dezernatsleiter der Dezernate 40 bis 42. Dieser Abteilungsleiter und die Angehörigen des Dezernates 40 sind außertariflich zu bezahlen, um hier auch gesondert ausgebildetes Fachpersonal zu bekommen. Für die Dezernate 41 und 42 reicht es vollkommen aus, wenn diese Dezernenten nach A 13 besoldet werden.

Anzumerken ist, das die genannten Stellen nicht zwangsläufig mit Beamten besetzt werden müssen, da es sich hierbei nicht um hoheitliche Tätigkeiten handelt. Ich habe diese jeweiligen Besoldungsgruppen nur erwähnt, damit man sich eine Vorstellung über die Bezahlung dieser Kollegen machen soll.

Schwerpunkte dieser Aufgaben des neuen Landesbesoldungsamtes liegen in den Abteilungen 2 und 3 in der jeweiligen Sachbearbeitung und in den Aufgaben der jeweiligen Gruppenleitungen. Von daher ist es auch nicht unzumutbar, dass die Leitungen dieser Abteilungen auch gleichzeitig die Dezernatsleitungen wahrnehmen, denn ihre Aufgaben liegen im Wesentlichen in der Organisation dieser Abteilungen und Dezernate, und nicht in der begleitenden Fallbearbeitung.

Die Aufgaben der Gruppenleiter der Dezernate der Abteilungen 2 und 3, mit Ausnahme der Dezernate 32 und 33, sollten eine Leitungsspanne von 1 zu 5 nicht übersteigen (auf 5 Sachbearbeiter kommt ein Gruppenleiter). Für die Dezernate 32 und 33 ist die Leitungsspanne mit 1 zu 10 anzusetzen.

Hat ein Dezernat mehr als 50 Bedienstete, ist es aus sachlichen Gründen nicht erforderlich, hierfür mehrere Dezernate einzurichten. Es reicht allemal aus, dass hier dann bei einer

Leitungsspanne von mehr als 10 Gruppenleitern ein zusätzlicher Sachgebietsleiter eingesetzt wird.

Die Sachbearbeiterstellen der Fachdezernate sollten alle nach BAT V c mit 3-jähriger Bewährung nach BAT Vb (mittlerer Dienst) bewertet werden. Um hier jetzt eine Vergleichbarkeit in der Nettoauszahlung herzustellen (was auch der Arbeitszufriedenheit dient) sollten entsprechende Beamtenstellen nach A 8 bewertet werden (A 8 ohne Beitrag zur PKV ist Netto mit Vb vergleichbar).

Gruppenleiterstellen sollten m. E. nach BAT V b (gehobener Dienst) mit kurzer Bewährungszeit nach BAT IVb bewertet werden. Vergleichbare Beamtenstellen sollten mit A 9 (gehobener Dienst) und A 10 als Beförderungsstelle besoldet werden (wobei hier keine Vergleichbarkeit im Nettoverdienst möglich ist, es sei denn, dass die Angestelltenstellen nach BAT III bewertet werden).

Sachgebietsleiterstellen sind nach BAT III bzw. A 12 zu bewerten.

Personalkosteneinsparung

Durch die Einsparung der vielen Führungspositionen in den vielen Behörden / Dienststellen der bisherigen Unterbringung dieser Aufgaben, wird somit eine erhebliche Personalkosteneinsparung möglich sein.

Ebenso kann durch die abgeflachte Personalhierarchie, wie beschrieben, eine weitere erhebliche Einsparung an A 15 und A 16 Stellen erzielt werden.

Da durch die Einführung neuer IuK Technik in den Fachbereichen und an allen Arbeitsplätzen wesentlich effektiver gearbeitet werden kann, ist vermutlich eine weitere allgemeine Personalkosteneinsparung in der Sachbearbeitung von bis zu 30 % möglich.

Somit dürfte es nach Abschluss dieser Reformmaßnahme möglich sein, die Anzahl der Stellen für ein neues Landesbesoldungsamt gegenüber dem derzeitigen Ist-Zustand um fast 50 % zu reduzieren (dieses wird durch eine bis zu 30 %ige Stelleneinsparung durch mehr Effektivität, durch den Weg fall vieler A 15 und A 16 Stellen in der neuen Behörde im Wege der flachen Hierarchie und durch den ersatzlosen Wegfall der Leitungspositionen in den bisherigen Behörden / Dienststellen erreicht). Das heißt, dass knapp über 700 Arbeitsplätze im neuen Amt erhalten bleiben.

Sollte man diese Arbeitsplätze nicht alle in Aurich unterbringen können / wollen, rege ich an, dass ein zweiter Standort für das neue Landesbesoldungsamt zu suchen ist. Da m. E. Braunschweig und Hannover hierfür wegen ihrer schon vorhandenen vielschichtigen Verwaltungsstrukturen ausscheiden, bleibt als zweiter Standort für diese neue Behörde nur Lüneburg übrig.

Da jedoch der Behördenstandort Aurich wieder aus bekannten strukturpolitischen Gründen erhalten und aufgewertet werden muss, ist es zwingend erforderlich, dass die Mehrzahl der Stellen und der Sitz des neuen Landesbesoldungsamtes in Aurich anzusiedeln sind bzw. ist.

Ich hoffe, dass Ihr mit meinen Ideen zur Sicherung des Behördenstandortes Aurich etwas anfangen könnt, und bitte Euch nunmehr um Eure Unterstützung.

Ich stehe jederzeit für weitergehende Gespräche bereit.

Mit freundlichen Grüßen

Gerhard Keller"

Ein paar Tage nach Erhalt dieses Schreibens hat die SPD Landtagsfraktion mir geraten, das vorstehende Schreiben ein bisschen neutraler zu fassen (ohne Hinweis auf Parteizugehörigkeit und dergleichen), und dieses geänderte Schreiben offiziell an die Landesregierung zu senden. Der Fraktionsvorstand versprach dafür zu sorgen, dass die Landesregierung erfährt, dass dieser interessante Vorschlag von einem betroffenen Auricher Genossen kommt. Gleichzeitig bat die Fraktion darum, dass ich mich für ein gemeinsames Gespräch in absehbarer Zeit bereithalten soll, um meine Vorschläge zu präzisieren.

Ein entsprechend geändertes Schreiben ging am 21.März 1995 auch an die Landesregierung. In zwei Gesprächen (Anfang Juni und Anfang September 1995) konnte ich jeweils in einem größeren Kreis der SPD Landtagsfraktion meine Vorschläge auch konkretisieren, wobei ich erfreut zur Kenntnis nahm, dass meine Vorschläge und Erläuterungen dort durchaus wohlwollend aufgenommen wurden.

Wie wichtig und rechtzeitig meine o. a. Initiative war, kann man an einem Schreiben des **Niedersächsischen Landesverwaltungsamtes Hannover** vom 26. April 1995 an die Regierungspräsidenten in Braunschweig, Hannover, Lüneburg und Weser-Ems erkennen.

Hier das Schreiben im Wortlaut:

„Umgestaltung des Niedersächsischen Landesverwaltungsamtes.

Wie bereits in der gemeinsamen Dienstbesprechung bei Herrn Minister Glogowski erläutert, können im Rahmen der Verwaltungsreform durch das Projekt „Umgestaltung des NLVwA" (Projektaufträge Nr. 2 und 3) Zuständigkeiten der Bezirksregierungen berührt werden.

Projekt 2 - Reform der Beihilfebearbeitung.

Prüfung und Darstellung von Maßnahmen zur wirtschaftlicheren Beihilfebearbeitung unter besonderer Berücksichtigung der Frage, ob und ggf. unter welchen Voraussetzungen

- die Beihilfebearbeitung der privaten Krankenversicherung übertragen werden kann oder
- eine organisatorische Zusammenfassung mit Beihilfefestsetzungsstellen die Wirtschaftlichkeit der Aufgabenerfüllung verbessern kann

Projektgruppenleiter ist Dr. Tigges, KPMG

Projekt 3 - Organisation der Beamtenversorgung, Besoldung,

Vergütung und Lohnzahlungen

Untersuchung alternativer Behördenanbindungen der Beamtenversorgung und von Bezügestellen mit den Schwerpunkten, ob und ggf. unter welchen Voraussetzungen,

- eine der Rechtsaufsicht des Landes unterstehende Rentenbehörde (LVA) die Beamtenversorgung übernehmen könnte

- eine organisatorische Zusammenfassung von Beamtenversorgung und von Bezügestellen die Wirtschaftlichkeit der Aufgabenerfüllung verbessern kann.

Projektgruppenleiter: ORR Meyer, D 4

Die Projektaufträge sind weit gefasst. Es werden sowohl Fragen der Privatisierung, als auch der Zentralisierung und der Dezentralisierung geprüft. Daraus wird deutlich, dass es zunächst um eine objektive Analyse von Möglichkeiten geht. Regionale Aspekte und Bewertungen können erst dann bedeutsam werden, wenn die Möglichkeiten auch unter wirtschaftlichen Gesichtspunkten hinreichend konkretisiert sind.

Ich bitte Sie, für eine notwendige Unterstützung bzw. wohlwollende Begleitung durch Ihre Mitarbeiterinnen und Mitarbeiter Sorge zu tragen, wenn dies im Rahmen der Projektgruppenarbeit im Einzelfall erforderlich sein sollte.

Mit freundlichen Grüßen - Wolfgang Meyerding"

Nach diesem o. a. Schreiben, das mir Ende April 1995 von der Oldenburger Behördenleitung zur Verfügung gestellt wurde, läuteten bei mir nunmehr die Alarmglocken - jetzt mussten wir als Auricher Personalrat öffentlichkeits- wirksam aktiv werden. Doch im Auricher Personalrat war man mehrheitlich noch der Auffassung, dass wir noch nicht „mit Kanonen auf Spatzen schießen sollten", außerdem war man mehrheitlich noch der Ansicht, dass wir als politisch gewollte Außenstelle der Bezirksregierung nichts zu befürchten hätten.

Mitte Juli 1995 bekam ich aus dem Nds. Innenministerium den telefonischen Hinweis, dass die Landesregierung beabsichtigt, das Niedersächsische Landesverwaltungsamt in Hannover aufzulösen, In diesem Zusammenhang berichtete mir der Kollege auch, dass es im Ministerium schon seit längerer Zeit Überlegungen gab, die Besoldungs- und Beihilfeaufgaben der Landesverwaltung beim jetzigen (noch) Landesverwaltungsamt in Hannover zu zentralisieren (nunmehr auch als Kompensationslösung).

Projekt Kostenvergleich Angestellte - Beamte

Im „Rundblick" vom 26. Juli 1995 habe ich mit Interesse gelesen (weil dieses auch seit vielen Jahren mein Thema war), dass im Finanzministerium eine Ausarbeitung zum Thema „Kostenvergleich Angestellte – Beamte" kurz vor dem Abschluss stand. Hier der Wortlaut des Artikels im „Rundblick":

„Im Finanzministerium wurde eine Projektgruppe, die sich vertieft mit vorstehender Frage befasste, installiert. Man rechnet im Frühherbst 1995 mit der Vorlage der Ausarbeitung, die auch die bisherigen Veröffentlichungen zu diesem Thema mit dem Anspruch kritisch durchleuchten sollte, jedweder Kritik standhalten zu können."

Doch es blieb bei dieser Ankündigung - mehr war nicht in Erfahrung zu bringen. Erst im Jahre 1996 habe ich auf Nachfrage von dem ehemaligen Finanzminister erfahren, dass die Veröffentlichung des Ergebnisses dieser Ausarbeitung des MF von der versammelten Beamtenschaft aller Ministerien verhindert wurde. Auf meine Nachfrage hat der ehemalige Finanzminister mir bestätigt, dass die Ausarbeitung aus dem Jahre 1995 eindeutig ergeben hat, dass die Beschäftigung der Angestellten im öffentlichen Dienst dem Steuerzahler wesentlich günstiger wird, als die Beschäftigung von Beamten.

Zurück zum Landesbesoldungsamt

Staatssekretärsausschuss-Verwaltungsreform

Im Ergebnisprotokoll der 9. Sitzung des **Staatssekretärs-ausschuss-Verwaltungsreform** vom 31. Juli 1995 war zu den Themen Beihilfen, Beamtenversorgung und Bezügebearbeitung wie folgt zu lesen:

„In Niedersachsen sind 15 Bezügestellen und 28 Beihilfestellen teilweise sehr unterschiedlich organisiert. In den Beihilfestellen des Landes sind 328 Stellen / Bearbeiter installiert. Nach einem Urteil des BVerfG aus 1990 zählt die Form der Beihilfe nicht zu den hergebrachten Grundsätzen des Berufsbeamtentums. Die Projektgruppe „Reform der Beihilfebearbeitung" nimmt praktische Prüfungen vor, arbeitet jedoch nicht an Systemveränderungen; Fallzahlen. Niedersachsen 1 Bearbeiter = 11 Anträge / Tag; Baden-Württemberg 1 Bearbeiter = 22 Anträge / Tag; private Krankenversicherung (Debeka): 1 Bearbeiter = 50 Anträge / Tag; ein Bescheid in Niedersachsen kostet durchschnittlich 60,--DM, Angebote von Versicherungen / Versorgungskassen von 40,--DM bis 25,25 DM pro Beihilfebescheid. Als Alternative zur PKV-Lösung werden konkurrenzfähige Arbeitsabläufe innerhalb der Landesverwaltung geprüft, ein Rationalisierungs- gewinn von 50 % für Beihilfebearbeitung wird angestrebt. In Niedersachsen sind 52 private Versicherungen tätig, diese sollen zur Frage der Übernahme der Beihilfebearbeitung für das Land informell angeschrieben werden, noch 1988 haben sich die privaten Krankenversicherungen gegen eine Übernahme dieser Aufgabe ausgesprochen. Weitergehende Überlegungen des MF werden dort und im Rahmen einer Projektgruppe „Reform der Beihilfebearbeitung" geprüft.

Organisation der Beamtenversorgung und der Bezügebearbeitung. Prüfauftrag ist, ob eine Landesversicherungsanstalt die Bearbeitung der Beamtenversorgung übernehmen könnte. Problematisch ist die Vermischung von Funktionen für Arbeitnehmer und Arbeitgeber (=Rentenbeitragszahler) sowie Land Niedersachsen (= Pensionszahlungspflichtiger). Da die Landesversicherungsanstalten nur gesetzliche Aufgaben wahrnehmen dürfen, wäre das Sozialgesetzbuch zu ändern. Die Einrichtung eines Landesbesoldungsamtes (zentral oder mit

Außenstelle) wird geprüft. Zwischenergebnis der Projektgruppenarbeit: Vergleich niedersächsischer Fallzahlen im Bereich der Bezügebearbeitung zu anderen Ländern fällt ungünstig aus. Herr Meyerding forderte für diesen Bereich, die Mittel für IuK Technik nicht zu sperren, um damit die dialogisierte Bezügebearbeitung zu ermöglichen (**Anm.**: Damit war DIBS gemeint)".

Nun wurden die Ärmel aufgekrempelt

Nach der Sommerpause 1995 ging es jetzt ans Eingemachte, Jetzt konnte ich die Mehrheit des Personalrats davon überzeugen, dass, wenn wir noch anstehende Entscheidungen der Landesregierung über den Verbleib unserer Aufgaben beeinflussen wollen, wir nunmehr aktiv werden müssen. Somit beschloss der Personalrat einstimmig einen Fahrplan zur Durchführung bestimmter Aktivitäten. So wurde beispielsweise beschlossen eine „außerordentliche Personalversammlung" einzuberufen sowie die ostfriesischen Landtagsabgeordneten, die Landesregierung und die Landtagsfraktionen für die berechtigten Belange unseres Behördenstandort zu sensibilisieren.

Um die beschlossene außerordentliche Personalversammlung jetzt argumentativ gegenüber der Behördenleitung auch auf rechtlich saubere Füße zu stellen, wurden von mir ab 1. September 1995 280 Unterschriften der Kolleginnen und Kollegen gesammelt, um damit zu dokumentieren, dass diese geplante Veranstaltung sowohl von den Bediensteten als auch vom Personalrat ausgeht.

Es folgte mit Datum vom 14. September 1995 ein umfassendes Schreiben des Personalrats an die ostfriesischen MdL, an die Landesregierung und an die Landtagsfraktionen. In diesem Schreiben haben wir deutlich gemacht, dass die von der Landesregierung geplanten Projektideen große Gefahren für den Behördenstandort Aurich beinhalten. Gefahren, die letztendlich dazu führen können, dass die Außenstelle Aurich der Bezirksregierung Weser-Ems aufgelöst wird. Was dieses für die Auricher Bediensteten bedeutet, haben wir auch in einem statistischen Teil dieses Schreibens überzeugend begründen können. Bei dieser Gelegenheit haben wir auch dafür geworben, dass von mir erdachte neue „Landesbesoldungsamt" als Kompensation für die aufzulösende Regierungsaußenstelle in Aurich einzurichten.

Die außerordentliche Personalversammlung

Mit Schreiben vom 19. September 1995 hat der Auricher Personalrat zu der geplanten „außerordentlichen Personalversammlung" am 26. September 1995 eingeladen, nachdem diese zuvor terminlich mit dem Regierungspräsidenten Bernd Theilen abgestimmt wurde.

In dieser Personalversammlung, an der über 300 Bedienstete der Außenstelle Aurich teilnahmen, habe ich dann schonungslos „Tacheles" geredet.

Hier einige Auszüge aus meiner Personalversammlungsrede:

„In der Vergangenheit, letztmalig am 1. Juni 1995, wurde immer wieder von Politikern beteuert, dass der Standort unserer Außenstelle gesichert ist, dass wir -die Bediensteten---uns um unsere Zukunft keine Sorgen machen müssen. Handelte es sich bei diesen Beteuerungen in der Vergangenheit nur um reine Lippenbekenntnisse, oder sind auch sie vom „Geisterzug der maroden Landesfinanzen überrollt worden"? - Sei`s drum, Fakt ist scheinbar, dass derzeit über 2/3 unserer Arbeitsplätze und somit der Standort der Außenstelle Aurich zur Disposition stehen.

Es ist dem Personalrat ein besonderes Bedürfnis, und darauf legen wir auch besonderen Wert, von Anfang an klarzustellen, dass wir die begonnene Verwaltungsreform begrüßen, es sei denn, die Reform verkommt zur ausschließlichen Rotstiftpolitik. Zum Diktat der derzeit leeren Landeskassen müssen wir mit aller Entschiedenheit anmerken, dass die Bediensteten des Landes diese missliche Situation nicht zu verantworten haben - deshalb steht unsere Meinung auch ohne jeden Zweifel fest, dass die Haushaltskonsolidierung nicht allein zu Lasten der Landesbediensteten - auch nicht in der Region - betrieben werden darf. Wer eine vernünftige, zukunftsorientierte Verwaltungsreform mit Augenmaß betreiben will, und das wollen wir doch wohl alle, muss willens und in der Lage sein, auch entsprechende Anschubfinanzierungen z. B. für neue Technologien, wie z. B. Datenverarbeitungssysteme, zu finanzieren.

Die begonnene Verwaltungsreform bietet außerdem die einmalige Chance mit öffentlichen Arbeitsplätzen Strukturpolitik zu betreiben. Ich erinnere hier an die Regierungserklärung unseres Ministerpräsidenten Gerhard Schröder vom letzten Jahr, wo er eindeutig feststellte, dass es bei der Verwaltungsreform keine Tabus geben darf - auch keine Standorttabus.

An dieser Stelle muss ich jetzt noch einmal auf die Projektausarbeitung des Nds. Landesverwaltungsamtes zurückkommen. Die Projektaufträge 2 und 3 haben, wie schon erwähnt, für uns in Aurich existentielle Bedeutung - vor allen Dingen unter den besonderen Gesichtspunkten, wie vom Präsidenten des Landesverwaltungsamtes in seinem Schreiben vom 26. April 1995 konzipiert. Dort heißt es, „die Prüfaufträge sind weit gefasst. Es werden sowohl Fragen der Privatisierung, als auch der Zentralisierung und der Dezentralisierung geprüft. Daraus wird deutlich, dass es zunächst um eine objektive Analyse von Möglichkeiten geht. Regionale Aspekte und Bewertungen könnten erst dann bedeutsam werden, wenn die Möglichkeiten auch unter wirtschaftlichen Gesichtspunkten hinreichend konkretisiert sind". Im Klartext: Wir müssten besser und billiger sein wie die bisherige Organisationsform, um die Arbeitsplätze in Aurich zu retten."

„Unter dem Gesichtspunkt der Zentralisierung und der Dezentralisierung alternativer Behördenanbindungen der Beamtenversorgung und von Bezügestellen ist es aus Sicht der größten Besoldungsstelle des Landes -der Außenstelle Aurich- anzumerken, dass unter Zugrundelegung der Wirtschaftlichkeit die Einrichtung eines Landesbesoldungsamtes angezeigt wäre. Mit einer solchen neuen Einrichtung ließen sich gleich mehrere Fliegen mit einer Klappe schlagen."

Um jetzt Wiederholungen zu vermeiden, verweise ich an dieser Stelle inhaltlich auf mein Schreiben vom 6. März 1995 an die SPD Landtagsfraktion, die auch in leicht abgeänderter Fassung ein paar Tage später auch an die Landesregierung ging.

Weiter mit meiner Personalversammlungsrede:

„Als Standort eines solchen Landesbesoldungsamtes kommt aus unserer Sicht nur Aurich in Betracht. Ich möchte diesen Standpunkt auch näher begründen:

Die Standortfrage ist unabhängig von irgendwelchen Leistungs- und / oder Leitunszentren wie z. B. Hannover Braunschweig, Lüneburg. Oldenburg oder Osnabrück. Die bisherige Zentralisierung von Landesdienststellen in diesen genannten großen Zentren hat in der Vergangenheit dazu geführt, dass sich die Landesverwaltung immer mehr und weiter aus der Region verabschiedet hat. Wir müssen eindeutig darauf hinweisen, dass auch anderenorts als in Hannover und den zuvor genannten Schwerpunktstandorten gute Arbeit geleistet wird.

Aufgrund unserer mediengerechten Landschaft ist die Standortfrage einer Behörde unabhängig von irgendwelchen bestimmten örtlichen Anbindungen. Auf Knopfdruck können Leistungen von jedem Ort angefordert, abgerufen, übermittelt und verarbeitet werden, vorausgesetzt, dass die Arbeitsplätze entsprechend zukunftssicher eingerichtet werden.

Die Außenstelle Aurich der Bezirksregierung Weser-Ems verfügt derzeit über 200 erfahrene Besoldungs- und Beihilfekräfte. Fachkräfte, die im Durchschnitt noch 25 Jahre und länger arbeiten müssen, bevor sie aus Altersgründen ausscheiden.

Nachwuchsprobleme wird es in Aurich nicht geben, denn zurzeit (Stand 25. August 1995) sind 110 Verwaltungsfachangestellte beim Arbeitsamtsbezirk Emden arbeitslos gemeldet. Außerdem haben wir zurzeit 32 Zeitangestellte bei uns beschäftigt, die nur darauf warten, einen festen Arbeitsplatz bei uns zu bekommen - junge Leute, die mit ihrer Ausbildung sonst nirgends eine Berufschance in Ostfriesland haben.

Auf die strukturpolitischen Probleme Ostfrieslands müssen wir wohl nicht nochmals näher eingehen - diese sind seit Jahrzehnten hinlänglich bekannt. Wenn jetzt unsere bestehenden Arbeitsplätze durch evtl. Privatisierung und / oder anderweitige Zentralisierung hochgradig gefährdet sind, ist es unserer Meinung nach nur recht und billig, wenn das Land mit den eigenen Arbeitsplätzen / Organisationseinheiten Strukturpolitik betreibt, und dort einsetzt, wo sich auch entsprechendes Personal befindet.

Da die überwiegenden Arbeitsplätze einer solchen Behörde im mittleren Dienst angesiedelt sind, sollte man auch eine solche Behörde auch nur dort ansiedeln, wo man mit dem Gehalt des mittleren Dienstes auch noch eine Familie ernähren kann - und nicht in den großen und teuren Zentren.

Die räumliche Unterbringung eines Landesbesoldungsamtes in Aurich bereitete keine Probleme, denn die Stadt Aurich hatte uns zugesichert, weitere erforderliche Gebäude zur Verfügung zu stellen.

Alle Fakten für die Ansiedlung eines solchen Landesamtes sprechen eindeutig für Aurich. Dazu gehört natürlich die Zentralisierung der Beihilfeabteilung in einer solchen Behörde. Auch die Grundgedanken der begonnenen Verwaltungsreform sind diesbezüglich aus unserer Sicht pro Aurich eingestellt."

Soweit zu meinem Vortrag.

Anschließend hatte Regierungspräsident **Bernd Theilen** das Wort. Er erklärte den anwesenden Zuhörern klipp und klar, dass er sich für den Erhalt der Außenstelle Aurich und deren Arbeitsplätze einsetzen wird. Er wies jedoch vehement meine Ideen zur Neugründung eines Landesbesoldungsamtes zurück, denn nach seiner Meinung müsse die Außenstelle Aurich unter der Obhut der Bezirksregierung Weser-Ems verbleiben. Bernd Theilen führte weiter aus, dass Landesämter in Niedersachsen keine Zukunft hätten.

In der anschließenden Diskussion, an der sich fast ausschließlich beamtete Kollegen des gehobenen Dienstes beteiligten, ging dann die Post ab. Argumente gegen die Schaffung eines Landesbesoldungsamtes machten die Runde. Die Palette dieses „nicht dafür Seins" reichte von den fehlenden Beförderungsaussichten bis hin zur Eintönigkeit der Aufgabe, an die man dann auf Dauer gebunden wäre - die Bezirksregierung fehlte als Sprungbrett. Bei dem einen oder anderen Diskussionsteilnehmer wurde ich jedoch den Eindruck nicht los, dass diese Herrschaften den Regierungspräsidenten „nur nach dem Munde geredet haben". In meiner Reaktion auf diese Kritik habe ich deutlich zum Ausdruck gebracht, dass ich davon überzeugt sei, dass der eingeschlagene Weg des Personalrats, der schließlich meine Ideen zugestimmt hatte, alternativlos sei. Des Weiteren sei ich davon überzeugt, dass die Mehrheit der anderen anwesenden Kolleginnen und Kollegen meinen vorgeschlagenen Weg nicht so kritisch sehen.

Anm.: Nach der Reform ab 1. Januar 1998 haben diese Berufsskeptiker in der neuen Behörde alle Karriere gemacht (es sei denen auch vergönnt!).

Unsere Öffentlichkeitsarbeit nach der Personalversammlung

Zwei Tage nach der o. a. Personalversammlung hatte der Auricher Personalrat zu einer Pressekonferenz eingeladen. Am 29. September 1995 erschienen dann in großer Aufmachung die einzelnen Presseberichte.

Schlagzeilen wie z. B.: „Reform bedroht Regierungsaußenstelle Aurich" - „270 Arbeitsplätze sind gefährdet" - „Personalrat fürchtet um 350 Arbeitsplätze" - „ON Kommentar - Diktat der leeren Kassen" - machten nun die Runde.
In der Folgezeit gab es auch Pressereaktionen aus dem politischen Bereich.

Am 13. Oktober 1995 ging dieser öffentliche Rummel weiter. Nach einer Personalratssitzung vom 12. Oktober 1995 mit Landtagsabgeordneten fand wiederum eine Pressekonferenz statt. Hier die Schlagzeilen nach der Pressekonferenz: „Ballast abwerfen für die Sicherung der Außenstelle" - **„MdL Bontjer:** Besoldung und Versorgung in Aurich konzentrieren" - „Behörde noch nicht geschlagen".

Vom Rat der Stadt Aurich wurde ich zu deren Sitzung eingeladen. Dort habe ich die Sorgen und Nöte unserer Bediensteten rund um unsere Außenstelle den Ratsmitgliedern verdeutlicht. Zudem habe ich in dieser Ratssitzung meine Ideen zur Rettung der Außenstelle erklärt, und habe die Stadt Aurich um Unterstützung gebeten. Per einstimmigen Beschluss hat der Rat der Stadt Aurich eine entsprechende Abgabe einer Resolution an die Landesregierung beschlossen.

Landtagseingabe der Bediensteten und des Personalrats der Außenstelle Aurich.

Der Auricher Personalrat fertigte am 27. Oktober 1995 nachstehende Landtagseingabe:

„Sorge um den Erhalt unserer Arbeitsplätze / Außenstelle.

Sehr geehrte Damen und Herren!

Die Bediensteten der Außenstelle Aurich, der Bezirksregierung Weser-Ems, haben bedingt durch die Maßnahmen der Verwaltungsreform große Sorgen um den Erhalt ihrer Arbeitsplätze in Aurich.

Aus den Protokollen des Staatssekretärs- und Kabinettsausschusses wissen wir, dass die Projektaufträge Nr. 2 und 3 beim Niedersächsischen Landesverwaltungsamt direkten Einfluss auf 200 Stellen / Arbeitsplätze im Besoldungsdezernat bei uns haben.

Ob nun in den o. a. Projektgruppen beim Landesverwaltungsamt eine eventuelle Privatisierung der Beihilfeberechnung und / oder eine eventuelle Zentralisierung der Besoldungs- und Bezügestellen unter wirtschaftlichen Gesichtspunkten geprüft werden - Fakt ist für die Bediensteten der Außenstelle Aurich, dass die als Zwischenergebnisse festgestellten Lösungsvorschläge der Projektgruppen nicht in Aurich angesiedelt sind. Wir verweisen diesbezüglich auf das Protokoll des Staatssekretärsausschusses vom 31.07.1995 sowie auf das Protokoll des Kabinettsauschusses vom 09.08.1995.

Durch die Budgetierungsmaßnahmen im Rahmen der Verwaltungsreform verliert die Außenstelle Aurich weitere 60 bis 70 Arbeitsplätze im Bereich der Regierungsbezirkskasse. Die bisherigen Aufgaben der Regierungsbezirkskasse Aurich werden in diesem Zusammenhang zum Teil an die nachgeordneten Dienststellen im Wege der Dezentralisierung und größtenteils an das Niedersächsische Finanzministerium im Wege der Zentralisierung abgegeben.

Zur inhaltlichen Auseinandersetzung in der Sache verweisen wir auf unser Schreiben vom 14.09.1995 an die ostfriesischen Landtagsabgeordneten, auf die Rede unseres Personalratsvorsitzenden anlässlich der außerordentlichen Personalversammlung vom 26.09.1995, sowie auf die bisherigen Presseinformationen, die in der Anlage beigefügt sind.

Ein Wegfall von ca. 260 bis 270 Arbeitsplätzen bedeutet, unter Einbeziehung der damit verbundenen Tätigkeiten wie z. B. Schreibdienst, Hausdienste und dergleichen, dass die Existenz der Außenstelle zur Disposition steht.

Die Verwaltungsreform ist längst überfällig und wird auch von den Bediensteten begrüßt. Wir versprechen uns von dieser Reform die Modernisierung unserer Arbeitsplätze sowie die Chance zu einem modernen und wirtschaftlichen Dienstleistungsunternehmen heranzureifen.

Nicht akzeptabel ist hingegen der Abbau öffentlicher Arbeitsplätze oder gar der Abzug von Behörden. Solche Maßnahmen schwächen die Wirtschaftskraft der Stadt Aurich und der Region Ostfriesland, und mindern die zentrale Bedeutung von Aurich als ostfriesisches Behördenzentrum.

Wir haben zum einen die Reduzierung der Bundeswehr mit der Verlegung bzw. Auflösung von Truppen und der Auflösung der Standortverwaltung in Aurich hinnehmen müssen. Hinzu kommt die Auflösung des Staatshochbauamtes als selbständige Behörde. In der weiteren Diskussion stehen diesbezüglich Teilbereiche des Staatlichen Amtes für Wasser und Abfall Aurich sowie der Wasser- und Schifffahrtsdirektion Aurich.

Diese Entwicklung zu Lasten der Region Ostfriesland muss gebremst werden.

Aus diesem Grunde ist es unerlässlich den Behördenstandort Aurich mit den Instrumentarien der Verwaltungsreform zu stärken, wobei zu berücksichtigen ist, dass diesmal die Möglichkeit besteht (wir denken hier insbesondere an die Zielsetzungen der Projektgruppe 2 und 3 beim Landesverwaltungsamt), eine Arbeit dahin zu verlagern wo auch das entsprechende Fachpersonal schon vorhanden ist.

Mit freundlichen Grüßen - es folgen **336 Unterschriften** von Auricher Bediensteten"

Vorstehende Landtagseingabe wurde am 8 November 1985 persönlich dem Landtagsvizepräsidenten überreicht.

<u>Der Auricher Personalrat im Landtag</u>

Auf Einladung der ostfriesischen SPD Landtagsabgeordneten nahm der Aurich Personalrat am 8. November 1995 an einem Gespräch mit Landespolitikern über die Auricher Arbeitsplatzsituation im Landtag teil.

Hier das **Protokol**l über die vorstehende Besprechung:

„Heute fand auf Einladung der SPD-Abgeordneten Ostfrieslands im Niedersächsischen Landtag eine Besprechung statt. Teilnehmer waren die Abgeordneten **Günter Boekhoff, Hermann Bontjer, Alwin Brinkmann, Helmut Collmann, Günter Peters, Minister Hinrich Swieter** und der Personalrat der Außenstelle Aurich. Weitere Teilnehmer waren **Ministerialdirigent Burkhard Nedden vom MI** und der Vorsitzende des Gesamtpersonalrats der Bezirksregierung Weser-Ems **Ulrich Erdmann.**

Nach ausführlicher Erörterung der Grundlagen der Verwaltungs-reform und deren möglichen Konsequenzen für die Außenstelle Aurich wegen wahrscheinlicher rationalisierungs – und umstrukturierungsbedingter Stellenverluste wurde übereinstimmend zwischen allen Beteiligten festgestellt, dass die bisherigen Zusagen für den Erhalt des Stellenbestandes bei der Außenstelle Aurich auch in Zukunft unverändert fortgelten.

Danach sind bei der Außenstelle Aurich nur die Stelleneinsparungen zu erbringen, die für alle Landesbehörden verbindlich sind. Werden darüber hinaus durch Maßnahmen von Umorganisationen oder Rationalisierung, wie z. B. im Beihilfebereich, oder aus anderen Gründen weitere Stellen grundsätzlich entbehrlich, dann erhält die Außenstelle Aurich gleichzeitig und im gleichen Umfange Aufgaben, so dass die vor Beginn der Einsparmaßnahmen am 31.12.1994 bei der Außenstelle Aurich vorhandenen Stellen dort auf Dauer erhalten bleiben, also nur unter Abzug der vorgenannten allgemeinen Stelleneinsparungen.

Da verschiedene Abgeordnete zwischenzeitlich die Sitzung verlassen mussten, betonte MdL Bontjer abschließend, dass diese Zusagen von allen SPD-Abgeordneten Ostfrieslands und insbesondere auch vom Finanzminister Swieter getragen werden. Diese Zusage sei miteinander abgestimmt und dürfe auch öffentlich verwendet werden.

MD Nedden sagte zu, dass das Innenministerium die Realisierung der vorstehenden Übereinkunft sicherstellt."

Durch eine hausinterne Personalrats-Info und eine anschließende Presseerklärung, die dann auch in den Zeitungen veröffentlicht wurden, haben wir vorstehendes Gesprächsergebnis veröffentlich.

Beschluss des Auricher Personalrats

In der ersten Personalratssitzung nach dem Gespräch im Landtag ermächtigte mich der Personalrat, dass ich die politischen Gespräche und Verhandlungen über die Auricher Arbeitsplätze mit den Landtagsabgeordneten und der Landesregierung eigenständig führen kann, ohne mir jeweils vorher einen Beschluss des Gremiums einholen zu müssen. Dieses auch deshalb, weil ich dann einerseits in den eigenen Reaktionen flexibler bin, und andererseits, weil ich als Genosse viel freier und ungezwungener mit meinen Gesprächs- und Verhandlungspartnern reden konnte, zumal man sich ja gegenseitig seit längerer Zeit persönlich gut kannte. Dem Auricher Personalrat war ich somit lediglich berichtspflichtig, wobei ich dem Gremium zusicherte, deren Anregungen zur Sache bei meinen Gesprächen entsprechend zu berücksichtigen.

Reform der Regierungsbezirkskassen des Landes

Der Kabinettsausschuss Verwaltungsreform hat am 13. Dezember 1995 unter TOP 3 weitere Reformprojekte beschlossen. Zur „Fortführung der Automation der Haushaltsführung des Landes" wurde das Finanzministerium beauftragt, die Realisierung im Sinne der Projektidee zunächst durch Aufstellung einer ressortübergreifenden Lenkungs-Projektgruppe Haushaltsvollzugsreform vorbereiten.

Aus dem Ergebnisprotokoll des Kabinettsausschusses vom 13.12.1995 ging des Weiteren hervor, dass die Lenkungs-Projektgruppe beauftragt wurde, die geeigneten Lösungsvarianten zu ermitteln, ihre Machbarkeit zu untersuchen und ein Lösungskonzept sowie Umsetzungsvorschläge zu erarbeiten.

Worum ging es - Im Finanzministerium wurden Projektideen entwickelt, die darauf schließen ließen, dass im Endstadium der Verfahrensumstellung die Aufgaben der 4 Regierungsbezirks-kassen, die Kasse des Landesverwaltungsamtes und die Landes-hauptkasse auf eine zentrale Landeskasse in Hannover übertragen werden. Die haushaltsmittelbewirtschaftenden Dienststellen (Ortsbehörden) sollen zur Vermeidung von jetzigen Mehrfachbearbeitungen im Wege des ADV-Verfahrens zu eigenen Zahlstellen aufgewertet werden.

Diese Kassenreform hat zur Folge, dass die genannten Kassen, darunter auch die Regierungsbezirkskasse Aurich, zum 31. Dezember 1999 aufgelöst werden. Selbst die Aufgaben der Vollstreckungsbehörde (Zitat MF: „Soweit die Übertragung auf die Justizrate nicht zweckmäßig ist") sind wohl nicht mehr als sicher anzusehen.

Bei dem Februartermin 1996 im Landtag wird der Auricher Personalratsvorstand diese Angelegenheit mit dem Finanzminister erörtern.

<u>Gespräche am 14. Februar 1996 im Landtag</u>.

Nach den Gesprächen vom 8. November 1995 im Landtag stellten wir in Aurich fest, dass es scheinbar zwischen der Politik einerseits und Ministerialbürokratie anderseits Unstimmigkeiten bezüglich der Ergebnisse der Unterredung gab, Das Gesprächsergebnis war der Ministerialbürokratie scheinbar zu weitgehend. Meine damaligen Gespräche mit Herrn Prinz vom Finanzministerium belegen diese Annahme.

Ich habe mich diesbezüglich sofort mit dem MdL Hermann Bontjer in Verbindung gesetzt, und mit ihm die weitere Vorgehensweise besprochen. Es wurde vereinbart, eine weitere Gesprächsrunde im Landtag anzuberaumen. Neben dem Auricher Personalratsvorstand sollte auch die Ministerialbürokratie in dieser Gesprächsrunde mit einbezogen werden.

Auf Vermittlung von MdL Hermann Bontjer (SPD) fand daraufhin am 14. Februar 1996 eine weitere Besprechung des Auricher Personalratsvorstandes in den Räumen des Landtages mit Vertretern der Landesregierung zu den Auricher Standortproblemen statt.

Teilnehmer der Vorbesprechung: Innenminister Gerhard Glogowski, Finanzminister Hinrich Swieter, Staatssekretär Henning Schapper, Regierungspräsident Bernd Theilen und MdL Hermann Bontier.

Teilnehmer der Besprechung: Finanzminister Swieter, Staatssekretär Schapper (MI). RP Theilen, MdL Bontjer, Dr. Hohmann (MI) sowie der Auricher Personalratsvorstand.

Gesprächsergebnisse:

Nach kurzer gemeinsamer Erörterung der Sachlage wurden uns folgende Ergebnisse präsentiert:

„Die jetzt vorhandenen 28 Beihilfedienststellen des Landes werden auf 4 bzw. 5 Dienststellen reduziert. Die Aufgaben der aufzulösenden 23 bzw. 24 Beihilfedienststellen werden auf die restlichen Standorte umverteilt. Die erste Priorität erhält die Außenstelle Aurich. Eine Rationalisierung der Aufgaben nach dem sogenannten Hammacherpapier vom 10. Januar 1996 wird diese Umorganisation begleiten. Damit wird erreicht, dass die Bearbeitungskosten pro Beihilfeantrag von derzeit 60,--DM auf dann ca. 30,--DM reduziert werden können. Nur unter diesen Voraussetzungen ist eine Privatisierung der Beihilfeberechnungen zu verhindern.

Die jetzigen 15 Besoldungs- und Bezügestellen des Landes werden ebenfalls auf 4 bzw. 5 Bearbeitungsstellen reduziert. Die Aufgaben der 10 bzw. 11 aufzulösenden Dienststellen werden auf die verbleibenden Besoldungs- bzw. Bezügestellen umverteilt. Auch hier hat Aurich die erste Priorität."

An welche Behörden diese Aufgaben angebunden werden, bzw. ob eine Neugründung eines Landesbesoldungsamtes erfolgt, stand am 14. Februar 1996 noch nicht fest. Finanzminister Hinrich Swieter und Staatssekretär Henning Schapper vom Innenministerium haben deutlich gemacht, dass sie damit eine zukunftssichere Entscheidung für den Erhalt des Behördenstandortes Aurich getroffen haben. Diese Problemlösung wurde von unserem Regierungspräsidenten Bernd Theilen vollinhaltlich mitgetragen."

In der weiteren Besprechung ohne RP Bernd Theilen und Staatssekretär Schapper haben wir uns mit den Angelegenheiten der Projektideen der Kasse beschäftigt.

Nach kurzer Erörterung der Sachlage machten Finanzminister Swieter und Dr. Hohmann uns folgenden Vorschlag: Aufgrund der Gesamtsituation in den Landeskassen wäre es für die Regierungsbezirkskasse Aurich ratsam, die Pilotfunktion für diese

Projektideen zu übernehmen. Die Auricher Bediensteten hätten dann zusammen mit der Projektgruppe Kassenautomation das Heft des Handelns selbst in der Hand. Aurich könnte dann selbst mitentscheiden wie die neue Landeskasse zukünftig auszusehen hat, wobei von Swieter angemerkt wurde, dass bisher nur Ideen vorlägen, und noch keine Entscheidungen getroffen wären - nicht mehr, und nicht weniger. Finanzminister Swieter und Dr. Hohmann machten deutlich, dass diese Pilotfunktionsübernahme eigentlich im Interesse der Auricher Kassenbediensteten liegen müsste.

Entscheidung des Landtags vom 14. Februar 1995 über unsere Landtagseingabe.

Ebenfalls am 14. Februar 1996 entschied der Landtag über unsere Petition. Mit Schreiben vom 14.02.1996 teilt der **Landtagspräsident Horst Milde** mir mit,

„dass der Ausschuss für innere Verwaltung des Nds. Landtages unsere Angelegenheit beraten hat. Das für die Angelegenheit zuständige Ministerium hat zu der Eingabe Stellung genommen. Der Ausschuss hat ihre Eingabe und die Stellungnahme erörtert. Er ist zu dem Ergebnis gekommen, dass sie über die Sach- und Rechtslage, wie sie sich aus der Stellungnahme ergibt, unterrichtet werden sollen und die parlamentarische Behandlung der Angelegenheit damit abgeschlossen wird.
In seiner Sitzung am 14.02 1996 hat der Landtag die Auffassung des Ausschusses gebilligt. Zu ihrer Unterrichtung ist daher die Stellungnahme des Ministeriums beigefügt."

„Stellungnahme
des Niedersächsischen Innenministeriums zur Eingabe 2260 / 02 / 13 des Personalrates der Bezirksregierung Weser-Ems -Außenstelle Aurich- z. H. Herrn Keller, 26603 Aurich, betr. Verwaltungsreform: Erhalt von Arbeitsplätzen bei der Außenstelle Aurich der Bezirksregierung Weser-Ems.

Die Niedersächsische Landesregierung ist sich der regional- und strukturpolitischen Probleme in Ostfriesland und im Besonderen auch des Behördenstandortes Aurich bewusst.

Eines der Ziele der Verwaltungsreform Niedersachsen ist jedoch, die Landesverwaltung wirtschaftlicher zu gestalten. Das muss für alle Behörden unabhängig vom jeweiligen Standort gelten. Die Landesregierung kann daher keine Zusage abgeben, dass die Außenstelle Aurich der Bezirksregierung Weser-Ems von jeglichen Veränderungen ausgenommen wird; die generelle Einsparquote muss in jedem Fall auch von dieser Bezirksregierung einschließlich ihrer Außenstellen erbracht werden. Darüber hinausgehende Belastungen im Hinblick auf die Zahl der Arbeitsplätze in der öffentlichen Verwaltung sollen jedoch gerade am Standort Aurich aus regional- und strukturpolitischen Gründen im Rahmen der bestehenden Möglichkeiten vermieden werden. Um das Land Niedersachsen als wichtigen Arbeitgeber in der Region zu erhalten, wären ggfs. Zusätzliche Aufgaben zur Stützung des Behördenstandortes nach Aurich zu verlagern, jedoch nicht zwingend an die dortige Außenstelle der Bezirksregierung."

Bewertung vorstehender Entscheidung:

Landtag und Landesregierung haben eindeutig festgelegt, dass die Außenstelle Aurich **erhalten** bleibt. Des Weiteren haben Landtag und Landesregierung entschieden, dass die Außenstelle Aurich, bis auf die Einsparquote, **kein** weiterer Stellen- und Arbeitsplatzabbau zu befürchten hat. Im Gegenteil - diese Entscheidung beinhaltet neben der **Garantie** für den Erhalt der Außenstelle, auch eine dauerhafte **Stellenbestandsgarantie** für diesen Behördenstandort in Höhe von ca. **330 Stellen**. Zudem beinhaltet diese Stellenbestandsgarantie eine Automatik: Gehen zukünftig bei der Auricher Behörde weitere Arbeitsplätze durch Umstrukturierungen und dergl. verloren, erhält Aurich als Ausgleich in gleicher Größenordnung Arbeitsplätze und Aufgaben von den anderen Behörden-Standorten des Landes im Wege der Kompensation. Pflückt man jetzt auch noch den letzten Halbsatz der obigen Stellungnahme des Innenministeriums auseinander, wird deutlich, dass für Aurich eine andere Behördenstruktur ins Haus steht (wie auch schon in der Besprechung vor der Landtagsentscheidung mit Finanzminister Hinrich Swieter und Staatssekretär Henning

Schapper zart angedeutet). Mit großer Zufriedenheit konnte ich an diesem 14. Februar 1996 zur Kenntnis nehmen, dass sich unser Einsatz bis zu diesem Tage für Auricher Belange gelohnt, und dass die Landesregierung und der Landtag sich sehr wohl mit meinen Ideen aus Anfang 1995 für die Gründung eines neues Landesbesoldungsamt auseinandergesetzt hatte.

Da diese obige **Stellenbestandsgarantie** in der Auricher Dienststelle, aber auch in den Landesbehörden anderer Standorte, zukünftig immer wieder heiß diskutiert und sogar in Frage gestellt wurde, veröffentliche ich hierzu einen Aktenvermerk zum Aktenzeichen 11 – 02102 / 05 – 105 V von **Ministerialrätin Frau Lasius aus dem Innenministerium** vom 6. November 1998 (also über 2 ½ nach dem Beschluss des Landtages und der Landesregierung) zur Verdeutlichung:

„Konzentration der Vollstreckung am Standort Aurich: Stellenbestand am Behördenstandort Aurich

Vermerk

1996 sind bei der Bezirksregierung Weser-Ems in der Außenstelle Aurich ca. 340 bis 350 Stellen vorhanden gewesen. Schon im Februar 1996 hat das Innenministerium zur Landtagseingabe 2260 / 02 / 13 des Personalrates bei der Bezirksregierung Weser-Ems -Außenstelle Aurich- inhaltlich zur Frage der Erhaltung von Arbeitsplätzen in Aurich dergestalt Stellung genommen, dass zwar die generelle Einsparquote auch für Aurich gelten müsse, dass aber darüber hinaus gehende Belastungen im Hinblick auf die Zahl der Arbeitsplätze am Standort Aurich aus regional- und strukturpolitischen Gründen im Rahmen der bestehenden Möglichkeiten vermieden werden sollten. Gleichzeitig ist die Aussage getroffen worden, dass ggf. zusätzliche Aufgaben zur Stützung dieses Behördenstandortes nach Aurich zu verlagern wären.

Vor dem Hintergrund dieser **Grundsatzaussage ist bisher immer zugesagt worden, selbst unter Berücksichtigung von Einsparungen, in Aurich cirka 330 Stellen zu erhalten.** Zuletzt ist diese Aussage in einem Gespräch zwischen Innenminister Glogowski, Finanzminister Waike, Abgeordneten Bontjer, Regierungspräsident Theilen und Bürgermeister Stöhr am 22.04.97 bekräftigt worden.

Der Wille der Landesregierung zum Erhalt von Arbeitsplätzen in Aurich hat letztendlich sowohl bei dem Beschluss zur Gründung des NLBV vom 15.04.97 als auch zur Konzentration der Aufgaben der Vollstreckung in Aurich vom 30.06.98 seinen Ausfluss gefunden.

Mit Errichtung des NLBV ist für die Dienststelle Aurich auf der Grundlage eines von einer Arbeitsgruppe am 22.04.97 erstellten Sollkonzeptes ein Bedarf von 301 Stellen ausgegangen worden.

Um den zugesagten Stellenbestand in Aurich zu gewährleisten ist daher folgerichtig ermittelt worden, welche weiteren Aufgaben nach Aurich verlagert werden können. Dabei kam nach der für das Jahr 2000 vorgesehenen Auflösung der Regierungsbezirkskassen die Konzentration der Vollstreckung am Standort Aurich unter Anbindung an das NLBV in Betracht. Hierbei wird langfristig mit einer Reduzierung des bisherigen Stellenbedarfs von 67 auf 45 im Bereich der Vollstreckung ausgegangen.

Rein rechnerisch würde sich für das NLBV damit ein Stellenbestand von 346 (301 + 45) Stellen ergeben.

Da jedoch sowohl der Aufbau der Außenstelle des NLBV in Aurich, als auch die Auflösung der Regierungsbezirkskassen und die Verlagerung der Aufgaben der Vollstreckung nicht im Sinne einer Stichtagslösung realisierbar sind, sondern personalverträglich über einen Zeitraum mehrerer Jahre erfolgen müssen, ist es nicht möglich mitzuteilen, ob und zu welchem Zeitpunkt die **abgegebene Garantie von cirka 330 Stellen** überschritten sein wird.

Ferner ist zu berücksichtigen, dass dem im Rahmen der Erstellung des Feinkonzepts zur Einrichtung des NLBV in 1997 ermittelten Stellenbedarfs in der Dienststelle Aurich die seinerzeit abzusehenden bzw. angenommenen Einsparungsmöglichkeiten zugrunde lagen. Ob diese realistisch waren, wird sich im Laufe der nächsten 1 – 2 Jahre zeigen. Da m. E. nicht ausgeschlossen werden kann, dass sich ein Bedarf von 301 Stellen für die Bezüge- und Beihilfebearbeitung als zu hoch herausstellt - so liegen z. B. noch keine Erkenntnisse über Auswirkungen des neuen ADV-Verfahrens KIDIKAP (Bezüge) und SAMBA (Beihilfe) vor-, ist ein sich künftig nach derzeitigem Planungsstand ergebender geringfügig höherliegender Stellenbestand am Standort Aurich gerechtfertigt.

Unterschrift von Frau Lasius"

Anmerkung: Meines Wissens nach wurde die von der Landesregierung abgegebene **dauerhafte Stellenbestandsgarantie** für den Behördenstandort Aurich bis zum heutigen Tage (4. Juni 2013) nicht erreicht. In meiner Amtszeit als Personalratsmitglied der Auricher Dienststelle (bis zum Herbst 2002) habe ich etliche Auseinandersetzungen mit der Auricher Behördenleitung diesbezüglich geführt. Rückschauend betrachtet muss ich feststellen, dass die Leitung des NLBV Aurich ab Gründung zum 1. Januar 1998 überhaupt kein Interesse an dieser Stellenbestandsgarantie zeigte (wie auch etliche Pressemeldungen aus den Anfangsjahren des NLBV Standortes Aurich verdeutlichen). Die Dienststelle wollte „Planerfüllung" des 1997iger Feinkonzeptes zur Gründung des NLBV, und kein „Gerangel" um die „Planerfüllung" bezüglich der Stellenbestandsgarantie. Diese Haltung der Auricher Dienststellenleitung ging zu Lasten des ostfriesischen Arbeitsmarktes!

Personalversammlung vom 22. Februar 1996

In dieser Personalversammlung habe ich in meinem Rechenschaftsbericht die mit der Landespolitik erzielten positiven Ergebnisse für die Außenstelle Aurich erläutert. Auch der Vorschlag des Finanzministers Hinrich Swieter zur Übernahme des Pilotprojektes „Einrichtung einer Landeskasse" durch die Regierungsbezirkskasse Aurich habe ich damals ausführlich erläutert, und habe die Kassenleitung abschließend dazu aufgefordert, dieses Angebot des Finanzministers auch anzunehmen. Jedermann, der ein wenig bei meinen Ausführungen über eine mögliche zukünftige Stellenausstattung in Aurich mitgerechnet hat, dürfte es nicht entgangen sein,, dass Aurich bei einem möglichen Wegfall der Regierungsbezirkskasse durch die bekannten Reformideen des MF, immer noch ein Stellen- und Aufgabenproblem hat (das auch sicherlich der Landesregierung bekannt war, denn ansonsten hätte Finanzminister Swieter uns dieses Angebot nicht unterbreitet). Warum die Regierungsbezirkskasse Aurich diesen „Spielball" nicht aufgenommen und verwandelt hat, ist mir bis heute ein Rätsel geblieben.

Unser Regierungspräsident Bernd Theilen hat in der Personalversammlung die vorstehenden politischen Ergebnisse für den Behördenstandort Aurich bestätigt. Er hat darauf hingewiesen, dass Auricher Interessen in Hannover optimal durchgesetzt werden konnten.

Eine Aussprache zu meinem Rechenschaftsbericht fand nicht statt, denn es gab keine Wortmeldungen. Unser Regierungspräsident Bernd Theilen merkte dann abschließend an, dass die Bediensteten in Aurich jetzt wohl alle zufrieden mit unserer Arbeit wären - aber waren sie das wirklich?

Personalratswahlen im März 1996

Gleich nach Beendigung der Personalversammlung stellte ich fest, dass die Beamtenschaft der Außenstelle Aurich mit den politisch erzielten Ergebnissen zum Erhalt des Behördenstandortes Aurich und der Stellenbestandsgarantie nicht einverstanden waren. Man vermisste nach deren Meinung die Beförderungs- chancen in Aurich und verurteilte die mögliche Abkoppelung von der Bezirksregierung Weser-Ems. Deren Wahlkampfschlager lautete nun: „Der Keller hat die Bezirksregierungsaußenstelle an die Landespolitik verkauft".

Bei den Personalratswahlen 1996 hatte sich die neue Mandatsverteilung zu Gunsten der Beamten verschoben. Die

Gruppe der Beamten erhielten 3 Sitze (statt bisher 2), die Gruppe der Angestellten 5 Sitze (statt bisher 6) und die Gruppe der Arbeiter einen Sitz (als Grundmandat - wie bisher auch).

Meine Kandidatinnen und Kandidaten der ÖTV Gewerkschaftsliste für die Personalratswahlen im März 1996 bei der Bezirksregierung Weser-Ems, Außenstelle Aurich.

Die Gruppe der „Kritischen Beamten" unter neuer Leitung (der 1992iger Spitzenkandidat hatte sich erfolgreich von der Außenstelle Aurich wegbeworben) kündigten uns ÖTVler die Zusammenarbeit auf, und verbündeten sich stattdessen mit dem Beamtenbund (meinen politischen schärfsten Kritikern). Somit war es für uns sehr schwer als ÖTV diese Wahl in Aurich zu gewinnen.

In der Angestelltengruppe legten wir bei der Personalratswahl so deutlich zu, sodass wir trotz weniger Sitze gegenüber 1992 gleich 2 Mandate hinzu gewannen (wir konnten unseren Stimmenanteil gegenüber 1992 mehr als verdoppeln, Dagegen gingen wir bei der Gruppe der Beamten leer aus. Und zu allem Überfluss verloren wir wegen Stimmengleichheit durch Losentscheid auch noch den Arbeitersitz.

Im neu gewählten Personalrat hatte die ÖTV zwar mit weitem

Abstand die meisten Stimmen geholt, aber durch das Gruppenwahlprinzip nach den drei vertretenen Personengruppen (Angestellte, Arbeiter und Beamte) die Wahl verloren. Die ÖTV bekam 4 Mandate, der Beamtenbund 4 Mandate und die „Kritischen Beamten" 1 Mandat zugeteilt.

Somit wurde in der konstituierenden Sitzung des neu gewählten Auricher Personalrats ein Beamter des DBB zum Personalratsvorsitzenden gewählt. Zwei weitere Kollegen des DBB / VdL (Angestellter und Arbeiter) komplettierten den neuen Personalratsvorstand.

Der neue Personalrat und sein Verständnis von Wahrheit und Klarheit

Schon im April 1996, in Vorbereitung auf das Gartenfest, der erste Eklat der neuen Personalratsmehrheit. Bei allen Bediensteten der Außenstelle Aurich wurde ein Rundschreiben des Personalrats verteilt (ohne vorherige Abstimmung im Gremium), aus der sinngemäß hervorging, dass ich (Gerhard Keller) die Personalratskasse geplündert, und mich an den Einnahmen der Gartenfeste (von 1992 bis 1995) bereichert hätte.

Am kommenden Arbeitstag hatte ich als 1. stellv. Vorsitzender des Gesamtpersonalrats der Bezirksregierung Weser-Ems Residenz-pflicht in Oldenburg.

An diesem Tage habe ich mich beim Regierungspräsidenten über diese kriminelle Unterstellung der Auricher Personalratsmehrheit beschwert. RP Bernd Theilen ordnete umgehend an, dass eine Buch- und Kassenprüfung der Personalratskasse zu erfolgen hat. Diese Prüfung wurde durch Mitarbeiter des Rechnungsprüfungsamtes vorgenommen. Fazit der Prüfung: Die Rechnungs- belege und das Bankbuch stimmten.

RP Bernd Theilen ordnete daraufhin an, dass die Personalrats-mehrheit sich in einem Rundschreiben an alle Bediensteten des Hauses bei mir entschuldigen muss. Die Überwachung dieser Entschuldigung wurde dem Außenstellenleiter Aurichs übertragen.

Die damalige Personalratsmehrheit hat sich zwar für diesen Eklat öffentlich entschuldigt, doch ausgestanden war die Angelegenheit damit immer noch nicht, denn nun gingen diese Anschuldigungen über „Mundpropaganda" weiter. Es gab sogar Sprüche zu vernehmen wie z. B.: „Der Präsident konnte seinen Genossen doch nicht im Regen stehen lassen".

Übrigens: Der Kassenprüfer des Personalrats von 1992 bis März 1996 war ein Personalratsmitglied des DBB / VdL (Angestelltengruppe). Auch er fühlte sich als Kassenprüfer des PR von diesen schweren Anschuldigungen seiner Verbandsmitglieder persönlich getroffen (ja, so ist das, wenn eigene Verbandsmitglieder eigene Leichen billigend in Kauf nehmen, um einen lästigen Konkurrenten aus dem Weg zu räumen).

Schon vor der Sommerpause 1996 wurde von der neuen Personalratsmehrheit in den Dienststuben das Gerücht verbreitet, dass die Rettung der Auricher Arbeitsplätze und somit des Behördenstandortes vor dem Scheitern stehen. Angeblich wären die ersten Projektuntersuchungen der Bezüge- und Beihilfeaufgaben so negativ ausgefallen, dass man zusammen mit den Projektideen zur Reform des Kassenwesens davon ausgeht, dass man wieder für den Erhalt des Behördenstandortes Aurich bei „Null" neu anfangen muss.

Am 15. August 1996 geht die Auricher Personalratsmehrheit dann in die Offensive. Auf der Tagesordnung zur nächsten Personalratssitzung am 15.08.96 (ohne Einhaltung der Ladungsfrist) steht unter TOP 3 „Beschluss über ein Schreiben an alle ostfriesischen Landtagsabgeordneten zur Verwaltungsreform" (anliegend war ein entsprechendes Anschreiben im Entwurf beigefügt). Nun war es höchste Zeit, diesem unsinnigen Treiben ein Ende zu bereiten.

Ich warf den Mehrheitsfraktionen im Personalrat vor, hier üble und für den Standort Aurich gefährliche Panikmache zu betreiben. Nachdem diese Kollegen immer noch ne große Klappe hatten, habe ich tief in die Mottenkiste gegriffen und den Herrschaften beigepult, dass sie sich personalvertretungsrechtlich ins Unrecht setzen, wenn sie versuchen in Maßnahmen einzugreifen, die noch nicht die Auricher Dienststelle betreffen. Denn, die geplanten Umorganisationen der Landesverwaltung wirken sich erst dann auf unsere Dienststelle aus, wenn das Landeskabinett diese Maßnahmen abschließend entschieden hat. Diese Keule saß.

Anschließend wurde ich gefragt, warum wir als ehemaliger Personalrat uns dieses Recht der Einflussnahme genommen hätten. Ich habe darauf erwidert, dass wir neun Personalratsmitglieder uns einig waren, das Schicksal um unsere Arbeitsplätze selbst in die Hand zu nehmen, und wir nicht zu befürchten hatten, dass einer unserer Personalratskollegen uns „in die Pfanne haut". In diesem Personalrat gibt es diese Einigkeit nicht, weil wir als ÖTV-Fraktion fest davon überzeugt waren, dass die Zusagen der Landesregierung pro Aurich auch eingehalten werden.

Kurze Zeit später haben wir in einem ÖTV Rundschreiben unsere Kolleginnen und Kollegen des Hauses davor gewarnt, durch Schnellschüsse in Richtung Landesregierung die für Aurich erzielten politischen Ergebnisse zur Rettung unserer Arbeitsplätze und unseres Behördenstandortes wieder zu gefährden. Damit waren die Mehrheitsfraktionen des Auricher Personalrats nunmehr aus dem Spiel genommen worden. An dieser internen Front war nun Ruhe eingekehrt.

Der Hammer vom 6. September 1996. In Großefehn, eine Nachbargemeinde der Stadt Aurich, fand eine öffentliche Parteiveranstaltung mit vielen prominenten Gästen der SPD statt. Hauptredner dieser Veranstaltung war Innenminister **Gerhard Glogowski.** Unter den Besuchern weilten auch unser neuer Auricher Personalratsvorsitzende und einer seiner Stellvertreter. Nach Schluss der Veranstaltung marschierten diese beiden Personalratskollegen schnurstracks auf **Innenminister Glogowski, Regierungspräsident Bernd Theilen und MdL Hermann Bontjer** zu. Ich konnte beobachten, dass es bei dieser Gruppe zu einem hitzigen Wortgefecht mit den Personalratskollegen kam.

Während dieser „Unterredung" kam RP Bernd Theilen zu mir und fragte mich, ob wir als Personalrat entschieden hätten, dass wir den von der Behördenleitung vorgesehenen neuen Außenstellenleiter für Aurich abgelehnt hätten, weil es sich bei diesem Kollegen nur um einen Aufstiegsbeamten handelt? Ich habe RP Theilen zu verstehen gegeben, dass wir uns als Auricher Personalrat mit dieser Angelegenheit noch gar nicht beschäftigt haben. Daraufhin RP Theilen wörtlich: „Ist der Kollege I. evtl. besoffen", und weiter, „klär die Sache gegenüber Glogo mal auf". Gesagt - getan. Gerhard Glogowski fragte mich dann gezielt, ob es bei der Außenstelle Aurich grundsätzliche Bedenken gegen Aufsteiger gebe. Dieses habe ich für meine Personalratskollegen und für meine Gewerkschaft verneint, und habe noch hinzugefügt, dass wir in Aurich gute Erfahrungen mit Aufsteiger vom gehobenen in den höheren Dienst gemacht haben. Der Personalratsvorsitzende merkte dann an, dass der Aufstiegsbeamte kein Jurist sei, und dass damit der Wert und das Ansehen der Außenstelle Aurich Schaden nehmen würde. Glogowski stellte dann für sich persönlich fest, „dass er auch kein Akademiker sei und trotzdem Innenminister des Landes wurde, demzufolge müsste er ja nach Meinung einiger Auricher Kollegen jetzt seinen Hut nehmen".

Nach Beendigung dieses Disputs mit Gerhard Glogowski bekam der Auricher Personalratsvorsitzender noch von MdL Hermann Bontjer ordentlich die Leviten gelesen, sodass der Kollege mit hängendem Kopf die Veranstaltung verließ. Seitdem war der neue Auricher Personalratsvorsitzende so richtig „handzahm geworden".

Neuer Auricher Außenstellenleiter ab Herbst 1996

Da war er also nun der neue Auricher Außenstellenleiter der Bezirksregierung Weser-Ems. Anfangs wurde er noch nach A 13 gehobener Dienst besoldet, aber das sollte sich schnell ändern. Durch meine langjährigen Tätigkeiten als Bezirksvertrauensmann der Schwerbehinderten und somit auch als ständiges Mitglied des Bezirkspersonalrats hatte ich diesen Kollegen schon recht gut kennengelernt - er war zwar in der Sache ein harter Verhandlungspartner, aber trotzdem ein umgänglicher Typ (so zumindest meine damalige Einschätzung).

In der Oldenburger Behörde hatte er bei vielen Kollegen den Spitznamen „Personal-Rambo für die nachgeordneten Dienststellen". Außerdem bezeichnete man ihn in Oldenburg auch vielfach als „Kanalarbeiter mit dem berühmten Tunnelblick und der Sensibilität eines Panzers, der nicht wahrnehmen will, was neben ihm passierte".

Durch meine Wahl im März 1996 zum ersten stellv. Vorsitzenden des Gesamtpersonalrats hatte ich zweimal wöchentlich Residenzpflicht in Oldenburg. Kurz vor und nach dem Wechsel in der Auricher Außenstellenleitung hörte ich dann in Oldenburg viele Stimmen, die uns Auricher wegen dieser Personalie echt bedauerten, wobei immer hinzugefügt wurde, dass man in Oldenburg sich „dreimal bekreuzigt hat, als man erfuhr, dass der Kollege Oldenburg verlässt".

Nun gut - da ich nun mal weitgehend ein vorurteilsfreier Mensch bin, habe ich die Zusammenarbeit mit dem neuen Außenstellenleiter ruhig und gelassen auf mich zukommen lassen. Alles weitere dazu in den folgenden Abschnitten.

Rückblickend bedauere ich jedoch, dass ich in Großefehn gegenüber Innenminister Gerhard Glogowski und Regierungspräsident Bernd Theilen auf deren Fragen nicht die Klappe gehalten habe.

Jetzt kommt Schwung in die Verwaltungsreform

In der „**Hannoverschen Allgemeinen Zeitung**" war am 1. Oktober 1996 zu lesen:

„Glogowski hat 500 Mitarbeiter zuviel

Innenminister kündigt neues **Landesbesoldungsamt** an.

Hannover (vdB) Weil die Berechnung der Bezüge und Versorgungsleistungen für die Landesbediensteten in keinem anderen Bundesland so teuer sind wie in Niedersachsen, hat Innenminister Gerhard Glogowski dem Landesverwaltungsamt eine gründliche Schlankheitskur verordnet. Rund 500 Beschäftigte will er in der hannoverschen Oberbehörde so schnell wie möglich einsparen. „Aber wir werden niemanden entlassen", sagte der Minister am Montag in Hannover.

Das Innenministerium schlägt dem Kabinett vor, im Zuge der Verwaltungsreform die Außenstelle Aurich der Bezirksregierung in Oldenburg in eine neue Besoldungsbehörde umzuwandeln. Auf diese Weise könne dieser Amtssitz gesichert werden. Glogowski will das neue Amt nach Ausgliederung aus dem Landesverwaltungsamt dem Finanzministerium zuordnen. Die Besoldungsbehörde soll nach den Vorstellungen des Innenministers vier Außenstellen im Land bekommen. Grundlage für den Personalabbau und die Umstrukturierung ist ein Gutachten, dass der Präsident des Landesverwaltungsamtes und frühere Fraktionsgeschäftsführer der CDU Wolfgang Meyerding im Auftrage von Glogowski angefertigt hat. Glogowski würdigte Meyerdings Behördenanalyse gestern mit den Worten: „Der hat gute Arbeit gemacht. Ich bin froh, dass ich den habe".
Grundsätzlich erinnerte der Innenminister daran, dass das Land nicht nur Personal abbaue. Die Bediensteten müssten sich auch darauf einrichten, andere und ungewohnte Aufgaben übertragen zu bekommen. Deshalb stünden 1997 im Landeshaushalt erstmals 10 Millionen Mark für Umschulungen bereit.
Übrigens pocht der Innenminister auch in anderen Behörden auf einen Personalabbau. Dabei denkt er vorrangig an die Gewerbeaufsicht, die Umweltverwaltung, die Straßenbauämter und den staatlichen Hochbau."

In den **Ostfriesischen Nachrichten** vom 1. Oktober 1996 war über das Pressegespräch mit Innenminister Gerhard Glogowski wie folgt zu lesen:

„Wird Aurich Sitz eines zentralen Besoldungsamtes?
Innenminister Glogowski plädiert für Ostfriesland
Von H.-W. Theesfeld

Niedersachsens Innenminister Gerhard Glogowski hat sich gestern in Hannover dafür eingesetzt, im Rahmen der Reform der Landesverwaltung in Aurich die Hauptstelle für Besoldung, Beihilfen und Pensionen der Landesbediensteten einzurichten. Wenn das Kabinett diesen Vorschlag billigt, ist die Existenz der Außenstelle Aurich der Bezirksregierung Weser-Ems auf Dauer und mit dem gewünschten Personal gesichert. Zudem wertet dieses Amt den Standort Aurich auf.

Aurich Das Damoklesschwert des Personalabbaus durch die Verwaltungsreform in Niedersachsen schwebt seit geraumer Zeit auch über der Außenstelle Aurich mit ihren zurzeit etwa 350 Mitarbeitern, denn der Kassenbereich soll mittelfristig in Hannover zentralisiert werden. Allein damit gehen 96 Arbeitsplätze in Aurich verloren. Hinzu kommt, wie Gerhard Keller als 1. stellv. Vorsitzender des Gesamtpersonalrates gestern im Gespräch mit den ON erläuterte, der Rationalisierungseffekt in den Bereichen Beihilfe und Besoldung, wo die Zahl der 200 Mitarbeiter längerfristig um 20 bis 30 % verringert werden soll.

„Um diesen gravierenden Verlust von Arbeitsplätzen ausgleichen zu können, müssen unserer Dienststelle zusätzliche Aufgaben übertragen werden", betonte Gerhard Keller, um festzustellen: „Diese können wir aber nur dann optimal und damit wirtschaftlich vertretbar wahrnehmen, wenn unsere Behörde mit moderner Computertechnik ausgestattet wir", erläuterte Gerhard Keller.

Wie er mitteilte, ist der Personalvertretung im Februar bei einem Besuch in Hannover u. a. vom Finanzminister Hinrich Swieter und Regierungspräsident Bernd Theilen zugesichert worden, dass der Personalbestand der Außenstelle zwar geringfügig reduziert, durch neue Aufgaben aber gesichert bleibt. „Das hat Minister Glogowski kürzlich bei seinem Besuch in Aurich bestätigt", so der 1. stellv. Vorsitzender des Gesamtpersonalrats.

Glogowski möchte mit der Reform des Landesverwaltungsamtes rund 500 Arbeitsplätze und damit Kosten von 50 Millionen Mark einsparen. Dabei will er dem Vorschlag einer Arbeitsgruppe folgen, die Bereiche Besoldung, Beihilfen und Pensionen einer zentralen Stelle zu übertragen. „In diesem Zusammenhang hat er Aurich als Sitz des neuen Amtes in Gespräch gebracht. Erforderlich ist jedoch noch eine entsprechende Entscheidung des Kabinetts, und damit ist kurzfristig zu rechnen", so gestern ein Sprecher des Innenministeriums, der es ebenfalls für sinnvoll hält, die Dienststelle in Aurich schnellstmöglich mit zukunftssicherer

Technik auszustatten."

Ein ähnlicher Presseartikel wurde am 1. Oktober 1996 auch von der **Ostfriesen-Zeitung** veröffentlicht.

Schreiben des Hauptpersonalrats beim Innenministerium vom 18.Oktober 1996.

In einem Gespräch vom 15. Oktober 1996 unterrichtete das Innenministerium seinen Hauptpersonaltat über die beabsichtigte **Auflösung des Niedersächsischen Landesverwaltungsamtes in Hannover und die Neugründung eines Landesbesoldungsamtes**.

In seinem Schreiben vom 18. Oktober 1996 teilte der Hauptpersonalrat des MI dem Gesamtpersonalrat der Bezirksregierung Weser-Ems das Gesprächsergebnis vorstehender Unterredung mit.

So ist auf Seite 2 dieses Schreibens folgender zum Thema „Neugründung eines Landesbesoldungsamtes" für Aurich wichtiger Absatz zu lesen:

„Eine vom MI und MF eingerichtete Arbeitsgruppe hat folgende Vorschläge erarbeitet:
Einrichtung einer Zentrale (wahrscheinlich in Aurich) und 3 Außenstellen in Hannover, Braunschweig und Lüneburg. Aurich wird als Zentrale favorisiert, da durch weitere Reformprojekte z. B. bei den Regierungsbezirkskassen, eine überdurchschnittliche Mitarbeiterreduzierung absehbar ist."

Zwischenfazit

Ende Oktober 1996 - es sind nun gut 22 Monate her, dass der damalige Finanzminister Hinrich Swieter mir mitteilte, was die Verwaltungsreform des Landes mit unserem Behördenstandort in Aurich vorhatte, und mir den Rat gab, für meine Dienststelle zu deren Rettung durch Wort und Schrift aktiv in die Bütt zu gehen.

Ob nun die damals schon angekündigte Zerschlagung des Landesverwaltungsamtes oder die Auflösung der Regierungsbezirkskassen - alles ist genau so eingetreten, wie es „Hinni" Swieter mir schon Ende 1994 prophezeite.

Auch meine Ideen zur Gründung eines neuen „Landesbesoldungsamtes in Aurich", die ich der Landtagsfraktion meiner Partei im März 1995 zukommen ließ (der Landesregierung aufgrund kleiner redaktioneller Änderungen ein paar Tage später) sind nicht ungelesen von Partei und Landesregierung in die Tonne getreten worden. Im Gegenteil - ich hatte mehrfach die Gelegenheit bei beiden Institutionen für meine Ideen zu werben. Somit darf ich wohl mit Fug und Recht feststellen, dass für mich in der Angelegenheit „Rettung der Auricher Arbeitsplätze und den Erhalt des Behördenstandortes Aurich" ab März 1995 eine nicht enden wollende Reisediplomatie ins Haus stand, und deren Ende seinerzeit noch nicht absehbar war.

Mit der Landtagseingabe (Petition) von Ende Oktober 1995, unterschrieben von 336 Auricher Kolleginnen und Kollegen, hatten wir die Landesregierung nun auch in Verzug gebracht, denn eine solche Petition darf nach der Geschäftsordnung des Landtages „nicht auf die lange Bank geschoben werden".

Die Antwort des Landtages kam am 14. Februar 1996 - und diese Antwort war für Aurich gut und wichtig. Die Landesregierung hatte sich in seiner Stellungnahme an den Landtag eindeutig für den Erhalt des Behördenstandortes Aurich ausgesprochen und hat zudem Aurich eine dauerhafte Stellenbestandsgarantie von ca. 330 Stellen zugesichert. Außerdem, und das freute mich besonders, hat die Landesregierung in seiner Stellungnahme durchblicken lassen, dass man durchaus nicht abgeneigt ist, über andere Behördenstrukturen bezüglich unserer Aufgaben nachzudenken (letzter Halbsatz der Stellungnahme des MI).

Beginnend bei meinem Gespräch am 14. Februar mit hochrangigen Vertretern der Landesregierung im Landtagsgebäude in Hannover bis hin zu den Presseerklärungen des Innenministers Gerhard Glogowski und seines Pressesprechers Ingo Marek vom 30. September 1996 darf ich jetzt wiederum mit Fug und Recht feststellen, dass die Landesregierung meine Ideen nicht nur gelesen hat, sondern seinerzeit auf dem besten Wege war, meine Ideen auch in die Tat umzusetzen.

Besonders bemerkenswert fand ich jedoch die Kernaussage des Innenministers Gerhard Glogowski, dass er gedenkt Aurich die Zentrale des neuen Landesbesoldungsamtes zu übertragen. Dass die Landesregierung damals plante in Braunschweig, Hannover und Lüneburg noch Außenstellen dieses neuen Amtes einzurichten kann Aurich verschmerzen, auch wenn dieses aus wirtschaftlicher Sicht nicht unbedingt sinnvoll ist.

Aus vielen Gesprächen mit damaligen Kabinettsmitgliedern war mir klar, dass die Absichten des Innenministeriums pro Aurich gute Chancen hatten, bei der Schlussabstimmung im Kabinett auch „durchgewunken" zu werden.

Doch noch war das Ende der Fahnenstange nicht erreicht - noch galt es aufmerksam am Ball zu bleiben.

Weiter geht der Fight

Mit Kurzmitteilung vom 19. Dezember 1996 übersendet mir Herr Ritter vom Finanzministerium als zuständiger Bearbeiter der Kabinettsvorlagen, den Entwurf der Kabinettsvorlage **„Auflösung des Niedersächsischen Landesverwaltungsamtes und Errichtung eines Niedersächsischen Landesamtes für Bezüge und Versorgung (NLBV)** zur Kenntnis.

In dieser Kabinettsvorlage (Beschlussvorschlag) ist unter Ziffer 2 zu lesen: „Die Leitung des NLBV wird einem der Standorte zugeordnet. Die Entscheidung hierüber ist unter Berücksichtigung wirtschaftlicher und strukturpolitischer Gesichtspunkte zu treffen, **nachdem** das Feinkonzept für die Aufbauorganisation des NLBV vorliegt".

Mit dieser Ziffer 2 der Kabinettsvorlage war ich nun überhaupt nicht einverstanden, denn m. E. ist ein verwaltungsintern erstelltes Feinkonzept eher dazu geeignet, wirtschaftliche und strukturpolitische Zielsetzungen zu verwischen (die Behörden kochen immer gern ihr eigenes Süppchen, um damit politische Absichten zu unterlaufen bzw. zu hintertreiben - Beispiele dafür gibt es genug).

Die Ansagen vom Innenminister Gerhard Glogowski und weiterer Kabinettskollegen waren bezüglich der Zentrale des neuen Amtes strukturpolitisch klar und deutlich pro Aurich ausgerichtet - was sollte ein „verwaltungsinternes Feinkonzept" daran noch ändern? Dieses habe ich damals auch gleich den Politikern ins Stammbuch geschrieben - doch es half nichts, erst musste ein Feinkonzept einer Projektgruppe her.

MdL Hermann Bontjer und ich hatten jeweils vor Beschlussfassung die Möglichkeit, die Kabinettsvorlagen zur Gründung des NLBV durch Korrekturen zu beeinflussen (was wir auch reichlich nutzten). Unsere Änderungen wurden sogar (wenn auch nicht alle) in den Kabinettsvorlagen vor der abschließenden Beschlussfassung berücksichtigt. Dieses konnten wir an den jeweils abschließenden Kabinettsvorlagen vom 27. März 1997 und vom 24. September 1997 (Rahmenkonzept) mit Zufriedenheit feststellen.

Projektarbeit zur Gründung des Niedersächsischen Landesamtes für Bezüge und Versorgung (NLBV) - das war nun der Name für das von mir erdachte Landesbesoldungsamt

Der Aufbaustab dieser Projektarbeit setzte sich aus den Herren Domnick (Innenministerium), Ritter (Finanzministerium) und Meyerding (Präsident Landesverwaltungsamt Hannover) zusammen.

Vier Projektgruppen wurden gebildet:

1. Optimierung der Bezügesachbearbeitung und Weiterentwicklung des FÖD Verfahren,
2. Aufbauorganisation des NLBV,
3. Neue Steuerungsinstrumente und
4. Stufenmodell zur Errichtung des NLBV.

Mitglieder dieser Projektgruppen waren Vertreter der beteiligten Ministerien, der Bezirksregierungen, (gleichzeitig auch für die neuen NLBV Standorte), das Landesverwaltungsamt (in der Mehrzahl) und die Personalvertretungen.

Übrigens: Projektgruppenleiter waren jeweils Führungskräfte des Landesverwaltungsamtes!

Vom Gesamtpersonalrat der Bezirksregierung Weser-Ems wurde ich als Personalratsvertreter in die Projektgruppe „Aufbau-organisation des NLBV" entsandt, da nach der Projektbe-schreibung in dieser Projektgruppe über Standorte -auch der Zentrale des NLBV- und deren Stellenausstattung zu befinden ist.

Schaut man sich nun mal die Zusammensetzung der Projektgruppe 2 einmal genauer an, wird man sehr schnell feststellen, dass die Kräfteverhältnisse nicht ausgeglichen waren - und für Auricher Belange schon gar nicht.

Die Projektgruppe 2 hatte 14 Mitglieder. Davon 4 vom Landesverwaltungsamt in Hannover, 2 aus den Ministerien, 2 von der Bezirksregierung Hannover, 1 vom OFD Hannover, Bezirksregierung Braunschweig 1, Bezirksregierung Lüneburg 1, Finanzamt Syke 1 und Bezirksregierung Weser-Ems, Außenstelle Aurich 2 Projektgruppenmitglieder - **von 14 Projektgruppen-mitgliedern waren 12 nicht „Aurichfreundlich" eingestellt!** Soweit zur verwaltungsinternen Fairness 1997 zur Erstellung eines Feinkonzeptes!

Am 12. Februar 1997 fand dann die erste Sitzung der Projektgruppe „Aufbauorganisation des NLBV" im Dienstgebäude des Landesverwaltungsamtes in Hannover statt. Mein Auricher Mitstreiter war der seit Herbst 1996 neue Auricher Außenstellenleiter.

Schon in dieser ersten Sitzung wurde uns vom Projektgruppenleiter mitgeteilt, dass wir bis Ende März 1997 zu einem Projektergebnis kommen müssen, da dieses Projektergebnis in die Kabinettsvorlage einfließen sollte, damit Mitte April 1997 das Kabinett auch abschließend über die Auflösung des Niedersächsischen Landesverwaltungsamtes und die Errichtung des NLBV entscheiden kann.

Von Anfang an wurden Auricher Belange in dieser Projektgruppe nicht objektiv behandelt. Es gab zwar einige politische Vorgaben für Aurich, die die Projektgruppe bei seiner Arbeit zu berücksichtigen hatte - doch, so nach und nach wurden diese Vorgaben angeknabbert, und teilweise sogar ins Gegenteil verkehrt.

Nun gut, mit unseren Auricher Aktivitäten zur Rettung unserer Arbeitsplätze und unseres Behördenstandortes ab Anfang 1995 hatten wir uns an den anderen betroffenen Behördenstandorten Niedersachsens nicht unbedingt Freunde geschaffen. Doch entbindet das diese Standorte und ihre handelnden Protagonisten von einer sachlichen und fairen ergebnisoffenen Projektarbeit Abstand zu nehmen? Ich meine „NEIN".

Aus diesem Grunde habe ich als Projektgruppenmitglied am 12. März 1997 einen längeren Vermerk gefertigt, der auch allen Projektgruppenmitgliedern zur Verfügung gestellt wurde.

Dieser Vermerk hatte folgenden Wortlaut:

„Für die geplante Errichtung eines Niedersächsischen Landesamtes für Bezüge und Versorgung (NLBV) sind vom Aufbaustab (es folgen die bekannten Namen) 4 Projektgruppen vorgesehen worden (es folgt die Aufzählung der bekannten Projektgruppen).

Bei ihrer Arbeit hat die Projektgruppe 2 folgende Vorgaben zu berücksichtigen:

- Den Entwurf der Kabinettsvorlage zur Auflösung des Niedersächsischen
Landesverwaltungsamtes und zur Errichtung des NLBV bzw. die endgültige Fassung der Kabinettsvorlage (Termin im Kabinett am 25.03.1997).

- Die Ergebnisse der Vorprojektgruppen P 2 und P 3 sind in die Überlegungen
angemessen einzubeziehen.

- Die Ergebnisse der neueingerichteten Projektgruppe 1 sind zu berücksichtigen.

Mitglieder dieser Projektgruppe 2 sind (nach regionalen Gesichtspunkten) aufgelistet:

Aus dem Bereich Braunschweig: 1
Aus dem Bereich Hannover: 10 - davon 4 aus dem NLVwA
Aus dem Bereich Lüneburg: 1
Aus dem Bereich Weser-Ems: 2

Alle Projektgruppenmitglieder sind voll stimmberechtigt. Ein regionalisiertes Stimmrecht ist nicht vorgesehen.
Um den Sachverstand der einzelnen Projektgruppenmitglieder nicht in Zweifel zu ziehen, verzichte ich auf eine namentliche Auflistung.

Auf Grund der zahlenmäßigen Zusammensetzung der Projektgruppe 2 ist jedoch davon auszugehen, dass zum Beispiel in Fragen des Standortes des Hauptsitzes des NLBV keine „Neutralität" zu erwarten ist (was bisher in den 5 Projektgruppensitzungen auch schon sehr deutlich zu erkennen war).

Die Vorgaben, die die Projektgruppe 2 bei seiner Arbeit zu berücksichtigen hat, wurden vorstehend schon näher beschrieben. Meines Erachtens fehlen jedoch die Vorgaben, die der ehemalige Personalrat der Außenstelle Aurich der Bezirksregierung Weser-Ems mit der Politik und der Landesregierung einvernehmlich ausgehandelt hat:

- Ergebnis des Gespräches vom 08.11.1995 im Nds. Landtag mit allen SPD Landtagsabgeordneten Ostfrieslands und Herrn Ministerialdirigenten Burkhard Nedden.

- Ergebnis des Gespräches vom 14.02.1996 im Nds. Landtag mit Vertretern der Landesregierung und der Ministerialbürokratie sowie mit unserem Regierungspräsidenten Bernd Theilen.

- Landtagsbeschluss vom 14.02.1996 -Drs. 13 / 1692 Eingabe 2260 / 02 / 13.

-   Ergebnisse meiner weiterführenden Gespräche über MdL Hermann Bontjer mit der Landesregierung und der Ministerialbürokratie in Fragen der Stellenbestandsgarantie (jeweils in Anschreiben bzw. Vermerkform unterstützend vorgelegt).

Meine Bemühungen, vorstehende Vorgaben nachträglich in die Projekt- gruppenarbeit einzubringen, waren nur bedingt erfolgreich. Nach Rücksprache des Projektgruppenleiters 2 mit dem Aufbaustab am 21.2.1997 wurde am 24.02.1997 von der Projektgruppe 2 nachstehende Protokollnotiz aufgenommen:

(Zitat): „Gilt eine feste Stellenzahl (335 + X) für den Standort Aurich?

Nach den nunmehr vorliegenden Unterlagen ist wohl davon auszugehen, dass zweifellos eine Standort-Garantie für Aurich besteht, eine garantierte Anzahl von Stellen in der o. a. Größenordnung lässt sich daraus nicht ableiten".

Der Aufbaustab und die Mehrheit der Projektgruppe 2 stützen sich diesbezüglich auf einen Vermerk des Herrn Dr. Hohmann (MI Referat 68) vom 14.02.1996 über das Gespräch des ehem. Vorstandes des Auricher Personalrates mit Vertretern der Landesregierung, der Ministerialbürokratie, unserem Regierungspräsidenten Bernd Theilen und dem MdL. Hermann Bontjer.

Anmerkungen dazu:
-   Niemand der Weser-Ems Teilnehmer (auch nicht aus der Politik) an dem Gespräch vom 14.02.1996 kann den Inhalt des Vermerkes des Herrn Dr. Hohmann nachvollziehen!

-   Schon im Bereich der aufgeführten Teilnehmer ist der Hinweis falsch, dass Minister Swieter nur teilweise an der Besprechung teilgenommen hat. Hinni Swieter war von der ersten bis zur letzten Minute der Unterredung anwesend.

-   Durch den Telegrammstil des Vermerks ist der Klare in-

- haltliche Gesprächsverlauf verloren gegangen. Jedermann kann jetzt losgelöst vom tatsächlichen Gesprächsverlauf, das für sich in Anspruch nehmen, was er gerne lesen möchte!

- Im letzten Absatz kommt Herr Dr. Hohmann zu der Einschätzung, dass der Personalrat mit den zusätzlichen Informationen zufrieden war.

- Ob diese Einschätzung der Zufriedenheit bei gegensätzlicher Leseart auch wohl noch stimmt? - Mitnichten!

- Außerdem, und dass muss ich als Kritik anmerken, ist mir als dem Auricher Vertreter des Gesamtpersonalrates der Bezirksregierung Weser-Ems an dem Gespräch vom 14.02.196 dieser Vermerk erst am 24.02.1997 durch den Projektgruppenleiter persönlich überreicht worden (vorher war uns Weser-Emslern dieses Protokoll nicht bekannt!).

Laut Landtagsbeschluss vom 14.02.1996 -Drs. 13 / 1692 – Eingabe 2260 / 02 / 13- ist nachstehendes zur vorstehenden Thematik ausgeführt worden:

„Die Niedersächsische Landesregierung ist sich der regional- und strukturpolitischen Probleme in Ostfriesland und im Besonderen auch des Behördenstandortes Aurich bewusst.

Eines der Ziele der Verwaltungsreform Niedersachsen ist jedoch, die Landesverwaltung wirtschaftlicher zu gestalten. Das muss für alle Behörden unabhängig vom jeweiligen Standort gelten. Die Landesregierung kann daher keine Zusage abgeben, dass die Außenstelle Aurich der Bezirksregierung Weser-Ems von jeglichen Veränderungen ausgenommen wird; die generelle Einsparquote muss in jedem Fall auch von dieser Bezirksregierung einschließlich ihrer Außenstellen erbracht werden. Darüber hinausgehende Belastungen im Hinblick auf die Zahl der Arbeitsplätze in der öffentlichen Verwaltung sollen jedoch gerade am Standort Aurich aus regional- und strukturpolitischen Gründen im Rahmen der bestehenden Möglichkeiten vermieden werden. Um das Land

Niedersachsen als wichtigen Arbeitgeber in der Region zu erhalten, wären ggfs. zusätzliche Aufgaben zur Stützung des Behördenstandortes nach Aurich zu verlagern, jedoch nicht zwingend an die dortige Außenstelle der Bezirksregierung."

Dieser Landtagsbeschluss, der sich inhaltlich mit den Gesprächen vom 08.11.1995 und vom 14.02.1996 zwischen dem alten Auricher Personalrat einerseits und der Politik, Landesregierung und Ministerialbürokratie andererseits deckt, führt in nicht zu widerlegender Klarheit aus, dass die Außenstelle Aurich lediglich 4 x 2 % = 8 % Einsparquote zu erbringen hat. Im Klartext: Stellenbestand 31.12.1994 minus 8 % = 335 Stellen. Damit dürfte jetzt die Argumentation des Projektgruppenleiters 2 bezüglich des fraglichen Vermerks des Herrn Dr. Hohmann nicht mehr haltbar sein. (**nachträgliche Anmerkung:** Siehe hierzu auch den Vermerk von Ministerialrätin Frau Lasius vom 6. November 1998 - unterhalb der Stellungnahme des MI zur Landtagsentscheidung vom 14.02.1996 abgedruckt).

Wie die Auricher Arbeitsplätze im Einzelnen zu kompensieren sind, führt der Landtagsbeschluss nicht auf - legt aber fest, dass die Auricher Arbeitsplätze im Rahmen der bestehenden Möglichkeiten aus regional- und strukturpolitischen Gründen zu erhalten sind.

Mit der Feststellung, dass die Kompensierungsaufgaben nicht zwingend an die Außenstelle Aurich der Bezirksregierung Weser-Ems verlagert werden müssen, sondern dass lediglich der Standort Aurich gemeint ist, geben der Landtag und die Landesregierung vorsichtig zu erkennen, dass die Landesregierung beabsichtigt eine „neue Landesbehörde" (wie von mir schon im Jahre 1995 öffentlich gefordert) aufzubauen.

Anlässlich der Personalversammlung vom 22. Februar 1996 hat unser Regierungspräsident Bernd Theilen zusammen mit mir vorstehende Ausführungen im Einzelnen dargelegt. Er hat meinen entsprechenden Rechenschaftsbericht unterstützend gewürdigt.

Zwischenzeitlich wird immer deutlicher, dass die im Dezember 1995 ins Leben gerufene Projektidee „Weiterführung der Kassenautomation" dazu führen wird, dass die Regierungsbezirkskasse Aurich mittelfristig ganz aufgelöst wird (z. Zt. wird als Endtermin 31.12.1999 genannt - zum 31.12.1998 sollen schon ca. 50 % der Aufgaben in der Kasse wegfallen). Von dieser Verwaltungsreformmaßnahme sind bei der Außenstelle Aurich insgesamt ca. 100 Arbeitsplätze betroffen.

Die jetzige Außenstelle der Bezirksregierung Weser-Ems in Aurich hat spätestens mit der Kassenauflösung ausgedient. Durch weitere Reformmaßnahmen (ob nun schon abgeschlossen oder noch in Planung) z. B. Reform der Staatshochbauverwaltung, Katasterverwaltung, Schulverwaltungsreform, Staatl. Amt für Wasser und Abfall sowie durch die Reduzierung der Bundeswehr am Standort Aurich oder die Standortfrage der Wasser und Schifffahrtsdirektion hat Aurich schon jetzt eine erhebliche Anzahl von Arbeitsplätzen verloren bzw. gehen noch verloren.

Umso wichtiger ist es, jetzt im Zuge der Aufbauorganisation des NLBV dringend benötigte Arbeitsplätze für Aurich zur Verfügung zu stellen.

Seit dem Sommer 1996 ist jedoch erkennbar, dass von „interessierter Seite" die Bildung eines Landesamtes mit Sitz in Hannover eingefordert wird. Ein nicht unwesentlicher Grund hierfür könnte u. a. das Bestreben nach einem Ausgleich für das aufzulösende Landesverwaltungsamt sein.

Jetzige Erkenntnisse lassen darauf schließen, dass von interessierter Seite die am 08.11.1995 und am 14.02.1996 mit den Vertretern der Landesregierung und der Politik erzielten einvernehmlichen Ergebnisse pro Aurich konterkariert werden sollen.

Nachdem ich zusammen mit MdL Hermann Bontjer „diesen Faden" aufgegriffen habe, wurden endlich positive Konturen für Aurich sichtbar. In einer Pressekonferenz am 30.09.1996 hat sich unser Innenminister Gerhard Glogowski für den Standort Aurich als Hauptsitz der neuen Behörde stark gemacht.

Dazu der stellv. Pressesprecher des Innenministeriums Ingo Marek gegenüber der Ostfr. Presse: „Sein (Glogowskis) Standortvorschlag für das neue Landesamt ist Aurich, dass damit als Behördenstandort aufgewertet, zugleich für den Abbau der Regierungsbezirkskasse und den Verlust als Regierungssitz etwas entschädigt würde".

Die Frage des Hauptamtes hatte uns auch schon in der Vergangenheit beschäftigt, jedoch nicht aus dem Blickwinkel Standortaufwertung, sondern aus praktischen „Selbsterhaltungserwägungen":

- Dort wo das Hauptamt eingerichtet wird, ist auch mehr Arbeitsplatzsicherheit.
- Als Außenstelle haben wir die Erfahrung gemacht, dass wir in regelmäßigen Abständen um unseren Standort und die Arbeitsplätze kämpfen müssen.
- Die Beihilfesachbearbeitung, die landesweit in Aurich für den aktiven Dienst wahrgenommen werden soll, ist aus heutiger Sicht keine zukunftsträchtige Aufgabe (evtl. Änderungen im Bereich des Beamtenrechts können bei heutiger Diskussionslage nicht mehr ausgeschlossen werden).
- Die derzeitigen Einsparvorgaben von ca. 30 % haben nur mittelfristig Bestand.
- Will man die anderen Bundesländer einholen (Nordrhein-Westfalen), müssen die Personalkosten im neuen Landesamt langfristig nochmals günstiger werden (in Teilbereichen wie z. B. Beihilfe über 50 % Rationalisierungseinsparung). Langfristig muss sicherlich aus Kostengründen im neuen Landesamt auf Außenstellen verzichtet werden (wie auch in den meisten Bundesländern).

Im Klartext:
Die jetzige Landesamtslösung, so wie derzeit in den Projektgruppen geplant, ist m. E. nur eine Übergangslösung. Hinzu kommt, dass der derzeitig vorgesehene Stellenbestand für Aurich, der nicht mal das Stellensoll erfüllt, nur mittelfristig gesehen werden darf. Verbleibt es beim jetzigen Modell, hat Aurich langfristig wiederum ein großes Stellenproblem!

Fazit:

Wir müssen zusammen mit der Politik eine neue Initiative einläuten, und nochmals in der Sache „für Aurich" kräftig nachbessern. In den Projektgruppen können wir auf Grund der Stimmverhältnisse keine Auricher Belange durchsetzen."
(so weit zu meinem Vermerk).

Wegen vorstehender, aus Auricher Sicht unbefriedigender, Projektgruppenarbeit hatte die Gewerkschaft ÖTV bei der Außenstelle Aurich zu einer Mitgliederversammlung sowie für interessierte Beschäftigte zum 21. März 1997 eingeladen. Gastredner waren MdL Hermann Bontjer und Leitende Regierungsdirektorin Margret Schubert (in Vertretung für den erkrankten Regierungspräsidenten Bernd Theilen).

Hierzu auch einige Zitate aus der Presseveröffentlichung der **Ostfriesischen Nachrichten mit der Schlagzeile „Politische Entscheidung gefordert** - Aurich muss Hauptsitz des Landesamtes für Bezüge und Versorgung werden" vom 22. März 1997, die -wie andere Tageszeitungen auch- zu vorstehender Veranstaltung eingeladen waren:

„Wir haben noch längst nicht alle Tücher im Trockenen", meinte SPD-Landtagsabgeordneter Hermann Bontjer am Donnerstag in einer Informationsveranstaltung, zu der die ÖTV die Mitarbeiter der Bezirksregierung Weser-Ems, Außenstelle Aurich eingeladen hatte, um einen Sachstandsbericht zur Existenzsicherung von Arbeitsplätzen vor Ort zu geben."

„Jeder begrüßt die Forderung, angesichts der Finanzkrise einen schlanken Staat zu schaffen, aber wenn man selbst von Kürzungen betroffen ist, sieht die Welt anders aus. Man muss regional denken und handeln", meinte Hermann Bontjer, um festzustellen: „Die Außenstelle in Aurich wird es in der jetzigen Form künftig nicht mehr geben. Die Frage ist was dann in der Folgezeit geschieht. Wichtig ist, dass wir in Aurich den Hauptsitz der neuen Verwaltung bekommen, aber das ist leider noch nicht sicher."

„Glogowski steht weiter zum Standort Aurich, aber inzwischen stellen auch andere Bereiche in Niedersachsen entsprechende Forderungen. Wir müssen uns parteiübergreifend mit allen zuständigen Weser-Ems Abgeordneten treffen, um deutlich zu machen, weshalb das neue Hauptamt nach Aurich kommen muss", so Bontjer.

Ähnlich äußerte sich Margret Schubert, Personaldezernentin in der Bezirksregierung: „Was spricht eigentlich gegen den Plan, dieses neue Amt in Aurich als Ausgleich für die Arbeitsplätze zu schaffen, die dort reformbezogen gestrichen würden. Insofern kämpft der Regierungspräsident für den Hauptsitz in Aurich. Warum soll alles in Hannover konzentriert werden, wo sich u. a. bereits das Landesjugendamt und das Landesgesundheitsamt befindet."

Hierzu auch der **ON-Kommentar** vom 22. März 1997 mit der Überschrift: **Reformgefahren** von H.-W. Theesfeld:

„Jammern hilft nicht, Taten sind angesagt. Das hat auch die Personalvertretung der Außenstelle Aurich der Bezirksregierung rechtzeitig erkannt und bereits vor einem Jahr Forderungen angemeldet, drohende Planstellenverluste aufgrund der Verwaltungsreform dadurch auszugleichen, indem der Hauptsitz des noch zu schaffenden Niedersächsischen Landesamtes für Bezüge und Versorgung in der früheren ostfriesischen Regierungsstadt eingerichtet wird.
Diese Entscheidung hängt sowohl von den Vorlagen ab, die von der entsprechenden Projektgruppe des Landesverwaltungsamtes erarbeitet sind, als auch von den Kabinettsmitgliedern in Hannover und nicht zuletzt vom Einfluss der Landtagsabgeordneten.
Im ersten Fall sind die Personalvertreter aus dem Weser-Ems Gebiet den aus den Bereichen Hannover, Braunschweig und Lüneburg zahlenmäßig unterlegen und damit kaum in der Lage, ihre berechtigten Forderungen durchzusetzen. Im zweiten Fall wird es für die ostfriesischen Abgeordneten selbst mit Unterstützung der Kollegen aus anderen Weser-Ems Bereichen nicht einfach sein, andere Landespolitiker davon zu überzeugen, dass Aurich Sitz des neuen Amtes sein soll. Gemeinsames Handeln ist aber dennoch gefordert.

Im Jahre 1987 wurde die Bezirksregierung Aurich als selbständige Behörde aufgelöst und zur Außenstelle erklärt, die in der Folgezeit immer wieder um die Sicherung von Arbeitsplätzen kämpfen musste. Die jetzige Verwaltungsreform bedroht über 200 der jetzt etwa 350 Dienstposten. Das ist für Aurich schlichtweg eine Katastrophe, zumal auch andere Behörden bereits aufgelöst oder personell reduziert worden sind oder noch abgebaut werden.

Insofern ist es mehr als verständlich, wenn versucht wird, in der (noch) Außenstelle der Bezirksregierung die Arbeitsplätze durch neue Aufgaben zu sichern, Reformen sind notwendig, um Verwaltungsbehörden gerade angesichts der kritischen Finanzlage des öffentlichen Dienstes nach wirtschaftlichen Gesichtspunkten führen zu können. Insofern muss rationalisiert, automatisiert und personell „abgespeckt" werden, aber das darf nicht zu Lasten einer Region gehen, die am Rande von wirtschaftlichen Ballungszentren liegt.

Warum soll die Zentrale des neuen Landesamtes nicht in Aurich eingerichtet werden, sondern beispielsweise in Hannover, wo es genügend Ausgleichsmöglichkeiten für reformbetroffene Behörden gibt? Ähnliches gilt auch für Lüneburg und Braunschweig, nicht aber in Aurich, wo das Personal der Außenstelle der Bezirksregierung bereit ist, neue Aufgaben und Verantwortung zu übernehmen.

Es muss allerdings in die Lage versetzt werden, durch entsprechende Einrichtungen diese Aufgaben auch wahrnehmen zu können. Dass diese Behörde erst mit Verspätung an das Netz der Datenverarbeitung angeschlossen wird, ist nicht den Mitarbeitern anzulasten, denn entsprechende Forderungen wurden schon vor Jahren gestellt.

Was also spricht gegen die Einrichtung eines neuen Landesamtes in Aurich? Diese Frage sollten sich die verantwortlichen Landespolitiker stellen, und das möglichst schnell und ohne regionalbezogene Scheuklappen."

Weiter mit der Projektgruppenarbeit

So unbefriedigend sich bisher die Arbeit in der Projektgruppe 2 aus Auricher Sicht darstellte (wie beschrieben), so unbefriedigend endete sie auch. So hat z. B. der Projektgruppenleiter **nicht** über den Standort der Zentrale des neuen NLBV abstimmen lassen - stattdessen wurde ohne größere Diskussion Hannover als Standort der Zentrale bestimmt (scheinbar nach vorheriger interner Hannoveraner Abstimmung)!

Aus diesem Grunde sah ich mich als Mitglied des Gesamtpersonalrates der Bezirksregierung Weser-Ems in der Projektgruppe 2 „Aufbauorganisation des NLBV" aus Auricher Sicht veranlasst, ein **Minderheitenvotum** zur Aufnahme in den Projektabschlussbericht zu fertigen.

Die Inhalte meines Vermerks vom 12. März 1997 (siehe hierzu ab Seite 259 und folgende) an die Mitglieder der Projektgruppe wurden zur Begründung meines Minderheitenvotums herangezogen. Um Wiederholungen zu vermeiden, verweise ich inhaltlich auf meinen vorstehenden mehrseitigen Vermerk.

Zusätzlich wurde in meinem Minderheitenvotum noch nachstehende Kritik aufgenommen:

„Laut Kabinettsvorlage soll die Frage des Hauptsitzes des NLBV im Wege der Erstellung eines Feinkonzeptes nach wirtschaftlichen, regional- und strukturpolitischen Gesichtspunkten in einer weiteren Kabinettsentscheidung beschlossen werden.

In der Projektgruppe 2 ist diese Thematik nur am Rande behandelt worden. Der Standort Hannover als Hauptsitz des NLBV stand bei der überwiegenden Mehrheit der Projektgruppenmitglieder nicht zur Disposition.

So hat z. B. der Projektgruppenleiter **nicht** über den Standort der Zentrale des neuen NLBV abstimmen lassen - stattdessen wurde ohne größere Diskussion Hannover als Standort der Zentrale bestimmt (scheinbar nach vorheriger interner Hannoveraner Abstimmung)!

Zu Ziffer 5.5 ist anzumerken, dass die dortige Tabelle dazu verleitet, für „Aurich anzunehmen", dass dort ein „Stellenplus" entstehen wird. Unter Berücksichtigung der Tatsache, dass die derzeitige Außenstelle Aurich der Bezirksregierung Weser-Ems spätestens bis zum 31.12.1999 ganz aufgegeben wird, ist diese Schlussfolgerung jedoch falsch - im Gegenteil, eine nicht unerhebliche Anzahl von Stellen geht nach bisherigen Erkenntnissen für Aurich verloren - dazu hat sich die Projektgruppe nicht geäußert."

Hier noch einige Anmerkungen zum Abschlussbericht der Projektgruppe 2

Von meinem Minderheitenvotum für den Standort Aurich blieb trotz meines Protestes im Abschlussbericht der Projektgruppe 2 nicht viel übrig, Dort heißt es auf Seite 66 nur:

„Anmerkung:
Der Vertreter des Gesamtpersonalrates der Bezirksregierung Weser-Ems in der Projektgruppe hat in einem Minderheitenvotum aus strukturpolitischen Gründen die Notwendigkeit der Anbindung der Zentralen Stelle an den Standort Aurich erklärt und diesbezüglich auf diverse Aussagen von Vertretern der Landesregierung verwiesen."

Mit dieser Behandlung meines Minderheitenvotums habe ich mich nicht einverstanden erklärt,

Bei der Gewinn- und Verlustrechnung für die NLBV Standorte wurde im Abschlussbericht der Projektgruppe 2 auf Seite 67 erklärt, dass der NLBV Standort Aurich ein Stellenplus von 89 Stellen erzielt hat.

Diese Feststellung der Projektgruppe ist (vorsätzlich) irreführend! Tatsache war, dass die Außenstelle Aurich der Bezirksregierung Weser-Ems bei Beginn der Verwaltungsreform ca. 350 Vollzeitstellen aufzuweisen hatte. Die Projektgruppe 2 kommt in seinem Abschlussbericht jedoch nur auf 301,5 Stellen für den NLBV Standort Aurich - also auf einen Fehl von ca. 48 Stellen. Wieso aus einem Stellenfehl von ca. 48 Stellen in der Projektgruppe auf einmal ein Stellenplus von 89 Stellen wird, mag nur der Projektgruppenleiter wissen.

Wer sich auf Grund dieses Projektgruppenabschlussberichtes ein objektives Bild für seine landespolitische Entscheidung über die Standorte des neuen NLBV machen will, vor allen Dingen wegen der strittigen Frage nach dem Standort des Hauptsitzes wird (wie schon angedeutet) wissentlich in die Irre geführt!

Aus diesem Grunde habe ich am 10. April 1997 die einzelnen **Kabinettsmitglieder der Niedersächsischen Landesregierung** vor der entscheidenden Sitzung am 15. April 1997 über die Gründung des NLBV persönlich angeschrieben, und auf die Auricher Belange nochmals hingewiesen.

Neben mein vorstehendes Minderheitenvotum, dass ich allen Kabinettsmitgliedern zur Verfügung stellte, habe ich noch nachstehende Punkte zusätzlich ausführlich thematisiert:

„In den Standortfragen hat <u>keine</u> neutrale und objektive Projektgruppenarbeit stattgefunden. So ist beispielsweise die Frage des „Hauptsitzes des NLBV", trotz meiner intensiven Bemühungen, <u>nicht</u> diskutiert worden. Des Weiteren hat es <u>keine</u> Standortuntersuchungen nach wirtschaftlichen und strukturpolitischen Gesichtspunkten gegeben.

Die Projektgruppe 2 hat den Standort Hannover für den Hauptsitz des NLBV „kommentarlos" festgeschrieben (10 von 14 Projektgruppenmitgliedern kamen aus dem Bereich Hannover). Von daher sind auch die entsprechenden Passagen des Abschlussberichtes sicherlich „nur" für Hannoveraner Kolleginnen und Kollegen nachvollziehbar. Ich habe diesbezüglich in meinem Minderheitenvotum einen Kompromissvorschlag unterbreitet, der weitgehend verhindern kann, dass übermäßig viel Personal (wenn überhaupt) mit Stellen nach Aurich versetzt werden muss.

Den Auricher Mitgliedern der Projektgruppe 2 ist zugesichert worden, bezüglich der „Auricher Belange", im sogenannten Projektgruppenabschlussbericht „ein Minderheitenvotum" zu haben. Obwohl ich der Projektgruppe einen entsprechenden Text vorgelegt habe, hat die Projektgruppe es abgelehnt, dieses Minderheitenvotum im Projektbericht bzw. als Anlage des

Projektberichtes aufzunehmen. Die Projektgruppe hat somit vorsätzlich das Minderheitenrecht verletzt. Auch wenn mir seitens der Projektgruppenleitung zugesichert wurde, dass der „Aufbaustab des NLBV" das Minderheitenvotum erhalten wird, ist trotzdem nicht gewährleistet, dass das Minderheitenvotum von dort weitergegeben wird.

Seitens des Vertreters des HPR-MI im „Aufbaustab des NLBV" wurde mir wiederholt berichtet, dass im Aufbaustab Stimmen laut wurden, die versuchen, mein Engagement in der Projektgruppe 2 für die Belange des Standortes Aurich dahingehend abzuqualifizieren, indem meine Mitarbeit in der Projektgruppe 2 als destruktiv, störend und einseitig pro Aurich ausgerichtet bezeichnet wird.

Diese anmaßenden Behauptungen muss ich scharf zurückweisen. Ich habe mich ja auch nicht beim Aufbaustab darüber beschwert, dass die Projektgruppe überwiegend aus Hannoveraner Kollegen bestand, und diese sich auch nur für Hannoveraner Belange eingesetzt haben."

Anmerkungen:
Wer bei der Frage des „Minderheitenvotums" so herumtrickste wie der Projektgruppenleiter 2, der konnte ab dem Jahr 2003 unter Regie der neuen „schwarz / gelben Landesregierung" auch nur noch Präsident des NLBV in Hannover und anschließend beim OFD-LBV Hannover werden.

Nach dem Studium des Abschlussberichtes der Projektgruppe 2 („Aufbauorganisation des NLBV") merkte Regierungspräsident Bernd Theilen in einem Gespräch mit mir an, dass das NLBV zu einem „Selbstbedienungsladen für den gehobenen- und höheren Beamtendienst" verkommen sei. Anschließend fragte er mich, ob diese satte Stellenausstattung für die genannten Laufbahnen in der Projektgruppe nicht zu verhindern war? Die Antwort gab RP Bernd Theilen sich selbst, als er feststellte, dass ich wohl nicht die dafür notwendige Unterstützung in der Projektgruppe hatte. - Recht hatte er.

Kabinettsendscheidung über die Gründung des NLBV am 15. April 1997

Eine Behörde -das Niedersächsische Landesverwaltungsamt Hannover- endete per Kabinettsabschluss vom 15, April 1997, während das „Niedersächsische Landesamt für Bezüge und Versorgung (NLBV) am gleichen Tage das Licht der Welt erblickte. Das Landesverwaltungsamt endete am 31.Dezember 1997, während dass NLBV am 01. Januar 1998 seinen Dienstbetrieb aufnahm. In der ostfriesischen Presse wurde diese für Aurich wichtige Kabinettsentscheidung nur am Rande zur Kenntnis genommen, fehlte doch die Entscheidung über den Hauptsitz der Behörde NLBV, die erst im Spätsommer 1997 angesagt war.

22. /.23. April 1997: Das politische Geschacher um den NLBV Standort Aurich

Schon am 18. April 1997 deutete sich Ärger in Aurich an, kam doch ein Querschläger aus der Stadt Norden. An diesem Tage war in der **Ostfriesen Zeitung** nachstehender Artikel (mit Bild von Hinrich Swieter) zu lesen:

„Neues Amt: Hauptsitz kommt nicht nach Aurich.
Landrat Swieter: Dafür bis zu 100 Stellen mehr / Hannover wird es

sr **Norden.** Das neue Landesamt für Bezüge und Versorgung wird seinen Hauptsitz nicht in Aurich sondern in Hannover haben. Aurich wird nur eine Nebenstelle. Das sagte gestern Aurichs Landrat Hinrich Swieter bei einem Treffen mit SPD Landtagsfraktionschef Heiner Aller in Norden. Die Stadt Aurich werde dennoch von der Entscheidung profitieren. Denn als Nebenstelle werde das Amt in Aurich weitere Aufgaben erhalten, so dass „80 bis 100" zusätzliche Stellen in Aurich geschaffen würden. „So kommt es höchstwahrscheinlich", sagte Swieter, der sich auf Gespräche mit Innenminister Gerhard Glogowski bezog. Das neue Landesamt für Bezüge und Versorgung wird ab dem 1. Januar 1998 seine Arbeit aufnehmen. Ein dementsprechender Beschluss des Landeskabinetts liegt, wie berichtet, bereits vor. Das neue Amt ersetzt die Außenstelle der Bezirksregierung, die sich bislang mit Kassen- und Besoldungsangelegenheiten beschäftigt hat. In Aurich arbeiten daran immerhin rund 350 Menschen. Bald werden es 450 sein.

Offen war bislang noch, wo der Hauptsitz unterzubringen ist. Swieter hielt es gestern wegen der schon vorhandenen technischen Ausrüstung für vernünftig, dass der Hauptsitz nach Hannover kommt. Sozusagen als Ausgleich dafür bekomme Aurich mehr Aufgaben. In der nächsten Woche soll bei weiteren Gesprächen festgezurrt werden, dass die Auricher Nebenstelle die Gehaltsabrechnungen für die niedersächsischen Finanzämter zusätzlich übernimmt. „Der Standort Aurich wird dadurch gestärkt. Die Auricher Stadtspitze kann jetzt beruhigt sein", sagte Swieter.

Swieter kündigte für die nächste Woche Gespräche mit den Abgeordneten aller Parteien aus Weser-Ems und mit dem Auricher Personalvertreter Gerhard Keller an. Keller hat sich in den letzten Wochen dafür eingesetzt, dass Aurich der Hauptsitz wird. Er befürchtet, dass Nebenstellen auf lange Sicht wegen der Einsparungen im öffentlichen Dienst wieder Stellen verlieren. Swieter sieht das anders. In den Gesprächen soll die Entscheidung erläutert werden."

Ja, dass war bei der Zeitungslektüre der Schreck in der Morgenstunde. Für diese Aussage Swieters gab es für mich keinen nachhaltigen mir bekannten Hintergrund - und im Landeskabinett wurde die Entscheidung definitiv noch nicht behandelt! Was steckte also hinter Swieters Aussage? Tatsache ist, und dass will ich auch gar nicht verhehlen, dass ich „stinke sauer" auf Hinni Swieter war. Erst mobilisiert er mich Ende 1994 um für Auricher Belange in die Bütt zu gehen - mir Ideen zur Rettung Auricher Arbeitsplätze und des Behördenstandortes zu machen (noch am 14. Februar 1996 im Landtag hatte Hinni Swieter mir versichert, dass ich voll auf seine Unterstützung bauen kann), um mich jetzt in den Rücken zu schießen - da passte nun einiges nicht zusammen. Hier musste ich jetzt auch öffentlich reagieren.

In den **Ostfriesischen Nachrichten** vom 19. April 1996 war dann auch folgender Artikel zu lesen:

Keller: „Swieters Aussage ist für mich unverständlich"

the **Aurich.** „Ich weiß nicht, was Landrat Hinrich Swieter zur Aussage bewogen hat, dass Aurich nicht der Hauptsitz des neuen Landesamtes für Bezüge und Versorgung wird, denn über die Standortfrage hat das Kabinett noch nicht entschieden", so gestern Gerhard Keller, ÖTV Vertrauensmann und Mitglied des Personalrates der Bezirksregierung Weser-Ems, Außenstelle Aurich.

Keller, der in Sachen Verwaltungsreform auch der zuständigen Projektgruppe des Landesverwaltungsamtes angehört, zeigte sich erstaunt über die Aussage des ehemaligen Finanzministers: „Entweder weiß er mehr als die zuständige Kommission, oder seine Darstellung ist eine reine Vermutung".

Wie Keller gestern betonte, habe er sich in der Projektgruppe immer dafür eingesetzt, den Hauptsitz des neuen Amtes in der Außenstelle der Bezirksregierung anzusiedeln.

„Dabei habe ich alternativ den Vorschlag gemacht, die Verwaltung des Hauptsitzes in Aurich anzusiedeln, dem technischen Unterbau hingegen in Hannover", so Keller weiter.

Nach Mitteilung von Swieter ist daran gedacht, dass Aurich eine der Nebenstellen des neuen Amtes bekommt."

23. April 1997: Termin im Landtag

Wie am 18. April 1997 schon in der Presse angekündigt, vereinbarte der MdL Hinrich Swieter für den 23. April 1997 einen Termin mit mir im Landtag. Dort angekommen erfuhr ich, dass MdL Hermann Bontjer diesen Gesprächstermin für den angeblich erkrankten MdL Hinrich Swieter wahrnimmt.

Ich konnte es MdL Hermann Bontjer an der Nasenspitze ansehen, dass ihm das nun folgende Gespräch unangenehm war. Meine erste Frage ging natürlich gleich „ins Eingemachte", ging es doch nun um Swieters Presseveröffentlichung, dass Hannover und nicht Aurich Hauptsitz des NLBV werden soll. Erst druckste Hermann Bontjer bei seiner Antwort herum, ohne auf den Punkt zu kommen. Doch nach geraumer Zeit des um den „heißen Brei" Herumredens, berichtete er mir dann, dass am Vortag beim sogenannten

„Ostfriesen Abend" der Landtagsabgeordneten in Anwesenheit der ostfriesischen MdL, Ministern, Staatssekretären und weiterer politischer Gäste Staatssekretär **Frank Ebisch** vom Finanzministerium begründet habe, warum der Hauptsitz des NLBV in Hannover und nicht in Aurich eingerichtet werden soll.

Staatssekretär Frank Ebisch vom Finanzministerium hat laut MdL Hermann Bontjer der obigen Gesprächsrunde erklärt, dass die Einrichtung des Hauptsitzes des NLBV in Aurich dem Lande zu teuer werde, weil bei dieser Ausgangslage erhebliches Personal von Hannover nach Aurich umziehen müssten, für das das Land Niedersachsen dann Trennungsgelder und Umzugskosten-vergütungen in erheblicher Größenordnung zu zahlen habe.

Vor etlichen Tagen, so Staatssekretär Frank Ebisch weiter, haben sich Innenminister und Finanzminister darauf verständigt, dass Aurich und Hannover sich den Sitz des Präsidenten des NLBV teilen. Mit dieser Maßnahme will die Landesregierung gewährleisten, dass der NLBV Standort Aurich politisch gestärkt wird.

Ich habe MdL Hermann Bontjer daraufhin erwidert, dass diese aufgetischte Geschichte eine lupenreine Mogelpackung darstellt. Einerseits ist es falsch, wenn behauptet wird, dass eine Völkerwanderung von Hannover nach Aurich stattfinden muss um dort den Hauptsitz der neuen Behörde zu installieren. Das nötige Verwaltungspersonal sei ohnehin in Aurich vorhanden (und nur diese Verwaltungsabteilung des Hauptsitzes wollten wir in Aurich haben). Die ADV Abteilung müsse nicht zwangsläufig nach Aurich verlagert werden - die könne ohne „wenn und aber" in Hannover am dortigen NLBV Standort verbleiben (so auch mein Kompromissvorschlag in meinem Minderheitenvotum), denn es sei bei dem Stand der derzeitigen Technik kein Problem, an welchem Standort die ADV Abteilung untergebracht ist. Eine ständige Vernetzung mit dieser Abteilung muss sowieso von jedem NLBV Standort zum Standort der ADV Abteilung hergestellt werden.

Andererseits ist es m. E. ziemlich lächerlich, wenn jetzt von der Landesregierung behauptet wird, dass der Kostenfaktor für die angeblich horrenden Trennungs- und Umzugskostengelder ausschlaggebend für die Vergabe des Hauptsitzes sein sollen, denn einerseits kommen hier, wenn überhaupt, nur wenige Versetzungen von Hannover nach Aurich in betracht, und andererseits hat sich das Land Niedersachsen noch nie großmächtig Gedanken darüber gemacht, ob solche zusätzlichen Personalkosten auch bezahlt werden können, siehe hierzu auch die immensen Personalkosten für die vormalige Bezirks- und Verwaltungsreform, dass nötige „Kleingeld" dafür war immer da.

Die Geschichte rund um die Teilung des Dienstsitzes des Präsidenten des NLBV zwischen Aurich und Hannover, so habe ich MdL Hermann Bontjer erklärt, sei nicht nur ein schlechter Witz, sondern wird sich in der Praxis auch als Papiertiger herausstellen - davon hat Aurich nichts!

Ich war mir nach dieser Passage des Gespräches mit MdL Hermann Bontjer sicher, dass es sich bei vorstehenden Ausführungen des Finanzstaatssekretärs Frank Ebisch „um lupenreine vorgeschobene Argumente" handelte! Da steckte noch wesentlich mehr dahinter!

Im weiteren Verlauf des Gespräches erklärte MdL Hermann Bontjer mir, dass die ostfriesischen MdL sich auf meine entsprechende Stellenforderung mit der Landesregierung dahingehend geeinigt haben, dass zur Stärkung des NLBV Standortes Aurich, und um auch die Stellenbestandsgarantie von mindestens 330 Vollzeitstellen für Aurich zu erfüllen, die Aufgaben der Vollstreckungen des Landes in Aurich beim dortigen NLBV konzentriert werden, und dass, wenn es dann zur Erfüllung der Stellenbestandsgarantie immer noch nicht reicht, die Aufgaben der Beihilfen für die Pensionäre vom NLBV Standort Hannover nach Aurich verlagert werden. Diese Beihilfeverlagerung kann ohne weiteren Kabinettsbeschluss durch Anweisung des Finanzministeriums erfüllt werden, während die Konzentration der Vollstreckung des Landes in Aurich eines Kabinettsbeschlusses bedarf, die aber von der Landesregierung schon zugesichert wurde.

Nach Beendigung dieses Gespräches ließ der MdL Hermann Bontjer einen sehr nachdenklichen Gerhard Keller zurück. Einerseits war ich mit den zusätzlich vereinbarten Aufgaben für

Aurich mehr als zufrieden, doch bei der Frage des Hauptsitzes des NLBV in Aurich, fühlte ich mich „über den Tisch gezogen". Wenn ich bedenke, welche Landesminister mir zugesagt hatten, bei der Schlussabstimmung für den Hauptsitz der neuen Behörde in Aurich stimmen zu wollen, so muss es da noch wesentlich mehr geben als das was MdL Hermann Bontjer mir im vorstehenden Gespräch berichtet hatte. Ich war es mir also selbst schuldig, dieser Sache auf den Grund zu gehen - und, ich bin geraume Zeit später auch fündig geworden.

Doch was ich bei dieser Suche nach den vorstehenden Gründen rund um die politische Versagung des NLBV-Hauptsitzes für Aurich dann feststellte, war **eine politisch hochbrisanten Bombe**, die ich damals aus Gründen der Parteiraison jedoch nicht zündete!

In einem Presseartikel der **Ostfriesen Zeitung** vom Juni 1997 (den Artikel hatte ich mir damals aus der Zeitung ausgeschnitten, jedoch vergessen mir den Erscheinungstag zu notieren) stand wie folgt geschrieben:

„Personalrat: Alles spricht für Norden
Das Staatliche Amt für Insel- und Küstenschutz hält die Neuordnung für sinnvoll und richtig.

sr **Norden.** Der Personalrat des Staatlichen Amtes für Insel- und Küstenschutz in Norden (STAIK) dementiert einen Bericht des in Hannover erscheinenden Informationsdienstes „Rundblick". Demnach ist der Personalrat des STAIK mit der sich abzeichnenden Neuordnung des Küstenschutzes nicht einverstanden. „Wir sehen dieser Entwicklung positiv entgegen", heißt es dagegen in einer Mitteilung des Personalrats von gestern.
Nach Angaben des STAIK Personalrats ist der Küstenschutz die einzige Aufgabe der Wasserwirtschaftsverwaltung, die nach der Verwaltungsreform in einer eigenen Behörde wahrgenommen wird. Das könne nur erreicht werden, wenn alle Küstenschutzaufgaben von der Planung über den Bau bis zur Erhaltung staatlicher Anlagen bei einer Behörde pro Region bleiben. Für den Standort Norden spreche dabei, dass hier schon alle Aufgaben abgedeckt sind.

Der STAIK Personalrat begrüßt daher, dass der Küstenschutz **in Norden zusammengefasst werden soll. Die endgültige Entscheidung steht zwar noch aus, die Beratungen in Hannover liefen aber auf diese Entscheidung hinaus.** Der Personalrat des Staatlichen Amts für Wasser und Abfall in Aurich (StAWA) hat diese Entwicklung dagegen kritisiert. Wie berichtet, wird voraussichtlich das StAWA seine Küstenschutzabteilung nach Norden abgeben müssen."

Hier in vorstehender Presseveröffentlichung zeichnete sich jetzt der entscheidende Grund ab, warum MdL Hinrich Swieter seine bisherige Position gegenüber dem neuen NLBV Standort Aurich scheinbar aufgab, ist die Stadt Norden, der zukünftige Standort des NLWKN, doch Swieters Heimatort.

Somit war für mich klar, dass ich vorstehenden Presseartikel intensiv weiterverfolgte, und mir auch noch sonstige zugängliche Informationen einholte (z. B. bei den Personalräten der STAIK in Norden und des StAWA in Aurich).

Die vorgenannten Personalräte waren dann auch sehr redselig - vor allen Dingen des StAWA Aurich, drohten da doch Arbeitsplatzverluste, die nach Norden abgegeben werden müssten.

Diese Kollegen schimpften wie die Rohrspatzen - vor allen Dingen auf MdL Hinrich Swieter, den man in Aurich als einen der Urheber dieser Reformidee betrachtete - wörtlich: „Der sieht nur Norden, und sonst nichts. Der ist immer noch sauer, dass der ehemalige Landkreis Norden aufgelöst und in den Landkreis Aurich überging".

Kurze Zeit später wurde im Landeskabinett in Hannover entschieden, dass der Niedersächsische Landesbetrieb für Wasserwirtschaft, Küsten- und Naturschutz (NLWKN) in der Stadt Norden eingerichtet wurde. „

Die Direktion des NLWKN hat ihren Hauptsitz in Norden. Der

Geschäftsbereich Naturschutz hat seinen Sitz in Hannover. Der Geschäftsbereich „Wasserwirtschaft und Zulassungsverfahren" hat seinen Sitz in Lüneburg. In der **Direktion Norden** werden die strategischen Aufgaben erledigt.

Die Mitarbeiter in den elf Betriebsstellen (Aurich, Brake-Oldenburg, Cloppenburg, Hannover-Hildesheim, Lüneburg, Meppen, Norden, Norderney, Stade, Sulingen, Süd mit Sitz in Braunschweig und Göttingen sowie Verden) hingegen befassen sich vor Ort mit den Fachaufgaben im Bereich Wasserwirtschaft, Küsten- und Hochwasserschutz und Naturschutz."

Nunmehr war klar, wer den Hauptsitz des NLBV in Aurich „auf dem Gewissen hatte" - es war kein geringerer als der ehem. Finanzminister, MdL und Aurichs Landrat Hinrich Swieter. Scheinbar konnte er politisch in Hannover nicht durchsetzen, dass Ostfriesland binnen kurzer Zeit gleich zwei Hauptämter für Aufgaben des Landes Niedersachsen bekommt - und da musste halt der Haupt- sitz für das NLBV in Aurich dran glauben! - Ein Mann ein Wort… Pustekuchen!

Kurze Zeit später habe ich Hinrich Swieter am Rande einer Parteiveranstaltung in Marienhafe zur Rede gestellt. Ich habe ihm vorgeworfen, dass er gegenüber dem Behördenstandort Aurich und mir sein gegebenes Wort gebrochen habe. Des Weiteren habe ich ihm vorgeworfen, dass er nicht mal die Größe gehabt habe, sein geändertes Verhalten in der Standortfrage des NLBV-Hauptsitzes mir vorab mitzuteilen. Und dann kam was kommen musste - Hinni Swieter wurde laut und ausfallend, und ich habe in gleicher Lautstärke, aber sachlich argumentativ, dagegen gehalten. Mittlerweile war diese lautstarke Unterhaltung jedoch nicht unbemerkt geblieben, sodass sich ein richtiger Kreis um uns Kampfhähne bildete (es hat nur noch gefehlt, dass die Zuschauer Beifall geklatscht hätten). Erst der damalige Landwirtschaftsminister Kalli Funke hat diesen „parteiöffentlichen Showkampf" beendet.

Etliche Monate später hat MdL und Landrat Hinrich Swieter sich bei mir für seinen „Ausraster" bei der Parteiveranstaltung entschuldigt - jedoch nicht für seinen politischen Wortbruch!

Zurück zum NLBV

Presseinformation des Nds. Finanzministeriums vom 23. April 1997

Die vorstehende Presseinformation des MF, die mir per Fax am 23.04.1997 vom MF mitgeteilt wurde, hatte folgenden Wortlaut:

„Weike: Zentrale des Neuen Landesamtes für Bezüge und Versorgung in Aurich und Hannover.

Der Standort für die Zentrale des neuen Landesamtes für Bezüge und Versorgung, das zum 1. Januar 1998 gegründet wird, wird zwischen Aurich und Hannover aufgeteilt. Darauf haben sich Finanzminister Willi Weike und Innenminister Gerhard Glogowski in einem Gespräch verständigt.

„Das ist ein deutliches Zeichen der Landesregierung für den Behördenstandort Aurich", stellten Weike und Glogowski am (heutigen) Mittwoch in Hannover fest. Durch das neue Amt werde in Aurich auf Dauer der Sitz einer großen Landesbehörde festgeschrieben. Gleichzeitig werde die Ungewissheit über die Sicherung hochwertiger Arbeitsplätze in der Region beseitigt.

Die Landesregierung hatte am 15. April beschlossen, das Niedersächsische Landesverwaltungsamt, mit rund 1.600 Mitarbeiterinnen und Mitarbeitern größte Landesbehörde, zum 1. Januar 1998 aufzulösen und seine bisherigen Abteilungen als Landesbetriebe oder Landesämter auszugliedern. In dem neuen Landesamt für Bezüge und Versorgung sollen schrittweise die Berechnung der Bezüge und Beihilfen für alle Landesbediensteten und Versorgungsempfänger zusammengeführt werden. Zurzeit geschieht dies noch in 28 Bezügestellen. Künftig wird dies nur noch an vier Standorten passieren: in Aurich, Braunschweig, Hannover und Lüneburg. Dort werden insgesamt rund 930 Mitarbeiterinnen und Mitarbeiter beschäftigt sein."

Und wieder redet man in der Landesregierung um den heißen Brei herum - sagt der Öffentlichkeit nicht die Wahrheit. Liest man diese Presseinformation des Finanzministeriums als Outsider, wird man meinen, dass Aurich und Hannover sich die Arbeit des Hauptsitzes „schiedlich friedlich teilen" - eine Hälfte der Aufgaben wird in Aurich und die andere Hälfte in Hannover bearbeitet. Doch an eben diesem Mittwoch (Fertigungstag der Presseinformation) hat mir MdL Hermann Bontjer im Landtag erklärt, dass **nur** der Präsident des NLBV seinen Dienstsitz zwischen Aurich und Hannover aufzuteilen hat - nicht mehr und nicht weniger! Und auch diese Regelung ist eine Mogelpackung, denn der Präsident soll nur einen Tag pro Woche Residenzpflicht in Aurich haben - also 1/5 Präsident pro Woche für Aurich (Witz komm raus, du bist umzingelt)!?

Ab 1. Januar 1998 sah die Realität jedoch so aus, dass der Präsident des NLBV, wenn überhaupt, nur einmal im Monat in Aurich auf der Matte stand (und das auch nur für wenige Stunden). Diese Feststellung gilt für die ersten beiden Präsidenten, Wolfgang Meyerding und Dr. Lothar Hagebölling, bis zum Jahre 2003. Danach war es mir zu blöd, dieses noch weiter zu kontrollieren.

Und auch sonst nimmt man es bei der Landesregierung, z. B. mit der Anzahl der Beschäftigten in Aurich, nicht so ganz genau. So zu lesen im **Auricher Heimatblatt** vom 27. April 1997:

„Behördenstadt Aurich behält wichtiges Amt.
Kein Stellenabbau beim neuen Amt für Bezüge und Versorgung in Aurich. Finanzministerium klärt Widersprüche bei Zahlenangaben auf.

Aurich / Hannover. Die Kreisstadt Aurich ist ab dem 1. Januar 1998 neben der niedersächsischen Landeshauptstadt Hannover eine von zwei zentralen Standorten des neuen Landesamtes für Bezüge und Versorgung. In Lüneburg und Braunschweig entstehen Nebenstellen. Über die Standortfrage haben sich in Hannover der niedersächsische Finanzminister Willi Weike (SPD) und Innenminister Gerhard Glogowski (SPD) geeinigt.
MdL Hermann Bontjer erklärte gestern gegenüber der Emder Zeitung / Heimatblatt: „Für Aurich ein Riesenerfolg. Das Personal

wird immer wieder aufgefüllt". Weike und Glogowski werteten die Entscheidung als deutliches Zeichen der Landesregierung für Aurich als Behördenstandort. Hintergrund für die jetzt gefällte Entscheidung war der am 15. April von der Landesregierung gefasste Beschluss, dass niedersächsische Landesverwaltungsamt mit rund 1.600 Mitarbeitern zum 1. Januar 1998 aufzulösen.

„Die rund **337 Männer und Frauen** der bisherigen Bezirksregierung im Auricher Schloss sind damit auf Dauer gesichert", so die Sprecherin des Finanzministeriums. Bezirksregierungspersonalrat Gerhard Keller aus Aurich brachte jedoch diese Woche Zahlen aus Hannover mit, dass derzeit nur 300 Vollzeitarbeitsplätze in Aurich abgesichert seien. „Bei diesen unterschiedlichen Angaben könne es sich nur um einen Irrtum handeln", sagte die Pressesprecherin des Finanzministeriums, und weiter, „Die Zahl der Stellen bleibe bei 300. So sei es schon immer gewesen. Weil es in Aurich aber auch Teilzeitarbeit gäbe, könne die Zahl der tatsächlichen Mitarbeiter schwanken. Zurzeit liegt sie eben bei 337"."

Diese obigen Zahlenangaben des Finanzministeriums waren auch in einem Presseartikel der **Ostfriesen Zeitung** vom 26. April 1997 zu lesen.

Es ist schon beachtlich, wie man im Finanzministerium im April 1997 unvorsichtig mit „falschen Zahlen" über die Anzahl der Beschäftigten bei der Außenstelle Aurich der Bezirksregierung Weser-Ems herumjongliert (da könnte man bei wenig Wohlwollen für das Ministerium durchaus etwas negatives hineininterpretieren).

Tatsache war, dass in der Außenstelle Aurich der Bezirksregierung Weser-Ems am 1. Februar 1996 **381 Kolleginnen und Kollegen beschäftigt waren** - incl. 29 Beurlaubungen und 32 Zeitangestellte (in Vertretung für die Beurlaubungen) - zudem waren an diesem Stichtag 4 Angestelltenstellen nicht besetzt. Summa summarum gab es am 1. Februar 1996 **343 besetzte Vollzeitstellen von 347 Soll-Vollzeitstellen** in der Außenstelle Aurich (mit nur wenigen Teilzeitbeschäftigten). Diese Stellenangaben habe ich mir damals von der Auricher Dienststellenleitung für den statistischen Teil der Auricher

Personalversammlung am 22. Februar 1996 geben lassen. Es ist ausgeschlossen, und entbehrt jeglicher Logik, dass diese 1996iger Zahlenwerte sich innerhalb von 14 Monaten so dramatisch nach unten bewegt haben, um damit die Zahlenangaben des Finanzministeriums zu begründen!

Vorstehende Korrektur der Auricher Stellen- und Beschäftigtenzahlen habe ich einige Tage später dem Finanzminister Willi Weike in einem Schreiben mitgeteilt - bedankt hat er sich dafür nicht.

Anerkennung meiner Leistung für die zurückliegende Arbeit durch die Presse.

Ostfriesische Nachrichten vom 12. August 1997:

„Ein Meilenstein für die Zukunft Aurichs
Die 301 Stellen im neuen NLBV Standort Aurich haben absoluten Bestandsschutz.

Der 1. Januar 1998 ist ein Stichtag für die Bediensteten in der Außenstelle Aurich der Bezirksregierung. Ihre Dienststelle wird dann das neue Niedersächsische Landesamt für Bezüge und Versorgung sein.

bol **Aurich.** Diese Sonderbehörde wurde im April dieses Jahres im Landeskabinett per Grundsatzbeschluss aus der Taufe gehoben. Der Grund: Mit der Auflösung des Landesverwaltungsamtes, das u. a. bislang das Feld Bezüge und Versorgung bearbeitete, wurde eine Neuorganisation nötig. Die Aufgabenbereiche Bezüge und Versorgung wurden auf die neue Sonderbehörde übertragen, die Arbeit auf vier Sitze in Aurich, Braunschweig, Hannover und Lüneburg verteilt. Dank der Initiative des ÖTV Vertrauensmannes der Auricher Außenstelle und des SPD Parteipolitikers Gerhard Keller wurde durch seine Ideen und seine Hartnäckigkeit erreicht, dass Aurich -gemeinsam mit Hannover- Hauptsitz der neuen Sonderbehörde wird. „Unsere Argumente, dass man endlich etwas gegen die Strukturschwäche in Ostfriesland tun muss, haben wohl den Ausschlag zu dieser Entscheidung gegeben", glaubt Keller, der

Schützenhilfe von Hermann Bontjer und Werner Stöhr erhielt.

Doch nicht nur dieser Erfolg kann Keller sich auf die Fahne schreiben; die 301 Stellen, die im neuen Landesamt eingerichtet werden, genießen absoluten Bestandsschutz. „Selbst wenn in anderen Behörden im Rahmen der Verwaltungsreform rationalisiert wird, sind die Stellen in Aurich absolut sicher", freut sich Keller, „Wir haben gefordert, dass der Bestand am Personal in Aurich unbedingt gehalten werden muss, und haben unsere Forderung auch durchgesetzt".

Es kommen noch 46 weitere Stellen der Vollstreckungen des Landes nach Aurich. „Hannover hat seine Zustimmung schon signalisiert. Es fehlt nur noch der entsprechende Kabinettsbeschluss", weiß Gerhard Keller.

Damit würde die Auricher Behörde zwölf Stellen mehr anbieten können, als die bisherige Außenstelle der Bezirksregierung tun konnte. „Voraussetzung aber ist, dass unsere neue Sonderbehörde wirtschaftlich arbeitet. Ist das nicht der Fall, müssen wir mit der Privatisierung unserer Aufgabengebiete rechnen. Diese Lösung war schon vor unseren Verhandlungen im Gespräch", verrät der ehemalige Personalratsvorsitzende der Bezirksregierung.

Hilfreich wird dabei ein Computersystem in der neuen Sonderbehörde sein, das in etwa einem Jahr eingeführt werden soll. Bislang werden die Vorlagen nämlich noch manuell bearbeitet.

Die technische Hilfe wird für die Auricher Bediensteten auch vonnöten sein, denn Aurich wird etwa 30 % mehr Aufgaben bekommen.

Künftig werden in Aurich die Bezüge der Beschäftigten des Niedersächsischen Landesdienstes der Region Weser-Ems sowie die Beihilfe des aktiven Landesdienstes bearbeitet. „Das sind 420.000 Beihilfeanträge pro Jahr", rechnet Gerhard Keller vor. „Wenn alles so verläuft, wie wir uns das vorstellen, könnten wir aber noch zusätzliche Stellen nach Aurich holen", hofft Keller. „Und wer weiß, vielleicht wird Aurich ja einmal alleiniger Hauptsitz des Landesamtes, wenn durch weitere Rationalisierung und Effizienzsteigerungen im neuen Landesamt in den anderen Standorten weitere Arbeitsplätze wegbrechen", wagt Gerhard Keller einen weiten Blick in die Zukunft."

Ähnliche Veröffentlichungen auch in anderen **Ostfriesischen Zeitungen** ein paar Tage später.

Diese Lobhudelei in der Presseberichterstattung konnten dann wohl etliche Kolleginnen und Kollegen der Auricher Dienststelle nicht verkraften, denn anschließend wurde ich von denen mit Hass und Hetze überzogen - die ich jedoch immer nur über Dritte erfuhr. Selbst mein damaliger Außenstellenleiter und Mitstreiter in der Hannoveraner Projektgruppe war nicht frei von diesen Ressentiments - er war wohl sauer, dass er von diesem „Kuchen" nichts abbekam (doch dazu an anderer Stelle mehr).

Ich habe diese unsinnige Kritik der Kolleginnen und Kollegen einfach ignoriert - habe diese nicht an mich rankommen lassen. Sicherlich war ich kein Kind von Traurigkeit, und habe ab und an auch mit harten Bandagen reagiert, wenn man in unserer Dienststelle in der Vergangenheit meine Arbeit rund um den Erhalt unser Auricher Arbeitsplätze kritisierte bzw. sogar inhaltlich in Frage stellte. Ich hatte mir ein Ziel gesetzt - und dieses Ziel wurde auch weitgehend erreicht. Natürlich hoffte ich, dass nach der ersten Aufregung sich diese Stimmung schnell wieder legt - doch hier hatte ich die Rechnung ohne etlicher Kolleginnen und Kollegen gemacht…

Kabinettsbeschluss vom 30. September 1997

Am 30. September 1997 hat das Landeskabinett nach Vorlage des Feinkonzeptes nunmehr endgültig die Errichtung des NLBV zum 1. Januar 1998 beschlossen. In der Beschlussvorlage war nunmehr verankert, dass der Präsident des Niedersächsischen Landesamtes für Bezüge und Versorgung seinen Dienstsitz in Aurich und Hannover hat.

Die ostfriesische Presse hat diese letzte Beschlussfassung über die Gründung des NLBV nur am Rande zur Kenntnis genommen, waren doch die Einzelheiten des abschließenden Kabinettsbeschlusses in den Wochen und Monaten zuvor ausgiebig öffentlich behandelt und gewürdigt worden.

Ja, „nun war die Schlacht geschlagen" - Fast 3 Jahre hat es gedauert, um den Zustand der Unsicherheit bezüglich des Behördenstandortes Aurich und seiner ca. 340 Vollzeitstellen zu beseitigen. Drei Jahre als Einzelkämpfer für Auricher Belange ist nun wahrlich kein Pappenstiel - das ging schon gehörig an die Substanz, vor allen Dingen weil es immer mal wieder Kontra und sonstige Widerstände aus Richtungen gab, von denen man es nicht erwartete - sei es nun von eigenen Kolleginnen und Kollegen sowie vom ehemaligen Finanzminister Hinrich Swieter.

Und wenn ich dann mal Hilfe brauchte, dann war außer den ostfriesischen MdL, allen voran Hermann Bontjer, und Regierungspräsident Bernd Theilen niemand für mich da. Sprach ich Kollegen des Hauses mal um Unterstützung an, gab es zum Dank den „Schulterklopfer" und den Spruch, „du machst das schon".

Nach dem 30. September 1997, nach dem abschließenden Kabinettsbeschluss über die Gründung des NLBV zum 1. Januar 1998, wollte aber jedermann ein leidenschaftlicher Kämpfer für das NLBV gewesen sein - ab diesem Zeitpunkt hieß es vielfach - „wir haben erreicht...".

Nein, ich war nicht sauer über diese Redensarten verschiedener Kollegen - nur ein wenig genervt. Bis Jahresende 1997 hatte ich noch genügend mit den Einzelheiten des letzten Kabinettsbeschlusses zu tun, sodass mir zum Ärgern keine Zeit blieb, ging es doch nun darum die personalvertretungsrechtlichen Fragen dieser Entscheidung zu klären, denn mit der Gründung des NLBV zum 1. Januar 1998 mussten in Aurich durch die Organisationsänderungen gleich zwei Personalräte neu gewählt werden, nämlich der Personalrat des NLBV Aurich wegen Neugründung, und der Personalrat der Restaußenstelle Aurich wegen der Versetzung des überwiegenden Personals an das NLBV Aurich.

An dieser Stelle möchte ich mich bei meinen wahren Unterstützern rund um den Kampf um Aurichs Arbeitsplätze ganz herzlich bedanken - allen voran beim ehemaligen MdL Hermann Bontjer und beim ehemaligen Regierungspräsidenten Bernd Theilen. Danke auch an die Pressevertreter Ostfrieslands, die mich großartig unterstützt haben - Danke!

Am letzten Tag des Jahres 1997

Am 31. Dezember 1997 erschien in den **Ostfriesischen Nachrichten** nachstehender Artikel:

„Landesamt für Bezüge steht im Wettbewerb
Vom 1. Januar an ist Aurich Standort des neuen Landesamtes für Bezüge und Versorgung.

Hannover / Aurich. Im Zuge der Verwaltungsreform wird zum 1.1.1998 bei Auflösung des Niedersächsischen Landesverwaltungsamtes das neue Landesamt für Bezüge und Versorgung (NLBV) mit Standorten in Aurich, Braunschweig, Hannover und Lüneburg errichtet. Dieses neue Landesamt wird dem Geschäftsbereich des Finanzministeriums zugeordnet. Dies teilte Finanzminister Weike am Dienstag in Hannover mit.
Die Bearbeitung der Bezüge der Bediensteten des Landes sowie die Versorgungsbezüge, die bisher in 28 Stellen der Landesverwaltung wahrgenommen wurden, werden in dem neuen Landesamt konzentriert. Die Landesregierung erwartet hierdurch in den nächsten Jahren **eine Einsparung von über 400 Stellen.**
Um das Ziel einer wirtschaftlichen Aufgabenerledigung zu erreichen und ständig zu verbessern, wird die Ausstattung der Arbeitsplätze mit moderner Datenverarbeitung so schnell wie möglich ausgebaut. Daneben ist beabsichtigt, die neuen Steuerungsinstrumente im neuen Amt anzuwenden.
Dafür wird die Kosten- Leistungsrechnung verbunden mit einem Controling, eingeführt. Die dadurch gewonnene Kostentransparenz bildet die Grundlage für einen ständigen Vergleich - und damit Wettbewerb - mit den Bezügestellen anderer Bundesländer. Bei der Auswahl neuer Datenverarbeitungsverfahren wird grundsätzlich solchen Verfahren Vorrang gegeben, die eine Kooperation mit anderen Bundesländern und dem Bund zulassen.
Im Rahmen der Neuorganisation erfolgt auch eine Stärkung des Behördenstandortes Aurich, durch die Konzentration der Beihilfebearbeitung. „Die Sicherung von rund 300 Stellen in Aurich ist angesichts der allgemeinen schwierigen Arbeitsmarktsituation ein Beitrag zur Struktur- und Arbeitsmarktpolitik in der Region Weser-Ems", so Weike."

1. Januar 1998: Aurich ist NLBV Standort

Es ist soweit, am Donnerstag, dem 1. Januar 1998, werden über 2/3 der Bediensteten der Außenstelle Aurich der Bezirksregierung Weser-Ems nunmehr Mitarbeiter des NLBV Standortes Aurich. Ob an diesem Neujahrstag auch tatsächlich von den betroffenen Bediensteten jemand an diesen Organisationswechsel gedacht hat, wage ich leicht zu bezweifeln.

Für die Restaußenstelle Aurich, die Bediensteten der Regierungsbezirkskasse Aurich und die Auricher Vorprüfstelle, änderte sich ab dem 1. Januar 1998 noch nichts. Hier gab es noch eine Gnadenfrist von 2 Jahren bis zum 31. Dezember 1999.

2. Januar 1998, ein Freitag, erster offizieller Arbeitstag im neuen NLBV Standort Aurich - und fast keiner war da. Dieser Brückentag wurde natürlich genutzt, um ein verlängertes Wochenende zu genießen. Ich machte da, wie immer, keine Ausnahme.

5. Januar 1998: Erste größere Auseinandersetzung mit dem Auricher NLBV Standortleiter

Am 5. Januar 1998, ein Montag, hatte ich meine Aufgaben als 1. stellv. Vorsitzender des Gesamtpersonalrates der Bezirksregierung Weser-Ems an den GPR Vorstand in Oldenburg zu übergeben. Der ursprünglich vorgesehene Übergabetermin kurz vor Weihnachten 1997, konnte wegen Erkrankung und Urlaub der Vorstandskollegen aus Oldenburg und Osnabrück jedoch nicht erfolgen. Meine Auricher Personalabteilung hatte ich schon vor Weihnachten 1997 über diesen Termin in Oldenburg unterrichtet.

Während der o. a. Übergabegespräche in Oldenburg, rief mein Standortleiter in meinem Oldenburger Büro an, und beschwerte sich in einem vorwurfsvollen Tonfall, dass ich in Oldenburg und nicht in Aurich sei - Wörtlich: „Wir sind jetzt NLBV und haben mit der Bezirksregierung nichts mehr zu tun"! Etwas später lenkte er ein, und erwartete von mir, dass ich mich am kommenden Tag bei ihm melde.

Gesagt - getan. Am nächsten Morgen stand ich bei meinem Big-Boss auf der Matte. Von meinem Oldenburger Termin vom Vortage war überhaupt keine Rede mehr. Jetzt wollte er von mir wissen, wie ich mir meine Zukunft im NLBV Standort Aurich vorstelle, da ich ja nun mit Wirkung vom 31. Dezember 1997 meine Vollfreistellung durch die Umorganisation verloren hatte. Ich habe darauf erwidert, dass ich beabsichtige für den NLBV Personalrat in Aurich und auch für den NLBV GPR in Hannover zu kandidieren. Bis zu dieser Wahl, so sei ich mir mit der Landesregierung einig geworden, würde ich von der NLBV Behördenleitung eine Sonderaufgabe zugeteilt bekommen, sodass ich bis zum Wahltermin dienstrechtlich abgesichert sei.

Angeblich war mein Chef über diese vorstehende Vereinbarung nicht informiert (was ich ihm jedoch nicht abnahm - vielmehr wollte er m. E. scheinbar bei mir „auf den Busch klopfen", um zu erkunden, wo meine Schmerzgrenzen sind). Schließlich haben wir uns darauf geeinigt, umgehend unseren Präsidenten **Wolfgang Meyerding** in der Angelegenheit um Hilfe zu bitten.

Ein paar Tage später, bei einem Besuch von Wolfgang Meyerding in Aurich, habe ich mich in einem „vier Augen Gespräch" mit Herrn Meyerding in der Sache geeinigt. Ich bekam den dienstlichen Auftrag, „Vorbereitung zur Erstellung eines Leitbildes" für das NLBV zu erarbeiten (Gespräche mit anderen Behörden, auch außerhalb Niedersachsens, zu suchen, um deren Erfahrungen mit einem Leitbild zu erkunden).

Irgendwie konnte ich mich des Eindrucks nicht erwehren, dass vorstehende Regelung meinem Standortleiter gar nicht recht war. Dieses war auch dadurch deutlich erkennbar, dass ich für die Auricher Dienststellenleitung die nächsten Wochen „Luft war" - es wäre nicht mal aufgefallen, wenn ich nicht präsent gewesen wäre. Doch auch diese Ignoranz konnte mich nicht aus der Fassung bringen.

Anmerkung: Da ich mich bisher noch nie mit Leitbildern von Behörden und Betrieben beschäftigt hatte, mir nur das „Unwort Leitkultur" aus der Kohl Ära bekannt war, ging ich unvoreingenommen an diese Thematik ran. Musste jedoch sehr schnell feststellen, dass in den Verwaltungen und Betrieben, wo ein Leitbild existierte, man mit dieser Errungenschaft keine guten Erfahrung gemacht hatte. So wurde mir immer wieder berichtet, dass die verschiedenen Leitbildtexte Standards beinhalten, die in der Kollegenschaft für Verwirrung sorgen - wie z. B.: „Die richtige Frau, der richtige Mann auf dem richtigen Arbeitsplatz". Eine solche Festschreibung sei weder in privaten Betrieben noch in Behörden durch- und umzusetzen.

Personalratswahlen 1998 im neuen NLBV Aurich

Als Gewerkschaft ÖTV hatten wir für den NLBV Standort Aurich rechtzeitig die Weichen für den bevorstehenden Personalratswahlkampf gestellt. Die Kandidatenliste wurde in einer Mitgliederversammlung aufgestellt und die Themen des Wahlkampfes festgelegt. Es war natürlich klar, dass wir als Gewerkschaft ÖTV meinen erfolgreichen Einsatz für den Erhalt der Auricher Arbeitsplätze und somit auch für die Sicherung des Behördenstandortes in den Vordergrund unserer Auseinandersetzung mit unserer Konkurrenz schoben. Aus den Erfahrungen der letzten Monate war deutlich geworden, dass unsere Personalratskonkurrenz mit dieser Thematik ein Motivationsproblem hatte.

Nach der Wahlordnung zum Niedersächsischen Personalvertretungsgesetz waren für den ersten NLBV Personalrat in Aurich aufgrund der Personalstärke (ohne die Bediensteten der Regierungsbezirkskasse Aurich und der Auricher Vorprüfstelle, die noch zur Außenstelle Aurich der Bezirksregierung Weser-Ems gehörten) 7 Personalratsmandate zu wählen.

Die Gewerkschaft ÖTV war die große Siegerin dieser Auricher Personalratswahl. **Fünf der sieben** Personalratssitze gingen an die ÖTV - ein erdrutschartiger Sieg. Zwei Mandate gingen an die Gemeinschaftsliste „DBB / VdL - Kritische Beamte".
In der konstituierenden Sitzung des neu gewählten Auricher NLBV Personalrats wurde ich zum Personalratsvorsitzenden gewählt. Da ich auch in den Gesamtpersonalrat des NLBV in Hannover gewählt wurde, blieb meine Vollfreistellung vom Dienst weiter erhalten.

„Der Erfolg hatte viele Väter"

Kurze Zeit nach dem Auricher Gartenfest 1998 hatte ich ein „Vier-Augen-Gespräch" mit dem Auricher NLBV Standortleiter. Der wahre Grund für diese Unterredung ist mir nicht mehr in Erinnerung. Tatsache ist jedoch (und somit trat der ursächliche Grund dieser Unterredung auch in den Hintergrund), dass mein Standortleiter mir zum Vorwurf machte, **dass ich wegen der Sicherung der Auricher Arbeitsplätze zu Unrecht die „Lorbeeren für diesen Erfolg ernte"** - **nach seiner Meinung „habe der Erfolg viele Väter"** (und er gehöre seiner Meinung nach auch zu diesen Vätern).

Rumms - jetzt hatte es gescheppert. Da hatte also jemand ein gewaltiges Problem mit seinem Ego. Diese Geschichte seiner eigenen mutmaßlichen Beteiligung an den Rettungsaktionen für Aurich, die ihm auch von politischer Seite abgesprochen wurde, muss ihm wohl keine Ruhe gelassen haben - nunmehr, etliche Monate nach den Entscheidungen über die Errichtung des NLBV, musste er sich wohl Luft verschaffen.

Somit entwickelte sich ein Streitgespräch das es in sich hatte. Mein Chef beschwerte sich darüber, dass die Presse mich für meine diesbezügliche Arbeit „über den grünen Klee hinaus lobte". „Sie ernten die Lorbeeren, und andere aktive Mitstreiter gehen leer aus", so mein Auricher Boss, um fortzufahren, „dass der Erfolg für Aurich viele Väter habe". „Ich wäre es den anderen Mitstreitern schuldig, von diesem Kuchen auch etwas abzubekommen".
Jetzt platzte mir langsam der Kragen, und ich habe meinem Standortleiter knallhart zu verstehen gegeben, „dass er politisch zur Rettung des Behördenstandortes Aurich und zu seiner Arbeitsplatzerhaltung <u>nichts</u> bewegt hat". Zu dem Zeitpunkt, wie er im Spätsommer / Frühherbst 1996 aus Oldenburg kommend in Aurich Außenstellenleiter wurde, hatten wir unsere Arbeitsplätze und unseren Standort schon fast in „trockenen Tüchern". Die dauerhafte Stellenbestandsgarantie und die Behördenstandort-garantie auf meine Initiative sei schon im Februar 1996 von Landtag und Landesregierung getroffen worden, und welche Aufgaben wir zukünftig in Aurich zu leisten haben, deutete sich schon kurze Zeit nach „dieser Februarentscheidung" ab - „In

dieser Geschichte haben Sie keine Aktien drin", habe ich dem Kollegen klar zu verstehen gegeben! Abschließend habe ich deutlich gemacht, dass seine Mitarbeit in der Projektgruppe „Aufbauorganisation des NLBV" zwar löblich aber doch bedeutungslos sei, „denn durch eine behördliche Projektgruppe, das lehrt uns die Geschichte unseres Landes, ist bisher noch **kein Arbeitsplatz und kein Behördenstandort politisch geschaffen bzw. gesichert worden**".

Mein Chef maulte zwar noch ein bisschen an meinen Ausführungen rum, um abschließend deutlich anzumerken, dass er zu seiner Einstellung in dieser Frage steht. Doch an meinen Ausführungen und an meiner Meinung änderte er nichts.

Nunmehr war das Tischtuch zwischen meinem Standortleiter und mir nachhaltig zerrissen. Ich war mir damals schon sicher, dass ich einen Feind hinzugewonnen hatte (was sich in den kommenden Jahren auch deutlich zeigen sollte)!

Kollegen sehen mehr, als ich wahrhaben wollte

Nach Beendigung einer Personalratssitzung im Herbst 1998 wurde ich von einer Kollegin unter „vier Augen" gefragt, ob es mir gesundheitlich nicht gut geht, denn sie hätte beobachtet, dass ich bei geistiger Anspannung und Stress leicht zittere - vor allem mit dem Kopf.

Die Frage der Personalratskollegin nach einer Erkrankung habe ich verneint, und angemerkt, dass ich wohl die Nacht zuvor nicht gut geschlafen habe.

Tatsache ist jedoch, dass meine Frau und auch meine beiden Söhne (die damals noch im Elternhaus wohnten) dieses Phänomen des „leichten Zitterns" bei mir schon seit vielen Jahren kannten - vor allen Dingen wenn ich mich in Stresssituationen befand.

Dieses „leichte Zittern" mit dem Kopf war mir seit 1969 bekannt. Dieses Krankheitsphänomen war nicht nur ärgerlich und störend - ich war auch stinksauer, dass gerade mir dieses passieren musste.

Über Ursachen musste ich nicht lange nachdenken, diese waren mir sehr wohl bekannt - verstärkt wurde diese gesundheitliche Beeinträchtigung durch den Stress und die jahrelange Dauerbelastung.

Zum Verlauf des Auricher Gartenfestes im Jahre 1999 ist an anderer Stelle schon alles gesagt worden. Da dieses Fest aber mit weitem Abstand die größte Veranstaltung war, die wir jemals durchgeführt hatten (vom Umfang, von der Ausstattung mit zusätzlich großem Zelt und dergleichen und vom finanziellen Risiko her), war deren Vorbereitung auch sehr intensiv und arbeitsaufwendig.

Nachdem jedoch durch die große Besucherresonanz und durch den Umsatz das finanzielle Risiko gegen 19 Uhr schon gleich Null war, rebellierte mein Körper. Meine „Pumpe" fing ab ca. 19 Uhr dermaßen an zu spinnen, dass ich Schmerzen in der Brust verspürte, wackelig auf den Beinen war und es mir auch sonst richtig dreckig ging. Ich habe mich dann sofort in mein Büro zurückgezogen (denn diese Schwäche sollte ja vom Publikum nicht wahrgenommen werden). Da sich mein Wohlbefinden jedoch nicht besserte, habe ich eine Personalratskollegin gebeten, die Kasse zu übernehmen, da ich mich jetzt Richtung Heimat in Bewegung setzen würde, um mich zu erholen.

Doch im Laufe des Abends war der Spuk vorbei, sodass ich um 2 Uhr nachts wieder nach Aurich düste, um mit den Aufräumarbeiten zu beginnen, denn bis Freitagmittag sollte der Festplatz wieder vollständig aufgeräumt sein (so wie immer).

Anzumerken ist noch, dass ich in den nachfolgenden Wochen und Monaten keine Probleme mehr mit der „Pumpe" bekam - es musste also doch wohl nur die Überbelastung in Verbindung mit dem Gartenfest gewesen sein - so meine damalige Einschätzung (das es „ein Schuss vor dem Bug war" habe ich als Warnsignal schlichtweg verdrängt - und erst im April 2000 akut zur Kenntnis nehmen dürfen).

Doch eine krankheitsbedingte dienstliche Schwäche bzw. eine längere Auszeit durch Krankheit konnte ich mir nicht leisten, weil diese Kurzlegislaturperiode des neugewählten Personalrats schon Ende März 2000 wieder endet (das neue NLBV hatte sich zu dem Zeitpunkt wieder in den normalen Personalratswahltermin des Landes einzuklinken).

Leichte gesundheitliche Probleme verdrängen ist natürlich nicht die Lösung, das hätte ich eigentlich aus meiner einschlägigen Erfahrung von Oktober 1965 bis Ende März 1970 (incl. Ausbildung von 12 Monaten) wissen müssen.

Projektgruppe „Konzentration der Vollstreckung in Aurich"

Für die organisatorische Anbindung der Vollstreckungsaufgaben an den Standort Aurich und die Übernahme dieser Aufgabe durch das NLBV wurde ab November 1998 eine Arbeitsgruppe in Hannover eingerichtet.

Seinerzeit wurde ich als Mitglied dieser Projektgruppe „P 53" nominiert. Da ich jedoch von den Vollstreckungsaufgaben soviel Ahnung hatte wie „der Papst vom Babysitting", habe ich dieses Mandat an einen Fachmann der Regierungs- bezirkskasse weitergegeben. Dieses rief jedoch beim NLBV Hannover Wut und Empörung hervor, was den dortigen Abteilungsleiter 1 (ab 2003 Präsident des NLBV) dazu veranlasste, mir wegen meiner „Eigenmächtigkeit" mal die Leviten lesen zu müssen (wahrscheinlich aus Rache, weil ich ihn als Projektgruppenleiter „Aufbauorganisation des NLBV" nicht gut aussehen ließ).

Doch bekanntlich gehören immer zwei zum „Levitenlesen" - einer der meint die Leviten lesen zu müssen, und einer der sich dieses geduldig und kommentarlos anhört. Da ich jedoch bei solchen Anlässen weder geduldig noch sprachlos bin, hat er anschließend sicherlich darüber nachgedacht, ob es sinnvoll war mir eine Predigt zu halten. Tatsache ist, und da habe ich auch gar keine Zweifel zugelassen, dass der Fachmann der Regierungsbezirkskasse Aurich Mitglied der „P 53" blieb, und er somit mit viel Sachverstand das Projektgruppenergebnis entscheidend für die anschließende Aufgabenstellung in Aurich beeinflussen konnte.

Die Projektgruppe hatte ermittelt, dass im „Ist-Zustand" 67 Stellen für die Vollstreckungsaufgaben landesweit verstreut in Behörden untergebracht waren. Im Soll-Konzept für das Dezernat 36 beim NLBV Aurich wurde ermittelt, dass insgesamt 50 Stellen in einem künftigen zentralen Vollstreckungsdezernat eingesetzt werden. Diese Stellenzahl ist ein Richtwert, so heißt es im Projektgruppenbericht, der auf seine Plausibilität überprüft werden muss, wenn der Vollstreckungsbereich vollständig in Aurich eingerichtet ist. Die Aufgabenkonzentration soll ab 1. Januar 2000 beginnen und in vier Stufen bis zum 1. Juli 2002 abgeschlossen sein.

Das Landeskabinett hat Ende 1999 dieser Aufgabenkonzentration Vollstreckung beim NLBV Aurich zugestimmt, sodass die am 23. April 1997 im Landtagsgespräch mir zugesicherte Stellenkonzeption für den Behördenstandort Aurich nunmehr politisch abgeschlossen war. Wie an anderer Stelle schon angedeutet, benötigte die im April 1997 von der Landesregierung zugesicherte Aufgabenkonzentration der Beihilfen für die Pensionäre in Aurich keinen Kabinettsbeschluss, denn diese können per Weisung des Finanzministeriums vom NLBV Hannover zum NLBV Aurich in Marsch gesetzt werden.

Damit war meine Arbeit und mein Einsatz für den Erhalt der Auricher Arbeitsplätze nach langem Kampf und viel Mühen nunmehr endgültig abgeschlossen.

Auricher NLBV Standortleiter bezweifelt die Stellenbestandsgarantie

Schon im Laufe des Jahres 1998 wird seitens des Auricher NLBV Standortleiters vorsichtig angedeutet, dass er die Stellenbestandsgarantie für Aurich anzweifelt. Ich habe ihn bei solchen Redewendungen immer darauf hingewiesen, dass ich diese skeptische Haltung nicht teile.
Am 2. Juni 1999 hat dann auch **Finanzminister Heiner Aller** bei seinem Besuch in Aurich in einer Dienstversammlung deutlich

gemacht, dass die Landesregierung zu den Beschlüssen aus Februar 1996 steht. So auch in der Presseerklärung des Finanzministers gegenüber den **Ostfriesischen Nachrichten**, veröffentlicht am 3. Juni 1999. Dort heißt es;

„Aller: 330 Stellen sind in Aurich gesichert
Heinrich Aller in der Dienstversammlung des NLBV

the **Aurich.** Mit rund 330 Beschäftigten ist Aurich als einer von vier Standorten des Niedersächsischen Landesamtes für Bezüge und Versorgung (NLBV) ein wichtiger Arbeitgeber. „Das ist von der Größenordnung ein mittelständisches Unternehmen, dass so auch geführt wird, und Bestand hat", erklärte gestern Niedersachsens Finanzminister Heinrich Aller in einer Dienstversammlung der Behörde in der Stadthalle „Brems Garten". Etwa 1.100 Mitarbeiter hat die am 1. Januar 1998 im Zuge der Verwaltungsreform geschaffene selbständige obere Landesbehörde, die (wie die ON berichteten) seit Mai von Dr. Lothar Hagebölling mit den Dienstsitzen Aurich und Hannover geführt wird. Weitere Standorte sind Lüneburg und Braunschweig. Die Entscheidung, dem Standort Aurich eine besondere Bedeutung zuzumessen, ist mit Blick auf die Strukturschwäche dieser Region geschehen. Andererseits sind wir von der Leistungsfähigkeit, dem Einsatzwillen der hier Beschäftigten überzeugt", so der Minister. Insofern sei die **Sicherung von 330 Stellen** ein wichtiger Beitrag zur Arbeitsmarktpolitik in Ostfriesland.
Das Land habe den Auftrag, die Arbeit der Verwaltung durch Konzentration von Behörden sowie den Einsatz von modernen Informations- und Kommunikationssystemen effektiver und kostengünstiger zu machen. „Es ist nicht einfach, Reformen zielentsprechend durchzusetzen, sind davon doch Mitarbeiter betroffen", so Minister Aller, um dabei den NLBV Bediensteten in Aurich ein Lob auszusprechen: „Hier ist hochwertige Technologie kundenorientiert schnell umgesetzt worden".
Wie Aller weiter mitteilte, wird die Bearbeitung der Beihilfen für alle Landesbediensteten ab dem 1. Oktober 2000 in Aurich konzentriert, wo dann pro Jahr allein rund 400.000 Beihilfeanträge bearbeitet werden. „Es ist nicht einfach, Personal in Landesbehörden abzubauen und gleichzeitig die Leistungsfähigkeit der Ämter zu verbessern", erklärte Minister Aller. Ende des Jahres

wird seiner Aussage nach die Regierungsbezirkskasse in Aurich aufgelöst. Die betreffenden Mitarbeiter werden vom NLBV übernommen. Dieses übernimmt auch die Aufgaben der Vollstreckungen des Landes wahrzunehmen. Diese Zentralisierung soll bis zum Juli 2002 realisiert werden.

In Aurich werden gegenwärtig die Bezüge, Gehälter und Löhne von 385.000 Beschäftigten im öffentlichen Dienst bearbeitet. Um die entsprechenden Vorgänge schnellstmöglich umsetzen zu können, wurden in den vergangenen Monaten in Aurich für Modernisierung des NLBV technisch und baulich etwa 5,5 Millionen DM investiert.

„Wir haben in Aurich ein Dienstleistungsunternehmen geschaffen, das sich im Vergleich zu privaten Firmen sehen lassen kann. Wir versuchen erfolgreich, solide Haushaltspolitik mit einer modernen Staatsführung auf einen Nenner zu bringen", erläuterte Heinrich Aller bezogen auf mögliche Privatisierung von Arbeitsbereichen. Wie er darstellte, wird auch bezogen auf den Standort Aurich überlegt, die durch Übernahme zusätzlicher Aufgaben entstehende unzumutbare Mehrbelastungen durch zeitbefristet eingestellte Mitarbeiter auszugleichen. „Wichtig ist aber doch, dass dieses Landesamt in Aurich **auf Dauer Bestand** hat".“

In vorstehender Presseerklärung des Finanzministers Heiner Aller wird noch einmal deutlich hervorgehoben, dass die Landesregierung sich zu der Stellenbestandsgarantie von 330 Stellen und dem dauerhaften Bestand des Behördenstandortes für Aurich bekennt!

Doch auch diese klare Aussage des Finanzministers verfehlte beim Auricher NLBV Standortleiter jedoch scheinbar seine nachhaltige Wirkung. In einer Presseerklärung vom 1. Februar 2002 gegenüber den **Ostfriesischen Nachrichten** erklärt der Auricher NLBV Standortleiter:

(Zitat) „Keller pocht auf eine dauerhafte Stellenbestandsgarantie von 330 Stellen, die die Landesregierung (der damalige Innenminister Gerhard Glogowski) und der Landtag abgegeben hätten, **Deren Wert schätzt Behördenleiter „(…)" eher geringer ein**"!

Mit dieser öffentlichen Äußerung, die der damalige Auricher NLBV Standortleiter ca. 6 Wochen vor der damaligen Auricher Personalratswahl abgab, die aufgrund von Rücktritten der „Kritischen" aus dem Auricher NLBV Personalrat erforderlich wurde, hat der NLBV Standortleiter unerlaubt, einseitig und wider besseren Wissens in den Personalratswahlkampf eingegriffen, indem er meine Konkurrenz in ihrer eigenen Argumentation stärkte!

Doch damit noch nicht genug: In einer Presseerklärung vom 29. März 2004 in den **Ostfriesischen Nachrichten** erklären der neue NLBV Präsident Gert-Christian Barte und der Auricher NLBV Standortleiter: „**Landesamt im Schloss stärker: Für Zukunft gilt 300 plus X.**" Den weiteren Text erspare ich mir.

Anmerkung: Welch Ironie; „Für Zukunft gilt 300 plus X" - dem kann ich nur hinzufügen, …denn sie haben nichts verstanden!

Selbst in einer Presseerklärung in der **Ostfriesen Zeitung** vom 27. Januar 2007 wurde der NLBV Standortleiter nicht müde, reale Beschlüsse der Landesregierung und des Landtages weiterhin zu ignorieren, Im letzten Satz dieser Presseerklärung heißt es nämlich wiederum: (Zitat) „**Am Ende versicherte Dienststellenleiter (…) werde die Behörde in Aurich den zugesicherten Personalstand von 300 und mehr Leuten erreichen**".

Auch hier wird die Realität der zugesagten Garantien schlichtweg vernebelt. 300 Leute (Mitarbeiter) sind nicht gleich 300 Vollzeitstellen! Durch Teilzeitarbeit und dergleichen sind „300 Köpfe" beispielsweise vielleicht nur auf 280 bis 290 Vollzeitstellen eingesetzt. Es tut mir leid, aber solche unseriösen Zahlenspielereien mit Stellen auf denen Kolleginnen und Kollegen ihren täglichen Job verrichten, kann ich nur noch als Taschenspielertricks bezeichnen. Mit solchen Methoden will man nur vor Realitäten weglaufen!

Zurück zu 1999

Personalversammlung vom 30. September 1999

Bei dieser Personalversammlung hatte ich volles Haus, war es doch die erste Versammlung unter der Fahne des NLBV. Zu dieser Personalversammlung hatte ich mich gut vorbereitet, denn es gab wegen des Reformtempos nicht nur positives zu berichten. Neben mir hatte Dr. Lothar Hagebölling als Präsident des NLBV Platz genommen, und mir genau gegenüber, in der ersten Besucherreihe, saß unser Auricher NLBV Standortleiter.

Rückblickend habe ich über die Entstehung des NLBV referiert, und habe deutlich gemacht, was die Landesregierung im Gegenzug von uns erwartet. Doch das, was im NLBV aus dieser Erwartungshaltung der Landesregierung bisher gemacht wurde, widerspricht jeglicher Logik. „Es kann nicht sein, dass 20 Reformschritte auf einmal und zusammen durchgeführt werden - wer soll dieses Tempo durchhalten und die Materie gleichzeitig verinnerlichen? Machen wir in diesem Tempo so weiter, werden wir aus der nächsten Kurve rausgetragen, „und fahren das NLBV voll gegen die Wand!"

Das in der Auricher Dienststelle nicht nur jüngere Kollegen arbeiten, die mit dem Computer groß wurden, sondern auch viele ältere Kolleginnen und Kollegen, die diese Erfahrungen nicht mitbringen (das ist so ähnlich wie Bauzeichnen ohne Lineal), wird durch dieses von der Dienststelle geforderte Reformtempo jung und alt in der Leistung nicht nur gegeneinander ausgespielt, sondern die älteren Kollegen werden schlichtweg auch noch überfordert und überbelastet. Für diese Kritik erhielt ich großen Beifall der Personalversammlungsbesucher.

Mein Gegenüber, unser Auricher Standortleiter, den ich bei meinen Ausführungen beobachtete, platzte fast vor Wut und wechselte dabei seine Gesichtsfarbe sekündlich von grau bis rot (ich musste mir schon fast Sorgen um seine Gesundheit machen).

Dr. Lothar Hagebölling hat in seiner Erwiderung zu meinen Ausführungen angekündigt, dass die Behördenleitung darüber nachdenken will, wie man den Reformdruck mildern kann - auf jeden Fall soll das Reformtempo reduziert werden. Bei der

Auricher Standortleitung galt damals der Leitspruch: „Hannover muss nicht alles wissen was in Aurich passiert ". Jetzt dürfte auch wohl klar sein, warum unser Boss bei meinen Ausführungen fast platzte.

Kurze Zeit nach der Personalversammlung war aus der Beihilfe aus mehreren Quellen zu vernehmen, dass der Auricher Standortleiter gesagt haben soll (sinngemäß): „Man muss nicht so genau bei der Abrechung des Antrages hinschauen, das kostet nur Zeit. Nicht die Qualität der Arbeit sei gefragt, sondern die Stückzahl der täglich bearbeiteten Beihilfeanträge"!?

Sieht so, wie zuvor geschildert, die Überlegung des NLBV aus, den Reformdruck für die Kolleginnen und Kollegen zu minimieren? In der Personalversammlung hat Dr. Hagebölling noch ausgeführt, dass die Qualität der Arbeit durch mehr Effektivität noch gesteigert werden kann - irgendwie passt beides nicht zusammen. Man kann einerseits die Qualität der Arbeit nicht durch mehr Effektivität steigern wollen, und andererseits in den Beihilfedezernaten dafür werben, dass man bei der Antragsbearbeitung nicht so genau hinsehen soll, um das Tagespensum nicht zu gefährden.

Effektiv ist sicher nicht, dass wir die maroden Landesfinanzen durch schlampige Bearbeitung der Beihilfeanträge weiter belasten, und die finanziellen Reformgewinne gleich wieder verschleudern.

Auricher Flurfunk

Es gab im Herbst 1999 Hinweise von unterschiedlichen Kollegen, die andeuteten, dass bestimmte Personen der Auricher Dienstellenleitung gemeinsame Sache mit etlichen Kollegen des Hauses gegen die damalige Auricher Personalratsmehrheit machen soll. Personen wurden nicht namentlich genannt (doch Andeutungen gab es etliche). Ziel dieser gemeinsamen Aktion soll angeblich sein, „die Reformverhinderer des Personalrats bei der Personalratswahl im März 2000 in die Wüste zu jagen (wörtlich)".

Das ich mir über diese Hinweise meine Gedanken machte, dürfte wohl verständlich sein. Aus der Geschichte der zurückliegenden 3

Jahre konnte ich mir ein Bild mit bestimmten Personen vorstellen, dass sogar ein abgerundetes logisches Ergebnis beinhaltete. Ich hatte nur ein Problem - ich konnte diese sachlichen und personellen Zusammenhänge nicht beweisen. Trotzdem war mir vollkommen klar, was und aus welcher Richtung an Ungemach auf mich zukommen würde…

Personalversammlung der Restbezirksregierungsaußenstelle Aurich im Dezember 1999

Zu dieser letzten Personalversammlung unter der Fahne der Bezirksregierung Weser-Ems waren auch die Kolleginnen und Kollegen des NLBV Standortes Aurich eingeladen. In seiner Ansprache ließ **Regierungspräsident Bernd Theilen** die Geschehnisse rund um die Verwaltungsreform aus Weser-Ems Sicht noch einmal Revue passieren.

Und dann kommt der Eklat: Während RP Bernd Theilen in seinem Vortrag meinen Einsatz und meine Ideen zur Lösung des Auricher Behördenstandorts- und Arbeitsplatzprobleme besonders würdigt, verlassen etliche Kolleginnen und Kollegen demonstrativ den Veranstaltungssaal (diese Kollegen waren übrigens schon alle im NLBV tätig). Daraufhin RP Bernd Theilen sinngemäß: „Man mag diesen Raum jetzt aus Protest verlassen, das ändert aber nichts daran, dass sie es Kollegen Gerhard Keller zu verdanken haben, dass Aurich auch weiterhin Standort einer großen Landesbehörde bleibt".

Im anschließenden Gespräch schüttelte Regierungspräsident Bernd Theilen über das Verhalten dieser flüchtenden Kollegen nur verständnislos den Kopf.

Ja, das geschilderte Verhalten etlicher Auricher Kolleginnen und Kollegen bei dieser letzten Personalversammlung der Bezirksregierung Weser-Ems in der Stadt Aurich, passte in das Bild der vorigen Abhandlung „Auricher Flurfunk".

Persönlicher Termin mit dem Präsidenten Dr. Hagebölling im Dezember 1999

Wegen den aus meiner Sicht unbefriedigenden Ereignissen der zurückliegenden Wochen, hatte ich einen persönlichen Gesprächstermin mit dem Präsidenten des NLBV, Herrn Dr. Lothar Hagebölling, vereinbart. Gleichzeitig habe ich darauf bestanden, dass der NLBV Standortleiter **nicht** an diesem Gespräch teilnimmt, da ich zu diesem Kollegen **kein** Vertrauen mehr hatte.

Dieses Gespräch unter „vier Augen" fand dann ein paar Tage vor Weihnachten 1999 statt. In diesem Gespräch habe ich Dr. Hagebölling ohne Umschweife darauf hingewiesen, welche aus meiner Sicht begründeten Verdachtsmomente ich gegen die Auricher Standortleitung hege, wie diese mir bekannt wurden, und habe daraus gefolgert, dass ich unter diesen negativen Umstände die Personalratswahlen beim NLBV Standort Aurich im März 2000 niemals gewinnen kann.

Herr Dr. Hagebölling, der von meinen Worten beeindruckt schien, merkte dann an: „Ihre Bedenken bezüglich ihrer Wahlaussichten teile ich nicht, denn das, was sie für Aurich geleistet haben, wird niemand der Kollegen in Aurich so schnell vergessen". Meine Verdachtsmomente gegen die Auricher Standortleitung seien sicherlich unbegründet, da er diesbezüglich zu seinem Standortleiter volles Vertrauen hat.

Da der Präsident mir jedoch helfen wolle, haben wir abschließend miteinander vereinbart, dass wir beide im Februar 2000 den MdL Hermann Bontjer zur Auricher Behörde einladen, mit ihm eine gemeinsame Veranstaltung (mit Rundgang durch die Büros der verschiedenen Abteilungen) mit anschließender Pressekonferenz durchführen. **Herr Dr. Hagebölling hat mir sein Wort gegeben,** das er den entsprechenden Termin und die Einladung an den MdL Hermann Bontjer, so wie miteinander vereinbart auch organisatorisch vorbereiten und durchführen will!

Fazit: Herr Dr. Hagebölling hat sein Versprechen **nicht** gehalten. MdL Hermann Bontjer wurde von Herrn Dr. Hagebölling **nicht**

über die Durchführung einer wie zuvor geschilderten Veranstaltung informiert! Auch ich habe in vorstehender Angelegenheit bis zum März 2001 nichts mehr von Dr. Hagebölling gehört! **Ein Präsident - ein Wort...**

Nachdem ich eine längere Erkrankung überstanden hatte (wie nachstehend beschrieben), habe ich mich mit Schriftsatz vom 16. März 2001 bei Herrn Dr. Hagebölling erkundigt, warum die kurz vor Weihnachten 1999 miteinander vereinbarte obige Veranstaltung nicht stattgefunden hat (ich wollte die Gründe für den Wortbruch in Erfahrung bringen). Mit Schreiben vom 22. März 2001 antwortete mir der **Präsident des NLBV** wie folgt:

„Sehr geehrter Herr Keller,

für ihr Schreiben vom 16. März, das mir gestern zugegangen ist, danke ich ihnen. Ich bedaure zwar sehr, dass sie ihre Fragen nicht zeitnah in die miteinander geführten Gespräche eingebracht haben, zumal ich immer den Eindruck einer offenen und vertraulichen Zusammenarbeit hatte. Gerne will ich ihnen jedoch auch auf diesem Wege antworten.

Nach meiner Einschätzung haben sie sich um die Errichtung unseres Landesamtes und die Absicherung eines starken Standortes Aurich mit einem deutlichen Zuwachs an Arbeitsplätzen bleibende Verdienste erworben. Über das aus regional- und strukturpolitischer Sicht für die Region Aurich sehr gute Ergebnis freue ich mich immer wieder. Aus gutem Grund habe ich ihnen deshalb sowohl persönlich im Beisein Dritter für ihr Engagement gedankt, als auch ihre Leistungen als Personalratsvorsitzender in der Personalversammlung am 30. September 1999 hervorgehoben. Schließlich habe ich ihre Verdienste auch gegenüber Herrn Dr. Schröder von der Ostfriesen Zeitung in Emden erwähnt, der diese Äußerung sogar veröffentlicht hat (**Anm.:** Nachstehend aufgeführt). Ich hatte <u>bisher</u> keinerlei Veranlassung von dieser Meinung abzurücken.

Im Übrigen bin ich ausgesprochen dankbar dafür, dass sich Herr Landtagsabgeordneter Bontjer als einer der politischen „Väter" für die neuen Arbeitsplätze in Aurich nach wie vor in Gesprächen und Besuchen intensiv für die Entwicklung des NLBV Standortes Aurich interessiert, und **Sie** mit Rat und Tat begleitet. Die Gespräche und Besuche von Herrn Bontjer sind stets auf dessen Initiative hin vor Ort abgestimmt worden. Ich habe auf die Termingestaltung keinen Einfluss genommen. Ich weiß die Verdienste von Herrn Bontjer um unseren Standort Aurich sehr gut einzuschätzen.

Sehr geehrter Herr Keller, gestatten sie mir eine Anmerkung zum Schluss, um auch für unsere weitere Zusammenarbeit Missverständnisse gar nicht erst aufkommen zu lassen. Während meiner fast 30jährigen Dienstzeit sind aus berufenem Munde stets meine absolute Objektivität und Loyalität sowie ein großes Bemühen um Gerechtigkeit gegen jedermann hervorgehoben worden. Ich gehe davon aus, dass sie sich dieser Einschätzung nach meinen klaren Worten anschließen können und betrachte die Angelegenheit deshalb als erledigt,

Mit freundlichen Grüßen - Dr. Hagebölling"

Anmerkungen zum obigen Schreiben: Herr Dr. Hagebölling bemängelt in seinem Schreiben, dass ich meine inhaltlichen Fragen aus dem Gespräch von kurz vor Weihnachten 1999 nicht zeitnah in den miteinander geführten Gesprächen eingebracht habe. Tatsache ist, dass ich bei den fraglichen Gesprächen keine Möglichkeit hatte, meine Fragen „unter vier Augen" mit Herrn Dr. Hagebölling zu erörtern - es sei denn, ich hätte ihm im Beisein Dritter damit konfrontiert und möglicherweise damit auch kompromittiert (das war nicht in meinem, und sicherlich auch nicht in seinem Sinne).

Beachtlich ist natürlich, dass Herr Dr. Hagebölling sich mit seinem Schreiben nahtlos in die Reihe der Protagonisten einordnet, die behaupten, dass Aurich mit einem <u>deutlichen Zuwachs an Arbeitsplätzen</u> bei der Gründung des NLBV gesegnet wurde. Dieses ist, wie ich an anderer Stelle schon beschrieben habe, nicht richtig!

Meine Fragen, warum er die im Dezember 1999 miteinander

getroffene Vereinbarung (wie zuvor beschrieben), für deren Einhaltung er sogar sein Wort verpfändete, nicht eingehalten hat, und somit wortbrüchig wurde, hat er in seinem Schreiben **nicht** beantwortet - hat diese Dinge mit **keinem** Wort erwähnt - hat stattdessen den **warnenden und mahnenden** letzten Absatz geschrieben!

Diesen letzten Absatz des Schreibens des Herrn Dr. Hagebölling möchte ich nicht kommentieren - es ist aber der Hinweis erlaubt, dass Anspruch und Wirklichkeit nicht immer übereinstimmen - erinnert man sich nur an die Rolle Dr. Hageböllings in der „Wulff Affäre", soweit diese damals in den Medien veröffentlicht wurde. Dabei will ich es auch belassen.

Zurück zu 1999.

Das Ende der Ära Regierung Aurich

Die Geschichte des Regierungsbezirks Aurich geht bis auf das Jahr 1751 zurück. Nachdem 1744 Carl Edzard, der letzte ostfriesische Fürst aus dem Hause Cirksena starb, fiel das Fürstentum Ostfriesland an König Friedrich II. von Preußen. Die Stadt Aurich war Sitz der Landesbehörden und einer Kriegs- und Domänenkammer. 1751 wurde Christoph Friedrich von Derschau als erster preußischer Regierungspräsident von Ostfriesland in Aurich eingesetzt.

1806 musste Preußen infolge des Vierten Koalitionskrieges seine Provinz Ostfriesland an das Königreich Holland abtreten. Von 1810 bis 1813 war Ostfriesland Teil des Kaiserreichs Frankreich. Nachdem die Provinz von 1813 bis 1815 wieder kurzzeitig zu Preußen gehörte, fiel sie nach den Abmachungen des Wiener Kongresses an das Königreich Hannover.
Zur Verwaltung des neu erworbenen Gebietes wurde am 17. Juni 1817 eine Provinzialregierung mit Sitz in Aurich gebildet. 1823 wurde daraus auf Grundlage der Landdrostei-Ordnung vom 18. April 1823 die Landdrostei Aurich als Mittelbehörde des Königreichs Hannover gebildet.

Nach der Annexion des Königreichs Hannover durch Preußen im Jahre 1867 blieben die hannoverschen Verwaltungsstrukturen zunächst bestehen. 1885 wurde schließlich aus der Landdrostei Aurich der Regierungsbezirk Aurich gebildet. Vorbild waren die bereits in den anderen preußischen Provinzen 1815/1816 errichteten Regierungsbezirke. Gleichzeitig wurde die alte hannoversche Verwaltungsgliederung in Städte und Ämter durch eine Gliederung in Kreise ersetzt.

Der preußische Regierungsbezirk Aurich mit Sitz in der Stadt Aurich stellte eine Mittelbehörde der Verwaltung der Provinz Hannover dar. Er war weitgehend deckungsgleich mit dem ehemaligen Fürstentum Ostfriesland; lediglich das Gebiet der Stadt Wilhelmshaven hatte bis 1853 zum Großherzogtum Oldenburg gehört und bildete bis 1937 eine Exklave des Regierungsbezirks Aurich. Der Regierungsbezirk Aurich bestand bis zum 1. Februar 1978 und ging dann gemeinsam mit dem Regierungsbezirk Osnabrück und dem Verwaltungsbezirk Oldenburg im neuen Regierungsbezirk Weser-Ems auf.

Am 31. Dezember 1999 war die Ära als Sitz einer mittelinstanzlichen Regierungsbehörde vorbei. Die Außenstelle Aurich der Bezirksregierung Weser-Ems gab es nun nicht mehr.

Dennoch ist der drohende Untergang des vorgenannten Behördenstandortes Aurich zum 31. Dezember 1999, wie Ende 1994 vom damaligen Finanzminister „Hinni" Swieter in einem dringenden Appell wegen der Verwaltungsreformgefahren für Auricher Arbeitsplätze gegenüber meiner Person in den Raum stellte („gelingt nicht der große Wurf für den Erhalt der Auricher Arbeitsplätze, macht am 31. Dezember 1999 der letzte von euch für immer das Licht hinter sich aus"), **vermieden worden.** Der „große Wurf" ist mir wie geschildert gelungen. Ich habe zwar nicht alle Ziele zu 100 % erreicht, bei der Frage des Standortes des Hauptsitzes des NLBV war die politische Lobby Hannovers mit kräftiger Unterstützung des Auricher Landrats, MdL und des „Norder Bürgers" „Hinni" Swieter unschlagbar, doch unterm Strich wurden die Arbeitsplätze in Aurich dauerhaft gesichert - und das ist was letztlich zählt - doch ich persönlich habe dafür einen teuren Preis bezahlt.

Personalratswahlen im NLBV im März 2000

Bei den Personalratswahlen beim NLBV Aurich im März 2000 bestätigten sich meine vorstehenden Verdachtsmomente. Diese Wahl konnte ich mit meiner ÖTV Liste in Aurich nicht gewinnen. Schon der Personalratswahlkampf verlief alles andere als fair - meine Konkurrenz hatte sich so richtig auf meine Person eingeschossen (natürlich unterhalb der Gürtellinie - mit Verlautbarungen gegen die man sich nicht wehren kann - denn, wo nichts ist, kann man sich auch nicht beweiskräftig verteidigen - man kann nur dementieren - mehr nicht, und das ist, wie man aus vielen Dementis weiß, viel zu dünn).

Trotzdem eroberten wir mit unserer ÖTV Liste 4 von 9 Personalratsmandate beim NLBV Aurich und holten zudem die meisten Wählerstimmen (die jedoch wegen des Gruppenwahlrechts für Angestellte und Beamte getrennt nicht von Bedeutung waren) - stellten also die stärkste Fraktion. Da jedoch DBB / VdL (2 Mandate) und „Kritische Beamte und Angestellte" (3 Mandate) vor der Wahl eine Zusammenarbeit miteinander vereinbart hatten, wählten diese Gruppierungen in der konstituierenden Sitzung des neugewählten Personalrats auch einen gemeinsamen Personalratsvorstand (alle drei Vorstandsposten gingen bezeichnenderweise an die „Kritischen"). Somit endete ab diesem Zeitpunkt auch meine Vollfreistellung.

Nach dieser Wahl unterbreitete Herr Dr. Hagebölling im Beisein meines Standortleiters mir den Vorschlag nunmehr erst meinen Resturlaub des Vorjahres von fast 4 Wochen in Anspruch zu nehmen, um anschließend einen neuen Arbeitsplatz als Sachbearbeiter anzutreten. In dieser Urlaubsphase sollte ich dann auch meine Augen zwecks zukünftiger Bildschirmarbeit auf Kosten der Dienststelle von einem Augenarzt untersuchen und per Attest auch bescheinigen lassen. Ein entsprechendes Anschreiben der Dienststelle für den Augenarzt wurde mir ausgehändigt.

Der Facharzt für innere Medizin zieht mich wegen akuter Herzprobleme aus dem Verkehr

In den Anfangstagen meines verordneten „Zwangsurlaubs" hatte ich wieder arge Probleme mit meiner Pumpe, die sich bei einer Untersuchung beim Kardiologen auch als problematisch herausstellten. Dieses auch deshalb, weil bei mir seit Geburt ein „Situs inversus totalis" bestand (vollständig spiegelbildliche Unterbringung aller inneren Organe mit Strömungsumkehr - somit ist das Herz bei mir auch tatsächlich am „rechten Fleck"). Übrigens: Diese Diagnose war der Dienststelle / Behörde seit meiner Einstellung im April 1970 bekannt. Da es hier nur wenige medizinische Erfahrungswerte mit diesem Personenkreis gab, war nunmehr Vorsicht geboten - verbunden mit etlichen Herzkathederuntersuchungen. Somit fiel ich bis zum Jahresende 2000 für meine Dienststelle aus (war ununterbrochen krank geschrieben).
Fazit: Ich hatte mich, wie die behandelnden Ärzte mir unmissverständlich zu verstehen gaben, in den zurückliegenden Jahren schlicht und einfach übernommen - hatte meinen Herzen zuviel an Stress und Belastungen zugemutet, Die Warnsignale, wie an anderen Stellen schon beschrieben, hatte ich ignoriert. Somit hatte ab sofort jegliche Belastungen zu unterbleiben - das war der dringende ärztliche Rat.

Meine fachärztlich attestierte Bildschirmuntauglichkeit und die dienstlichen Folgen

Am 11. April 2000 hatte ich auch die Augenuntersuchung zwecks Arbeiten am Bildschirm erledigt. **Fazit:** Es wurde bei mir eine Bildschirmuntauglichkeit attestiert, mit der Ausnahme, dass ich bis zu 30 Minuten auf den Tag verteilt, Informationen am Bildschirm sammeln kann (Mails usw.).

Am 12.10.2000 fand dann auf mein Ersuchen ein persönliches Gespräch mit dem damaligen Präsidenten des NLBV (Herrn Dr. Lothar Hagebölling) und dem jetzigen Präsidenten der OFD-LBV (Gerd Christian Barthe – seinerzeit Abteilungsleiter des NLBV

Hannover) in der Sache statt. In diesem Gespräch erklärte Dr. Hagebölling (laut mir vorliegendem Gesprächsprotokoll): „Da eine Bescheinigung über eine PC-Untauglichkeit vorliegt, werde man diesen Umstand Rechnung tragen". - „Herr Dr. Hagebölling weist nochmals darauf hin, dass seitens der Dienststelle alles getan wird, um eine Verschlimmerung des Gesundheitszustandes auszuschließen". Abschließend gab ich den Gesprächsteilnehmern zu verstehen, dass ich auf Grund meines Einsatzes um den Behördenstandort Aurich keine Sonderbehandlung sondern nur eine faire Chance erbitte.

Bei Arbeitsaufnahme nach langer Erkrankung Mitte Dezember 2000, wurde mir. seitens des Auricher NLBV Standortleiters, der Arbeitsplatz eines Trennungsgeld- Umzugskostensachbearbeiters übertragen. Da es sich hierbei um einen Arbeitsplatz handelte, der mit überwiegender Bildschirmarbeit verbunden war, wurden mir Hilfen zur Reduzierung der Bildschirmarbeit angeboten.

Ich habe seinerzeit überlegt, ob ich diese Arbeitszuweisung der Dienststelle ablehnen soll, zumal die Kollegen in der Trennungsgeld- Umzugskostenabteilung mir versicherten (incl. des Gruppenleiters), dass die mir von der Dienststelle zugesagten Hilfen nicht funktionieren können. Diese Überlegung habe ich jedoch verworfen, weil mir dann durchaus eine Arbeitsverweigerung unterstellt werden könnte. Da ich meine „Pappenheimer" nun mal kannte, konnte es durchaus möglich sein, dass die nur auf meine Weigerung warteten.

Die Hilfe (externe Schreibdiensthilfe für die PC-Aufgaben) zur Vermeidung der Bildschirmarbeit erwies sich jedoch wegen Überlastung der Schreibkraft (einzige Schreibkraft für die gesamte Auricher Dienststelle) binnen weniger Wochen als undurchführbar. Dieser Umstand ist der Dienststellenleitung auf dem Dienstweg auch umgehend mitgeteilt worden. Dienststellenreaktion: „Gleich Null". Um den Arbeitsplatz nicht gänzlich durch die zu zeitaufwendige externe Schreibhilfe absaufen zu lassen, habe ich fortan alle Aufgaben am PC eigenständig erledigt, in der Hoffnung, dass die Dienststelle mich nicht hängen lässt.

Obwohl ich diese veränderte Geschäftsgrundlage der Dienststellenleitung wiederum auf dem Dienstwege mitteilte, verblieb es trotzdem bei der vollschichtigen rechtswidrigen Bildschirmarbeit (so etwas nennt man dann auch wohl „vollendete Fürsorgepflicht des Dienstherrn" - bzw. vorsätzliche Körperverletzung im Amt).

Nun entwickelte sich meine Bildschirmarbeit zu einem ständigen „Zankapfel" zwischen der Dienststelle und mir - die Dienststelle blieb weiterhin „tatenlos" und ich stellte die Forderung nach einem bildschirmfreien Arbeitsplatz. Nach einer weiteren längeren Erkrankung im Jahre 2002 schickte mich die Dienststelle „zwecks Feststellung meiner Dienstfähigkeit" zum Amtsarzt. In dem Anforderungsschreiben an den Amtsarzt fordert die Dienststelle auch, dass der Amtsarzt zu meiner Bildschirmuntauglichkeits-bescheinigung meines Augenarztes Stellung nehmen soll.

In seiner Stellungnahme vom 20. Januar 2003 schreibt der Amtsarzt zu der aufgeworfenen Frage der Dienststelle: „Das von dem behandelnden Augenarzt ausgestellte Attest hinsichtlich der Untauglichkeit für Bildschirmarbeiten habe ich zur Kenntnis genommen". Damit hat der Amtsarzt die Dienststelle nicht aus der Fürsorgepflicht des eigenen Handelns entlassen.

Mein Dienststellenleiter hatte nach der Stellungnahme des Amtsarztes nichts Sinnvolleres zu tun, als den Attest meines Augenarztes als „**Gefälligkeitsattest**" abzuqualifizieren. In diesem Zusammenhang hielt er mir sogar wörtlich vor: „**Wenn sie bildschirmuntauglich sind, dürfen sie auch kein Auto fahren**" (Uff
starker Tobak – was hat das eine mit dem anderen zu tun?). Dieser Kleinkrieg wurde so lange geführt, bis der Dienststellenleiter im späten Frühling 2003 von mir forderte, ein neues augenärztliches Gutachten erstellen zu lassen. Der Augenarzt wurde diesmal „natürlich" von der Dienststelle bestimmt (ich bin dieser Aufforderung auch gerne nachgekommen). **Fazit**: Das Attest meines Augenarztes aus dem Jahre 2000 wurde von dem neuen, von der Dienststelle bestimmten augenärztlichen Gutachter im vollen Umfange bestätigt - eine schallende Ohrfeige für meinen NLBV Standortleiter! Aber auch hier gab es postwendend die Quittung - ich durfte weiterhin Bildschirmarbeit verrichten.

Legt man jetzt die o. a. Kernaussagen des damaligen Präsidenten des NLBV vom 12.10.2000 zugrunde, dass die Dienststelle Rücksicht auf meine Bildschirmunfähigkeit nehmen wird, so gibt es jetzt nach der zweiten von der Dienststelle initiierten Augenuntersuchung, eine gewaltige Diskrepanz zwischen Anspruch und Wirklichkeit zu vermelden! Geltendes Arbeitsrecht und fürsorgerechtliche Bestimmungen wurden hier von dem NLBV Standortleiter mit Füßen getreten!

In der Zwischenzeit hatte ich mich bei anderen Behörden und Dienststellen erkundigt, ob vergleichbare Fälle von „Bildschirmuntauglichkeit" bekannt sind. Und - ich bin in zwei Fällen fündig geworden. In Behörde „A" gab es für einen bildschirmuntauglichen Sachgebietsleiter eine persönliche PC-Kraft, und in Behörde „B" für einen Sachbearbeiter einen gesondert zugeschnittenen Arbeitsplatz ohne Bildschirmarbeit (in beiden Fällen ohne große Diskussionen und ohne Einwirkungen von außen - das war, so wörtlich, „unsere Pflicht und Schuldigkeit nach unseren dienstlichen Fürsorgerichtlinien")!

Auch diese eigenen Ermittlungen wurden der Auricher Dienststelle mitgeteilt, ohne dass sich an meiner Situation irgendwas änderte.

In vorstehender Angelegenheit habe ich in den Jahren 2005 / 2006 eine Petition über diese unhaltbaren Zustände an den Landtag gerichtet. Im Zuge dieser Petition wurde auch eine Stellungnahme des zuständigen Ministeriums (Finanzministerium) eingeholt, die ihrerseits wiederum eine Stellungnahme des NLBV Standortes Aurich auf dem Dienstweg einforderte (weil diese den Sachverhalt aus erster Hand schildern konnte). Der anschließende Beschluss des Landtages aus dem Jahre 2006 über meine Petition. und die dazugehörige Stellungnahme des Finanzministeriums erhielt ich in Wege der Sach- und Rechtsaufklärung zur Kenntnis.

In dieser besagten Stellungnahme des MF steht „schwarz auf weiß": **„Inwieweit Herr Keller von den ihm angebotenen Hilfen Gebrauch macht, wurde in sein Belieben gestellt".** Neben der rechtlichen Unzulänglichkeit dieser Feststellung in der Stellungnahme des MF ist festzuhalten, dass mir zu keinem Zeitpunkt diese feststellende Darstellung der Dienststelle, weder in schriftlicher noch mündlicher Form übermittelt wurde! Außerdem widerspricht diese Darstellung den geschilderten Feststellungen und Anordnungen des Präsidenten des NLBV in dem Gespräch vom 12.10.2000! Wäre dieser Kernsatz des MF Ergebnis eines von der Dienststelle unterbreiteten Arbeitsplatzangebotes gewesen, hätte ich diese Mogelpackung niemals akzeptiert – das weiß auch die Dienststelle! Somit stelle ich fest, dass der geschilderte Kernsatz aus der Stellungnahme des MF **nicht der Wahrheit entspricht**. Hier handelt es sich eindeutig um eine **faustdicke Lüge** aus niederen Beweggründen!

Die Wahrheitswidrigkeit in der Stellungnahme des Finanzministeriums habe ich dem Landtag umgehend mitgeteilt, und um weitere Aufklärung in der Sache gebeten.

Da wurde also der Niedersächsische Landtag in einer behördlichen Stellungnahme zur Aufklärung eines beanstandeten Sachverhalts wissentlich belogen, um bestimmte Unzulänglichkeiten zu vertuschen! Ein beachtlicher und ungeheuerlicher Vorgang…

Stelle ich mir die Frage nach der Verantwortlichkeit für die besagte ungeheuerliche Lüge, komme ich aus objektiven Gründen zu dem Schluss, dass diese nicht unbedingt beim Finanzministerium in Hannover zu suchen ist.

Aus arbeits- und fürsorgerechtlichen Gründen kann man einen Arbeitnehmer niemals die Annahme rechtlich verpflichtender Arbeitshilfen in sein Belieben stellen, denn solche Regelungen sind sowohl für Arbeitnehmer als auch für Arbeitgeber rechtlich verbindlich! Somit ist festzustellen, dass die Dienststelle mit der Zuweisung eines Bildschirmarbeitsplatzes **eine Körperverletzung und Nötigung im Amt** begangen hat!

Diese Körperverletzung und Nötigung im Amt habe ich dann bei der Staatsanwaltschaft auch zur Anzeige gebracht. Da ich jedoch kein arbeitsgerichtliches Verfahren zur Abklärung der Sachaufklärung vorgeschaltet hatte, hat die Staatsanwaltschaft wegen fehlender Rechtsgrundlage meine Anzeige zurückgewiesen. Diese fehlende Voraussetzung habe ich dann unverzüglich nachgeholt, und eine Klage beim Arbeitsgericht Emden eingereicht.

Und jetzt kommt die große Kehrtwende der Dienststelle: Ende 2006, nach meiner geschilderten nochmaligen Eingabe beim Landtag - und nach meiner Klageerhebung beim Arbeitsgericht Emden, wurde ich von der NLBV Standortleitung in das Dezernat 33 „Bezügeberechnung" **auf einem bildschirmfreien Arbeitsplatz** umgesetzt.

Bei der Güteverhandlung des Arbeitsgerichts Emden im Jahre 2007 wurde dann festgestellt, dass durch die vorstehende Umsetzung nunmehr der Klagegrund entfallen sei - und dadurch auch die Wiederholung meiner geschilderten Anzeige bei der Staatsanwaltschaft wegen Körperverletzung und Nötigung im Amt.

Diese ganze Prozedur, wie geschildert, hätte die Dienststelle sich ersparen können, wenn man Ende 2000 die Weichen gleich richtig gestellt hätte - dann hätte man sich selbst und mir viel Ärger und Frust erspart! Doch die Dienststelle konnte damals bei mir scheinbar nicht über den eigenen Schatten springen. Ich bin davon überzeugt, bei jedem anderen Mitarbeiter des Hauses <u>wäre dieser eigener Schatten kein Hindernis gewesen</u>!

Zurück zum Jahr 2000

Presseveröffentlichung in der Ostfriesen Zeitung

Einer meiner Kollegen hatte der **Ostfriesen Zeitung** den Tipp gegeben, dass ich schon seit Monaten erkrankt sei. Daraufhin hat der Redakteur der OZ Dr. Heiner Schröder sich bei mir gemeldet, um ein „Porträt" über mich in der Zeitung zu veröffentlichen. Dem habe ich auch zugestimmt. Somit erschien am 2. Dezember 2000 nachstehende Presseveröffentlichung:

„In der zweiten Reihe von vorne anfangen von Heiner Schröder

Marienhafe. Nächste Woche arbeitet er wieder. Mit gemischten Gefühlen. 15 Jahre war Gerhard Keller Personalrat. Sozusagen hauptamtlich. Freigestellt, heißt das bei Behörden. Jetzt rückt der

Marienhafer wieder ins zweite Glied zurück. Nicht ganz freiwillig. Und erst recht nicht gerne. „Ich weiß nicht mal, was ich für einen Arbeitsplatz bekomme" sagt der 53-jährige. Er fängt wieder von vorne an.

Keller arbeitet beim Landesamt für Bezüge und Versorgung in Aurich. Mehr als 300 Mitarbeiter rechnen aus, wie viel Geld Beamte und Angestellte im öffentlichen Dienst bekommen. Es ist dem früheren Personalratsvorsitzenden Keller zu verdanken, dass dieses Amt überhaupt noch in Aurich existiert. Das sagt der Regierungspräsident. Das sagt auch der Präsident der neuen Behörde.

Aber das sehen nicht alle Kollegen so. Darum wurde er als Personalratschef in diesem Jahr abgewählt. Und damit tut sich Keller schwer. „Aber ich kann wegen einer verlorenen Wahl nicht gleich in Sack und Asche gehen".

Rückschläge kennt Keller. Seine erste Lehre als Orthopädiemechaniker ist umsonst, weil sein Chef gar nicht ausbilden darf. Dann will er Einzelhandels- und Großhandelskaufmann werden, bekommt aber eine schwere Lungenkrankheit und rannte fünf Jahre „von Sanatorium zu Sanatorium". Trotzdem schafft er seine dritte Ausbildung, diesmal als Verwaltungsangestellter.

Am 1. April 1970 fängt er bei der Regierung in Aurich an. Keller, der aus einer politisch aktiven Familie stammt, beginnt sich für die Personalratsarbeit zu interessieren. „Vieles bei der Behörde hat mir nicht gefallen", sagt er. Keller baut eine kleine Gruppe der Gewerkschaft ÖTV auf. 1984 hat er den ersten Erfolg. Er gibt zu: „Ich hatte damals wohl eine große Klappe".

Keller kommt in den Personalrat, wird außerdem Vertrauensmann der Schwerbehinderten und reist als Vermittler durch ganz Weser-Ems. „Die Behörden waren damals ziemlich uneinsichtig, wenn es um Behinderte ging", erzählt er. „Heute habe sich das gebessert".

1992 wählen ihn die Mitarbeiter der mittlerweile zur Außenstelle der Bezirksregierung gewandelten Behörde zum Personalratsvorsitzenden. Es beginnt eine turbulente Zeit. Die Landesregierung hat den festen Willen, bei der Verwaltungsreform die Auricher Behörde aufzulösen und nach Hannover zu schaffen.

Keller hat eine Idee: Die Behörde soll raus aus der Bezirksregierung und als Landesamt eigenständig werden. „Viele sagten damals: Der verkauft uns". Sein Vorschlag, das sagt er heute selber: „zerreißt eine Behörde".

Fast hätte es 100-prozentig geklappt. Aber in letzter Sekunde kippt die Entscheidung, das neue Amt komplett nach Aurich zu setzen. Es kommt zu einer seltsamen Lösung: Hannover und Aurich teilen sich das Amt und sogar den Präsidenten, der mal hier und mal dort ist. Wichtig für Aurich: Die über 300 Mitarbeiter behalten ihren Arbeitsplatz.

Nur Keller nicht. Er wird im März dieses Jahres als Personalratsvorsitzender abgewählt, ist nur noch einfaches Mitglied im Personalrat. Schon vorher ging es ihm gesundheitlich nicht gut. Er bekam anonyme Briefe, man warf dem „Guru Keller" vor, er gefährde Arbeitsplätze, man sei „seine Agitationen" Leid. Keller ist betroffen, geht zum Arzt. Der schreibt ihn sofort krank. Jetzt geht's ihm wieder besser. Keller will den Neuanfang wagen. „So schnell", sagt er, „wird mich meine Dienststelle nicht los". Aber ob er im Personalrat wieder mitarbeitet, das überlegt er sich noch dreimal."

Wiedereinstieg nach längerer Überlegung in die Personalrats- arbeit

Ja, ich habe mich seinerzeit nach längerer Überlegungsphase entschieden, Anfang 2001 wieder in die Personalratsarbeit als einfaches Personalratsmitglied einzusteigen. Dass dieser Schritt richtig und notwendig war, habe ich innerhalb kürzester Zeit im Plenum feststellen müssen.

In dem Personalrat, der nun schon über 9 Monate im Amt war, ging im wahrsten Sinne des Wortes „Kraut und Rüben" durcheinander. Ladungen und Tagesordnungen waren vielfach fehlerhaft; es wurden telefonische Abstimmungen in Mitbestimmungsangelegenheiten durchgeführt, ohne diese nachträglich im Plenum zu sanktionieren (teilweise wurden diese nicht mal in den Protokollen erwähnt); Ladungen zu Sitzungen erfolgten „nach Lust und Laune" (die Reihenfolge der Nachrücker bei Abwesenheit ordentlich gewählter Mitglieder erfolgte nicht nach Rangfolge, sodass es häufiger vorkam, dass Ersatzmitglieder im Dienst waren, jedoch von einem nachrangigen Nachrücker vertreten wurden); selbst ordentliche Mitglieder wurden ab und an von Ersatzmitgliedern vertreten, obwohl sie nicht ortsabwesend waren; die Personalratsprotokolle waren so „dünn", dass ein Außenstehender Betrachter (z. B. ein Verwaltungsgericht) damit nichts anfangen konnte und dergleichen mehr.

Diese schwerwiegenden Fehler habe ich in mehreren Personalratssitzungen scharf kritisiert, und dem Personalratsvorsitzenden meine Hilfe angeboten. Doch geändert hat sich nur wenig. Die Ursachen dieser Fehler lagen m. E. darin begründet, dass der Personalratsvorsitzende sich hartnäckig weigerte, sich für seine Aufgaben voll vom Dienst freistellen zu lassen (aus eigener Erfahrung wusste ich ja, dass selbst mit langjähriger Erfahrung, ein 8-Stunden-Tag nicht immer ausreicht, um den Job gründlich zu erledigen). Und als Personalratsneuling, der vorher noch nie ein Personalrat von innen erlebt hat, kann eine solche hartnäckige Weigerung der Vollfreistellung verheerende personalvertretungsrechtliche Folgen haben - wie im vorliegenden Fall. Selbst meine „Vier-Augen-Gespräche" mit dem neuen PR-Vorsitzenden, um ihn nicht weiter vor versammelter Mannschaft bloß zu stellen, haben nicht gefruchtet.

Die gemachten Fehler wiederholten sich ständig, und so wundert es nicht, dass sich diese Angelegenheit weiter hochschaukelte. Letztendlich habe ich den Personalratsvorsitzenden in einer Sitzung aufgefordert, sich bis zur nächsten Personalratssitzung zu entscheiden, ob er die Vollfreistellung nunmehr akzeptiert, ansonsten würde ich einen Antrag auf Abwahl des Personalratsvorsitzenden stellen, da wir uns sonst als Gremium bei dieser Fehlerhäufigkeit, die letztlich sogar zu Ungültigkeit von Personalratsbeschlüssen führen können, Unglaubwürdig und lächerlich machen.

In der darauf folgenden Personalratssitzung war schon mal überraschend festzustellen, dass bei den „Kritischen Beamten und Angestellten" nicht die Stammbesetzung anwesend war, sondern das der 1. stellv. Personalratsvorsitzende sich von dem „Dirty Harry" der Kritischen Beamten, dem Mann für`s Grobe, vertreten ließ.

Dann kam was bei vorstehender Besetzung kommen musste, die

Personalratssitzung begann und endete in einer üblen „Schlammschlacht" - also in einem Eklat. So wurde ich in der hitzigen Diskussion über die Vollfreistellung des Personalratsvorsitzenden von dem „Personalratskollegen für das Grobe" der „Kritischen Beamten und Angestellten" als „Verbrecher, Intrigant, Lügner und Betrüger" bezeichnet. Meine Aufforderung, sich für diese Entgleisungen zu entschuldigen, kam der Kollege nicht nach. Somit verlangte ich von dem Personalratsvorstand, diese persönlichen Verunglimpfungen des Kollegen wörtlich ins Protokoll aufzunehmen.

Das entsprechende Protokoll über die fragliche vorstehende Personalratssitzung, welches in der nächsten Sitzung zur Genehmigung anstand, war dann eine Frechheit ohne gleichen, denn diese vorstehenden Entgleisungen des Ersatzmitgliedes wurden dort mit keinem Wort erwähnt. Bei der Genehmigung des Protokolls dann die Überraschung, 5 Mitglieder des Personalrates stimmten der Niederschrift **nicht** zu - somit erlangte das Protokoll keine Gültigkeit, und musste neu erstellt werden.

Nach der Personalratssitzung wollten die Vorstandsmitglieder des Personalrats das fragliche Protokoll mit mir zusammen korrigieren. Doch es blieb bei einem Versuch, denn die Personalratsvorstandmitglieder der „Kritischen Beamten und Angestellten" waren nicht an der Wahrheit interessiert - konnten sich bei bestem Willen nicht mehr an den Verlauf der fraglichen Personalratssitzung erinnern. Somit blieb von der Wahrheit von dem Verlauf der fraglichen Personalratssitzung nur ein Torso übrig.

Im nächsten Schritt habe ich Herrn Dr. Hagebölling als Präsidenten des NLBV über diese Personalratsentgleisungen des fraglichen Beamten unterrichtet. Nachdem der fragliche Personalratsersatzkollege sich für seine schlimmen Unterstellungen nicht bei mir entschuldigte, hat die Behörde NLBV ein Disziplinarverfahren gegen den Beamten angestrengt. In diesem Verfahren wurden alle beteiligten Personalratsmitglieder von der Disziplinarführerin gehört. Fazit: Das entsprechende Vorverfahren endete in ein förmliches Disziplinarverfahren gegen den Kollegen (die ausgesprochenen Sanktionen gegen den Kollegen möchte ich hier aus Rücksicht auf den Kollegen jedoch nicht erwähnen).

Doch mit diesem Warnschuss kam keine Ruhe in den Personalrat - im Gegenteil, jetzt gab der Personalratsvorstand mir die Schuld an dem Disziplinarverfahren gegen den fraglichen Kollegen, denn nach wie vor könne man sich an die Entgleisungen des Kollegen nicht erinnern. Auch hinsichtlich der gemachten schwerwiegenden Fehler blieb die Personalratsführung uneinsichtig.

Daraufhin habe ich durch die Gewerkschaft ein entsprechendes Rechtsgutachten erstellen lassen, und diesen dem Personalrat auch zur Verfügung gestellt. Fazit: Der Inhalt dieses Gutachtens wurde einfach ignoriert. Somit blieb mir keine andere Wahl, als beim Verwaltungsgericht Oldenburg ein Beschlussverfahren mit dem Ziel des Personalratsausschlusses gegen den Personalratsvorstand und des fraglichen Kollegen zu erwirken. Auch über diesen Schritt habe ich den Personalrat mündlich und schriftlich informiert.

Nachdem mir vom Verwaltungsgericht Oldenburg die Klageerhebung bestätigt wurde (mit der Benennung des Aktenzeichens des Verfahrens), die auch mit gleicher Post an die Beteiligten ging (Personalrat des NLBV Aurich und der NLBV Standort Aurich), legten die Personalrats- und Personalratsersatzmitglieder der „Kritischen Beamten und Angestellten" ihre Personalratsmandate Ende des Jahres 2001 geschlossen nieder.

Diese Personalratskollegen der „Kritischen Beamten und Angestellten" mussten einen guten Berater gehabt haben, der diesen Kolleginnen und Kollegen den Rücktritt nahe legte, denn bei der Ausgangslage wäre mein Ausschlussantrag gegen bestimmte Personalratskollegen vom Verwaltungsgericht Oldenburg per Urteil entsprochen worden. Anzumerken ist, dass der Auricher NLBV Standortleiter auch ehrenamtlicher Richter am Verwaltungsgericht Oldenburg war.

Zu diesem Rücktritt etlicher Personalratskollegen beim NLBV Aurich war am 18. Dezember 2001 in den **Ostfriesischen Nachrichten** wie folgt zu lesen;

Anmerkung: Die in den Presseveröffentlichungen aufgeführten Namen, bis auf meinen eigenen, wurden aus Gründen des Persönlichkeitsschutzes nur mit den Anfangsbuchstaben des Familiennamen benannt.

„Landesamt Aurich: Rücktritte und Querelen im Personalrat
Von Weihnachtsstimmung keine Spur / Behördenleiter (…).: Neuwahlen wahrscheinlich.

rak **Aurich / Hannover.** Von Weihnachtsstimmung im Auricher Schloss keine Spur: Beim Personalrat des Niedersächsischen Landesamtes für Bezüge und Versorgung Aurich brennt die Luft. Und das liegt nicht an den Adventskerzen. Der Personalrat ist zum Teil zurückgetreten. Das teilte er gestern mit.

Bei der Nachfolgebehörde der ehemaligen Außenstelle der Bezirksregierung, dort arbeiten mehr als 300 Menschen, herrscht seit langem Streit im Personalrat. Und der hat seinen Auslöser auf einer Ebene, so Behördenleiter (…) gestern, „da können wir als Dienststelle nicht eingreifen".

Es geht um Beleidigungen und Unterstellungen, um Diffamierungen und mehr. Dinge, für die sich schon der Staatsanwalt in Aurich interessierte. (…) rechnet jetzt damit, dass die Behörde vorzeitig einen neuen Personalrat wählen müsse. Die Wahlen muss der Vorstand leiten, der seinen Rücktritt erklärte. So will es das Gesetz. Der Personalratsvorsitzende K., sein Stellvertreter K. und das Mitglied M., allesamt von der Gruppe der Kritischen Angestellten und Beamten, werfen die Brocken nach eigenen Bekunden hin. Die Erklärung, auch im Intranet der Behörde nachzulesen, wurde den Ostfriesischen Nachrichten zugespielt. Darin heißt es: Mehrere Vorkommnisse in den letzten Monaten, die einige Mitglieder des Personalrates sowohl dienstlich als auch privat erheblich in Mitleidenschaft ziehen, veranlassen uns zu diesem für manche vermutlich nicht nachvollziehbaren Schritt".

Seit zehn Jahren habe man sich gegen die Methoden eines Gerhard Keller - der war über Jahrzehnte Personalratschef und zählte als SPD Mann zur ÖTV - gewehrt. Der habe zuletzt einen „Privatkrieg" gegen viele geführt.

Keller selbst sieht keinen anderen Weg sich gegen Lügen und Diffamierungen zu wehren, als jeweils den Rechtsweg einzuschlagen, sagt er."

Am gleichen Tag und in der gleichen Zeitung war auch nachstehender Artikel abgedruckt:

„Keller: „Vorwürfe gehen bis in meine Privatsphäre"
Im Personalrat des Landesamtes hängt der Haussegen schief

rak **Aurich / Hannover.** „Diese Vorwürfe gehen bis in meine Privatsphäre, anonyme Schreiben, anonyme Anrufe bei mir Zuhause", dass habe er sich nicht gefallen lassen können. Der langjährige Vorsitzende des Personalrates beim Landesamt für Bezüge und Versorgung (vormals auch bei der Bezirksregierung), Gerhard Keller, will auf dem Rechtsweg bleiben.

Keller blickt zurück, versucht die Ursachen des Streits auszuloten: Vor der ersten Sitzung des neu gewählten Personalrats im März letzten Jahres, da habe er den der DAG nahe stehenden K. noch gewinnen wollen, ihn, Keller, zum Vorsitzenden zu wählen. Damals hatte die ÖTV vier Sitze bekommen, die kritischen Angestellten und Beamten drei, der Beamtenbund zwei Sitze. Der neue Vorsitzende brauchte fünf Stimmen. Die Fünfte wollte Keller sich bei Kollege K. besorgen, sagte er. Völlig überraschend sei dann aber K. selbst angetreten, mit Stimmen von den Kritischen und des Beamtenbundes gewählt worden. Keller habe ihm dann den Rat gegeben, sich von den Kritischen zurück zu ziehen. Ihm sei später vorgeworfen worden, so Keller, er habe K. „genötigt und erpresst". Keller dazu: „Ich bin bestimmt kein Kind von Traurigkeit. Ich war aber immer fair. Die Fetzen dürfen aber ruhig mal fliegen, hinterher musste man sich aber wieder in die Augen gucken dürfen". In die Augen blicken sie sich beim Personalrat schon lange nicht mehr. Keller erstattete Anzeige gegen sich selbst, ließ sein Verhalten von der Staatsanwaltschaft überprüfen. Die stellte ein, nachdem Kellers Verhalten nicht zu beanstanden war. Es sollen noch, im Protokoll festgehalten, andere Vorwürfe gegen Keller gefallen sein. „Verbrecher, Intrigant, Lügner, Betrüger", all das sei gefallen, diesmal vom stellvertretenden Personalrat U.. Keller: „Gegen den läuft jetzt sogar ein Disziplinarverfahren von der Dienststelle". Im Grunde sucht Keller noch immer nach Gründen, warum er aneckte: „Neid" könnte einer sein, sagte er, weil er damals so erfolgreich für den Erhalt der Behörde in Aurich gekämpft hat."

Im Januar 2002 hat das Verwaltungsgericht Oldenburg das von mir beantrage Verfahren gegen den Auricher Personalrat eingestellt, da durch den Rücktritt der fraglichen Personalratsmitglieder die Klagegrundlage entfallen sei. - Wie schon ausgeführt, die „Kritischen" müssen einen guten Berater gehabt haben.

Anmerkung

Hier an dieser Stelle möchte ich noch mal auf die Personalratsrücktritte der „Kritischen Beamten und Angestellten" aus Dezember 2001, sowie an deren Begründung zu diesem Schritt vom 18. Dezember 2001 in der Presse zurückkommen. In dieser Presseerklärung stand geschrieben: „Seit zehn Jahren habe man sich gegen die Methoden eines Gerhard Keller gewehrt. Der habe zuletzt einen „Privatkrieg" gegen viele geführt". Auch die „unglücklichen Erklärungen" (so will ich diese rückschauend mal gnädig bezeichnen) des Auricher NLBV Standortleiters in der gleichen Presseerklärung waren natürlich auch voll daneben.

Tatsächlich war das Personalratmitglied der „Kritischen" von März 1992 bis zum März 1996 mit meiner Gewerkschaft ÖTV in einer Koalition. Alle Personalratsentscheidungen dieser Koalition wurden auch von dem Kollegen der „Kritischen" zugestimmt (Kritik an unsere Arbeit wurde von dieser Gruppierung nicht bekannt). Vom März 1996 bis Ende 1997 war die Gewerkschaft ÖTV im Personalrat der Außenstelle Aurich der Bezirksregierung Weser-Ems in der Opposition. In dieser Zeit (wie beschrieben) hat der Personalratskollege der „Kritischen" zusammen mit den Beamtenbündlern (zusammen als Mehrheitsgruppe im Personalrat) versucht, meine Ergebnisse mit der Landespolitik und dem Landtag bezüglich der Rettung unserer Auricher Arbeitsplätze zu hintertreiben (wie beschrieben). Dieses habe ich jedoch erfolgreich unterbunden - und das Ergebnis meiner erfolgreichen Bemühungen mit Politik und Landesregierung hat mir in mein Handeln gegenüber dieser beschriebenen Personalratsmehrheit recht gegeben (etliche dieser Maulhelden haben anschließend im neuen NLBV Karriere gemacht). In der Zeit von 1998 bis März 2000, als die Gewerkschaft ÖTV im Auricher Personalrat 5 der 7 Mandate stellte, war von den „Kritischen" (weder von dem einzigen Personalratsmitglied noch von der Gruppierung selbst) etwas zu hören oder zu sehen. Erst kurz vor den Personalratswahlen im März 2000 tauchten die „Kritischen" mit unterirdischer Kritik gegen meine Person wieder aus der Versenkung auf. Anzumerken ist noch, dass ich von Anfang April

2000 bis Mitte Dezember 2000 krank geschrieben war (wie berichtet), und mich somit nicht in der Dienststelle befand. Erst im Laufe des Monats Januar 2001 habe ich mein Personalratsmandat wieder aufgenommen. Das ich mich anschließend gegen im Personalrat stattgefundene üble Nachrede und Beleidigungen (wie beschrieben) zur Wehr gesetzt habe, versteht sich wohl von selbst (nicht zu Unrecht bekam einer der Beteiligten der „Kritischen" ein formelles Disziplinarverfahren von der Behörde NLBV an die Fersen geheftet - für die er teuer bezahlt hat). **Wo sind da die in der Presse großmäulig verkündeten 10 Jahre geblieben, wo man sich angeblich gegen meine Methoden gewehrt haben will?**

Viel undurchsichtiger ist da schon die Haltung der Auricher Dienststellenleitung in vorstehender Angelegenheit gegen meine Person (und da meine ich einen ganz bestimmten Menschen, den ich an dieser Stelle nicht mehr als ehemaligen Kollegen bezeichnen möchte). Die Fakten sind für mich eindeutig, nur - ich kann diese nicht beweisen - sonst hätte ich ihn damals hops genommen (das wäre ich meinen damaligen angeschlagenen Gesundheitszustand schuldig gewesen!).

Somit kam bei der Personalratswahl im März 2002 was kommen musste - durch einen Personalratswahlkampf zu meinen Lasten (ich durfte das behördeneigene Intranet für Wahlzwecke nicht nutzen, während meine Konkurrenz durch den Personalrats-vorstand, der ja bis zur Neuwahl im Amt blieb, über dieses Medium Werbung gegen mich betrieb), und durch eine geringe Wahlbeteiligung, ging diese Wahl für mich verloren. Da ich jedoch Realist bin, war mir dieser Wahlausgang schon vorher klar. Trotzdem behielt ich mein durch die Wahl abgesichertes Personalratsmandat, obwohl die „Kritischen" dafür warben, mich mit der Neuwahl aus dem Personalrat entfernen zu wollen. Die „Kritischen" hatten ihr Wahlziel deutlich verfehlt, hatte ich doch mit meiner Liste nur **eine** Wählerstimme weniger als diese Gruppierung, wobei wir noch das Pech hatten, dass am Wahltag zwei meiner Kandidaten durch Krankheit ausfielen, und somit ihre Stimme nicht abgeben konnten. - Aber sei`s drum, dass ist Vergangenheit.

Erneute längere Erkrankung ab Sommer 2002

Diese wie vorher geschilderte Belastung bezüglich der mir zur Last gelegten Unwahrheiten und weiterer nicht schmeichelhaften Titulierungen war dann doch wohl etwas zuviel - meine Pumpe spielte wieder verrückt. Ich wurde von meinem Kardiologen wieder für etliche Monate aus dem Verkehr gezogen. Hinzu kam, dass mein Nervenkostüm deutlich gelitten hatte (auch hier wurde von einem Facharzt als Grund, Überbelastung, Stress und Mobbing diagnostiziert),

Von den Ärzten wurde mir dann dringend geraten, meine Ämter als Personalratsmitglied und als Schwerbehindertenvertreter aufzugeben, was ich dann auch im Oktober 2002 beherzigte. Schriftlich habe ich diese Mandatsniederlegungen dem Personalrat und der Dienststelle angezeigt.

Damit war nach über 22 Jahren Personalratsarbeit das Ende der Fahnenstange erreicht. Anschließende Versuche vieler Kolleginnen und Kollegen, bei den nachfolgenden Personalratswahlen, mich wieder für die Personalratsarbeit zu reaktivieren, habe ich jeweils dankend abgelehnt (trotzdem war es ein gutes Gefühl zu spüren, dass viele Kollegen meine zurückliegende Arbeit schätzten, und der Meinung waren, dass ich einigen aktuellen Personalratsmitgliedern im Gremium mal wieder Feuer unter deren Hintern machen sollte).

Doch damit waren die Folgen der jüngsten Erkrankung noch nicht überstanden, nachdem ich am 14. Januar 2003 den Dienst wieder aufnahm. Denn eben an diesem 14. Januar 2003 bekam ich die Weisung von der Dienststelle, meine Dienstfähigkeit vom Amtsarzt prüfen zu lassen.

Feststellung meiner Dienstfähigkeit durch den Amtsarzt

Da hatte ich also erst vor ein paar Monaten mein Personalratsman-dat aufgegeben, und schon begann die Hetzjagd der Dienststelle auf meine Person, denn durch die Bestimmungen des Personalvertretungsgesetzes war ich nunmehr nicht mehr geschützt - nun gab`s also die berühmten Retourkutschen.

Mit Weisung vom 14. Januar 2003 war es nun die Dienststelle, die ab diesem Zeitpunkt ungeheuren Druck auf mich aufbaute, denn es blieb nicht nur bei der Weisung der Dienststelle den Amtsarzt zwecks Feststellung meiner Dienstfähigkeit aufzusuchen (und das ganze Gebilde das nun folgte hatte nun wahrlich nichts mehr mit Fürsorgepflicht zu tun).

Man beschäftigt sich in solcher Situation natürlich mit der Frage, was wird, wenn der Amtsarzt tatsächliche meine Dienstunfähigkeit feststellt? Wer stopft mir dann das dadurch entstehende große Rentenloch als Einzelverdiener? Das sind Fragen, die man nicht so einfach verdrängt - schließlich habe ich auch eine Familie zu versorgen. Für mich stand nach diesen Überlegungen definitiv fest, dass ich es der Dienststelle bei dieser „Zwangsuntersuchung" als Retourkutsche nicht leicht machen werde!

Neben der Feststellung meiner Dienstfähigkeit hat meine Dienststelle den Amtsarzt auch gebeten, zu meiner Bildschirmuntauglichkeit Stellung zu nehmen (wie in meiner Abhandlung „meine fachärztlich attestierte Bildschirm-untauglichkeit und die dienstlichen Folgen" schon beschrieben),

In seinem Bericht an die Dienststelle schreibt der Amtsarzt am 20. Januar 2003: „Das von dem behandelnden Augenarzt ausgestellte Attest hinsichtlich der Untauglichkeit für Bildschirmarbeiten habe ich zur Kenntnis genommen". Und weiter: „Hinsichtlich der Belastbarkeit muss ich auf die Tatsache hinweisen, dass Herr Keller wieder im Arbeitsprozess ist. Ich kann ihn daher keine Dienstunfähigkeit attestieren."

Dass dieser Bericht des Amtsarztes meiner Dienststelle nicht gefiel, muss ich wohl nicht näher erklären, denn deren Erwartungshaltung war genau diametral. Dieses nutzte die Dienststelle aber dazu, nunmehr den Druck auf mich dahingehend aufzubauen, indem man mir nahe legte, wegen meiner Erkrankung doch frühzeitig in Rente zu gehen - mein Standortleiter wörtlich:

„Wir werden sie bei der Beantragung der Rente nach unseren dienstlichen Möglichkeiten auch kräftig unterstützen – darauf haben sie mein Wort" (von dienstlichen Ausgleichszahlungen wegen des Rentenloches hat er natürlich nichts gesagt). Ich habe diese Ausführungen der Dienststelle lediglich zur Kenntnis genommen - mehr nicht.

Am 16. Juni 2003 die nächste Hiobsbotschaft von der Dienststelle. Da die Dienststelle die von meinem Augenarzt attestierte Bildschirmunfähigkeit vom 11. April 2000 anzweifelte (nach über 3 Jahren kommt die Dienststelle zu dieser Auffassung!? - komisch, nicht wahr), sogar von einem „Gefälligkeitsgutachten" war die Rede, wurde ich per schriftlicher Weisung aufgefordert, eine weitere augenärztliche Begutachtung vornehmen zu lassen. Der Gutachter wurde diesmal von der Dienststelle bestimmt (wie in meiner Abhandlung „meine fachärztlich attestierte Bildschirmuntauglichkeit und die dienstlichen Folgen" auch schon beschrieben),

In seinem Bericht an die Dienststelle kommt der Augenarzt Hagedorn aus Leer zu der Erkenntnis, „dass er die Einschätzung meines Augenarztes bezüglich meiner Bildschirmuntauglichkeit in vollem Umfange teilt". Da der Herr Hagedorn sehr ungehalten über diese Haltung der Dienststelle gegenüber dem Attest meines Augenarztes Dr. Schultke reagierte, bat er mich, seinen Bericht meinem NLBV Standortleiter persönlich auszuhändigen (was ich natürlich mit Freude machte - und dabei habe ich meinen Boss tief in die Augen geschaut, um ja seine Reaktion nicht zu verschwitzen).

Nachdem mein Dienststellenleiter den obigen Bericht des Augenarztes „enttäuscht" zur Kenntnis genommen hatte, versuchte er mir erneut das Thema Rente schmackhaft zu machen. Doch diesmal wirkte das Thema Rente bei mir aufbauend, hatte ich mir jetzt doch fest vorgenommen, dass er es in seiner dienstlichen Eigenschaft nicht erleben wird, dass ich vorher in Rente gehe - mein Ziel war, „ihn dienstlich zu überleben" - und das habe ich auch geschafft!

Am 4. Dezember 2003 bekam ich von der Dienststelle erneut die

Weisung, meine Dienstfähigkeit vom Amtsarzt feststellen zu lassen. Die Dienststelle war der Meinung, dass ich durch meine Vorerkrankungen nicht mehr dienstfähig sei. Zu dieser Auffassung sei angeblich auch die Betriebsärztin der Polizei gekommen (die auch für unsere Dienststelle zuständig war), obwohl sie mich bis dato nicht mal gesehen hatte.

Doch auch diesmal scheiterte die Dienststelle mit ihrem Versuch mich los zu werden. Der Amtsarzt stellte in seinem Bericht an die Dienststelle vom 12. Dezember 2003 lediglich fest: „Hingegen ist eine Doppelbelastung, hierzu gehört auch eine Urlaubsvertretung, mit erheblichen Risiken für seinen Gesundheitszustand verbunden, und demzufolge zu vermeiden".

Damit hatte die Auricher Dienststellenleitung sein Pulver verschossen. Einen weiteren Versuch mich vorzeitig los zu werden, unternahm meine Dienststelle nun nicht mehr. Ich gehe davon aus, dass die Dienststelle zwischenzeitlich bemerkt hatte, dass ich die Dienststelle in vorstehenden Fragen, auch ein Stück weit am Nasenring durch die Arena „Rente" geführt hatte.

Ende 2006 dann die große Kehrtwende der Dienststelle, nach den gescheiterten Versuchen der Dienststelle mich vorzeitig los zu werden, nach meiner geschilderten Eingabe beim Landtag und nach meiner Klageerhebung beim Arbeitsgericht Emden, wurde ich von der NLBV Standortleitung in das Dezernat 33 „Angestelltenrate" **auf einem bildschirmfreien Arbeitsplatz** umgesetzt (wie in meiner Abhandlung „meine fachärztlich attestierte Bildschirmuntauglichkeit und die dienstlichen Folgen" auch schon beschrieben habe),

Privater Umzug im Jahre 2005 von Marienhafe nach Aurich

Im Laufe der vielen Jahre hatte ich die arbeitstägliche Pendelei zwischen meinem Wohnort Marienhafe und meinem Dienstort Aurich satt - einerseits weil man auf diesen 42 Kilometern (hin und zurück) jeden Grashalm kannte - sich mit den Jahren selbst dabei erwischte, nicht mehr wegen der täglichen Routine so konzentriert im Straßenverkehr zu sein, und andererseits weil man auch so langsam in die Jahre kam - und sich die tägliche Fahrerei ersparen wollte. Somit habe ich mir im Jahre 2005 in Aurich (Kernstadt) einen großen Bungalow mit größerem Grundstück gekauft, und bin noch im gleichen Jahr mit der Familie auch dorthin umgezogen. Anzumerken ist, dass meine Frau gebürtig aus Aurich-Walle stammt, und sie wegen ihres seit etlichen Jahren prekären Gesundheitszustandes zweckmäßigerweise am Ort ihrer Fachärzte wohnen möchte (wegen der kurzen Wege). Somit konnte ich mit diesem Hauskauf in Aurich gleich zwei Fliegen mit einer Klatsche schlagen.

10-jähriges Jubiläum des NLBV - Die Feierstunde der Gesamtbehörde fand in Aurich statt

Im April 2008 war von der Behörde NLBV (mit den Standorten Aurich, Braunschweig, Hannover und Lüneburg) geplant, am Standort Aurich -Ausgangsort für die Gründung der Behörde- eine große Jubiläumsfeier zum 10-jährigen Bestehen durchzuführen. Das Konzept für diese große Veranstaltung war mir zwar nicht bekannt, doch wie von den Organisatoren zu hören war, sollte diese Festlichkeit eine „große Sause" mit vielen Bediensteten und Gästen werden. Schirmherr und Festredner sollte der damalige Finanzminister Hartmut Möllring sein.

Doch dann muss irgendwo irgendetwas gekniffen haben, denn aus der geplanten „großen Sause" wurde nichts, stattdessen nur noch eine kleine Feierstunde zu der ca. 100 Gäste (von denen nur ca. 50 kamen), geladen waren.

Da ich zu dieser Feierstunde als Ideengeber und oberster Streiter für die Gründung des NLBV für diese Feierstunde **keine** Einladung bekam, erkundigte ich mich beim ehemaligen MdL Hermann Bontjer, ob er denn eine Einladung bekommen hatte. Doch auch hier war die Antwort negativ - auch er als weiterer Aktivist für die Gründung des NLBV bekam ebenfalls **keine** Einladung. Vom ehem. Regierungspräsident Bernd Theilen ist mir diese Information nicht bekannt, da ich ihn telefonisch nicht erreichen konnte (anlässlich der Feuerstunde wurde er jedoch nicht gesehen). Dieses ist natürlich ein Eklat gegenüber uns Aktivisten - ein handfester Skandal.

Da die Organisationsleitung dieser Feierstunde aus Auricher Kollegen bestand, muss ich nicht lange darüber nachdenken, wem wir diesen Skandal zu verdanken hatten.

Aus dem NLBV wurde nach 12 Jahren OFD-LBV

Mir waren aus der Landesregierung Pläne bekannt geworden, dass NLBV aufzulösen, und deren Aufgaben in die OFD zu integrieren. Diese Informationen waren so heiß, vor allen Dingen für den Standort Aurich (die ja in der Vergangenheit Stellen- und Bestandkummer gewohnt war). dass ich diese an die **Ostfriesische Nachrichten** zur weiteren Recherche und zur Veröffentlichung weitergab. Die ON berichtete anschließend in großer Aufmachung.

Daraufhin setzte eine umfangreiche Recherche seitens der Landesregierung ein, wollte man doch den Urheber des Presseartikels und seines Informanten aus den Reihen der Landesregierung ausfindig machen - jedoch ohne Erfolg. Aus den Reihen der CDU Landtagsfraktion erfuhr ich damals, dass die Regierungsfraktionen (CDU und FDP) im Zusammenhang mit dem NLBV gerne von der „roten Vorzeigebehörde" sprachen, die es galt „platt zu machen". Hier nun Einzelheiten dazu:

Am 24. Februar 2009 beschloss das Landeskabinett eine Reform der Finanzdienstleistungen in Niedersachsen. Bestandteil dieser Reform ist die Übernahme des NLBV mit ca. 700 Stellen in die OFD, wobei anzumerken ist, dass das NLBV erst zum 1. Januar 1998 im Wege der Verwaltungsreform neu gegründet wurde. Der Finanzminister, dem die Federführung dieser neuen Reform oblag, versprach sich durch die Behördenzusammenlegung Synergieeffekte.

Einen Tag später, am 25. Februar 2009, erklärt der Finanzminister im Ausschuss für Haushalt und Finanzen des Nds. Landtages, dass beim NLBV noch ca. 500 Stellen eingespart werden müssen, denn die Behörde habe die ihr auferlegte Einsparverpflichtungen nicht erfüllt (so auch im Protokoll des Ausschusses). Wie man hörte, hat der Finanzminister in dieser Ausschusssitzung keinen souveränen Eindruck hinterlassen (er soll dort bezüglich der Einbindung des NLBV in die neue Reform erhebliche Begründungsprobleme gehabt haben).

Man darf wohl getrost davon ausgehen, dass der Finanzminister auch tags zuvor im Kabinett mit diesen (falschen) Zahlen Politik gemacht hat. **War der Nds. Finanzminister jetzt noch glaubwürdig?**

Tatsache ist, dass der Finanzminister im o. a. Ausschuss die Unwahrheit gesagt hat! Tatsache ist ebenfalls, dass das NLBV alle Einsparverpflichtungen der Landesregierung erfüllt hatte! Das NLBV hat seit dem 1. Januar 1998 bis Anfang 2009 über 50 % der Stellen eingespart.

Neben den falschen Zahlen des Finanzministers zur Begründung der NLBV / OFD Reform, gab es weitere gravierende handwerkliche Fehler des Finanzministers zu vermelden. Politik, Verwaltungsmodernisierer und die betroffenen Behörden wurden an dieser neuen Reform nicht beteiligt bzw. gehört (die Reformmaßnahme wurde erst am Freitag vor dem Kabinettsbeschluss am 24. Februar **durch den ON Pressebericht** bekannt - das heißt, die Landesregierung muss hier ein Informationsverbot ausgesprochen haben!). Das Finanzministerium gab externe Gutachten für die Reform der Finanzdienstleistungen in Auftrag - jedoch ohne die Einbindung des NLBV an dieser Reform. Dieses beweist eindeutig, dass ursprünglich nicht beabsichtigt war, dass NLBV in die neue Reform einzubeziehen.

Wie damals zu hören war, verliert die OFD Hannover die Aufgaben des Zolls an Berlin (oder hatte diese schon an Berlin abgegeben). Damit gehen oder gingen der OFD eine Vielzahl an Stellen und Verantwortlichkeiten verloren. Stellen und Verantwortlichkeiten, an denen sich die Bezahlung der Leitungsebene des OFD zu orientieren hat. Der Oberfinanzpräsident wird, wie zu hören war, damals noch nach B 7 besoldet.

Damit diese B 7 Stelle für den Oberfinanzpräsidenten und die Besoldungsgruppen der Abteilungspräsidenten erhalten werden konnten, mussten neues Personal, Aufgaben und Verantwortlichkeiten in die OFD übernommen werden! Wie man hörte, ging der damalige Oberfinanzpräsident in absehbarer Zeit in den wohl verdienten Ruhestand. Mit an Sicherheit grenzender Wahrscheinlichkeit stand der Nachfolger schon in den Startlöchern - sicherlich ein Kandidat mit dem „richtigen Parteibuch". Da dieser Kandidat nicht am Hungertuche nagen sollte, hat die Landesregierung damals sicherlich die Zusage erteilt, die B 7 Stelle zu erhalten.

Das NLBV wurde also dafür degradiert (oder auch missbraucht), um den Bossen der OFD die Eingruppierung und somit die Bezahlung zu sichern. - Mit Verlaub - aber das war ein lupenreiner politischer Skandal!

Das NLBV ist eine Landesbehörde die 1998 von der Landesregierung unter Leitung des damaligen Ministerpräsidenten Gerhard Schröder im Zuge der Verwaltungsreform gegründet wurde. Eine Behörde die sich nicht nur bewährt hat, sondern die bisher, auch von der neuen Landesregierung als „Vorzeigebehörde" dargestellt und verkauft wurde. Ich hatte von Anbeginn den Verdacht, dass es sich bei der Auflösung des NLBV um ein Politikum handelte - ohne Sachzwänge.

Ja, es war schon beachtlich, dass die damalige schwarz / gelbe Landesregierung in Niedersachsen scheinbar eine ganze Behörde opfere um die Präsidentenstellen der neuen OFD von der Wertigkeit und der Bezahlung her zu sichern. Das heißt, der damaligen Hannoveraner Regierungskoalition waren scheinbar Personen mit dem richtigen Parteibuch wichtiger, als die Selbständigkeit einer Behörde mit über 700 Mitarbeiterinnen und Mitarbeitern, die seinerzeit im Wege der Verwaltungsreform scheinbar von der „falschen Partei" gegründet wurde.

Ich bezeichne vorstehende Praktiken als willkürliche politische

Vetternwirtschaft auf Kosten und zu Lasten der reformgestressten Bediensteten des NLBV und des Steuerzahlers.

Jedermann weiß, dass große Verwaltungsbehörden (oder auch Verwaltungseinheiten) ineffektiv sind, weil sie sich in der Regel hauptsächlich mit sich selbst beschäftigen - der ursächliche politische Verwaltungsauftrag, wie seinerzeit schon bei der OFD an der Tagesordnung, kam zu kurz. Übrigens, was hat das Niedersächsische Landesamt für Bezüge und Versorgung (NLBV) mit dem OFD als Aufsichtsbehörde der Finanzämter zu tun? Oder, was hat die staatliche Bauverwaltung mit dieser OFD zu tun?

Richtig - eine Mittelbehörde als Sammelsurium aus grundverschiedenen Aufgaben, also ein Relikt aus der Steinzeit, wurde künstlich gefestigt, damit deren Bosse finanziell bei Laune gehalten werden konnten (bzw. Leute mit dem richtigen Parteibuch für diese Jobs zu gewinnen waren) - während man die Bezirksregierungen als Mittelbehörde im Jahre 2003 platt gemacht hat - aber das war ja im Gegensatz zur OFD-Reform ein Wahlversprechen aus dem Jahre 2003. Wo blieb da eigentlich die vielbeschworene Gleichbehandlung?

In den zurückliegenden Jahren hat das Land Niedersachsen im Zuge der Verwaltungsreform mehrere Tausend Stellen eingespart - Stellen und Arbeitsplätze, die einstmals als sicher bezeichnet wurden. Die Aufgaben der Landesverwaltung wurden im Zuge dieser Verwaltungsreform jedoch nicht verringert - im Gegenteil, die Aufgaben nahmen und nehmen ständig zu, und müssen mit wesentlich weniger Personal erledigt werden, wobei die zur Verfügung stehende Technik nicht unbedingt „pralle" ist. Produktivitätssteigerungen um 150 % und mehr eines jeden einzelnen Sachbearbeiters und Gruppenleiters war und ist an der Tagesordnung. Fragt sich nur, wie lange man diesen Dauerdruck noch aushalten kann? Ich befürchte, dass viele Sachbearbeiter „diese mittelalterlichen Arbeitsverhältnisse" nicht ein Berufsleben lang durchstehen können - schon derzeit geht bei vielen Bediensteten dieser Dauerstress zu Lasten der Gesundheit! Wo bleibt da eigentlich die Fürsorgepflicht der Landesregierung? Andererseits hat die „schwarz / gelbe Landesregierung" die durch Personalabbau erzielten Reformgewinn für die Schaffung neuer

Stellen und Aufgaben in anderen Landesbehörden und Verwaltungszweige mit vollen Händen gleich wieder verschleudert (was auch vom Niedersächsischen Landesrechnungshof immer wieder bemängelt wird), sodass in 10 Jahren „bürgerlich / liberaler Landespolitik" unterm Strich kein nennenswerter Personalabbau zur Konsolidierung des Landeshaushalts stattfand.

Unsere Bosse reden in vorstehender Situation immer gerne und ausgiebig von motivierten Mitarbeitern, die man zu betreuen hat, die mit Eifer gut und gerne ihren Job machen. Schade, dass niemand sich traut, diesem inhaltslosen Gerede mal ein Ende zu bereiten. Aber vielleicht muss man solche inhaltsleeren Reden halten, um damit einen Teil der eigenen Daseinsberechtigung, für die man ja bezahlt wird, zu dokumentieren.

Und was unternahm der Auricher Personalrat in vorstehender Auflösung des NLBV?

Seit dem Jahre 2009 hatte ich das **Gästebuch der Landesregierung** als Diskussionsplattform für die kritische Begleitung der Politik der Landesregierung und der eigenen Behörde / Dienststelle entdeckt. In diversen Artikeln zur aktuellen Politik des Auricher NLBV / LBV Personalrats, insbesondere in Sachen Auflösung des NLBV als eigenständige Behörde und deren Eingliederung in die OFD, habe ich damals ausgiebig Stellung genommen.

Eine für jedermann zugängliche öffentliche Reaktion auf meine Kritik gab es jedoch nicht. Entweder hatte der Personalrat wegen ihrer unverständlichen und nicht nachvollziehbaren Handlungen in der Sache ein schlechtes Gewissen, oder diese Helden wollten meine Kritik einfach nur aussitzen. Nur, wer was aussitzen will, braucht nicht nur ein dickes Fell, sondern in erster Linie einen kräftigen „Hintern".

Da schaut man sich doch bloß mal den Erfinder des Aussitzens an, den lieben ehem. Bundes Helmut aus der Pfalz mit seinem besonderen Appetit auf Saumagen, der brachte nicht nur die natürliche Ruhe und die nötige Statur mit, sondern auch ein entsprechendes „Hinterteil" - bei ihm stimmte bezüglich des Aussitzens Anspruch und Wirklichkeit. Und beim Auricher Personalrat? Da stimmt nicht mal der Anspruch! Selbst ein CDU Landtagsabgeordneter hat mir im Jahre 2009 in Sachen „NLBV Auflösung" bescheinigt, (wörtlich) „dass der Auricher Personalrat kein A.... in der Hose hat".

Apropos Auflösung der eigenständigen Behörde NLBV. Ich hatte nach einer entsprechenden Presseinformation über die Auflösung des NLBV (die für die Landesregierung und die Behördenleitung des NLBV sehr peinlich war), sowohl der Auricher Personalratsvorsitzenden als auch dem Gesamtpersonalratsvorsitzenden des NLBV meine Hilfe für diese existentielle Auseinandersetzung angeboten. Großspurig wie diese Kollegen nun mal waren, haben diese Besserwisser damals meine Hilfe entschieden zurückgewiesen. Und nicht nur dies, der Auricher Personalrat hat damals in der Frage der Auflösung des NLBV und deren Eingliederung in die OFD nicht nur die Unterstützung des Wahlkreisabgeordneten Wiard Siebels dankend abgelehnt, sondern hat ihn sogar zurückgepfiffen, als er auf „eigene Faust" unsere Interessen wahren wollte. Stattdessen haben diese Kollegen sich lieber dem MdL Ulf Thiele anvertraut, der in Politiker Kreisen (teilweise sogar in seiner eigenen Partei) als „Sprücheklopfer" bekannt ist.

Bei der Auflösungsgeschichte des NLBV hat der Auricher Personalrat von Beginn an die dauerhafte Auricher Stellenbestandsgarantie schlichtweg vergessen - hat dieses wichtige Instrument für Auricher Interessen einfach aus den Augen verloren. Das ist nicht nur grob fahrlässiges Verhalten, sondern pure Dummheit. Jedermann der sich mit Verwaltungsreformen auskennt, weiß, dass solche Reformen eine eigene Dynamik entwickeln - was heute noch gilt, kann morgen schon überholt sein. Darum war es mir seinerzeit wichtig, vor Beginn der „Reformmaßnahme NLBV" eine dauerhafte landespolitische Sicherung unserer Auricher Arbeitsplätze zu erreichen, die ja auch in Form einer Standort- und Stellenbestandsgarantie schon im Februar 1996 durch Landesregierung und einstimmigen Beschluss des Landtages erteilt wurde. Bekanntlich wurde die Reformmaßnahme NLBV erst 22 Monate später umgesetzt. Ein fähiger Personalrat kennt diese Mechanismen und handelt entsprechend!

Einige Kollegen in Aurich hatten seinerzeit im Zusammenhang mit der Auflösung des NLBV und deren Eingliederung in die OFD immer von einer sich bietenden Chance gesprochen (fragt sich nur welche?). Bis zum heutigen Tage sind wir bei der OFD nur „fünftes Rad am Wagen" - nicht mehr und nicht weniger,

Wie aus Kollegenkreisen zu hören war, verteidigten die Auricher Personalrats-mitglieder (auch deren Vorgänger) ihr Handeln mit dem Hinweis, dass man nicht mehr die politischen Mitwirkungs- und Einflussmöglichkeiten hat wie noch in den 1980er und 1990er Jahren. Demzufolge wären ihre Handlungsmöglichkeiten nur sehr gering gewesen.

Das ist natürlich blanker Unsinn. Weder wurde die Demokratie in Niedersachsen abgeschafft, noch die Personalvertretungsrechte verschlechtert. Bei diesen Statements dieser glorreichen Helden handelt es sich um lupenreine Verdrängungsmechanismen, um nicht öffentlich das Versagen ihres eigenen Handelns eingestehen zu müssen.

Wer „gute" Kollegen hat braucht keine zusätzlichen Feinde

Ja, es gab und gibt schon „Marken" in unserer Dienststelle, Marken im positiven wie aber auch im negativen Sinne. Über einen bestimmten Kollegen möchte ich hier jetzt berichten. „Mein Freund" (so nenne ich ihn mal), ein karrierehungriger Typ wie er im Buche steht, der vor lauter Kraft kaum noch Laufen konnte - frei nach dem Motto: „Herr, was bin ich, und was kann aus mir noch werden". **Anzumerken ist**, dass ich nichts gegen Karrieren einzuwenden habe - vorausgesetzt, dass diese auch nachvollziehbar sind.

Ich überlasse es den Lesern, eine Bewertung der von mir aufgeworfenen Fragen vorzunehmen. Ich beschränke mich hier lediglich auf die objektive Schilderung.

Der von mir geschilderte Kollege war einige Jahre mein Gegenspieler im Personalrat und Vorsitzender der Konkurrenzorganisation Beamtenbund (DBB / VdL). Bei der 1992iger Personalratswahl war er als Spitzenkandidat des DBB / VdL aufgestellt. Aus den Kreisen des DBB /VdL hieß es damals, dass „mein Freund" wegen der gewerkschaftsinternen Unstimmigkeiten bei der DAG und der ÖTV der neue Auricher Personalratsvorsitzender sein wird. Doch weit gefehlt, in der damaligen konstituierenden Sitzung des neu gewählten Personalrates hatte er gegen mich nicht den Hauch einer Chance. Obwohl keiner der beteiligten Gewerkschaften und Verbände absolute Mehrheiten aufwiesen, wurde ich in der konstituierenden Sitzung des neu gewählten Personalrates mit einer klaren 2/3 Mehrheit zum Personalratsvorsitzenden gewählt.

Nach Übernahme des Sachbearbeiterpostens in der inneren Organisation (A 12 Stelle) der Außenstelle Aurich der Bezirksregierung Weser-Ems (Dez 101) legte er später sein Personalratsmandat nieder.

Kurze Zeit nach Beginn der 1992er Personalratslegislaturperiode besuchte unser Personalratsvorstand (bestehend aus 3 Kollegen) führende damalige SPD Politiker des Landtages (unter anderem dem Landesvorsitzenden „Joke" Bruns) und der Landesregierung auf deren Einladung (als stellvertretender Vorsitzende war natürlich „mein Freund" als Beamtenvertreter mit an Deck). Nach Beendigung des Gesprächs bedankte sich der Kollege bei uns, dass wir ihn gegenüber den Politikern „nicht in die Pfanne gehauen haben" (wegen seiner Zugehörigkeit zum Beamtenbund). Frage: Warum sollten wir den Kollegen „in die Pfanne hauen"? Wir würden durch solche Handlungen doch nur unsere Personalrats-Position gegenüber der Politik schwächen (hatte er wohl nicht begriffen).

Bei der Personalratswahl 1996 war „mein Freund" als Vorsitzender des Wahlvorstandes aktiv. Nach Auszählung der abgegebenen Stimmen, nachdem fest stand, dass mir und meiner Gewerkschaft zur absoluten Mehrheit der Mandate in der Gruppe der Angestellten nur wenige Stimmen und um den Arbeitersitz das Losglück fehlten, ließ er sich für etliche Anwesende gut vernehmbar zur folgenden Äußerung hinreißen: „Nun ist der Keller endlich weg"!?

Mit dieser Äußerung gab er damals klar und deutlich zu erkennen, dass er von meiner damaligen Arbeit und Politik zur Rettung unserer Auricher Arbeitsplätze durch Gründung einer neuen Behörde (das spätere NLBV) nichts hielt – diese sogar durch diese Äußerung offenkundig ablehnte (und das als beteiligter „neutraler" Wahlvorstand?)! Passt diese öffentlich bekundete Haltung zu einer Karriere im NLBV?

Können Sie sich noch an die Bundestagswahl 2009 erinnern? Damals forderte die FDP vehement das Bundesentwicklungsministerium ersatzlos abzuschaffen - anschließend wurde Dirk Niebel (FDP) deren neuer Bundesminister - Kurios und pure Wählertäuschung, aber wahr!
Und jetzt vergleichen Sie dieses FDP-Verhalten mal mit dem geschilderten Verhalten meines Kollegen - er wurde mit seiner an den Tag gelegten Haltung der „Dirk Niebel" des NLBV Standorts Aurich - erst nichts von der Behörde wissen wollen, und anschließend dort Karriere machen. Nur zum Big-Boss reichte es nicht.

Doch damit nicht genug. Im Dezember 1997, kurz vor dem Start des NLBV zum 1. Januar 1998, bekam ich von der Dienststelle eine „schriftliche Nachricht", aus der hervor ging, dass meine fast 800 Überstunden aus arbeitszeitrechtlichen Gründen auf 60 Stunden reduziert werden. Diese Überstunden hätten zeitnah abgebaut werden müssen; eine Ansammlung dieser Stunden zu einem späteren Ausgleich wäre nicht zulässig. Bearbeitet wurde dieser Vorgang von „meinem Freund" dem Cheforganisator der Außenstelle Aurich der Bezirksregierung Weser-Ems! Hinzuzufügen ist, dass WEDER der fragliche Kollege NOCH sein Big-Boss diesbezüglich mit mir vorher ein klärendes Gespräch führten! Sieht so die viel gerühmte vertrauensvolle und fürsorgliche Zusammenarbeit aus?

Der Auricher Dienststelle und dem Regierungspräsidenten der Bezirksregierung Weser-Ems war bekannt, dass diese Überstunden durch meine Arbeit zur Rettung der Auricher Arbeitsplätze ab 1994 entstanden sind (entsprechende Anerkennung der geleisteten Überstunden wurden in Gesprächen mit dem damaligen Auricher Außenstellenleiter vereinbart)! Ein zeitnaher Abbau dieser

Überstunden hätte bedeutet, dass ich meine personalvertretungsrechtlichen Aufgaben nicht mehr im vollen Umfange hätte erledigen können - was einer unzulässigen Behinderung meiner Personalratsarbeit durch Dienststellenweisung bedeutet hätte! Aber das war den betreibenden Protagonisten der Dienststelle scheinbar Ende 1997 schon wieder entgangen oder egal.

Januar 1998 - „mein Freund" wurde natürlich auch NLBVer - und was für einer, erst von A 12 nach A 13 (Dezernatsleiter Beihilfe), und kurze Zeit später im Wege des Aufstiegs von A 13 nach A 15 (Dezernatsleiter der Besoldungsstelle mit Familienkasse und **Trennungsgeld / Umzugskosten**) - Donnerlottchen, da muss ne alte Frau aber lange für stricken. Und wie es der Zufall (!?) so will, ab Anfang der 2000er Jahre wird er sogar mein Dezernatsleiter (welche Freude). Im Herbst 2000, vor Beendigung meiner langen Erkrankung, fand auf mein Betreiben über meine zukünftige dienstliche Verwendung eine lange Unterredung mit unserem damaligen Präsidenten Dr. Hagebölling und meinem Auricher Big-Boss statt. Mein Big-Boss damals wörtlich: „Sie wollen doch sicherlich nicht als Sachbearbeiter ins Dezernat „ihres Freundes" (Name anonymisiert)". Herr Dr. Hagebölling lehnte entsprechende Überlegungen entschieden ab. Ich entschied mich damals für die Abteilung Trennungsgeld / Umzugskosten.

Mir kann jetzt jemand erzählen was er will, aber die genannten Dienststellenfürsten haben mit an Sicherheit grenzender Wahrscheinlichkeit schon zum Zeitpunkt der Unterredung gewusst, dass „mein Freund" den Aufstieg macht, und anschließend wegen fehlender Alternativen mein Dezernatsleiter wird! Diese Show hätten beide sich getrost sparen können. Eine weitere Kommentierung erspare ich mir.

Auf dem Höhepunkt des Kleinkrieges mit meinem Big-Boss wegen meiner Bildschirmarbeit trotz Bildschirmunfähigkeit sprach ich „meinem besonderen Freund" und damaligen Dezernatsleiter auf diese haltlose Situation an. Sein Kommentar: „Das ist nicht mein Problem, sondern Sache des Dezernates 31, ich habe da keine Aktien drin"! Uff - ein Statement eines gestandenen Mannsbildes und fürsorglichen Dezernatsleiters! Das war eine pflichtwidrige unterlassene Hilfeleistung! Oh Mann, mit solchen Leuten ist nun wahrlich kein Staat zu machen - arme Niedersächsische Landesverwaltung. Da habe ich in meiner langen Dienstzeit aber andere Dezernatsleiter kennen und schätzen gelernt, die hätten in solchen Fragen bzw. ähnlichen Fällen der zuständigen Personalabteilung aber Feuer unter dem Hintern gemacht.

War es nun die fehlende Durchsetzungskraft „meines Freundes", oder waren es nur pure persönliche Animositäten - die berühmten unangemessenen Retourkutschen in einem Untergebenen-verhältnis?

Irgendwann 2006 war dann mein Gastspiel im Dezernat Beamtenbesoldung bei „meinem Freund" vorbei, ich wechselte dann nach überstandenem Bandscheibenvorfall in das Dezernat Tarifentgelte und musste fortan keine Bildschirmarbeit mehr verrichten. Ja, wer Kollegen hat, braucht keine weiteren Feinde! - **Das war die eine Seite der Medaille…**

… und die Kehrseite der Medaille?

Wenn man sich als Personalvertreter durch verschiedene erfolgreiche Aktionen in der Dienststelle einen Namen gemacht hat, wird man scheinbar für etliche Kolleginnen und Kollegen erst so richtig interessant (wohlwollendes Schulterklopfen und „gut gemeinte Ratschläge" von Kollegen hier, und Küsschen und schmachtende Blicke von den Kolleginnen da). Diese Kehrseite der Medaille, die -wie ich vermute- hauptsächlich nur meinem Amt geschuldet war, war zwar einerseits auch vielfach lästig (weil ich verschiedentlich die Ehrlichkeit dahinter vermisste) - doch andererseits, soweit es ehemalige Kolleginnen betraf, auf eine angenehme Art und Weise auch wieder wohltuend, fühlte man sich doch als Mann in den mittleren Jahren noch nicht „zum alten Eisen" gehörig - genervt haben nur die Gerüchte im Kollegenkreis, die anschließend die Runde machten - man musste halt einfach nur über den Dingen stehen und Ruhe bewahren.

Häufig gestellte Fragen von Kolleginnen und Kollegen

Frage: Wann wirst du endlich mal seriös?

Meine Antwort: Ich bin wie ich bin, und daran beabsichtige ich auch nichts zu ändern. Auch die längeren Haare, wenn diese mittlerweile auch weiß geworden sind, werde ich so lange es geht beibehalten. Für mich ist und war auch in der Vergangenheit wichtig, dass ich eine seriöse Arbeit abliefere. Alles Schnick-Schnack um die Frage der persönlichen Seriosität war und ist für mich unwichtig. Hauptsache ist, dass ich mich in meiner Haut wohl fühle, und wer meine längeren gepflegten Haare bzw. meine Jeans und Lederjacken nicht mag, soll halt woanders hinschauen.

Frage: Warum hast du eigentlich für Bildschirmarbeitsplätze gekämpft, obwohl du daran nicht arbeiten darfst?

Meine Antwort: Ich habe um die Auricher Arbeitsplätze gekämpft - nicht um meine Befindlichkeiten. Wäre es anders, hätte man mich heute wegen meiner egoistischen „Kurzsichtigkeit" zu recht an den Pranger stellen dürfen. Es war damals nicht wichtig was ich arbeitstechnisch darf und was nicht - es ging mir um zukunftssichere Arbeitsplätze für Aurich, und sonst nichts.

Frage: Würdest du nach all deinen negativen Erfahrungen in der Dienststelle alles noch mal so machen wie in deiner aktiven Personalrats- und Gewerkschaftsvergangenheit? Würdest du noch mal für den Erhalt Auricher Arbeitsplätze kämpfen?

Meine Antwort: Grundsätzlich „Ja", aber sicherlich innerbetrieblich nicht ganz so robust wie in den 1980iger und 1990iger Jahren. Sicherlich würde ich heute den Kolleginnen und Kollegen noch ausgiebiger erklären. warum bestimmte Handlungen notwendig sind. Wie z. B. damals die Herauslösung der Besoldungs- und Beihilfeaufgaben aus der damaligen Bezirksregierung. Ich habe es damals schlichtweg unterschätzt, dass es einer Dienststelle mit ca. 380 Beschäftigten innerlich zerreißt, wenn man die eigene Dienststelle aus begründeten Sachzwängen aus einem bestehenden Behördenkomplex herauslösen will. Damals bin ich davon ausgegangen, dass jedermann diesen Schritt auch nachvollziehen kann. Damals habe ich die Kritiker einfach abblitzen lassen - diese Robustheit würde ich heute nicht mehr anwenden. Ansonsten, wie schon ausgeführt, würde ich für Aurich wieder in die Bütt gehen - warum auch nicht.

Meine Dienstzeit in der Behörde geht zu Ende

Am 31. Dezember 2011 war mein dienstliches Ende der Fahnenstange erreicht. Ab 1. Januar 2012 war ich dann nach 41 Jahren und 9 Monate Dienststellenzugehörigkeit Rentner. Tatsächlich war jedoch schon am 6. September 2011 um 12.06 Uhr Schluss, denn durch aufgesparte 2 Kalenderjahre Urlaub und Abbau von Überstunden, konnte ich schon im Spätsommer die Segel in der Dienststelle streichen.

Da ich nun 10 Monate vor Erreichung meiner Altersfrist meinen aktiven Dienst beendete, denn erst am 5. Oktober 2012 wurde ich 65 Jahre jung, musste eine Auflösung meines Arbeitsvertrages erfolgen. Diesen Auflösungsvertrag habe ich dann nach Erhalt meines Rentenbescheides in den ersten Dezembertagen 2011 in der Personalabteilung der Dienststelle unterschrieben. Bei dieser Gelegenheit wurde ich dann offiziell gefragt, ob ich mit einer Verabschiedung durch die Dienststellenleitung einverstanden sei, Dem habe ich zugestimmt - warum auch nicht (der ehemalige Standortleiter, mein besonderer Freund, war ja nicht mehr an Deck).

Doch danach war **seitens der Dienststelle das große Schweigen angesagt** - bezüglich einer offiziellen Verabschiedung durch die Dienststelle hörte ich nichts mehr.

Somit habe ich dann Anfang 2012 bei der Landesregierung angefragt, warum ich nicht, wie in der Landesverwaltung allgemein üblich, von meiner Dienststelle verabschiedet wurde.

Das Finanzministerium schreibt dazu in seiner Stellungnahme unter anderem: „Das Verhältnis der Dienststelle zu Herrn Keller war immer wieder durch Auseinandersetzungen geprägt. Dieses gipfelte darin, dass Herr Keller im Jahre 2006 wegen vermeintlich schwerer Körperverletzung und Nötigung im Amt gegenüber den damaligen Standortleiter des NLBV in Aurich Strafanzeige gestellt hat."

Und weiter: „In unzähligen Eintragungen ins Gästebuch der Landesregierung machte Herr Keller seine negative Einstellung zur Dienststelle und zu ehemaligen und noch aktiven Kollegen sehr deutlich. Seine Ausführungen führten zu einer Störung des inneren Betriebsfriedens am Standort Aurich."

Anmerkung: In diesen beiden Punkten ging es um meine widerrechtliche Bildschirmarbeit (daher die Strafanzeige) und um die Auflösung des NLBV und deren Eingliederung in die OFD, gegen die ich im Gästebuch der Landesregierung im Jahre 2009 auch mit harten Bandagen gekämpft habe. Die angebliche Störung des inneren Betriebsfriedens gab es scheinbar nur bei meinen Berufskritikern zu vermelden, denn die große Mehrheit meiner ehem. Kolleginnen und Kollegen fanden meine außerparlamentarische Arbeit für die Dienststelle Aurich rundherum gut. Diese Dinge wurden in dieser Ausarbeitung auch schon umfassend geschildert.

Feststellung: Trotz dieser beiden mir negativ zur Last gelegten Punkte, **bin ich im April 2010 -also 4 Jahre nach meiner Strafanzeige gegen den Standortleiter - von der Dienststellenleitung zu meinem 40jährigen Dienstjubiläum geehrt worden (die Ehrung wurde krankheitsbedingt durch den stellv. Standortleiter und des Personalratsvorsitzenden wahrgenommen)!** Bei diesem Anlass, der in der Regel ca. 30 Minuten dauert, haben wir uns über 2 Stunden in absolut freundschaftlicher Atmosphäre über die zurückgelegten 40 Dienstjahre und meine diversen Aktivitäten unterhalten, ohne das hier seitens des Dienststellen- und des Personalratsvertreters auch nur ein Wort der Kritik an mich herangetragen wurde!

Das Finanzministerium schreibt in seiner Stellungnahme weiter: „Das weit über eine kritische Einstellung hinausgehende Verhalten des Herrn Keller wird auch aus einem Bericht der Ostfriesen

Zeitung vom 23.05.2011 deutlich. Ohne das eine Entscheidung der Leitung der Dienststelle bezüglich der Unterbringung der Referate getroffen worden war, wandte sich Herr Keller an die Presse und warf der Dienststelle massive Steuerverschwendung vor."

Anmerkung: Durch meine vorherigen kritischen Eintragungen im Gästebuch der Landesregierung (bevor ich mich an die Presse wandte) bezüglich der widersinnigen „Zerstückelung der Abteilung Tarifentgelte" ohne Not, hatte die Auricher Dienststellenleitung Zeit genug, in der Abteilung Tarifentgelte durch Gespräche mit der entsprechenden „Abteilungsleitung" bzw. in einer „Teilpersonalversammlung für die Abteilung Tarifentgelte, Sachaufklärung betreiben können. **Dieses ist jedoch unterblieben!** Somit gab es für mich und das hausgemachte Problem nur noch den Weg in die Öffentlichkeit. Nutznießer dieser Zerstückelung der „Tarifentgelte" (die als Ganzes auf Grund der komplizierten Aufgabenstellung auf enge Zusammenarbeit angewiesen sind) waren die drei Beihilfereferate, die nach Meinung der Dienststelle „Haus an Haus und Tür an Tür" untergebracht werden sollten, obwohl alle Beihilfesachbearbeiter lupenreine „Einzelkämpfer" sind, die nicht auf kollektive enge Zusammenarbeit angewiesen sind (so auch selbst die Mitarbeiter der Beihilfereferate). Da für die ersten Umzüge dieser beschriebenen unsinnigen Beihilfekonzentration innerhalb der Auricher Dienststelle in der jüngeren Vergangenheit schon Unsummen an Geldern für die Speditionen geflossen waren (für hausinterne Umzüge am Schlossplatz), ist jeder weitere Cent an Ausgaben für diese Maßnahme eine Verschwendung von Steuergeldern (laut damals vorliegender Informationen sollte für den anstehenden Umzug ein fünfstelliger Eurobetrag fällig werden (ja, so saniert man Speditionen) - im Grunde genommen ein Fall für den niedersächsischen Landesrechnungshof!

Zusätzliche Anmerkung: Obwohl die Dienststelle und das Finanzministerium (im Wege einer Petition) mir 2011 versicherten, das die zersplitterte räumliche Unterbringung der Vergütungsabteilung über zwei Behördenhäuser nur von kurzer Dauer sein sollte, wurde zwischenzeitlich diese Zerstückelung „unumkehrbar in Zement gegossen." Die Auricher Dienststelle hat im Jahre 2014 keine räumliche Lösung für die Wiedervereinigung der Abteilung Tarifentgelte gefunden (was ich den Herrschaften schon im Jahre 2011 ins Stammbuch geschrieben hatte), sodass die von deren Zusage im Petitionsverfahren nur Schall und Rauch übrig blieb: - Soweit zur Wahrheit und Klarheit der handelnden Dienststellen- und Ministeriumsvertreter.

Zudem ist festzustellen, dass das Finanzministerium in seiner Stellungnahme nicht die ganze Wahrheit gesagt hat, denn zum Zeitpunkt der Presseveröffentlichung hatte die Dienststelle schon in der Umzugsangelegenheit eine klare Entscheidung getroffen, die dann ja anschließend auch in diesem Sinne Punkt für Punkt umgesetzt wurde (was soll also diese Heuchelei der Auricher Dienststelle und des Finanzministeriums).

Das Finanzministerium schreibt in seiner Stellungnahme weiter: „Verabschiedungen werden üblicherweise durch die Dienststellenleitung im Beisein der zuständigen Referatsleiterin oder des zuständigen Referatsleiters und eines Vertreters des Personalrates vorgenommen. Hierauf wurde seitens der Bereichsleitung der OFD-LBV Aurich bewusst verzichtet. Die Ansicht des Herrn Keller, er habe sich gegenüber seiner Dienststelle immer loyal verhalten, wird von der OFD-LBV Aurich nicht geteilt." **Wau – eine starke Feststellung!**

Anmerkung: Loyal zu sein setzt Ehrlichkeit und Fairness aller Beteiligten voraus. Diese Ehrlichkeit und Fairness war jedoch, wie in diesem Buch umfassend beschrieben, bei der Auricher Dienststellenleitung vielfach nicht zu finden. Mir jetzt seitens meiner Dienststelle und der schwarz / gelben Landesregierung zu unterstellen, dass mir die Loyalität abhanden gekommen sei, ist schon ein handfester Skandal, denn das Wohl der Auricher Dienststelle mit seinen weit über 300 beschäftigten Kolleginnen und Kollegen standen immer im Mittelpunkt meines Handelns - dieses habe ich mehrfach erfolgreich unter Beweis gestellt (wie in diesem Buch auch nachzulesen ist). Doch der damaligen „schwarz-gelben" Landesregierung war ich nun mal ein Dorn im Auge (hier sei nur an meine Aktivitäten gegen die Auflösung des eigenständigen NLBV und deren Eingliederung in die OFD erinnert) - das ging nun mal nicht zusammen - „und was der damaligen Landesregierung recht, war, war der Dienststellenleitung der OFD-LBV in Aurich und Hannover scheinbar bedenkenlos billig" - die haben dieses schmutzige Spiel, wie man unschwer erkennen kann, auch noch tatkräftig unterstützt! Nochmals im Klartext: **Fakt** ist, hätte ich (um nur ein Beispiel zu nennen) mit meinen revolutionären Ideen zur Gründung eines Landesbesoldungsamtes (wie ich dieses Gebilde damals bezeichnete) zur Sicherung unserer Auricher Arbeitsplätze nicht mit aller Macht und ohne Rücksicht auf eigene Befindlichkeiten nach vorne getrieben, und hätte nicht die politische Überzeugungsarbeit pro Auricher Interessen bei der damaligen Landesregierung und Landtag in Hannover geleistet, wären am 31. Dezember 1999 die Lichter für immer in unserer Auricher Dienststelle ausgegangen - das sollten sich mal einige Leute in der Auricher Behörde „hinter die Ohren schreiben"!

Meine Loyalität mit Dienststellen / Behörden, Kolleginnen und Kollegen endet dort, wo Engstirnigkeit, Karrieresüchtigkeit auf Kosten und zu Lasten der Kolleginnen und Kollegen, Rückgratlosigkeit und „volle Hosen" vor der Ministerialbürokratie Überhand nehmen!

Aber so sind sie nun mal unsere „neuzeitlichen" hochgelobten Führungseliten in der OFD-LBV Aurich und Hannover - lieb und nett, aber mit dem sprichwörtlichen Rückgrat aus Gummi - meckert und motzt die Landesregierung in Hannover damals aus politischen Gründen gegen einen Kollegen vor Ort, hat man in der nachgeordneten Behörde OFD-LBV gleich „kalte Füße" bekommen - dann wird sogar „im vorauseilenden Gehorsam" Folge geleistet (es könnte ja der eigenen Karriere nützlich sein). Da habe ich aber in meiner Behördenvergangenheit beim Land Niedersachsen aber andere Kaliber kennen und schätzen gelernt - auch in Aurich!

Viele Niedersächsische Landtagsabgeordnete aller Parteien vertreten den Standpunkt: „Hat der Keller hochgradigen Mist gebaut, dann muss man ihn disziplinarisch belangen und gegebenenfalls rausschmeißen, ist das nicht der Fall, und er beendet seinen aktiven Landesdienst durch Rentenbezug, dann ist er -genau wie alle anderen Kollegen auch, offiziell in allen Ehren von der Dienststelle zu verabschieden --darauf hat er einen Rechtsanspruch." Diese disziplinarrechtlichen Gründe lagen bei mir bekanntlich nicht vor - ich habe bei meinen kritischen Handlungen nur meine verfassungsmäßig garantierten Grundrechte in Anspruch genommen - mehr nicht!

Aus vorstehender Unterlassung der Dienststelle wurde ein politischer Skandal

Im Sommer 2012 habe ich die Verabschiedungsgeschichte unseres Behördenstandortes (Regierungspräsident Aurich, Außenstelle Aurich der Bezirksregierung Weser-Ems, des NLBV und der OFD-LBV Aurich) eingehend recherchiert – hauptsächlich bezüglich der vielen ehemaligen NSDAP Mitglieder und deren Gliederungen, die nach dem Artikel 131 Grundgesetz und den begleitenden Bundesgesetzen der ersten beiden Bundesregierungen in der Auricher Behörde / Dienststelle wieder zu Ämtern und Würden kamen.

Durch Recherche bei vielen alten ehem. Kollegen und in Auricher Archiven habe ich erfahren, dass wir in unserem Behördenstandort eine Vielzahl ehemalige eingeschriebene Nazis beschäftigt hatten (von denen ich auch aus meiner fast 42 jährigen Dienstzeit noch viele persönlich kannte). Wie ich in vielen Gesprächen erfuhr (bei etlichen konnte ich mich auch selbst daran erinnern), sind alle diese alten Nazi-Kämpfer von der Behörde / Dienststelle ehrenvoll in den Ruhestand verabschiedet worden. Hier wurde seinerzeit nicht nach belasteten und weniger belastenden Nazis unterschieden. Mir selbst sind etliche Personen bekannt, die ihre „braune Vergangenheit" selbst in der Dienststelle bis in die 1980iger Jahre hinein immer noch öffentlich auslebten, ohne das dieses Tun und Handeln von der Dienststelle / Behörde unterbunden bzw. getadelt wurde. Das ist eine Schande für die Behördenkultur in der Bundesrepublik Deutschland!

In diesem Zusammenhang muss ich jetzt zwangsläufig feststellen, dass es ebenfalls eine Schande für die OFD-LBV Aurich und der damaligen schwarz / gelben Niedersächsischen Landesregierung war, dass die „neuen bürgerlichen Braunen" für ihre schäbige verbrecherische Vergangenheit auch noch ehrenvoll von der Dienststelle / Behörde in den Ruhestand verabschiedet wurden, während man mir diese Verabschiedung mit vorgeschobenen nicht stichhaltigen Argumenten verweigerte! Das heißt, man stuft mein dienstliches Verhalten auf Grund meines praktizierten Grundrechtes auf seriöse Meinungsfreiheit schandvoller ein, als die vorkriegsbelasteten Nazi-Kollegen, die nur über das höchst umstrittene 131iger Recht ihre Nazi-Vergangenheit im öffentlichen Dienst der Bundesrepublik wieder erfolgreich ausleben konnten (das Wort seriös steht hier für eine nicht persönlich verletzende und verunglimpfende Meinungsfreiheit)! Aber was will man von der CDU und FDP als personelle Nachfolgeorganisationen der NSDAP schon anderes erwarten...

Ein bekannter Psychologe hat in den 1960iger Jahren in einer wissenschaftlichen Arbeit über „die psychisch-geistigen Strukturen der NSDAP-Mitglieder und deren Eignung zur demokratischen Umerziehung" festgestellt: „Was Hänschen nicht lernt, lernt Hans nimmermehr – also, einmal Nazi, immer Nazi". Weiter stellte er fest, dass eine einmal verinnerlichte Doktrin durch eine Umerziehung nicht verschwindet. Man wird danach vielmehr in die Lage versetzt unfallfrei zu heucheln. Denn Fakt ist, in wessen Bunde man sich wohlgefühlt hat, entweder durch eigenes Zutun bzw. durch Teilung angenehmer Überzeugungen durch Dritte, wird man ein Leben lang nicht verdrängen können – man wird sich immer in einem wohligen Gefühl daran erinnern – die Ursprungsüberzeugungen sind also ungebrochen.... Ja, Nazi bleibt nun mal Nazi!

Der Niedersächsische Landtag und die Landesregierung haben auf vorstehende Hinweise **nicht** offiziell reagiert (eine nachträgliche Verabschiedung hatte ich ohnehin ausgeschlossen). Auf meine diesbezüglichen Schreiben bekam ich **keine** Antwort (wie schon festgestellt, dass war eben die „schwarz / gelbe" Mehrheit in der Niedersächsischen Landespolitik, die mit einem „Roten" nichts im Sinn haben). Mir wurde aber bekannt, dass die damalige schwarz / gelbe Landesregierung der Behördenleitung OFD-LBV in Hannover diesbezüglich einige Nettigkeiten ins Stammbuch geschrieben hat.

Fazit meiner Dienstzeit

Wo sind die Jahre geblieben? Jetzt bin ich schon knapp über 2 Jahre aus dem aktiven Dienst heraus - aber abgeschlossen ist dieser große zurückliegende Lebensabschnitt für mich immer noch nicht, denn jetzt beginnt so langsam die persönliche Buchführung - aufgestellt nach Soll und Haben.

Man endet bei einer solchen Buchführung immer bei der Frage, hat sich mein Einsatz in und für die Auricher Behörde / Dienststelle gelohnt? Kann man sich nach 41 Jahren und 9 Monaten Behörden- und Dienststellenzugehörigkeit immer noch im Spiegel anschauen, und feststellen, dass man sich von der Behörde / Dienststelle nicht „verbiegen lassen" hat? - Letzteres kann ich definitiv ausschließen, und darauf bin ich stolz, man hat's zwar versucht, wie geschildert, meine Persönlichkeit zu brechen, mich stromlinienförmig zu formen - doch das habe ich nicht zugelassen, und darum sind meine Spiegel im eigenen Hause auch nicht zerborsten.

Die eigene Beantwortung der Frage nach meinem Einsatz in und für die Auricher Behörde / Dienststelle fällt mir ungleich schwerer. Wie die vorstehenden Texte belegen, habe ich viele positive Dinge für die Auricher Behörde / Dienststelle und meiner ehemaligen Kolleginnen und Kollegen nicht nur erfolgreich angeschoben und auf die richtige Schiene gesetzt, sondern auch im wahrsten Sinne des Wortes persönlich erkämpft - damit bin ich auch absolut zufrieden, und schlägt sich in meiner diesbezüglichen Buchführung positiv nieder.

Doch welchen Preis habe ich persönlich für diesen Einsatz bezahlt? Stimmt unter Berücksichtigung dieser Frage meine persönliche Buchführung „unterm Strich" immer noch? Nein, diese Rechnung geht nicht auf, denn meine Gesundheit ist bei diesen aufreibenden Einsätzen über zig Jahre auf der Strecke geblieben - ich habe dafür einen teuren und hohen Preis bezahlt! Aber, ich will mich nicht darüber beklagen, denn schließlich habe ich diesen Weg selbst aus freien Stücken gewählt.

Trotzdem fällt meine persönliche Buchführung immer noch positiv aus, denn die guten Ergebnisse für den Behördenstandort Aurich, die einzig und alleine bei mir im Vordergrund meines Handelns standen (auch wenn manche mir diesbezüglich Egoismus unterstellten), „sind bleibende Verdienste", wie mir auch der ehemalige Präsident des NLBV, Dr. Lothar Hagebölling, in einem Schreiben aus dem Jahre 2001 bestätigte, die mir niemand mehr nehmen kann - schon von daher haben sich meine kämpferischen Einsätze für Aurich gelohnt.

Klar ist ebenfalls, dass damals niemand von den Kollegen in der Auricher Dienststelle bereit war, sich für eine unsichere und undurchsichtige Sache mit revolutionären Ideen auf dünnem und brüchigem Eis zu begeben, um die Auricher Arbeitsplatzprobleme in Angriff zu nehmen!
Jedermann hat damals in der Auricher Dienststelle darauf gesetzt, dass der Reformkelch der Landesregierung an unsere Arbeitsplätze in Aurich vorbei geht - „es wird nicht so heiß gegessen wie gekocht", hieß es damals - diesen bagatellisierenden Spruch vieler Auricher Kollegen habe ich immer noch im Ohr.

Doch es macht einen großen Unterschied einerseits zu wissen was man für den Erhalt des Behördenstandortes persönlich geleistet hat, und andererseits auch öffentlich darüber zu reden - zumal wenn man weiß, dass die erbrachte Leistung vielen Kolleginnen und Kollegen unangenehm ist. Dank und Anerkennung für die Schaffung des neuen Landesamtes zum 1. Januar 1998 und die Vollstreckungsbehörde als Teil des NLBV zum 1. Januar 2000 und die damit verbundene dauerhafte Sicherung der Auricher Arbeitsplätze und somit des Auricher Behördenstandortes habe ich von meinen Kolleginnen und Kollegen nicht erwartet - sondern nur den Respekt für meine erbrachte Leistung!

Trotz allem, wie an anderer Stelle schon erwähnt, würde ich den Job nochmals machen - was aus heutiger Sicht bedeutet, dass ich mit meiner dienstlichen Buchführung zufrieden bin.

Meine Ehrenämter

Vom 1. April 1980 bis zum 31. März 1988 war ich zwei Perioden lang „ehrenamtlicher Richter" beim Sozialgericht Aurich und vom 1. Januar 1985 bis zum 31. Dezember 1992 war ich ebenfalls zwei Perioden lang „Schöffe" beim Landgericht Aurich. Weitere durch Kommunen und Gewerkschaft vorgeschlagene Ehrenämter musste ich ab 1993 wegen Arbeitsüberlastung ablehnen.

Schlussbemerkungen

Da ich nun mal ein unverbesserlicher Optimist bin, betrachte ich diese Ausarbeitung als so eine Art Zwischenbilanz. Ja, es waren ereignis- und lehrreiche Jahrzehnte die ich bisher überstanden habe - es gab gute aber auch weniger gute Zeiten, Siege aber auch bittere Niederlagen und tiefe Enttäuschungen - doch eines gab es für mich nie - **Aufgeben**! Ich fühlte mich immer am wohlsten, wenn ich mitten im dicksten Getümmel steckte, wenn das Wasser mir in persönlich verzwickten und in fast aussichtslosen dienstlichen Angelegenheiten bis zum Hals stand - die Wellen über meinem Kopf zusammenschlugen, ich die Ärmel aufkrempeln und kämpfen musste - ja, diese Tugend wurde zu meinem Markenzeichen und gleichzeitig auch als Fassade mein äußerer Schutzschirm, denn, was tief in meinem Inneren vorgeht, ging und geht keinen etwas an. Doch Angst vor neuen Herauforderungen oder Ängste des Scheiterns oder Versagens hatte ich nie - sondern nur Respekt vor der zu lösenden Aufgabe.

An die guten Zeiten erinnert man sich natürlich gerne zurück - wie soll es auch anders sein. Nach meinen schlimmen gesundheitlichen Erfahrungen aus den Jahren 1959 / 1960 (der Augenunfall und seine Folgen) und aus der Zeit vom Oktober 1965 bis Mitte April 1968 (der angeblichen Lungenerkrankung) habe ich lernen müssen, dass auch die weniger guten Zeiten ein Teil meiner Identität darstellen, die man schweren Herzens zu akzeptieren hat - auch wenn man diese Dinge ursächlich nicht zu verantworten hatte.

„Es kann der Frömmste nicht in Frieden leben, wenn es dem bösen

Nachbar nicht gefällt" bzw. „Das leben ist kein Wunschkonzert (und schon gar nicht auf längere Sicht exakt planbar)" - ja, diese Erfahrungen habe ich seit ich denken kann zur Genüge gemacht (was auf vielen Seiten dieses Buches auch nachzulesen ist). „In den Schoß gefallen" ist mir gar nichts - alles musste hart, und vielfach gegen starke Widerstände erarbeitet und erkämpft werden. Aber, ich will mich nicht beklagen...

Tief Emotional geprägt hat mich meine unvergessene erste große und einzig wahre Liebe von Anfang August 1968 bis zum bitteren, schmerzlichen, und meines Erachtens auch schandvollen Ende am 10. Januar 1969 durch den von meiner damaligen Herzdame einseitig gebrochenen vormaligen gemeinsamen ewigen Liebes- und Treueschwur auf Grund unserer gemeinsam verabredeten Unternehmung in der Stadt Lage (nur um zusammen sein zu können) zur Minimierung meines damaligen gesundheitlichen Risikos (wie beschrieben). Die Lockerheit und Unverkrampftheit voran gegangener Jahre waren anschließend schlagartig wie weggewischt. Zurück blieb ein Mensch, der sich aus tiefer Enttäuschung danach mit Verbissenheit und Hartnäckigkeit ins politische Geschäft stürzte (vielleicht auch deshalb, um Vergessen zu können - was jedoch anschließend zu keinem Zeitpunkt auch nur annähernd gelang).

Ja, es ist schon bitter und enttäuschend wenn man nicht mehr an gegebene Versprechungen und gemeinsame Schwüre glauben kann, wenn diese zwischenmenschliche vertrauensvolle Umgangsform vorsätzlich zerstört werden und nur noch zu inhaltsleeren hohlen Worten verkommen. Seit dem beschriebenen Ereignis von dem ominösen 10. Januar 1969 habe ich das Vertrauen in gesprochene Worte verloren. Seit diesem Zeitpunkt glaube ich nur noch an das was ich sehe und was ich mit den Händen und meinem Verstand auch anpacken, greifen und fühlen kann.

Genervt hat mich zeitlebens der Wankelmut etlicher Zeitgenossen. Meine Devise lautete bisher immer, dass ich für Sachen in die Bütt gehe, von deren Bedeutung und Durchsetzbarkeit ich fest überzeugt bin. In solchen Fällen habe ich aus Überzeugung teilweise auch mit harten Bandagen gekämpft - sowohl gegenüber nervenden Verhandlungspartnern in Politik, Ministerien und Verwaltung als auch gegenüber unbelehrbaren Kolleginnen und Kollegen. Ging es darum öffentlich errungene Positionen gegen unqualifizierte Äußerungen zu verteidigen, so habe ich ab und an auch kräftig mitgeholzt - ein Kind von Traurigkeit war ich diesbezüglich nie (jedoch alles im Rahmen der Fairness). Vielfach habe ich dabei erfahren müssen, dass meine Kontrahenten meinen Einsatz als persönlichen Affront werteten, und mir meinen Einsatz für die Sache übel nahmen - mir sogar deshalb teilweise die Freundschaft aufkündigten. Diese Leute haben einfach nicht kapiert, dass ich keine Ressentiments gegen meine Widersacher hatte, sondern nur für meine Überzeugungen gekämpft habe. Nach Beendigung einer solchen Auseinandersetzung in der Sache, hatte ich kein Problem, mit meinen Kontrahenten ein Bierchen zu trinken bzw. auch weiterhin als gute Kollegen zusammenzu-arbeiten.

Viele Auricher Bürger sind entsetzt über das schändliche Verhalten meiner Dienststelle bezüglich meiner Nichtverabschiedung nach Beendigung meiner aktiven Dienstzeit. Dieses unehrenhafte Verhalten der Behörde beweist nach Ansicht vieler Bürger einmal mehr, dass für Behördenleitungen und deren Führungsetagen nur Leistungen zählen und anerkannt werden, die man selbst erbracht hat - Leistungen von Mitarbeitern werden schlichtweg ignoriert bzw. abgewertet, zumal wenn man als Mitarbeiter kein stromlinienförmiges und unterwürfiges Verhalten an den Tag gelegt hat.
Ich sehe das Ganze etwas gelassener, denn schließlich weiß ich, was ich für den Behördenstandort Aurich geleistet habe. Haben andere damit ein Problem, ist das meines Erachtens ein Zeichen von deren Hilflosigkeit im Umgang mit ihrem eigenen Versagen, als es darum ging, unsere Arbeitsplätze dauerhaft abzusichern bzw. danach die Selbständigkeit der eigenen Behörde zu erhalten.
Auf einen feuchten Händedruck zum Abschied, bzw. auf salbungsvolle, nicht ehrlich gemeinte Worte, konnte ich gut und gerne verzichten.

Am 27. September 2013, wo ich diese Zeilen schreibe, bin ich nunmehr seit zwei Jahren von meinen ehemaligen dienstlichen Pflichten befreit - doch, noch immer hat der Tag zu wenig

Stunden, um meinen Tatendrang auch umfänglich nachkommen zu können. Hat man ein großes Haus und ein großes Grundstück, ist man als Rentner im Grunde genommen schon voll ausgelastet - vor allen Dingen wenn man alles in Schuss halten will. Kommen jedoch noch weitere Aktivitäten hinzu, wird es schon ganz schön eng.

So lasse ich es mir beispielsweise nicht nehmen, nach wie vor zu aktuellen politischen Themen öffentlich Stellung zu beziehen - unter anderem in detaillierten themenbezogenen kritischen Ausarbeitungen gegenüber meiner Parteispitze, dem SPD Bundesvorstand in Berlin, und durch Leserbriefe in der Presse - denn wer was ändern bzw. bewegen will, muss sich halt rühren (denn von nichts kommt auch nichts). Somit kommt es zwangsläufig zu heißen öffentlichen Diskussionen. Und als Leserbriefschreiber, wie schon mehrfach öffentlich zu vernehmen war, habe ich mir angeblich schon eine größere Fangemeinde geschaffen (wie auch einige interessante Zuschriften belegen).

Zwei sehr gute Freunde habe ich bisher in meiner Biographie aus gutem Grunde noch nicht erwähnt - denn bekanntlich hebt man das Beste immer für den Schluss auf. Es handelt sich einerseits um Dieter P., mit dem ich fast 40 Jahre in der Auricher Behörde zusammengearbeitet habe (im Jahre 1980 sogar einige Monate im selben Büro). So manchen innerbehördlichen Spaß haben wir miteinander ausgeheckt und auch in die Tat umgesetzt (vor allen Dingen wenn dienststellenbezogene Institutionen mit irgendwelchen Verlautbarungen mal wieder mit unnützen Dingen oder Ungereimtheiten von sich Reden machten). Unsere allmorgendlichen Telefongespräche während der Dienstzeit zwischen 7 Uhr und 7.30 Uhr waren legendär - und keiner der Kollegen bzw. der Dienststellenleitung hat sich gewagt, diese zu stören geschweige denn zu unterbinden. Diese Gespräche waren Kult, und endeten meistens mit einem Witz von Dieter - denn im Witze vortragen war und ist er nun mal unschlagbar (ein Mime vor dem Herrn).

Andererseits handelt es sich um Heinz-Werner Windhorst -besser als „Winni" bekannt- seit 2006 hauptamtlicher Bürgermeister der Stadt Aurich (kürzlich für eine zweite Wahlperiode mit großer

Mehrheit gegen zwei Mitbewerber im ersten Wahlgang wiedergewählt). Winni und ich sind alte partei- und gewerkschafts-politische Kampfgefährten, und kennen und schätzen uns seit grauer Vorzeit (Winni seinerzeit als Personalratsvorsitzender der Stadt Aurich und ich als Personalrat der Bezirksregierung Weser-Ems, Außenstelle Aurich, und des NLBV). In diesen im Klammersatz erwähnten Wahlämter haben wir beide uns kräftig ergänzt - vor allen Dingen wenn es um personalvertretungs-rechtliche Grundsatzfragen ging. Natürlich war und ist es als Freund für mich eine Pflicht, Winni in seinem Wahlamt als Bürgermeister der Stadt Aurich bei Wahlen (aber auch innerhalb der Legislaturperiode) mit Öffentlichkeitsarbeit in der Presse (durch Leserbriefe und dergleichen) kräftig zu unterstützen. Und gelegentlich trifft man sich auch beim Kaffee zu einem Plausch in Winnis Büro im Rathaus.

Die Musik ist nach wie vor mein Hobby - da hat sich gegenüber den 1960iger Jahren bei mir nichts geändert. Die eigene Sammlung nimmt ständig zu, und es wird einer meiner nächsten Aufgaben sein, diese Schallplattensammlung nicht nur zu inventarisieren, sondern auch zu digitalisieren und als Sicherung auf CD´s zu brennen (auch um die alten Scheiben zu schonen).

Früher hatte man bestimmte Vorstellungen wie man sich seinen eigenen Ruhestand nach dem aktiven Dienst vorstellt, welche Unternehmungen, Reisen und dergleichen man dann in Angriff nehmen kann... Doch weit gefehlt, denn erstens kommt es anders und zweitens als man denkt... Nachdem es meiner Frau seit etlichen Jahren gesundheitlich sehr schlecht geht (sie hat einen ständigen **täglichen** Blutdruck im oberen Wert von über 200 mm Hg, wobei anzumerken ist, dass die Mediziner vom Hausarzt bis zum Deutschen-Diagnostik-Zentrum in Wiesbaden vor einem nach ihren Worten unlösbaren Rätsel stehen - über deren Risiken muss ich ja wohl kein Wort verlieren) kann sie aus eben diesen Gründen das Haus auch nicht mehr verlassen - nicht mal mehr zu den Ärzten). Da ihr auch die täglichen Hausarbeiten wegen der zu-nehmenden körperlichen Schwäche nicht mehr zugemutet werden können, habe ich somit auch viele Hausarbeiten zu erledigen, die uns Männern nicht so unbedingt liegen. Daher habe ich es mir zu Eigen gemacht, nachdem meine Frau auch laute Musik wegen eines Tinnitus auf beiden Ohren, der auf den zu hohen Blutdruck zurückgeführt wird, gesundheitlich nicht mehr ertragen kann, mittels drahtlosen Funkkopfhörer diese Arbeiten mit fetziger Musik zu erledigen - man mag es nicht glauben, aber so gehen auch unliebsame Arbeiten wie z. B. Putzarbeiten mit dem Staubmob und dergleichen flott und gründlich von der Hand - nur beim Bügeln entstehen ab und an dort noch Falten wo sie nicht unbedingt angebracht sind.

Apropos Musik... Wie schon im Manuskript niedergeschrieben, habe ich in der Zeit von 1985 bis 1998 auf den legendären Gartenfesten und Jahresabschlussfeten unserer Auricher Behörde jeweils den Job des DJ übernommen. Durch meine Musik, einmal Querbeet, von Uralt Rock n Roll der 1950iger Jahre bis hin zur modernen Popmusik, muss ich wohl so überzeugt haben, dass ich in dieser Zeit auch viele Angebote von Vereinen und auch kommerziellen Unternehmungen bekam, bei Veranstaltungen wie z. B. Sportwochen und Beach Partys am Strand den DJ zu spielen. Etliche dieser Events habe ich gegen gute Bezahlung auch akzeptiert - vor allen Dingen die Beach Partys. Bei der musikalischen Untermalung der Sportwochen (in der Regel die Abschlussdisco) ging alles noch gesittet über die Bühne, doch bei den Beach Partys am Strand, in freier Natur (ich stand mit der Discoanlage nur jeweils ein paar Meter vom Wasser entfernt), ging die Post so richtig ab. Ob nun mit oder ohne Kleidung, waren die Leute mit fetziger Musik erst mal richtig heiß geworden, ging es schnurstracks ab ins kühle Nass. Bei diesen Beach Partys habe ich dann überwiegend die fröhliche und ins Ohr gehende kalifornische Surfmusik der 1960iger Jahre wie z. B. von The Beach Boys, The Rivieras, Jan & Dean, Gary U.S. Bonds, Ronny and the Daytonas, The Hondells, The Trashmen und Bern Elliott and the Fenman gespielt. Ja, auch ich hatte meinen Spaß als „Music Maker" mittleren Alters bei diesem wilden Treiben (natürlich nur an den Reglern des Disco-Pults – wo sonst).

Besonders beliebt waren meine Discos bei den Gartenfesten und Jahresabschlussfeten der Auricher Behörde bei den Herren der Schöpfung der mittleren Jahrgänge, wenn ich das Tempo der Songs deutlich drosselte, und von Power- auf Kuschelmusik umstieg - hier waren dann in erster Linie Rockballaden und schmachtende

Lovesongs bei mir angesagt (von Bryan Ferry and Roxy Music über Chris De Burgh, Foreigner, Bryan Adams bis hin zu George Michael - selbst vor dem Abspielen von „Je t'aime" von Jane Birkin und Serge Gainsbourg schreckte ich nicht immer zurück). In der Zeit von 18 Uhr bis 6 Uhr in der Früh waren 5 bis 6 Mal solche Musikphasen angesagt (gespielt wurden dann jeweils 5 bis 7 langsame Songs in Reihenfolge).

Den Vogel schoss ich aber diesbezüglich auf dem Gartenfest 1994 ab, als ich aus einer persönlichen Stimmungslage heraus, von 23 Uhr bis 1 Uhr 2 Stunden lang ununterbrochen diese Kuschelsongs spielte. Doch der Erfolg gab mir recht - niemals zuvor war die Disco incl. der Tanzfläche so voll, wie in diesen Stunden (schlapp machen war nicht möglich, denn man kam von der Tanzfläche wegen des Gedränges nicht mal herunter - und umfallen ging wegen der Enge sowieso nicht). Anschließend beschwerten sich etliche Damen bei mir wegen angeknabberter Ohrläppchen und dergleichen. Tatsache war jedoch, dass die Behörde an diesem Abend Stromkosten gespart hat, denn trotz des Tanzvergnügens ohne Licht, hat die Luft in der Disco gebrannt, sodass eine weitere Beleuchtung sich ohnehin erübrigte. Über alles andere liegt das Mäntelchen des Schweigens.

Zwischenzeitlich arbeite ich auch an einem zweiten Buchmanuskript, das -wenn möglich- auch veröffentlicht werden soll. Übrigens, die Idee zu diesem vorliegenden Buchmanuskript stammt von einem befreundeten Journalisten, guten Freunden und ehemaligen Arbeitskollegen, die anregten, meine Aktivitäten, ob nun privat oder für die ehemalige Behörde, mal zu Papier zu bringen, auch, um diese Ereignisse nicht in Vergessenheit geraten zu lassen.

Aus vorgenannten Gründen ist es auch gut, dass ich -obwohl schon über zwei Jahre zu Hause- meine innere Uhr noch nicht bezwingen kann - kurz vor 5 Uhr ist auch ohne Wecker die Nacht nach wie vor für mich vorbei. Sollte jetzt auch noch die eigene Gesundheit weiterhin mitspielen, die sich bis auf ein paar Problemchen in den letzten Jahren stabilisiert hat, so bin ich guter Dinge, dass ich vorstehenden Törn auch noch etwas länger durchhalten kann. Denn nun lautet frei nach dem Songtext von Udo Jürgens mein Motto: „Mit 66 Jahren da fängt das Leben an, mit 66 Jahren da hat man Spaß daran… bzw. **the Show must go on… von Queen.**

Ja, man ist doch unverkennbar in die Jahre gekommen… Dieses Bild entstand Ende Mai 2014 auf dem Gelände des Schlossplatzes in Aurich - meiner ehemaligen Dienststelle.